L'ENCYCLOPÉDIE DU
CHAT

Copyright © 1999 pour l'édition originale
Parragon
Queen Street House
4 Queen Street
Bath BA1 1HE
Royaume-Uni

Remerciements à Polly Willis et Dave Jones

Copyright © 2003 pour l'édition française
Parragon

Réalisation : ML ÉDITIONS, Paris
Traduction-adaptation : Sabine Wyckaert-Fetick (p. 6-145), Michel Hourst (p. 146-329), Christine Chareyre (p. 330-378)
Édition : Agnès Mathieu
Correction : Christiane Keukens-Poirier

ISBN : 1-40541-438-3

Imprimé en Chine

L'ENCYCLOPÉDIE DU
CHAT

MICHAEL POLLARD

p

Sommaire

Présentation

Ce livre renferme plusieurs rubriques importantes :

- **Sept chapitres détaillés** sur tous les aspects pratiques intéressant le (futur) propriétaire,
  sur l'histoire du chat et sa place dans le monde des hommes. Photos, illustrations, légendes
  et encadrés « Le saviez-vous ? » offrent, à chaque page, un complément d'information.
- **La description de 44 races félines** distinguant variétés à poil long et à poil court,
  et une section exceptionnelle apportant des renseignements sur les races rares et nouvelles.
- **Des « Fiches d'information »** indiquant nom alternatif, morphologie et variétés de robes
  reconnues au sein d'une même race.
- **Les annexes** proposent une orientation bibliographique, des adresses utiles,
  dont les coordonnées des associations et clubs félins, un glossaire regroupant les termes essentiels
  et, enfin, un index.

SYMBOLES

Trois symboles utilisés tout au long de la partie consacrée aux races
permettent de visualiser des informations au premier coup d'œil :

 La taille du chat : petite, moyenne, grande.

 L'importance des soins de toilettage à lui prodiguer :
de une brosse jusqu'à quatre.

   Le niveau d'activité nécessaire au chat :
un chat assis pour peu ou pas d'exercice ;
un chat au pas pour un exercice modéré ;
et un chat au trot pour un exercice
soutenu.

Introduction

En haut
Les chats nous tiennent compagnie depuis des siècles. Cette statue égyptienne date de 600 av. J.-C.

Page ci-contre
Ce majestueux félin, digne cousin des tigres royaux du Bengale, règne sur le cœur des Français.

LES PREMIERS CONTACTS entre l'homme et le chat remontent à plus de quatre mille ans. Si, au gré de l'histoire, leur relation a connu des hauts et des bas, elle n'a jamais été aussi forte qu'aujourd'hui. En ce début du XXIᵉ siècle, les 24 millions de foyers français abritent près de 8,5 millions de petits félins : en nombre, le chat est désormais près d'éclipser le chien. Cela reflète peut-être le fait que, au rythme trépidant où va la vie, il est plus facile de s'occuper d'un chat que d'un chien, le « meilleur ami de l'homme » demandant plus de temps et d'espace. Quelle qu'en soit la raison, le monde moderne semble en tout cas donner la faveur aux chats.

Il est toujours enrichissant d'apprendre à mieux connaître son animal familier. Tel est précisément l'objet de ce livre, rédigé par un amoureux de la race féline qui, pour posséder des chats depuis plus de trente ans, sait qu'ils n'en finiront jamais de nous surprendre.

Et c'est peut-être là un de leurs attraits majeurs : nous ne comprendrons jamais tout à fait notre chat comme nous connaissons notre chien… ou notre meilleur ami. Baudelaire a su célébrer comme personne le mystère de ces animaux « puissants et doux, orgueil de la maison, aux beaux yeux, mêlés de métal et d'agate ».

Compte tenu de la taille de cet ouvrage, il a fallu résumer la description des spécimens de chaque race. Les idéaux variant d'un pays à l'autre, toute personne désireuse de s'informer sur les standards propres à son pays est invitée à joindre l'association ou le club félins correspondants.

Ce livre détaille les maladies félines les plus courantes. Nous ne saurions trop insister sur le fait que le choix des « traitements maison » est très limité ; si vous avez le moindre doute, il vaut mieux consulter un vétérinaire. En cas d'urgence, les sociétés de protection des animaux pourront vous apporter leur aide ou vous orienter.

À chacun son chat

EN FRANCE ET EN AUSTRALIE, un foyer sur trois environ possède un chat! On retrouve cet engouement dans d'autres pays, bien que le phénomène soit moins marqué. En 1998, le chat domestique (7,6 millions de petits félins) a pris l'avantage sur le chien dans le cœur des Britanniques : un foyer sur cinq en possède un. La proportion est la même aux États-Unis, qui abritent… 30 millions de chats !

LE SAVIEZ-VOUS ?
Les chats domestiques peuvent dépasser trente ans. Dans les zoos, les chats sauvages vivent souvent plus longtemps que leurs congénères en liberté.

Ci-contre
La majorité des chats domestiques sont dits « de gouttière », comme ce chat tigré.

À droite
Poussé à l'excès, l'élevage, censé produire des sujets parfaits, a affaibli certaines races.

LES CHATS DE GOUTTIÈRE
La plupart de ces chats n'ont pas de pedigree : ils ne descendent pas d'une des races pures reconnues par les associations félines nationales. On leur donne généralement le nom peu flatteur de « chats de gouttière ». Un chat domestique typique est issu de générations de croisements spontanés, bien qu'il puisse présenter certains caractères d'une race reconnue. Rien ne permet pourtant de conclure que les chats sans pedigree sont inférieurs à leurs cousins plus « sélects » ; certains éléments tendraient même à prouver l'inverse. En effet, chez les chats de gouttière, l'hérédité a probablement éliminé les spécimens plus faibles, tandis qu'élevage et manipulation génétique peuvent engendrer des problèmes de santé. Le Persan Peke Face, exemple extrême, a été à l'origine de vives polémiques. Les modifications destinées à raccourcir son nez pour lui donner cette « face de Pékinois » ont entraîné problèmes respiratoires, obstruction des canaux lacrymaux et saillie en avant de la mâchoire rendant l'alimentation difficile.

LES CHATS DE RACE
On estime qu'un chat domestique sur quinze environ a un pedigree. Ce dernier atteste la race, le sexe, la couleur du pelage et des yeux, et porte la date de naissance de l'animal. Pour prétendre à un pedigree, un chat doit avoir un arbre généalogique mentionnant les trois générations précédentes et être

inscrit au *Livre officiel des origines félines* (LOOF).
À l'inverse, rares sont les chats domestiques dont
on connaît avec certitude les parents…

En 1989, les associations félines françaises
ne reconnaissaient que vingt-cinq à trente races de
chats. Aujourd'hui, on en recense plus de trente-cinq,
et de nouvelles races attendent d'être reconnues.
En revanche, pour de nombreuses races, la
reconnaissance des nouvelles variétés n'a pas été
limitée et l'on a assisté à une augmentation sensible
depuis les années 1980. Ainsi, le Persan, qui ne
comptait en 1938 que treize variétés reconnues par
la Fédération internationale féline, en compte
aujourd'hui environ cent cinquante !

AU TRAVAIL !

Outre les chats domestiques (8 millions),
la France, comme chaque pays, abrite des chats
semi-sauvages (2,5 millions). Les chats ruraux
(6 au kilomètre carré) sont appréciés des fermiers
pour leurs talents de chasseurs. Les chats des villes
(150 au kilomètre carré) sont à l'œuvre dans
les usines et les édifices publics, et l'on compte
encore quelques chats ayant le pied marin, même
s'ils sont bien plus rares que pendant l'âge d'or
de la marine à voile.

LES CHATS HARETS

Les chats harets sont des chats domestiques
retournés à l'état sauvage, qui survivent de leur

mieux dans la ville ou à la campagne. Leur
population inclut les chats errants, les chats
abandonnés par leur maître, les chats en surnombre
après les fermetures d'usines et, bien sûr,
leurs rejetons. Certains sont sauvages depuis
des générations. Dans les villes, on trouve les chats
harets près des ports, des sites industriels abandonnés,
des décharges et des marchés. Les bâtiments
avec chauffage central, comme les hôpitaux
et les immeubles, leur offrent aussi un abri
confortable. On estime qu'il y a actuellement
dans l'Hexagone 2,5 millions de chats
semi-sauvages… contre quelque 6 millions
aux États-Unis !

UN ANIMAL SOCIAL

Ces statistiques sur la population féline ont
beaucoup à nous apprendre sur les chats et sur
leurs rapports avec les humains.

Tout d'abord, bien qu'il soit avant tout
un être indépendant doté d'excellentes armes
pour survivre – on connaît ses talents de chasseur –,
le chat a noué avec l'homme des liens historiques
qu'il doit à l'intérêt de sa fonction de prédateur
de nuisibles et à l'attrait de sa compagnie.

Ensuite, même sans l'aide de l'homme,
le chat peut survivre et se reproduire.

Enfin, l'existence de véritables colonies
de chats harets prouve que tous ces félins sont
doués pour la vie sociale – qu'ils vivent entre eux
ou soient choyés par leur maître.

LE SAVIEZ-VOUS ?
On n'a pas noté
d'extinction récente
d'une race de chats
sauvages, mais plusieurs
sous-espèces du lion,
du tigre et du jaguar
ont déjà disparu
de la surface du globe.

En haut à gauche
Ce chat des champs est
un adepte de la chasse.

En bas à gauche
et à droite
Bien que l'Hexagone
s'enorgueillisse d'abriter
60 millions d'amis
dans ses foyers, le nombre
de structures d'accueil
pour chats abandonnés
reste insuffisant.

Des chats et des hommes

L E CHAT est un animal familier affectueux, source de grandes satisfactions. Si, de bien des façons, c'est un être solitaire semblant souvent ne compter que sur soi, il est indubitable qu'il recherche et apprécie la compagnie. Durant ses premiers mois, un chaton établit des liens forts, et ce besoin persiste chez le chat domestique adulte.

VIVRE AVEC L'HOMME

L'attachement du chat à l'homme tient à deux traits de caractère. Premièrement, c'est un opportuniste, ce qui l'a poussé à suivre l'homme dans sa sédentarisation. Il suffit d'observer un chat (même bien nourri) qui part à la chasse, tous sens en alerte, pour voir qu'il est prêt à saisir la moindre occasion – une souris filant dans l'herbe, un nid d'oiseau, un nouveau poste d'observation dans le jardin. Deuxièmement, il fait preuve d'adaptation et s'est accommodé à la vie domestique, si bien qu'il mise sur tous les tableaux, du chat sauvage au matou près du feu.

Le chat s'est adapté aussi facilement à la vie à bord des navires – ce n'est qu'en 1975 que, pour raisons sanitaires, on a banni les chats de la flotte britannique – qu'à la vie dans une nouvelle colonie (l'aventure du chat du *Mayflower* et de ses descendants en témoigne) ou même sur un continent

vierge, à l'instar de l'Australie où les colons introduisirent leurs chats. Il faut hélas ! ajouter que l'adaptabilité du chat en a fait un sujet d'expérimentation idéal pour les laboratoires ; heureusement, l'opinion publique a tendance à se révolter contre ces pratiques.

DEDANS OU DEHORS ?

Si combiner intérieur et extérieur est la solution la plus adaptée, le chat d'appartement peut mener une vie très satisfaisante, à condition de bénéficier de compagnie, d'un régime équilibré, d'affection et d'occasions d'exercer ses dons de chasseur et de grimpeur. Le risque étant que, s'il vient à s'échapper, il sera moins apte à faire face aux dangers du monde extérieur, surtout la circulation, et devra peut-être se battre à armes inégales en traversant le territoire d'autres chats.

SON PROPRE MAÎTRE

Le chat conserve toujours dignité et réserve. Contrairement au chien, il ne cherche pas particulièrement à plaire à son maître. Il est rare de réussir à lui apprendre des tours – non qu'il soit moins intelligent que le chien : il n'en voit simplement pas l'intérêt. S'il veut dominer une technique particulière, comme s'étirer vers le haut pour faire jouer le loquet d'une porte et se mettre au chaud, il le fera, car la récompense est personnelle et immédiate. Son maître le trouve mignon ou adroit ? Aucun rapport ! Bien sûr, il en va autrement du jeu ; même un chat assez âgé aimera pourchasser une souris factice.

Ci-contre
Ce chat domestique guette sa proie. Il est bien nourri, mais son instinct le pousse à chasser.

À droite et page ci-contre, en bas à gauche
Choyés, ces chat goûtent les délices de la vie de château.

Caractéristique frappante, après avoir découvert le monde des hommes, le chat a su combiner cette connaissance et son instinct de survie. Un chien perdu aura tendance à errer jusqu'à épuisement, tandis qu'un chat perdu cherchera l'endroit où il sait pouvoir trouver chaleur et nourriture – une habitation humaine –, bien avant le point critique. Bien des chats errants ont trouvé un nouveau foyer en faisant appel avec insistance aux bons sentiments d'une famille accueillante, ou d'un célibataire réticent incapable

de chasser un chat perdu. Il arrive même que certains chats pleins d'assurance quittent leur foyer, certains que l'herbe est plus verte ailleurs.

UN MEMBRE DE LA FAMILLE

Même si le chat est un être routinier qui préfère que les choses suivent leur cours habituel, il ne fait pas preuve de la même loyauté que son homologue canin. Ainsi, le saint-bernard n'a aucun équivalent félin. Les cas de chats soudés au corps de leur maître mort ou réveillant les occupants d'une maison en flammes sont incroyablement rares. Le chat est pragmatique. Il donne la priorité à sa propre survie. Si les chats savaient rire, ils trouveraient l'histoire du saint-bernard amusante et pathétique. Dans une maison en feu, ils seraient les premiers à sauter par la fenêtre.

Cela ne signifie pas qu'ils n'aiment pas leur maître ou qu'ils n'ont pas leur préféré dans la famille ; le chat n'est pas ce « domestique infidèle qui se sert de nous par commodité » que décrivait Buffon. L'explication réside peut-être dans le fait que les chats vivent dans l'instant, alors que les chiens vivent dans l'attente. Pour un chat, le futur est incertain. Aussi placide et confiant qu'un chat puisse sembler, il n'oublie jamais les réalités d'un monde sauvage où il pourrait, demain, devoir défendre son territoire contre des chats rivaux et trouver sa propre pitance et un endroit sûr où dormir.

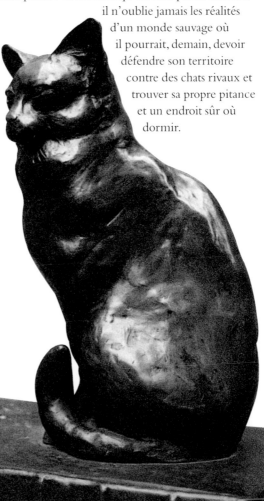

En haut à gauche
Quand il a faim, le chat trouve toujours le moyen de se nourrir.

Ci-contre
Cette statue immortalise Hodge, le chat de l'écrivain britannique Samuel Johnson.

11

Anatomie et sens du chat

CHEZ LE CHAT, l'évolution a produit une «machine à chasser» très développée reposant sur un squelette de 245 os (contre 206 pour l'homme). Cette différence se justifie par le nombre d'os composant la colonne vertébrale du chat. Chez presque toutes les races, l'échine se prolonge par la queue.

UNE STRUCTURE UNIFORME

Contrairement au chien, chez qui l'homme ou la sélection ont supprimé des caractères physiques pour adapter des races données à des buts spécifiques, comme l'endurance chez le chien de berger ou la vitesse chez le lévrier, le chat présente la même structure osseuse quelle que soit sa race, à l'exception d'une ou deux «bizarreries» comme le Manx et le Bobtail japonais. Comparé à celui des chiens, le poids

LE SAVIEZ-VOUS ?

On pensait jadis que panthère et léopard appartenaient à deux espèces différentes. Leur robe tachetée est due au mélanisme. La panthère noire, elle, a un pelage uni.

Ci-contre

Le squelette du chat compte 245 os, soit 40 de plus que l'homme. La structure osseuse, puissante et légère, et le système musculaire très développé donnent au chat sa fluidité et son agilité.

CRÂNE — VERTÈBRES CERVICALES — VERTÈBRES THORACIQUES — VERTÈBRES LOMBAIRES — MÂCHOIRE INFÉRIEURE — SCAPULA — HUMÉRUS — CÔTES — STERNUM — BASSIN — COCCYGIENNE — FÉMUR — FIBULA ET TIBIA — RADIUS ET ULNA — JARRET — MÉTACARPE — PHALANGES — PHALANGES

Ci-contre

L'importance de la mâchoire est la principale caractéristique du crâne. Les canines saillantes maintiennent la proie, la tuent et arrachent la chair ; molaires et prémolaires la sectionnent.

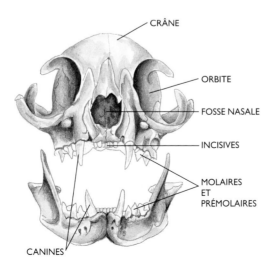

CRÂNE — ORBITE — FOSSE NASALE — INCISIVES — MOLAIRES ET PRÉMOLAIRES — CANINES

des chats ne varie pas beaucoup ; de 3,5 à 7 kg chez le mâle non castré et de 2,5 à 4,5 kg chez la femelle. Le chat moyen mesure environ 30 cm au garrot et quelque 80 cm de la tête à la queue. Autrement dit, tous les chats domestiques affichent au fond la même forme et la même taille, tandis qu'il existe des chiens de toutes formes et de toutes tailles.

On note néanmoins différentes morphologies, les races félines pouvant être scindées en trois groupes. Les chats brévilignes, membres courts et aspect trapu,

ont une tête ronde, un profil concave, des épaules et un arrière-train larges. Le British Shorthair et le Persan en sont des exemples typiques. Les chats médiolignes, comme l'Européen à poil court ou le Rex Devon, ont une tête moins ronde et des membres, des épaules et un arrière-train de taille moyenne. Les chats longilignes, tel le Siamois, ont une tête allongée, une face triangulaire, des membres longs et fins, des épaules et un arrière-train étroits.

SOUPLE ET AGILE

La caractéristique la plus évidente du squelette du chat est peut-être la flexibilité de la colonne. Elle est due à la souplesse articulatoire des vertèbres, séparées, comme chez l'homme, par des disques. Une telle élasticité permet au chat de se reposer confortablement dans les positions les plus diverses, de s'étirer et de réaliser des sauts prodigieux. Il peut aussi tourner la tête de façon à se lécher presque tout le corps. La colonne, reliée au crâne, court jusqu'à la pointe de la queue. Elle aussi flexible, cette dernière permet au chat de « s'exprimer » par une grande variété de mouvements, et lui sert également de balancier quand il grimpe ou qu'il marche sur un mur étroit.

Les articulations de la colonne à l'omoplate et le pelvis (hanches) sont la clé de la mobilité d'un chat actif.

Il n'existe pas de véritable clavicule comme dans le squelette humain. La scapula (omoplate) est plaquée contre le thorax, et non à l'arrière comme chez l'homme. C'est ce qui permet aux félins de se déplacer à grandes enjambées et de se frayer un chemin dans les espaces réduits. C'est aussi ce qui leur donne une démarche cadencée et nonchalante. Cette grande souplesse de mouvement est à son maximum lorsqu'un chat fait un bond en l'air, membres antérieurs tendus dans l'alignement du corps, ou qu'il bondit sur sa proie. De la même manière, le bassin s'articule avec le fémur (os des membres postérieurs), ce qui confère au chat une grande mobilité lors de la chasse.

NÉ POUR CHASSER

Chiens et chats sont digitigrades. Cela signifie qu'ils marchent en appuyant les doigts, et non la plante du pied comme l'homme, qui est un plantigrade. C'est la démarche qui sied à un chasseur, car elle allonge l'enjambée et accroît la vitesse, une petite partie du pied seulement étant en contact avec le sol. Les membres postérieurs du chat, puissamment musclés, sont le moteur de la détente nécessaire pour avancer et sauter. Les muscles des membres antérieurs, eux, entrent en action quand le chat se hisse sur une barrière.

Bien que capables d'une incroyable puissance, les chats peuvent aussi, au besoin, se mouvoir avec une grande discrétion. Un chat à l'affût peut rester totalement immobile pendant un temps considérable. Il arrive même qu'il se fige en plein guet, une patte avant levée, et ne se remette à bouger qu'au moment d'attaquer. Pour acquérir de telles aptitudes, un chien de chasse doit être formé. Pour s'en convaincre, il suffit de comparer la maladresse d'un chien non entraîné et le sens inné de la chasse des félins. Mais à la différence des chats, les chiens sont d'excellents coureurs. Mauvais en endurance, le chat doit compter sur la patience, la surprise et une précision imparable quand vient la « mise à mort ».

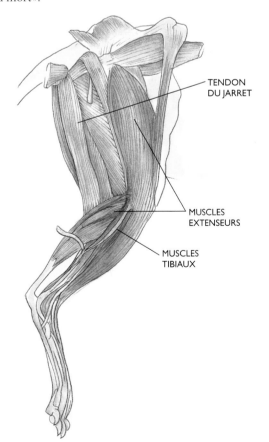

TENDON DU JARRET

MUSCLES EXTENSEURS

MUSCLES TIBIAUX

En haut à gauche
Sa colonne vertébrale flexible confère au chat une agilité qui en fait un excellent grimpeur.

Ci-contre
Les muscles des pattes postérieures permettent une détente puissante, que le chat ne peut toutefois maintenir dans la durée. Le félin s'avère plus compétitif sur de courtes distances.

Griffes et dents

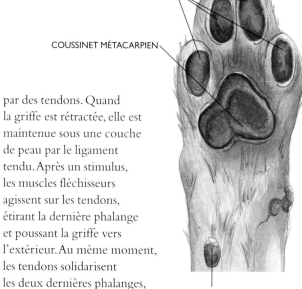

COUSSINETS DIGITAUX

COUSSINET MÉTACARPIEN

COUSSINET CARPIEN

LES GRIFFES – cinq aux pattes avant et quatre aux pattes arrière – sont les armes du chat, destinées à traquer efficacement sa proie et à la tuer. Quand le chat est détendu ou qu'il marche normalement, ses coussinets, bourrelets de chair sensibles, dissimulent les griffes rétractées.

SORTIR LES GRIFFES

Les griffes sont dehors quand le chat grimpe, se déplace rapidement, tue sa proie… et parfois aussi, comme certains maîtres l'ont appris à leurs dépens, quand il est énervé. C'est pour cette dernière raison qu'il faudrait apprendre aux enfants à approcher les chats – y compris ceux qu'ils connaissent – avec prudence et respect. Certains chats sortent facilement les griffes, et quelques-uns ont des griffes non rétractables en raison d'une tare génétique.

RENTRER LES GRIFFES

Tous les félins, à l'exception du guépard, sont capables de rentrer et sortir leurs griffes à volonté. [Le guépard, le plus rapide des animaux terrestres, a toujours les griffes dehors, ce qui lui permet de maintenir la vitesse sur laquelle il compte pendant la chasse.]

Le mécanisme de rétraction repose sur un ligament élastique réunissant les deux dernières phalanges, qui sont reliées aux muscles des membres par des tendons. Quand la griffe est rétractée, elle est maintenue sous une couche de peau par le ligament tendu. Après un stimulus, les muscles fléchisseurs agissent sur les tendons, étirant la dernière phalange et poussant la griffe vers l'extérieur. Au même moment, les tendons solidarisent les deux dernières phalanges, et l'articulation se rigidifie.

DES GRIFFES ACÉRÉES

Aiguiser les griffes est un comportement instinctif. Les chats libres de vagabonder feront leurs griffes sur un arbre ou une palissade et retourneront souvent au même endroit, jour après jour. Les «chats d'intérieur» trouveront instinctivement un objet pour cet usage ; pour éviter que meubles et tapis n'en pâtissent, on placera des griffoirs et l'on apprendra au chat à s'en servir. Il est vain de tenter d'ôter à un chat d'appartement l'envie de labourer les meubles sans lui fournir une solution de rechange. Il arrive par ailleurs qu'il faille couper les griffes des chats d'intérieur. Il vaut mieux que le maître laisse cette tâche délicate à un spécialiste.

L'ablation des griffes, réclamée par certains maîtres, est une intervention mutilante pratiquée surtout aux États-Unis. La majorité des associations félines éliminent des concours les chats ainsi opérés. La plupart des vétérinaires estiment que cette pratique cruelle prive le chat d'un outil psychologiquement important. S'ils s'échappent, ces chats seront en outre incapables de se défendre, d'échapper

LE SAVIEZ-VOUS ?

Le chat est connu pour l'amplitude de ses sauts (jusqu'à six fois la longueur de son corps!) due à la puissance de ses pattes postérieures et à la flexibilité de sa colonne vertébrale.

En haut

Patte avant d'un chat. Les coussinets digitaux correspondent au bout de nos doigts, le coussinet du métacarpe, à notre paume, et le carpe, à notre poignet. Dans les coussinets, sensibles à la pression et à la température, des glandes sécrètent des phéromones.

Ci-contre

Les ligaments élastiques reliant les deux dernières phalanges de la patte permettent au chat de rentrer les griffes. Les puissants tendons situés sous la patte, eux, poussent les griffes vers l'extérieur en se contractant.

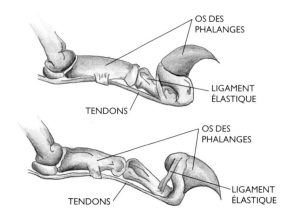

OS DES PHALANGES

LIGAMENT ÉLASTIQUE

TENDONS

OS DES PHALANGES

LIGAMENT ÉLASTIQUE

TENDONS

six incisives qui jouent un rôle mineur, arrachant et déchirant la chair. Quand un chat mange de la pâtée, il n'a pas besoin de se servir de ses canines et avalera aussitôt sa ration. Les aliments durs et secs, eux, passeront d'abord entre les carnassières pour être sectionnés.

Les chats autorisés à sortir trouvent en général assez de proies à se mettre sous la dent pour garder une denture et des gencives saines. Les propriétaires de chats d'appartement doivent éviter de ne leur donner que des aliments en boîte et varier leur alimentation.

La langue du chat joue aussi un rôle. Sa surface rugueuse sert à «râper» et à ramollir les aliments, ainsi qu'à lécher la viande sur les os. Pour boire, le chat lape le liquide en incurvant sa langue en forme de gouttière. La langue est aussi le principal outil de la toilette du chat.

à leurs ennemis ou de grimper aux arbres. Bien que les griffes soient d'excellents outils d'escalade, elles sont moins utiles quand il s'agit de descendre, car elles sont recourbées en arrière et n'offrent aucune prise. C'est pour cette raison qu'il est typique de voir le chat se laisser glisser lamentablement, avant de se retourner rapidement et de sauter. L'agilité des chats à la montée et leur relative maladresse à la descente ont suscité l'attente anxieuse de nombreux maîtres et l'intervention frustrante de bien des pompiers.

UNE DENTURE DE CARNASSIER
Les chats sauvages et les chats domestiques pouvant chasser se nourrissent en arrachant au corps de leur proie des morceaux de chair qu'ils avalent aussitôt.

Les aliments ne sont pas mastiqués, mais entièrement digérés par l'estomac. Des trente dents du chat (le chaton en possède quatre de moins), les plus développées sont les quatre longues canines situées sous le nez et au-dessus du menton. Elles servent à immobiliser et à tuer la proie, avant d'arracher la chair. En arrière des canines se trouvent prémolaires et molaires, ces dents s'organisant autour des carnassières, dont la fonction est de cisailler la viande en morceaux pouvant être avalés. Entre les canines se trouvent

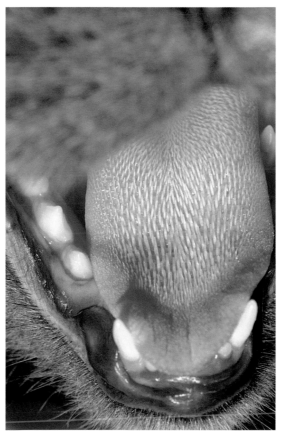

En haut
Les «chats d'extérieur» trouvent naturellement le moyen d'aiguiser leurs griffes.

Ci-contre
Ce gros plan de la langue d'un chat révèle sa surface râpeuse.

En bas à gauche
Le chat a quatre longues canines qu'il utilise pour immobiliser et tuer sa proie.

Page ci-contre, en bas à droite
Le chat domestique doit aiguiser régulièrement ses griffes ; ce griffoir lui évitera de s'intéresser de trop près aux meubles.

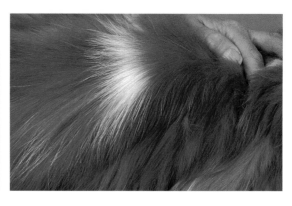

Peau et pelage

L A FOURRURE du chat constitue son attribut le plus admiré et l'élément principal d'appréciation de sa race. Pourtant, et si beau soit-il, le pelage joue avant tout un rôle fonctionnel. Il sert de barrière entre l'animal et son environnement, le protégeant des blessures et des agressions extérieures – chaleur, froid, vent et pluie. L'aspect de la fourrure est aussi, pour le propriétaire du chat, un bon indicateur de la santé générale de celui-ci.

LE SAVIEZ-VOUS ?
En Afrique australe, des guépards naissent avec un pelage rayé et non tacheté. On pensait autrefois qu'ils appartenaient à une espèce différente des autres.

LA FOURRURE

La fourrure d'un chat contient jusqu'à deux cents poils au millimètre carré ! À l'exception de rares variétés comme le Rex, présentant une structure totalement différente, le pelage des chats est constitué de trois sortes de poils. Les poils de jarre forment l'épaisse couche extérieure ; on en compte deux fois plus sur le dos et les flancs que sur le thorax ou l'abdomen. Chacun est planté dans un follicule le reliant au système nerveux. Les poils de jarre répondent ainsi à la colère, à la peur, au froid ou à l'excitation de la chasse en se dressant, donnant au pelage un aspect hérissé et agressif. Ils font partie intégrante du système sensoriel du chat.

Aux poils de jarre sont entremêlés des poils de garde ou de barbe, plus raides, et plus épais à leur extrémité. Ils poussent par touffes. Sous les poils de jarre et de garde (couverture) se trouvent les poils de duvet (sous-poil) qui servent d'isolant à la peau. En outre, par temps froid, le redressement des poils de jarre renforce cette propriété calorifuge, le chat n'ayant pas de couche de graisse protectrice comme le chien.

En bas à droite
Le Rex Devon a un pelage ras qui lui donne un aspect rugueux.

En haut à droite
On peut voir les poils de jarre de ce Persan.

Ci-contre
Ce dessin illustre les différents types de poils composant la fourrure.

LES POILS

Comme nos cheveux, les poils constituant la fourrure du chat ne cessent de se renouveler, tombant et repoussant. Le processus de mue est permanent chez le chat à poil long, et plus visible au printemps chez celui à poil court, avec la perte de l'épaisse fourrure hivernale. Ce phénomène est moins évident chez les chats d'appartement à poil court.

Les follicules pileux ont une seconde utilité, essentielle pour la santé féline. Ils produisent du sébum, sécrétion grasse qui enduit le poil et lui donne son brillant. Le sébum contient aussi un stéroïde naturel, le cholestérol, transformé en vitamine D par les rayons du soleil. Les besoins du chat sont couverts en partie par l'huile de poisson et les graisses animales présentes dans les aliments industriels, mais l'action du soleil sur sa peau accroît notablement la quantité de cette substance indispensable à son

organisme. Les follicules pileux contiennent aussi des glandes dont la fonction principale est de produire des sécrétions servant au marquage territorial et, si le chat n'est pas châtré, à émettre des phéromones. Elles sont plus importantes au niveau du menton et des oreilles, et à la base de la queue. Le pelage du chat l'empêche d'évacuer la chaleur

des chutes. La peau comporte deux couches. Les poils sont implantés dans la couche interne, le derme. La couche externe, l'épiderme, a surtout une fonction protectrice. Les cellules constituant l'épiderme ne cessent de se renouveler, les cellules mortes tombant ou étant éliminées lors de la toilette.

L'épiderme du nez et des pattes est jusqu'à 75 fois plus épais que sur le reste du corps, et pourtant, il est particulièrement sensible à la pression et à la température. Seules les pattes présentent des glandes sudoripares. Contrairement au chien, le chat ne peut évacuer la chaleur *via* la truffe ; si cette dernière est humide, cela provient des muqueuses nasales.

en transpirant ; les seules glandes correspondant aux glandes sudoripares humaines se trouvent sur les coussinets plantaires, qui deviennent humides en cas d'extrême chaleur ou de peur intense. Si un chat laisse des empreintes humides ou halète bruyamment, c'est généralement le signe qu'il a trop chaud, et il faut agir rapidement pour le rafraîchir. Normalement, le chat régule sa température grâce à l'évaporation de la salive pendant la toilette.

Certaines parties du corps présentent des poils différents, aux fonctions particulières. La moustache du chat en est le meilleur exemple. Ultra-sensibles, les vibrisses servent à l'informer sur son environnement, à estimer la largeur d'un passage, et expriment des émotions par leur position. On trouve aussi des vibrisses au dos des membres antérieurs, ce qui aide sans doute le chat à se mouvoir silencieusement en territoire inconnu.

LA PEAU

La caractéristique la plus frappante de la peau du chat est son élasticité, en particulier au niveau de la nuque. Cette souplesse évite les blessures graves lors des rixes, et explique les prouesses acrobatiques du chat lors des sauts et

En haut
La fourrure de ce félin garde un aspect sain grâce au sébum et à l'effet bénéfique des rayons du soleil.

Au milieu
La mue est peu visible chez les chats d'intérieur.

Ci-contre
Les vibrisses sont des poils différents, à la fonction particulière. Le chat s'en sert pour garder l'équilibre et évaluer les distances.

Une vie de chat

L'ESPÉRANCE DE VIE moyenne des chats domestiques est de douze à quinze ans, mais un chat a atteint l'âge record de quarante-trois ans ! Les chats domestiques sont mieux lotis que leurs cousins sauvages, dont l'espérance de vie est environ deux fois moindre. Les chats élevés à la dure sont exposés à de nombreux aléas – accidents, empoisonnements, froid, maladies virales, attaques de chiens, mauvaise alimentation ou interventions de l'homme.

LE SAVIEZ-VOUS ?

Les vibrisses servent à appréhender l'environnement direct. Quand une vibrisse touche quelque chose, les cellules nerveuses situées à sa racine transmettent l'information au cerveau.

L'ESPÉRANCE DE VIE

Les chats mâles domestiques châtrés sont réputés vivre longtemps, mais cela est sans doute dû moins à des raisons médicales qu'au fait que, sortant peu, ils risquent moins l'accident. En général, le chat vit plus longtemps s'il coule des jours heureux dans un foyer où l'on prend soin de lui et où on l'aime.

La relative longévité du chat est un facteur à prendre en compte avant d'en faire l'acquisition, surtout s'il s'agit d'un chaton. Quand le dernier né des enfants, surexcité par l'arrivée d'un animal, aura grandi et quitté la maison, qui s'occupera du chat ? Qui en prendra soin si son vieux maître décède ? Le mode de vie ou le travail du propriétaire impliquent-ils de fréquents déménagements et déplacements ? Trop de chats devenus indésirables sont abandonnés sans autre forme de procès, et seuls quelques chanceux trouveront un nouveau foyer ou une place dans un refuge. Il est donc indispensable que les futurs propriétaires prennent ces questions au sérieux.

En haut
Persane allaitant sa portée. Les nouveau-nés ouvriront les yeux dans une semaine environ.

Ci-contre
Malheureusement, de nombreux chats abandonnés sont livrés à eux-mêmes, ce qui réduit leur espérance de vie.

En bas à droite
Tous les chatons ont les yeux bleus.

LE JEUNE CHAT

Le chaton peut naître dans une portée de deux à six petits, mais on en compte généralement trois ou quatre. À la naissance, il est aveugle et n'a pas de dents. Après une semaine environ, il ouvre les yeux – tous les chatons ont les yeux bleus –, et, une semaine plus tard encore, il commence à utiliser vue et odorat pour trouver son chemin. Il est prêt à partir à la découverte de son proche environnement.

La chatte commence alors à former ses chatons, les tirant en arrière s'ils s'aventurent trop loin et leur apprenant le jeu. Cette éducation combinant protection farouche et maternage assidu constitue une étape très brève du développement du chaton.

Vers trois semaines, les chatons se mettent à jouer. Ce sont d'abord les mouvements de queue de leur mère qui retiennent leur attention. Viennent ensuite la lutte et la course, poursuivant

et poursuivi échangeant souvent leurs rôles en pleine activité. Bien plus qu'une distraction, ces jeux sociaux préparent le chaton à sa vie d'adulte. Peu importe qu'il n'ait jamais à capturer une proie pour se nourrir ou à combattre le chat du territoire voisin. Le jeu répond à un profond besoin d'apprentissage, et les chatons orphelins n'ayant pas pu jouer au début de leur vie deviennent habituellement des adultes craintifs ou agressifs.

LES ÂGES DE LA VIE

À trois mois, le jeune chat est entièrement sevré et prêt à mener une vie indépendante, même s'il continue à apprécier la compagnie de ses frères

et sœurs. Pour le plus grand plaisir de son maître, il fait encore très « chaton », bien qu'il soit déjà doté des armes essentielles dont il aura besoin dans la vie. Les dents adultes apparaissent à l'âge de quatre à six mois, À six mois environ, les femelles sont pubères, et les mâles leur emboîtent le pas un mois plus tard. À douze mois, le chat est adulte.

On constate ainsi que la première année d'un jeune chat correspond environ aux quinze premières années de la vie d'un enfant. Les cinq années suivantes sont assimilées à la fleur de l'âge d'une vie humaine, et à six ans, le chat aborde l'âge mûr. À huit ans, on peut noter des signes certains de ralentissement, bien que certains individus conservent bien plus longtemps leur vivacité, leur enthousiasme pour la chasse et leur mode de vie juvénile. Les classes de certains concours félins reflètent bien cette

évolution : les chatons âgés de neuf à quinze mois sont des « Adolescents ». Les chats affichant moins de deux ans sont des « Juniors », puis viennent les « Seniors ». Les chats de sept ans et plus, eux, sont des « Vétérans » !

LE CHAT ÂGÉ

À partir de neuf ans, le chat peut perdre son intérêt pour la chasse, ou ne plus s'attaquer qu'aux proies les plus faciles. Sa vue peut devenir moins perçante, son ouïe moins fine, et il restera de préférence près du feu ou sur un coussin moelleux. Les signes de vieillesse incluent le grisonnement du museau, l'opacité des yeux, une fourrure terne, le relâchement de la peau, des hanches et une échine plus saillantes. Mais les chats ont une incroyable capacité d'adaptation, même quand il leur faut pallier la perte d'une vue perçante ou d'une ouïe fine. À partir de douze ans, un chat doit être considéré comme très âgé, même si certains défient la nature et continuent à mener une vie active jusqu'à leur mort.

En haut
Ce chat tigré à poil court est dans la fleur de l'âge. Les mâles atteignent la puberté vers sept mois.

Au milieu
Le chaton naît édenté. Celui-ci affiche une denture toute neuve.

Ci-dessous
Ce chat âgé présente quelques signes physiques de vieillissement, comme une fourrure grisonnante et une échine saillante.

La vue

MALGRÉ LA CROYANCE populaire, le chat ne peut voir dans l'obscurité totale, mais quand la luminosité est faible, sa perception est supérieure de 50 % à la nôtre. La vision crépusculaire s'avère précieuse pour ce chasseur nocturne ; d'ailleurs, presque toutes les particularités de son œil ont un rapport avec son instinct de prédateur.

environ 180°, contre 160° chez l'homme. Des ligaments agissent sur le cristallin pour permettre à l'œil d'accommoder, que l'objet soit proche ou lointain. La vision rapprochée du chat n'est toutefois pas exceptionnelle ; ce sont les objets éloignés de 2 à 6 m qu'il voit le mieux.

La capacité du chat à voir dans la pénombre est due en partie à l'élasticité des muscles contrôlant l'iris, membrane se dilatant et se contractant pour découvrir plus ou moins la pupille. Dans la lumière vive – comme lorsque le chat se trouve en plein soleil –, l'iris réduit la pupille à une fine fente verticale, protégeant l'œil sans limiter la vision. La nuit, le mécanisme s'inverse, et les muscles de l'iris dilatent la pupille jusqu'à 12 mm de diamètre. Cela permet à davantage de lumière d'atteindre la rétine, au fond de l'œil, augmentant ainsi la quantité d'informations transmises au cerveau.

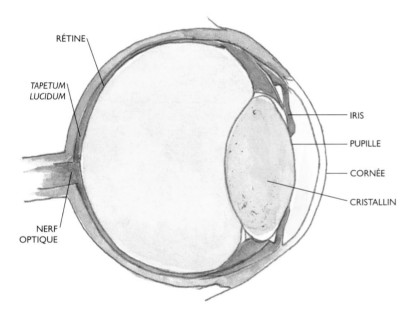

RÉTINE

TAPETUM LUCIDUM

IRIS

PUPILLE

CORNÉE

CRISTALLIN

NERF OPTIQUE

VOIR DANS LE NOIR

Une autre caractéristique de l'œil du chat entre en jeu dans la vision crépusculaire. Le *tapetum lucidum,* sorte de couche réfléchissante tapissant la rétine, accroît sa sensibilité et améliore l'image reçue. C'est cette couche pigmentaire qui explique que les yeux du chat brillent la nuit, et le génie civil n'a pas hésité à adapter ce phénomène à la signalisation horizontale des autoroutes ! Mais le *tapetum lucidum* n'est pas l'apanage de la famille des félins, puisqu'on le retrouve chez nombre d'autres animaux nocturnes. Il convient toutefois de préciser que, si l'œil du chat peut recueillir une grande quantité d'informations dans la pénombre, ces dernières ne sont pas très détaillées.

La vision crépusculaire du chat est floue, mais cela ne lui pose pas de problème particulier, car il s'intéresse essentiellement aux mouvements d'une proie éventuelle. Grâce aux sens de l'odorat et de l'ouïe, il lui est facile de les détecter.

En haut
Les yeux s'adaptent remarquablement bien à l'intensité lumineuse, la capacité à détecter le mouvement et à évaluer les distances étant essentielle pour la chasse. L'élasticité de l'iris et le tapetum lucidum sont des éléments clés.

Ci-contre
L'iris du chat se dilate et se contracte en fonction de la luminosité.

UNE VISION REMARQUABLE

Tout d'abord, les yeux du chat sont positionnés dans un plan relativement frontal et antérieur, ce qui lui confère une excellente vision tridimensionnelle. Son champ visuel total est légèrement supérieur au nôtre :

VOIR EN COULEURS

On a longtemps dit que le chat ne voyait pas les couleurs. S'il les distingue moins bien que l'homme, il est très exagéré de prétendre qu'il ne voit qu'en noir et blanc. Certains spécialistes pensent qu'il est capable de distinguer le rouge et le bleu, mais que le vert et le jaune lui apparaissent gris. La perception du mouvement et une vision crépusculaire performante étant probablement les meilleurs atouts visuels de ce chasseur-né, sa perception des couleurs devient secondaire.

L'iris présente un large éventail de couleurs allant du rouge au bleu, en passant par le vert et le doré. Il n'existe aucun rapport entre ces couleurs et la vision du chat, mais elles présentent une importance pour les associations félines qui n'acceptent que certaines couleurs pour les yeux, selon la race et la couleur de la robe.

UN REGARD CARACTÉRISTIQUE

Il existe une troisième paupière, la membrane nyctitante, qui apparaît plus ou moins à l'angle interne de l'œil. Appelée aussi « corps clignotant », elle n'est pas visible sur un animal en bonne santé, mais peut recouvrir une partie de l'œil et faire office de protection lorsqu'il y a lésion de la cornée – parfois jusqu'à rendre le chat temporairement aveugle. Chez un chat sain, cette membrane contribue, avec les « vraies » paupières, à lubrifier la cornée.

Le chat peut fixer un objet (et « ignorer » son maître) pendant un long moment. Souvent, il regarde fixement par la fenêtre, observant peut-être un oiseau ou les feuilles volant au vent. Cela fait partie de son instinct de chasseur. Soyez certain qu'aucun mouvement dans son champ de vision n'échappe alors à son attention ; s'il se trouvait à l'air libre, le chat se préparerait sans doute déjà à fondre sur une proie.

Le Siamois peut présenter une anomalie génétique entraînant une vue double, et non l'habituelle vision stéréoscopique. Ses efforts pour remédier à ce défaut produisent un strabisme convergent caractéristique.

En haut
Le tapetum lucidum fait briller les yeux de ce Malais à tête plate.

À gauche
La membrane nyctitante.

Ci-contre
Ce Siamois corrige sa vue double (défaut caractéristique de sa race), ce qui le fait loucher.

L'ouïe

SI SA PERCEPTION des couleurs est mauvaise comparée à celle de l'homme, il est indubitable que le chat possède une bien meilleure ouïe. L'efficacité de son oreille repose sur sa capacité à capter les sons et à transmettre l'information au cerveau. Le pavillon est doté de plus d'une douzaine de muscles lui permettant de tourner à 180 ° et de s'orienter vers un son distant. Cela aide le chat à percevoir le son, ainsi qu'à en déterminer l'origine et la fréquence. Son oreille réagit aux vibrations à partir de 60 Hz (60 cycles par seconde), soit la même limite basse que l'homme.

En haut
Le pavillon du chat est capable de tourner à 180°, avantage lui permettant d'entendre et de localiser ses proies.

Au milieu
Le pavillon oriente les sons vers le tympan, qui transforme ces ondes en vibrations, amplifiées par les osselets. La cochlée contient des cellules sensorielles transmettant des signaux nerveux au cerveau. Les canaux semi-circulaires la surmontant envoient les informations relatives à l'équilibre.

En bas à droite
Le monde sonore du chat est très différent du nôtre ; il peut entendre les cris aigus de la souris et différencier des sons distants de quelques centimètres.

UNE OUÏE FINE

Le seuil supérieur de perception du chat, lui, est bien plus élevé : quelque 65 kHz (65 000 cycles par seconde), contre 20 kHz chez l'homme, soit un écart supérieur à deux octaves. Cela signifie que le chat vit dans un univers sonore bien différent du nôtre, un monde dans lequel il devient possible d'entendre les petits cris suraigus des souris. Ainsi, le miaulement du chaton perdu, parfois inaudible pour l'homme, permet à sa mère de le retrouver.

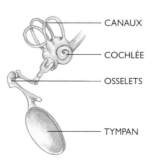

Cette excellente perception des aigus explique que les chats réagissent davantage à la voix des femmes et des enfants qu'à celle des hommes. C'est pour cette même raison que le chat se redresse parfois et prête l'oreille à

CANAUX

COCHLÉE

OSSELETS

TYMPAN

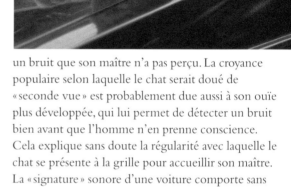

un bruit que son maître n'a pas perçu. La croyance populaire selon laquelle le chat serait doué de « seconde vue » est probablement due aussi à son ouïe plus développée, qui lui permet de détecter un bruit bien avant que l'homme n'en prenne conscience. Cela explique sans doute la régularité avec laquelle le chat se présente à la grille pour accueillir son maître. La « signature » sonore d'une voiture comporte sans doute des ultrasons, imperceptibles à l'oreille humaine.

Une autre caractéristique de l'oreille du chat est sa capacité à localiser très précisément les sons. À une distance de 1 m, le chat est capable de distinguer deux sources sonores séparées de 8 cm seulement, et son cerveau peut percevoir le laps de temps séparant ces deux signaux sonores : cette disposition permet à notre chasseur de localiser sa proie et de suivre sa piste.

UNE VIE PAISIBLE

Le chat attache une grande importance à sa tranquillité. Le bruit le dérange, ce qui explique que taper des mains en lançant un «non!» sonore soit un stratagème si efficace pour le «dresser». Les chats qui partagent le toit d'un chien battront facilement en retraite si ce dernier donne de la voix. Non qu'ils soient effrayés : ils n'aiment tout simplement pas le bruit. Pour cette même raison, les chats fuiront souvent les enfants bruyants. Pour le chat domestique, l'environnement idéal demeure la compagnie de personnes s'entretenant paisiblement avec, en fond sonore, la radio ou la télévision en sourdine. En effet, la plupart des chats que l'on laisse seuls apprécient le son d'une radio dont le volume est baissé.

L'AUDITION CHEZ LE CHAT ÂGÉ

La surdité est un mal auquel le chat est sujet, surtout quand s'annonce la vieillesse. Bien qu'il soit erroné d'affirmer que tous les chats blancs sont sourds, il existe néanmoins un lien, dans la mesure où, chez les chats blancs aux yeux vairons, ce mal incurable touche souvent l'oreille du côté de l'œil bleu. Bien que l'ouïe soit un sens très important, sa perte ne semble pas handicaper outre mesure le chat qui en souffre depuis la naissance. Il est probable qu'il a appris à compenser avec les autres sens. La surdité affecte cependant les qualités maternelles de la chatte, puisqu'elle n'entend pas ses chatons qui réclament aide ou nourriture ; c'est une des raisons pour lesquelles il faut éviter, dans le cadre de l'élevage, de faire se reproduire des femelles sourdes. On a par ailleurs rapporté le cas de chats sourds de naissance qui, une fois adultes, acquéraient soudain le sens de l'ouïe et éprouvaient des difficultés à s'adapter à ce nouvel univers sonore.

La surdité due à l'âge survient progressivement, souvent accompagnée d'autres symptômes de vieillissement. Un chat ne cessant de secouer la tête ou de se gratter le pavillon a peut-être l'oreille infectée, à moins que ce ne soit le signe d'une audition défaillante. On ne peut corriger les troubles auditifs dus à l'âge, mais on peut faciliter la vie du chat en veillant à ne pas le faire sursauter et à rester dans son champ de vision pour l'approcher.

Les pavillons ont une autre fonction, totalement distincte de l'ouïe. Ce sont d'importants éléments du langage corporel du chat. Avec d'autres organes, ils répondent à la peur, au stress, au contentement, à l'affrontement, à la colère et autres émotions similaires.

LE SAVIEZ-VOUS ?
La faculté du chat à se retourner pendant une chute est telle qu'il est bien plus susceptible, en atterrissant, de se blesser à la mâchoire qu'au dos.

En haut
Les chats blancs aux yeux vairons sont souvent sourds du côté de l'œil bleu.

Ci-contre
Chez le chat, la surdité peut parfois être décelée par une expression intriguée.

Odorat, goût et toucher

L A PLUPART DES CHATS commencent par flairer l'écuelle que vous leur tendez. Et ne mangent que si son contenu passe l'examen avec succès. Leur sens de l'odorat est en effet extrêmement développé; en fait, c'est probablement leur sens principal. La muqueuse nasale compte quelque 200 millions de cellules olfactives ou pituitaires, contre 5 millions chez l'homme. La plupart des maîtres auront un jour ou l'autre été surpris par l'acuité des chatons à détecter les odeurs intéressantes, comme la boîte de sardines ou de thon que l'on ouvre au retour des courses.

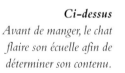

L'ODORAT

Le régime naturel du chat étant essentiellement carné, les odeurs de légumes (à l'exception de la cataire et de la valériane, évoquées plus loin) suscitent peu son intérêt, bien qu'il puisse apprendre à associer l'odeur des oignons à la présence de foie (si c'est un de vos plats favoris). Les chats utilisent aussi leur odorat pour trouver leurs proies, identifier les territoires d'autres chats et explorer leur environnement.

Ci-dessus
Avant de manger, le chat flaire son écuelle afin de déterminer son contenu.

En haut à droite
Le chat ordonne les multiples odeurs rencontrées et dresse une carte olfactive des lieux.

Ci-contre
Ce chat hume l'air, probablement pour déterminer si le territoire a déjà été marqué.

DÉVELOPPER LE SENS DE L'ODORAT

Le sens de l'odorat se développe tôt chez les chatons. Ils en font l'expérience en prenant conscience de l'odeur de leur mère et du nid. S'ils sont déplacés ou que la chatte décide de les transporter dans un autre nid, ils montrent des signes de détresse jusqu'à ce que leur mère les rejoigne et les calme, en les rassurant par son odeur qui leur indique qu'ils sont de nouveau en sécurité. Même à ce stade, alors qu'ils n'ont que quelques jours, leur odorat est si fin qu'il guide chacun d'eux vers *la* mamelle qui le nourrit.

À l'instar des autres sens, l'odorat se développe rapidement chez les chatons. En quittant le nid, ces derniers découvrent vite le « langage » olfactif du vaste monde qui les entoure.

CRÉER UNE CARTE OLFACTIVE

Lorsqu'un chaton finit par quitter le nid pour « s'installer », il crée son propre univers d'odeurs familières. Quand un chat s'aventure dehors, il élargit ses connaissances olfactives. En frottant sa tête ou ses flancs, il dépose sa propre odeur sur les meubles, les arbres et les poteaux du jardin, son maître, les autres membres de la famille et les chats des territoires voisins. C'est un peu comme s'il dessinait une « carte » olfactive de son environnement. Mais son odorat lui permet surtout de recueillir des informations sur le monde extérieur.

Ainsi, si son maître rend visite à des amis ayant des chats, ces derniers obtiendront des « renseignements olfactifs » sur le chat du visiteur. Lorsque son maître rentrera chez lui, le chat tirera des informations sur les chats qu'il a rencontrés.

Avec notre odorat limité, nous n'avons aucune idée du monde olfactif dans lequel vit le chat. Mais qui n'a pas vu resurgir une époque qu'il croyait oubliée, en respirant l'arôme des fleurs d'un jardin, l'odeur de la mer, le parfum d'un être cher ? Cette sensation peut donner une idée de la façon dont les chats développent une véritable «banque de données» d'odeurs, très détaillée, qui les accompagnera toute leur vie. Il semble que cette «mémoire olfactive» dont l'homme fait occasionnellement l'expérience (la fameuse madeleine de Proust) fasse partie intégrante de la vie du chat.

UN SENS AIGU DE L'ODORAT

L'incroyable aptitude du chat à détecter et à identifier les odeurs est accrue par l'organe voméronasal ou organe de Jakobson, présent chez d'autres animaux mais absent chez l'homme ou le chien. Ce petit cul-de-sac, situé à l'arrière de la voûte du palais, est tapissé de cellules sensorielles. Lorsqu'un chat rencontre une odeur inhabituelle ou particulièrement intéressante, il adopte une posture caractéristique : il allonge le cou, ouvre la gueule, plisse le nez et retrousse la lèvre supérieure. L'organe de Jakobson, activé par pression de la langue, transmet alors l'information au cerveau. Il est très courant de rencontrer cette attitude chez les mâles non castrés lorsqu'ils flairent la présence d'une femelle en chaleur, mais elle peut aussi être déclenchée par d'autres odeurs, en particulier par celle de l'herbe-aux-chats.

L'herbe-aux-chats, ou cataire (Nepeta cataria), est une plante à fleurs blanches des régions tempérées d'Europe et d'Amérique du Nord. Mais c'est l'odeur forte de ses feuilles qui attire la plupart des chats domestiques, sans oublier leurs cousins sauvages. Flairer ou mâcher ces feuilles, s'y frotter ou s'y rouler plonge le chat dans une sorte de transe ou lui fait pourchasser une proie fantôme… pour abandonner ce comportement étrange aussi vite qu'il l'a adopté. Il s'agit d'une simple réaction biochimique (plutôt inoffensive) à l'essence de la plante, et vous pourrez faire plaisir à votre chat en plantant cet arbuste dans votre jardin (la cataire pousse facilement) ou en le transformant en plante d'appartement. La valériane (Valeriana officinalis) aux fleurs roses ou blanches, courante en Europe du Nord et en Amérique du Nord, exerce le même attrait sur les chats. Il est intéressant de noter que l'essence extraite de la racine de valériane était autrefois employée pour traiter l'hystérie, et pour créer des parfums dans l'Europe du XVIe siècle.

En haut
Nez levé, yeux clos, ce chat se concentre sur une odeur.

Ci-contre
Ce chat joue avec une souris factice bourrée d'herbe-aux-chats.

LE GOÛT

Le goût est étroitement lié à l'odorat, plus encore chez le chat que chez la plupart des autres mammifères. Cela peut expliquer pourquoi sa première réaction devant l'écuelle est d'en flairer le contenu, et pourquoi certains chats affichent une préférence pour un type d'aliment. En revanche, on s'explique moins pourquoi il leur arrive de se détourner d'un aliment familier, le boudant jusqu'à ce qu'on leur propose un plat plus à leur goût.

Des papilles gustatives s'élèvent à la surface de la langue du chat. Ce dernier est l'unique mammifère qui ne soit pas attiré par le sucré. En outre, un excès de glucides dans son alimentation entraîne la diarrhée. C'est ce qui rend si mystérieux l'attrait légendaire du chat pour le lait. Même si beaucoup en boivent, le lactose (sucre) qu'il contient est difficile à digérer, si bien qu'il vaut mieux donner la préférence à l'eau. Compte tenu de cette mauvaise tolérance, il faudrait empêcher les enfants de donner aux chats des bonbons, en croyant leur faire plaisir.

Comme chez l'homme, tout encombrement des cavités nasales entraîne chez le chat une perte d'appétit que l'on ne peut combattre qu'en lui proposant des aliments à l'odeur prononcée, comme le foie grillé, les sardines ou le thon en boîte. Ce dernier semble avoir la faveur des chats – à tel point que certains maîtres évitent à tout prix d'en donner à leur chat, de peur qu'il n'accepte plus aucune autre nourriture.

LE TOUCHER

Bien que les chats soient dotés d'organes stimulés par le toucher, ce sens semble être moins développé que les autres, peut-être parce qu'il est moins vital pour l'instinct de la chasse. La langue, le nez et les coussinets sont, dans cet ordre, les endroits les plus sensibles du corps du chat ; on le voit lorsqu'un chat flaire et touche délicatement du nez un aliment étranger, ou quand il commence par tapoter de la patte un objet inconnu.

Quand le chat marche, les terminaisons nerveuses sensorielles de ses coussinets transmettent au cerveau des informations sur la texture, la température et l'angle d'inclinaison de la surface. Ces renseignements lui permettent de se déplacer de la manière la plus efficace. Les spécialistes pensent aussi que les coussinets peuvent détecter les vibrations infimes du sol, ce qui expliquerait les récits selon lesquels les chats sont capables de réagir aux tremblements de terre avant même que l'homme puisse les percevoir.

Ci-dessus
Les papilles gustatives sont visibles sur la langue râpeuse de ce chat.

Au milieu à droite
Le chat peut se montrer difficile et bouder son écuelle sans raison apparente.

Ci-contre
Mieux vaut donner de l'eau (souvent renouvelée) plutôt que du lait.

Ci-contre
Ce chaton abyssin utilise
ses pattes pour explorer
son environnement.

En bas à gauche
Ses vibrisses aident
le chat à se diriger.
Les chats aux longues
moustaches se déplacent
avec plus d'assurance.

En bas à droite
Brosser son chat
renforce les liens avec lui.
Le plaisir de la caresse
remonte au plus jeune
âge du chaton.

SENSIBLE AU TOUCHER

Les vibrisses sont aussi incroyablement sensibles. Le fait que les chats dont les vibrisses ont été abîmées (dans une rixe, par exemple) soient moins assurés dans leurs déplacements prouve leur importance. À l'inverse, les chats dotés d'une moustache avantageuse explorent souvent le monde avec une extrême confiance.

Les follicules pileux répondent aussi au toucher. Il suffit de voir le plaisir que prend le chat à être caressé, et ses protestations si les caresses ne sont pas à son goût. Le plaisir de la caresse est lié au souvenir de la toilette maternelle. Les terminaisons nerveuses renseignent aussi le chat sur le chaud et le froid. Elles lui permettent de trouver un endroit chaud où dormir, tandis que le froid fait se dresser les poils pour renforcer l'isolation. Ces terminaisons réagissent aussi aux courants d'air. Les maîtres ayant eu le courage de donner un bain à leur chat savent que sa fourrure est extrêmement sensible au puissant souffle du sèche-cheveux.

En général, les chats n'apprécient pas le vent et préfèrent se mettre à l'abri. Mais, en automne, l'envie de pourchasser les feuilles poussées par le vent l'emporte souvent.

Le chat semble curieusement insensible aux températures de surface élevées. L'homme ressent la douleur à partir de 44 °C environ, alors que le seuil du chat avoisine les 52 °C. Cela explique que le chat dorme plus près de la cheminée que ne le supporterait l'homme… au risque de brûler sa fourrure. En revanche, sa truffe étant sensible au froid, il enfouit souvent son nez dans le panache de sa queue, pour une chaleur et un confort optimaux.

Mouvement et équilibre

L A DÉMARCHE FÉLINE se résume en deux mots : grâce et précision. Qu'il quitte calmement un coin douillet pour un autre, qu'il trotte avec sérieux autour de son territoire ou qu'on le surprenne dans l'excitation de la chasse, le chat utilise ses muscles avec une économie, une efficacité et une élégance superbes. La clé du succès de ce chasseur est la combinaison de sens aiguisés (ouïe, vue et odorat), l'aidant à localiser et à identifier sa proie, et d'une morphologie lui permettant de se déplacer de manière prudente et résolue, ou rapide et précise, selon la situation.

UNE REMARQUABLE AGILITÉ

De plus, l'aptitude à passer presque instantanément de la vigilance tranquille au bond impétueux est caractéristique des félins et témoigne de l'acuité sensorielle du chat. L'ascendant du cerveau sur le corps est telle que, si un chat perd un membre dans un accident, il s'adaptera rapidement, après une période de convalescence et de réapprentissage. Et même si ses mouvements, inévitablement, sont plus limités, il retrouvera suffisamment de mobilité pour adopter un mode de vie ressemblant beaucoup à l'ancien.

Quand il marche normalement, le chat avance d'abord la patte avant droite, puis la patte arrière gauche, la patte avant gauche et enfin la patte arrière droite, chaque pied venant se placer juste devant l'autre, suivant une ligne droite. Au trot, l'intervalle séparant ces mouvements diminue, si bien que les membres avant et arrière opposés se déplacent au même moment. Quand le trot se transforme en galop, les puissants membres postérieurs poussent simultanément vers l'avant, laissant les membres antérieurs supporter à leur tour le poids du corps et donnant à l'arrière-train un rebond caractéristique. Durant ce changement de « régime », si le chat est en chasse, ses griffes sont sorties, prêtes à agir. Mais la cuirasse du chat présente un défaut : son incapacité à soutenir le galop.

En haut
Ce chat utilise ses puissantes pattes arrière pour se « propulser ».

Ci-contre
Les chats marchent en avançant d'abord la patte avant droite.

abri en hauteur représente un poste d'observation idéal d'où guetter un ennemi potentiel. À l'intérieur, les chats se réfugieront souvent au sommet d'un placard s'ils voient arriver un chien inconnu. La flexibilité de la colonne du chat est un autre attribut appréciable si le félin est poursuivi ou menacé, car elle lui permet de se faufiler dans un espace réduit ou de se réfugier dans un endroit inaccessible.

La descente du chat est souvent moins aisée et moins élégante que l'ascension, car ses griffes sont recourbées en arrière. Généralement, le chat se laissera glisser petit à petit jusqu'à ce qu'il soit assez près du sol pour se retourner rapidement et sauter. La plupart du temps, les chats semblent capables de juger, au moment de grimper, s'ils pourront descendre. Lorsqu'ils se retrouvent coincés en haut d'un arbre ou en mauvaise posture, c'est habituellement parce qu'ils étaient en proie à la panique et ont fui sans penser aux conséquences, ou qu'ils se sont laissés emporter par l'excitation d'une poursuite. Cependant, avec un peu d'expérience, les chats savent généralement apprécier la difficulté d'une entreprise et n'ont pas tendance à poursuivre une chasse qui n'a que de maigres chances d'aboutir.

Cette particularité vaut pour l'ensemble de la famille des félins, à l'exception du guépard qui, bien qu'il ne soit en aucune façon un coureur de fond, peut maintenir un rythme soutenu. Du tigre au plus minuscule des chats sauvages asiatiques, la méthode de chasse des autres félins repose sur la patience et la discrétion, non sur la vitesse. Qu'il chasse une proie ou qu'il cherche à échapper à une menace, le chat choisira toujours de sauter ou de grimper plutôt que de courir.

SAUTER ET GRIMPER

Le chat peut faire un bond égal à cinq ou six fois sa propre taille, après avoir jaugé la distance, et il semble souvent prendre plaisir à grimper sans véritable raison. Grimper permet aussi au chat d'occuper son poste favori et d'observer les lieux d'en haut. Un chat bénéficiant d'un observatoire tel qu'un toit plat surplombant un jardin aura de quoi s'occuper pendant de longues heures. C'est l'instinct de survie qui pousse le chat à grimper. Peu d'animaux pouvant constituer une menace pour le chat sont dotés de ses dons de grimpeur. D'autre part, un

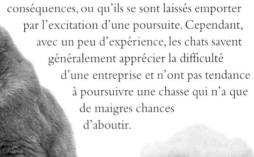

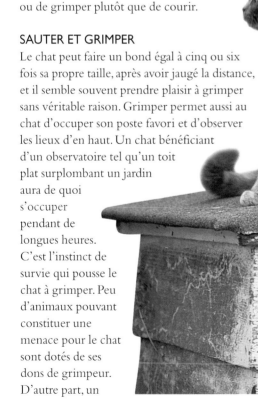

En haut
Sauter donne un avantage sur la proie ; le chat préfère se poster en hauteur, car il est incapable de soutenir une poursuite.

Ci-contre
Le chat domestique grimpe souvent pour observer les environs ou par jeu. Dans la nature, un chat se perche pour se mettre en sécurité.

LE SAVIEZ-VOUS ?
Chez les Félidés,
seuls les petits félins
ronronnent comme
le chat domestique.
Pour exprimer les
mêmes « sentiments »,
les grands félins
rugissent.

ATTERRISSAGE BRUTAL

En dépit de ses dons de sauteur et du soin qu'il prend à évaluer distance et hauteur avant de bondir, le chat peut se tromper. Si la distance a été mal estimée, un bond sur le rebord d'une fenêtre peut se solder par un rétablissement désespéré avec les pattes avant, les pattes arrière battant l'air. C'est en voyant le chat se hisser que l'on constate la puissance des griffes avant et des membres postérieurs. S'il échoue, il lâchera prise et sautera au sol, la mine déconfite. Un saut ambitieux depuis une surface difficile (un toit en pente raide) peut se conclure par un atterrissage en catastrophe, après quoi le chat se secouera vigoureusement et entreprendra de se lécher les pattes. Le chat n'aime pas se tromper, et encore moins avoir des témoins ; après un tel incident, il se donne du mal pour recouvrer un peu de dignité. Il se lance souvent dans une toilette approfondie – activité de déplacement souvent utilisée pour cacher déception, stress ou désapprobation.

En haut à gauche
Ce chat est doué
pour les sauts.

En haut à droite
Ces illustrations montrent
comment le chat se
retourne en pleine chute
pour retomber sur
ses pattes et éviter
de se blesser.

Ci-contre
La queue du chat l'aide
à garder l'équilibre
sur une grille étroite.

RETOMBER SUR SES PATTES

De toutes les qualités sportives du chat, sa faculté à se retourner pendant la chute est l'une des plus remarquables. Elle est due au vestibule, particulièrement développé chez les chats. Cet élément de l'oreille interne renseigne à tout instant le cerveau sur la position de la tête dans l'espace. Il comporte deux poches membraneuses et communique avec des canaux semi-circulaires ; ces derniers renferment des fluides et sont tapissés de millions de poils microscopiques dont les terminaisons nerveuses sont reliées au cerveau. Toute modification

de la position de la tête fait se déplacer les fluides ; les poils bougent avec le courant et transmettent l'information au cerveau. Tout changement brutal de la position de la tête par rapport au corps déclenche une réponse réflexe destinée à rétablir l'équilibre.

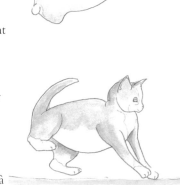

Quand un chat tombe, le vestibule envoie des impulsions au cerveau, qui ordonne aux muscles du cou de replacer la tête à l'horizontale. Le chat repositionne son corps pour atterrir sur les pattes, dos arqué pour absorber le choc. Le chaton naît avec ce réflexe, et on peut le voir en action dès que sa mère commence à le chahuter. Il arrive cependant qu'un chat fasse une mauvaise chute ; mieux vaut donc éviter les situations dangereuses.

LA QUEUE, UN VÉRITABLE OUTIL

La queue du chat est un outil vital pour bien des mouvements. Elle sert de contrepoids lorsqu'il s'engage sur un mur étroit ou se poste sur un poteau. Dans le retournement aérien décrit plus haut, elle l'aide à se rééquilibrer pour retomber sur ses pattes.

cérébrale intervenant dans le sens de l'odorat, il est étendu et très développé chez le chat. Pour ses mouvements et son équilibre, il est important que le chat puisse se constituer une expérience et l'appliquer à toutes les situations nouvelles. Il persistera à mettre son savoir en œuvre... jusqu'à ce qu'il réussisse. En revanche, un chat ayant fait une chute douloureuse ou traumatisante ne retentera probablement pas la même manœuvre.

Le chat fait usage des connaissances qu'il a acquises, lorsqu'il ouvre une porte en agissant sur le loquet (ou en grattant pour qu'on le laisse entrer), qu'il boit à un robinet qui goutte ou qu'il extrait d'un endroit inaccessible un objet qu'il juge intéressant. Pour ce dernier exemple, il fait souvent preuve de persévérance,

tentant d'atteindre l'objet en changeant de patte et d'angle d'approche. Mais il ne faut pas oublier que la plupart des chats ne se livrent à ces activités que par intérêt personnel. Êtres indépendants, ils n'ont pas aussi envie que cela de plaire à leur maître en faisant des tours.

La queue peut aussi servir de «gouvernail», pour orienter un saut dans un espace restreint, par exemple.

DES RÉACTIONS FULGURANTES

Toutes les activités physiques du chat sont régies par un réseau de plus de 500 muscles, dépendant eux-mêmes d'un centre d'information très développé situé dans le cerveau. Ce dernier traite l'information instantanément, permettant au chat de réagir aux stimuli (l'odeur ou la vue d'une proie) comme aux urgences (dérapage ou chute soudaine). Chez le chaton, le cerveau se développe rapidement et arrive à maturité dès cinq ou six mois. Entre-temps, il aura reçu de sa mère et de ses frères et sœurs la stimulation nécessaire pour acquérir et améliorer son potentiel musculaire ; il aura aussi fait usage de ses sens (vue, odorat, ouïe et toucher) qui, à leur tour, stimuleront l'activité musculaire.

LE CERVEAU

Le cerveau du chat ne pèse que de 20 à 30 g, mais la proportion de son poids par rapport à celui du corps est plus grande que chez la plupart des mammifères (à l'exception du singe et de l'homme). Le cervelet est la partie du cerveau responsable du mouvement et de l'équilibration. Comme l'aire

En haut à gauche
Estimation de la hauteur avant de bondir.

En haut à droite
Ce chat a appris que, lorsqu'il gratte près de la porte, son maître le fait sortir.

Ci-contre
Curieux, ce chat fourre son nez partout.

L'inné et l'acquis

LE CHAT naît avec des instincts communs à toutes les espèces animales. De nature, c'est un prédateur nocturne. Prudent, il s'approprie un territoire mais, à la différence des chiens d'une meute, c'est un chasseur solitaire. La domestication a modifié certains instincts, mais ils n'ont pas disparu ; cela explique que, dans des circonstances similaires, le chat haret ou errant a de meilleures chances de survie que le chien (bien qu'elles ne soient en rien comparables à celles du chat d'appartement). Même le plus choyé des chats domestiques conserve un puissant instinct de survie reposant sur des sens aiguisés, des réactions rapides et d'indéniables qualités de chasseur.

LE CHATON

Le premier instinct évident chez le chaton est celui de téter. Il doit s'alimenter dans les heures suivant sa naissance, sans quoi il mourra. En plus de le nourrir, le premier lait maternel transmet au nouveau-né les anticorps qui le protégeront des maladies. La mère guide ses petits en se couchant sur le côté et en les poussant vers ses mamelles, mais leur comportement, une fois ce premier contact établi, est totalement instinctif. Il arrive qu'une chatte rejette un chaton, et c'est le signe qu'elle a décelé chez lui un problème – il faudrait alors consulter un vétérinaire.

De deux à six mois, les chatons connaissent une période d'apprentissage intensif, la chatte leur transmettant les techniques de survie. Elle commence par les sevrer pour les encourager à passer à une alimentation solide ; les maîtres assistant pour la première fois à ce processus pourront être surpris par la détermination, voire la dureté dont la chatte peut faire preuve. Elle apprend à ses petits à flairer la nourriture avant de la manger. Une fois qu'ils sont viables et plus vigoureux, elle leur enseigne la chasse, en les tentant d'abord avec des morceaux de ses propres trophées.

L'ART DE LA PROPRETÉ

De même, la mère apprend à ses petits à se laver, tâche qu'elle assumait jusqu'alors elle-même. Elle leur montrera généralement comment utiliser une litière et recouvrir leurs déjections ; il s'agit d'une vieille ruse destinée à brouiller les traces. Mais la chatte représente

surtout la sécurité du foyer. Si le chaton se perd, il poussera des cris plaintifs jusqu'à ce qu'elle le trouve et le ramène à bon port, par la peau du cou. Il est avéré que les chatons n'ayant pas bénéficié de cette éducation précoce deviennent des adultes déséquilibrés et souvent agressifs. Ces chats peuvent prendre l'ébauche d'une caresse pour une attaque et sortir les griffes, être rebelles au brossage ou incapables de s'entendre avec les membres de la famille ou les autres animaux familiers.

Au milieu
Ce chat recouvre ses déjections, une ruse éprouvée dans la nature.

Ci-contre
L'instinct dicte aux chatons de téter, mais leur mère les guide vers ses mamelles.

En bas à droite
Mère réprimandant son chaton.

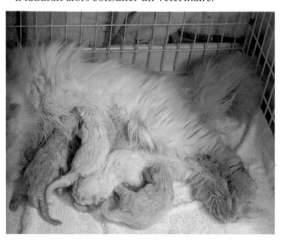

LA CHATTE ET SES PETITS

Le maternage assidu du chaton pendant les premières semaines de sa vie crée un lien puissant entre la mère et ses petits. Si l'on ne sépare pas chatte et chatons, cet attachement se renforcera ; lorsqu'ils seront adultes, la mère persistera à leur laisser les morceaux de choix, se livrera avec eux à des jeux de poursuite et conservera souvent son comportement maternel. Pourtant, la séparation de la chatte et de ses petits, généralement âgés de dix à douze semaines, semble peu bouleverser la mère. Si mère et chatons sont réunis plus tard, ils ne se reconnaîtront sans doute pas, et pourraient même s'affronter ! Il semble que l'attachement originel repose sur l'odeur du nid, et que les chatons séparés tôt de leur mère développent au contact de leur nouvel environnement une odeur étrangère qui rompt ce lien.

L'INSTINCT TERRITORIAL

Tous les membres de la famille des Félidés sont des espèces territoriales. Ces territoires ont fait l'objet d'un grand nombre d'études biologiques, qui ont établi que la taille du territoire du chat dépend de son mode de vie, de la nourriture disponible (ou, chez les chats des villes, du nombre de maisons voisines offrant de bons morceaux) et, chez les mâles non castrés, du nombre de femelles présentes. Le « champ d'activité » du chat englobe l'endroit où il joue, chasse, mange et exprime sa sexualité. Il est inclus dans son domaine vital, délimité par des « marques » et défendu contre les congénères. Si les proies sont rares, ou si une femelle en chaleur est présente, il peut aller jusqu'à

l'affrontement, pour faire fuir les concurrents. En général, les mâles possèdent un domaine vital dix fois plus étendu que celui des femelles, sa superficie pouvant atteindre 40 hectares.

Ces statistiques concernent naturellement les chats harets et ruraux, aux conditions de vie très proches de celles de leurs cousins sauvages. L'instinct territorial du chat domestique s'est affaibli. S'il a la possibilité de sortir, son territoire se limitera à la cour ou au jardin, et pourra inclure deux ou trois jardins voisins s'il chasse.

Le chat marquera ces espaces grâce à des glandes situées sur sa face et à la base de sa queue, et par dépôt d'urine. Les champs d'activité seront régulièrement inspectés et défendus par des postures d'intimidation, jusqu'au combat s'il le faut. Dans les zones périurbaines, les nombreuses populations de chats se répartissent avec soin un espace parfaitement quadrillé, et l'on peut même noter l'existence de véritables « tranches horaires ». Ainsi, un conflit peut naître si un chat s'aventure trop tôt dans l'espace encore occupé par un congénère.

LE SAVIEZ-VOUS ?

Gratter les objets sert à aiguiser les griffes plutôt qu'à les émousser ; l'ancienne pellicule part, et le chat retrouve des griffes toutes neuves, pointues comme des aiguilles.

En haut
Ce Persan marque son territoire par un jet d'urine.

Ci-contre
Les phéromones peuvent avoir été déposées sur différentes surfaces ; ce Somali flaire un rocher.

dépendant essentiellement de la qualité de la lumière, ce qui explique que la répartition territoriale «horaire» mentionnée plus tôt soit si efficace. Ainsi, un chat habitué à être admiré et cajolé au passage par des écoliers veillera à se trouver deux fois par jour au bon endroit, au bon moment (et semblera peut-être déboussolé durant les vacances scolaires).

Une fois les points clés de la routine quotidienne établis, le chat domestique passe une grande partie de son temps à dormir. Sa durée de sommeil varie, mais elle est typiquement de seize à dix-huit heures par jour. Chasseur nocturne, le chat sauvage dort le jour. Si le chat domestique a changé ses habitudes, de bon gré apparemment, ceux autorisés à sortir la nuit retournent naturellement au modèle nocturne. Chatons et chats âgés sont les plus gros dormeurs. Chez le chat domestique, le schéma varie selon les habitudes du foyer. Ainsi, si tous les membres de la famille sont absents en journée, il dormira la majeure partie de ce temps. Mais s'il trouve un coin chaud et confortable, il ne résistera pas à un petit somme quel que soit le moment de la journée, surtout s'il vient de manger et de faire sa toilette.

En haut

Le chat dort en moyenne de seize à dix-huit heures par jour.

Ci-contre

Le chat d'appartement a en général un coin favori où dormir. C'est souvent un endroit chaud aux odeurs familières, à portée de voix de la famille.

LE TERRITOIRE DOMESTIQUE

Chez le chat d'appartement, le comportement territorial est encore plus émoussé, mais des vestiges demeurent. À l'intérieur, le chat dormira à différents endroits, apparemment choisis assez arbitrairement (mais il est possible qu'ils se trouvent sur le trajet de tuyaux, si votre maison est chauffée par le sol). Afin de garder un œil sur son champ de chasse théorique, il choisira aussi divers postes d'observation, sur les appuis de fenêtres et autres sites stratégiques. Mais l'instinct territorial ne se limite pas à défendre le domaine vital contre les intrus. Si vous déplacez les meubles ou dotez votre jardin d'une cabane ou d'un fauteuil (pour un chat d'extérieur), cette nouveauté sera soigneusement examinée et… marquée.

UN ÊTRE ROUTINIER

Le chat est naturellement conservateur. Il aime que les choses ne changent pas, et qu'elles se produisent chaque jour au même moment. Il n'apprécie pas les surprises. Il assimile très vite les habitudes d'un nouveau foyer : quand et où il peut compter sur eau et nourriture, où se trouvent les endroits chauds, quand et où le soleil brille sur tel ou tel appui de fenêtre, à quel moment les enfants reviennent de l'école pour jouer avec lui, quels signes indiquent que la famille s'apprête à se mettre au lit… Le chat a une notion du temps extraordinairement précise,

Un chat ronronnant douce-ment incarne le contentement. Ce son produit instinctivement est le premier qu'entend le chaton, car la plupart des chattes ronronnent bruyamment en mettant bas. La signification du ronronnement est aussi mystérieuse que sa source. Il ne s'agit pas de communication au sens strict, d'autant que le chat dispose d'autres modes d'expression vocale. Léger souffle ou ronflement retentissant, le ronronnement semble être une manifestation involontaire, sans autre raison qu'une satisfaction générale.

UN DOUX RONRON

Comme chez tous les mammifères, les phases de sommeil profond alternent avec celles de sommeil paradoxal, où le chat rêve. Il peut être agité de mouvements : les oreilles remuent, et membres, queue et vibrisses frissonnent. Les rêves sont un mystère ; il semble probable que, durant ces périodes, les chats revivent une chasse ou en savourent une autre par anticipation.

Les biologistes divergent quant à son mécanisme. Certains l'attribuent à une résonance crânienne due à des perturbations de la circulation sanguine, mais l'explication la plus courante est qu'il est produit par les « fausse cordes vocales », deux membranes situées derrière les « vraies » cordes vocales. C'est en plaçant un doigt en travers de la gorge du chat que l'on perçoit le mieux le ronronnement, ce qui accrédite cette seconde théorie.

En haut
Le chat voue naturellement un culte au soleil. Il trouve souvent un endroit ensoleillé où dormir.

Ci-contre
Ce chat apprécie la chaleur du corps de son maître.

La toilette

TOUS LES FÉLINS sont par nature méticuleux. Même les léopards, qui tuent leur proie avec une incroyable férocité, prennent grand soin de ne pas tacher leur fourrure. Et certains chats domestiques semblent obsédés par la propreté.

PREMIÈRES EXPÉRIENCES

Être lavé est la première expérience du nouveau-né, avant même son premier «repas». Rien d'étonnant à ce que la toilette devienne un élément fondamental qui l'accompagnera toute sa vie! Dès qu'un chaton naît, sa mère le lèche, favorisant ainsi son premier souffle. Jusqu'à ce qu'ils aient trois semaines environ, la chatte fera la toilette de ses petits, une fois par jour au moins. Les lécher permet de les réveiller pour une nouvelle tétée, mais aussi de favoriser l'attachement. Vers l'âge de trois semaines, les chatons commencent à faire leur toilette et à se laver les uns les autres. Après trois autres semaines, devenus «compétents», ils continueront quand même à organiser entre eux et avec la chatte de véritables séances de nettoyage mutuel.

Ci-dessus
Se «toiletter» mutuellement renforce le lien entre mère et chatons ou, comme ici, entre adultes.

En haut
La toilette est un élément essentiel du bien-être physique et mental du chat. Elle assure propreté et apport en vitamine D, et limite le stress.

Ci-contre
Les chats adultes partageant un domicile se lavent souvent les uns les autres.

Si les chatons ne sont pas séparés, ce comportement peut persister à l'âge adulte; deux chats vivant en bonne entente se laveront mutuellement. La plupart des chats feront la «toilette» de leur maître, renforçant les liens entre êtres partageant un territoire; dans le même esprit, ils lécheront un chien familier.

Mais c'est *sa* toilette qui est essentielle pour le chat. C'est bien sûr une source de plaisir – lui rappelant peut-être le confort de sa vie de chaton –, mais aussi une question d'hygiène. C'est également un besoin, le sébum sécrété par les follicules et enduisant le poil étant une précieuse source de vitamine D.

L'ART DE LA TOILETTE

Si les papilles, éminences crochues à la surface de la langue, aident le chat à manger, elles sont aussi les principaux outils de sa toilette. La colonne flexible du chat lui permet d'atteindre presque chaque partie de son corps. La toilette débute par le grattage du cou (voire de la tête et des oreilles) avec une patte arrière.

de la salive déposée sur sa fourrure. Mais la toilette constitue aussi une activité de déplacement aidant le chat à se remettre d'un stress. Ainsi, il fera souvent sa toilette après une chute ou une confrontation avec un congénère. Certains suggèrent que cela pourrait être une réponse automatique à l'élévation de la température corporelle provoquée par la peur ou l'embarras. En tout cas, le chat se livrera souvent à une séance de «lavage» prolongée après une chasse acharnée ou un jeu effréné. S'il a joué avec vous, c'est le signal qu'il est temps de le laisser se calmer.

Puis le chat lave méthodiquement flancs, dos, queue et bas-ventre. Suivent les pattes avant et arrière. Il passe ensuite à la tête et aux oreilles, lavées avec une patte avant humectée de salive. Dents et griffes servent à extraire boue séchée, graines et débris prisonniers de la fourrure ou coincés entre les doigts. À la fin d'une séance, il arrive que le chat insiste sur un endroit nécessitant une attention répétée, comme une tache poisseuse incrustée dans sa fourrure. Certaines substances (goudron, peinture) peuvent être toxiques, et il faut les enlever avec de l'alcool à 90 ° dont on fera ensuite disparaître toute trace avec de l'eau.

UN PROCESSUS NÉCESSAIRE

En se lavant, le chat débarrasse sa fourrure des parasites et des poils détachés. Ces derniers sont ingérés et expulsés normalement sous la forme d'une boule de poils inoffensive. Mais cela ne devrait pas dispenser le maître de soins, surtout dans le cas des races à poil long, dont la fourrure longue et dense nécessite un bon brossage.

Par temps chaud, se laver permet au chat de se rafraîchir grâce à l'évaporation

PERDRE L'HABITUDE

Certains chats sont «maniaques» mais deviennent moins soigneux avec l'âge. Ils peuvent éprouver une difficulté physique à se lécher les pattes juste avant de se laver les oreilles ; il faudrait donc inspecter régulièrement les oreilles des chats âgés, à la recherche d'acariens et autres parasites.

Bien que le comportement hygiénique soit différent d'un individu à l'autre, la modification soudaine des habitudes peut constituer un signal d'alarme, surtout si elle s'accompagne d'une perte d'appétit. Un désintérêt pour la toilette est une réaction courante à la maladie, mais un chat exposé au stress peut aussi se mettre à se laver à tout bout de champ. Cette attitude peut être provoquée par d'autres troubles, comme un déménagement ou l'absence prolongée d'un membre du foyer. Un test utile consiste à étaler sur le pelage un peu de beurre fondu froid. Aucun chat en bonne santé n'y résistera !

En haut à gauche
Ce chat enlève avec ses dents les débris coincés entre ses doigts.

En haut à droite
Quand le chat se lave après le jeu, c'est le signe qu'il veut du repos.

Ci-contre
Tout propriétaire devrait prendre soin de son chat : le brossage peut révéler la présence de parasites dont le chat ne saurait se débarrasser tout seul.

Une curiosité proverbiale

LA CURIOSITÉ PROVERBIALE DU CHAT n'est pas une légende. Elle est la preuve d'une grande intelligence, car elle montre que le chat a bonne mémoire et peut interpréter les informations. Elle repose sur son instinct de survie et son besoin de connaître le mieux possible son environnement et tout ce qui pourrait constituer une menace ou une occasion de chasse.

UNE NATURE CURIEUSE

Le chat ne change pas volontairement de territoire – bien que le changement puisse lui être imposé par la structure hiérarchique des communautés de chats harets – et vise à le connaître à fond. Il accueille avec prudence toute modification dans son territoire, si bien que tout nouvel élément (des outils de jardin à l'arbre abattu) sera examiné et probablement marqué. Les cabanes ou les voitures laissées ouvertes attireront les curieux ; si votre chat manque à l'appel, cela vaut toujours la peine de les inspecter.

«La curiosité est un vilain défaut», dit le proverbe, et le comportement indiscret du chat peut assurément lui attirer des problèmes. Tout débute lorsqu'il n'est qu'un chaton. Dès qu'il peut se déplacer, à deux ou trois semaines, il se met à explorer son environnement, et la chatte garde un œil (ou plutôt un nez) vigilant sur son petit, pour lui éviter les ennuis et le ramener en lieu sûr. La curiosité s'avère souvent plus forte que la prudence, qui limiterait les situations dangereuses. Cela est vrai surtout chez les chatons et les jeunes chats. Le chat «mûr», lui, s'est forgé une expérience de ce qui est possible ou non, qui fait cruellement défaut au jeune inconscient.

Pourtant, la curiosité peut avoir raison du plus prudent des chats. Dans la maison et le jardin, on peut limiter les dangers en couvrant les citernes et les canalisations ouvertes, en rangeant les poisons en lieu sûr, en fermant les cabanes de jardin et en bouchant les trous à la taille du chat. Certaines plantes d'intérieur sont toxiques pour le chat et devraient être évitées, et tout membre de la famille devrait apprendre à fermer les portes des placards. Il vaut

Ci-dessus
Les pesticides doivent être rangés hors de portée du chat, qui considère la cabane de jardin comme un terrain de jeu.

En haut
Le chaton, plus curieux et joueur que l'adulte, est de ce fait plus exposé.

Ci-contre
Bien que le chat déteste généralement l'eau, la curiosité a entraîné celui-ci sur une citerne.

mieux boucher les cheminées ne servant plus, surtout si la maison accueille un chaton ou un nouveau chat. En prenant de l'âge, le chat se fait moins curieux ; vers huit ans, il attache davantage d'importance aux valeurs sûres que sont chaleur, confort et repas réguliers.

PATROUILLES TERRITORIALES

En patrouillant dans son territoire, le chat recueille des informations grâce à ses sens, surtout celui de l'odorat. Un nouvel arrivant peut avoir déposé des phéromones. Il peut y avoir de nouveaux nids d'oiseaux ou de souris. Une foule d'autres animaux peuvent avoir laissé des traces odorantes. Chaque odeur sera retenue et prise en compte. Mais le chat sentira aussi des odeurs familières qui le rassureront.

Le chat d'intérieur exprime sa curiosité en se juchant sur un appui de fenêtre ou tout autre endroit d'où il observe le monde extérieur. Les déplacements des oiseaux, des chats, des autres animaux et des humains sont étudiés attentivement, même s'ils n'ont

que peu d'impact (voire aucun) sur la sécurité du chat ou n'offrent aucune perspective de chasse. Toute nouveauté dans la maison, même une boîte vide, est inspectée. Si sa curiosité révèle au chat qu'un événement désagréable se prépare – la présence de son panier présage une visite chez le vétérinaire –, il pourrait bien se cacher.

LE SENS DE L'INTIMITÉ

Bien que curieux, le chat n'apprécie pas que l'on s'intéresse de trop près à sa propre vie. S'il est faux d'affirmer – pour le chat domestique, en tout cas – que les chats « se tiennent à l'écart », il est certain qu'ils entendent garder une certaine intimité. Ils aiment voir sans être vus, comme lorsqu'ils se tapissent dans les broussailles. Chez les félins, les experts en la matière sont bien entendu les fauves, dont le pelage est tellement bien adapté à leur habitat qu'il est possible de passer à quelques mètres d'un léopard ou d'un tigre sans les remarquer. Le chat est offensé au plus haut point si un autre animal le dérange alors qu'il se nourrit ou utilise sa litière. Et, si sociable soit-il, il aime chasser et patrouiller *seul* dans son territoire. On ne connaîtra jamais aussi bien son chat que son chien…

Ci-contre
Les sens aiguisés du chat lui permettent de sentir et d'entendre des choses qui excitent sa curiosité.

En bas à gauche
L'appui d'une fenêtre fait un parfait poste d'observation.

En bas à droite
Ce chat flaire les broussailles pour déceler un éventuel intrus.

LE SAVIEZ-VOUS ?

Chez le chat, l'ergot est l'équivalent du pouce. Cette saillie se situe sur la face interne de la patte avant ; le chat s'en sert comme d'un crochet pour maintenir sa proie pendant la mise à mort.

Un chasseur-né

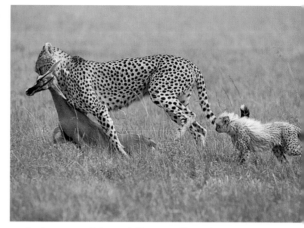

DANS LA NATURE, chasser est la principale activité des fauves… mis à part dormir. Les chats ruraux remportent la palme, mais cela n'a rien d'étonnant, car ce sont des chasseurs opportunistes et des ratiers impénitents. Un certain Vivolive, chat de ferme français, aurait attrapé mille souris chaque année de sa longue vie – vingt-trois ans. Mais il faut avouer que bien peu de chats sont dotés de la longévité ou de la résistance nécessaires pour approcher d'un tel record…

ne devienne supérieure à l'apport d'un chasseur solitaire. Dans la nature, le petit âgé de quatre à cinq mois doit être capable de se tirer d'affaire seul : il n'y a donc pas de temps à perdre.

DES CHASSEURS ENTRAÎNÉS

La chatte domestique (comme son cousin sauvage) forme ses chatons dès leur plus jeune âge, en commençant par remuer la queue pour les inciter à jouer. Elle les pousse à simuler la mise à mort sur tout objet adéquat, et à se bousculer entre eux en reproduisant le comportement de chasse. Dans la nature, elle finira par partir en chasse avec eux, en les aidant à localiser et, au besoin, à tuer leurs proies. Dans le cadre du nid, la chasse demeurera un jeu que vous devrez prolonger en faisant preuve d'imagination si vous voulez que votre jeune chat ne s'ennuie pas. Il est intéressant de constater que les chatons domestiques qui, pour une raison ou une autre, n'ont pas bénéficié de cet apprentissage maternel se transforment en adultes indifférents à la chasse ou très mauvais à ce « jeu ». Ils s'ennuient facilement et peuvent même devenir amorphes, comme si on leur avait ôté toute raison de vivre.

Comparées aux méthodes de chasse des chiens, celles des chats sont économiques, méthodiques et efficaces. La différence la plus notable est la capacité du chat à réserver son énergie pour le dernier stade de la chasse. Le chien, lui, aura tendance à se

UN INSTINCT TENACE
Traditionnellement, les fermiers laissaient leurs chats souffrir de la faim pour les inciter à chasser, mais un chat associant la ferme à une source de chaleur et de nourriture est plus enclin à chasser dans les environs immédiats et à se nourrir des proies abondant sur place : souris, campagnols, petits lapins…

La vie du chat domestique est telle qu'il n'a pas besoin de chasser pour survivre. Néanmoins, son instinct de chasseur persiste et doit être satisfait d'une manière ou d'une autre pour que le chat mène une vie épanouie.

C'est sa mère qui apprend au chaton à chasser. Dans la nature, les proies de la chatte constituent l'alimentation exclusive de la famille, et il est indispensable qu'elle encourage ses chatons à chasser dès que possible. L'acquisition rapide de la technique de la chasse, même chez les portées domestiques, révèle sans nul doute l'urgence de cette tâche dans la nature. La période d'apprentissage est limitée : le chaton doit savoir chasser avant que sa consommation

> **LE SAVIEZ-VOUS ?**
> Le chat a une langue hérissée de papilles qui, outre leur fonction gustative, lui servent à détacher la chair des os et à laver méthodiquement sa fourrure pendant la toilette.

En haut
Le guépard compte sur sa formidable accélération pour attraper sa proie ; cette mère va apprendre à son petit à se débrouiller seul.

Au milieu
« Jouer » à la chasse amuse et éduque le chaton.

Ci-contre
La première étape de la chasse consiste à localiser la proie.

précipiter, sans prendre le temps de se demander si sa proie en vaut la peine (à moins qu'il n'ait été dressé pour la chasse). Les techniques de chasse du chat, par contraste, sont bien plus résolues et méticuleuses.

LA MISE À MORT

La chasse peut être divisée en trois étapes : localiser la proie, la traquer et la tuer. Un chat à la recherche d'une proie se livrera à l'observation pendant un temps considérable, ses sens – vue, ouïe et odorat – en éveil. Une fois sa victime choisie, la traque commence. Le chat avance lentement, ventre

confiant, le chat laissera parfois sa victime s'échapper, pour ajouter à son excitation.

Arrive enfin la mise à mort. Idéalement, le chat mordra la nuque avec les canines et sectionnera la moelle épinière, mais il arrive que la victime soit juste estropiée et devienne un jouet, avant d'être finalement abattue. Pour les proies plus conséquentes (rats ou lapins), le chat doit bondir sur sa victime et l'attaquer avec les pattes avant pour la soumettre. Les chats prêtent une grande attention à la taille et à la force de leurs proies. La plupart s'attaqueront à un lapereau malade, mais pas à un lapin adulte en pleine santé, dont les pattes peuvent infliger une ruade aussi puissante que douloureuse. Les rats en particulier sont traités avec respect, car ils peuvent causer de graves morsures, même à l'agonie. Malgré cela, on raconte qu'une chatte tigrée «employée» par un stade londonien aurait attrapé quelque 12 500 rats en six ans de bons et loyaux services.

plaqué au sol, oreilles pointées en avant, yeux grands ouverts, totalement concentré sur sa proie. Si sa cible se déplace, il peut quitter cette attitude et la reprendre plus tard, encore et encore, jusqu'à ce qu'il juge qu'il est dans la bonne position pour bondir. Son corps frissonne et ses pattes arrière piétinent silencieusement le sol. Une fois que le moment est arrivé, le chat saute, pattes avant tendues, les pattes arrière ne quittant généralement pas le sol.

Bien des maîtres constateront que c'est le moment le plus délicat. Une souris ou un petit oiseau peuvent se faufiler entre les pattes du chat, en particulier s'il n'est pas expert dans l'art de la chasse. Vient alors le jeu du chat et de la souris. S'il est

En haut
Ce chat observe sa proie avant de s'approcher.

Au milieu
Pendant la traque, le chat avance «ventre à terre» et oreilles pointées en avant.

Ci-contre
Le chat rapporte souvent sa proie ; il ne faut pas le réprimander, car c'est un cadeau qu'il veut partager avec son maître.

STYLES DE CHASSE

Chats harets et sauvages mangent leurs proies d'une traite. Le chat domestique, n'étant pas soumis à la même pression, a tendance à prendre son temps. Lorsqu'il mange une souris, le chat commence par la tête, qu'il tranche au niveau du cou et fait passer entre les carnassières avant de l'avaler. La moitié supérieure du corps suit. La technique habituelle consiste alors à faire disparaître progressivement le reste, d'une patte arrière à l'abdomen. Certains chats mangent leurs proies en entier, d'autres laissent vésicule biliaire, intestin grêle et autres éléments du système digestif. S'ils avalent peau et poils, ces derniers seront régurgités.

Le chat apporte souvent à la maison sa proie morte… ou des morceaux. Cette pratique est probablement due à l'habitude de partager le butin de la chasse avec tous les chatons du nid, et le maître du chat joue le rôle d'un des chatons. Une autre activité que bon nombre de maîtres trouvent gênante consiste à jouer avec la proie morte ; le chat la projette en l'air, bondit et roule sur elle, la cache et la redécouvre, comme s'il revivait chasse et mise à mort.

En dépit de ses qualités de chasseur aiguisées et éprouvées, le chat revient souvent bredouille de

En haut
Les fauves, comme cette lionne, doivent manger leur proie sans tarder, à cause de la menace que représentent charognards et autres fauves.

Ci-contre
Chat jouant avec sa proie.

ses «raids». On a estimé que 90 % des oiseaux et plus de 75 % des souris s'échappaient. Ces statistiques résultant de l'observation des chats de ferme, on ne peut les attribuer à la paresse ou à l'inexpérience.

pas si élevé qu'on l'affirme souvent. Avec leur large champ de vision, leurs systèmes d'alarme stridents, leur empressement à «bombarder en piqué» les chats en maraude et, surtout, leur capacité à «jouer les filles de l'air», les oiseaux adultes sont tout à fait capables de se prendre en charge. Les petits oiseaux sont aussi experts dans l'art de faire le mort, avant de saisir une chance de s'échapper. Ce n'est que dans les rangs des oisillons que les chats peuvent infliger de sérieuses pertes. Et là encore, de nombreux oiseaux, comme les merles, défendent leurs petits par des cris d'alarme incessants et des piqués répétés sur l'ennemi.

REPÉRER LE PROCHAIN REPAS

Le chat domestique bien nourri apprécie souvent autant la chasse que celui qui en dépend pour survivre. Il semble qu'il y ait chez les Félidés une philosophie bien ancrée selon laquelle «on ne sait jamais d'où viendra le prochain repas». Les fauves comme le lion et le tigre mangent souvent au-delà de leurs besoins ; rassasiés, ils iront dormir pour digérer. Le chat domestique bon chasseur s'obstinera à chasser, quitte à ne pas manger ses victimes. D'ailleurs, toutes les proies ne sont pas tuées pour être mangées. Le chat tue des animaux comme la musaraigne et la taupe, même s'il sait par expérience qu'ils sont immangeables, alors que nombre d'espèces comestibles comme la souris sont ignorées après la mise à mort et le jeu final. La plupart des chats feront toutefois une exception pour les oiseaux, considérés comme des mets délicats et dont il ne restera en général que quelques plumes.

LE CHAT ET LES OISEAUX

La prétendue décimation des oiseaux par les chats est l'une des croix que doit porter le maître qui laisse son chat sortir. Malheureusement, le tas de plumes suspect ornant votre allée fournit aux amoureux des oiseaux un argument difficilement contestable. En réalité, le nombre de victimes chez les individus adultes n'est

LE CHAT D'APPARTEMENT ET LA CHASSE

Chasser faisant partie intégrante de la vie du félin, le propriétaire d'un chat d'appartement doit combler ce manque en lui proposant des activités de substitution comme des jeux de poursuite. Vous pouvez bien sûr vous procurer dans une animalerie toute une gamme de jouets sophistiqués, mais une balle de ping-pong, un bout de papier chiffonné attaché à une ficelle et tout objet similaire de la vie quotidienne feront aussi bien l'affaire.

En haut
Le chat est un piètre chasseur d'oiseaux.

Ci-contre
Les jouets remplacent idéalement la chasse.

La psychologie du chat

LES RELATIONS d'un chat domestique avec son maître, la famille de celui-ci et les autres animaux familiers sont complexes. Elles sont faites d'impulsions dérivant de la vie des félins dans la nature associées à d'autres découlant de leur volonté de s'adapter à la vie domestique. Il s'agit d'un compromis. Le chat domestique échange sa liberté – de chasser à son gré, de choisir son propre territoire, de s'accoupler quand il en a envie – contre les avantages indéniables d'un abri, de chaleur et de nourriture. Il y a là incontestablement matière à conflit intérieur, et il est surprenant que ce conflit surgisse si rarement et chez si peu de chats.

ESPACE VITAL

Les chattes sont presque toujours de bonnes mères assurant aux chatons un environnement alliant attention et chaleur. Le goût du confort, ancré tôt, persistera durant toute la vie du chat ; il se traduit par son penchant pour les endroits au soleil, un tapis chaud devant la cheminée ou le lit de son maître. En outre, le chat a besoin de son espace vital, périmètre de quelque 50 cm autour de son corps dont il a le contrôle absolu, à l'intérieur duquel il peut choisir ce qui se passe et qui ou quoi est admis.

Au milieu
Le chat a besoin de son propre espace vital, et il choisit quand il veut être en compagnie d'humains ou de ses semblables.

Ci-contre
Il faut décider des meubles sur lesquels le chat peut s'asseoir et des pièces dans lesquelles il peut entrer.

C'est l'endroit où il se réfugiera, stressé ; c'est pour cela que sa «base» devrait se trouver dans un lieu tranquille où il peut se reposer, dormir ou observer calmement ce qui se passe autour de lui. S'il y a plus d'un chat dans la maison, l'espace vital devrait être assez grand pour deux, ou chaque chat devrait avoir le sien. C'est le «surpeuplement» qui provoque le stress.

Tous les occupants de la maison devraient s'entendre sur les endroits où le chat peut dormir ou s'asseoir, et sur ce qui est considéré comme un comportement acceptable. Le chat est aussi troublé et stressé qu'un enfant si un membre de la famille autorise ce qu'un autre interdit. Pour le chat, si un lit fait partie du «territoire autorisé», il n'y a pas de raison qu'un autre ne le soit pas, surtout si la chambre est plus chaude ou plus ensoleillée. Mais si certains acceptent qu'un chat soit couché à leurs pieds toute la nuit, d'autres ne l'apprécient pas. C'est pourquoi la meilleure solution consiste probablement à interdire toutes les chambres (sans compter les raisons d'hygiène).

LE CHAT EN SOCIÉTÉ

Une difficulté similaire peut surgir s'il se présente un invité n'aimant pas les chats. L'innocent visiteur est assis sur une chaise sur laquelle le chat a l'habitude de sauter pour être caressé. Le chat saute et le visiteur horrifié repousse le chat, qui est totalement

demandent pas plus que d'être assis dans la même pièce que les humains. Il faudrait conseiller aux enfants de laisser tranquille un chat qui ne semble pas rechercher leurs marques d'affection.

HABITUDES ET SÉCURITÉ

Le chat apprécie un environnement familier dans lequel il se sent en lieu sûr. Sa notion du temps qui passe est source de sécurité, à condition que sa routine ne soit pas bouleversée. Des changements mineurs (déplacement de meubles) ou majeurs (arrivée d'un bébé) peuvent se révéler très dérangeants – même pour un chat de longue date dans la maison. Face à ce genre de stress, ou face à tout comportement inhabituel des humains, le chat a tendance à se cacher, voire à disparaître pour de bon.

Les nouveaux maîtres sont souvent surpris par la façon dont leur chat semble pressentir certains changements imminents, comme un déménagement ou un départ en vacances. On assimile parfois cette aptitude à un «sixième sens» félin, mais la vérité est bien plus prosaïque. La vie du chat est si fermement ancrée dans l'instant présent qu'il est constamment sur le qui-vive. Dans la nature, des changements telle la survenue d'un chat rival pouvant empiéter sur son terrain de chasse et devant être repoussé pourraient constituer une véritable menace pour lui.

désorienté. Mais le chat aussi a des droits, en particulier chez lui, et son maître peut lui offrir un câlin ailleurs pour réparer cette injustice. Il semble que les chats aient le chic pour vouloir sympathiser justement avec ceux qui ne les aiment pas…

Par ailleurs, certains chats semblent garder leurs distances, ce qui ne signifie pas forcément qu'ils n'apprécient pas la compagnie. La plupart la recherchent, à des moments bien précis souvent, comme le soir, lorsque chacun est détendu. Ils préservent pourtant leur indépendance, et si certains chats réclament câlins et attention, d'autres ne

En haut
Le chat adore dormir sur les lits, qui lui offrent espace et odeurs familières.

Ci-contre
Le chat trouve parfois rassurant de dormir sous un meuble, surtout s'il veut être seul.

Par conséquent, le chat enregistre tout – les allées et venues imprévues, l'apparition de cartons de déménagement, les bruits étranges et les odeurs nouvelles au moment de faire les valises – et, bien qu'il ne puisse interpréter ces éléments en détail, ceux-ci s'additionnent pour donner un sentiment d'insécurité. Les maîtres oublient parfois la bonne mémoire de leur chat, que la simple apparition d'un panier peut faire fuir. Ce dernier pourrait signifier visite chez le vétérinaire ou séjour à la pension pour chats.

Ces deux événements pourraient impliquer un trajet en voiture, qu'aucun chat ne semble supporter aussi calmement que les chiens. Cela n'a rien de surprenant si l'on songe au mode de vie du chien et du chat dans la nature : le chien erre avec sa meute, le chat se cantonne dans son territoire. Placer un chat dans une voiture revient à le priver de la vue, des sons et des odeurs de son environnement familier et à les remplacer par des bruits et des odeurs (essence, huile) indésirables.

LE CHAT ET L'HOMME

Il n'est pas totalement illogique d'avancer que, si le chien a tendance à se considérer comme un humain faisant partie de la « meute » des hommes, son maître en étant le chef, le chat tient les humains de la maison pour d'autres chats. Il se comporte envers vous comme il le ferait avec les autres chatons du nid, faisant votre « toilette », se pelotonnant contre vous et communiquant avec vous comme avec d'autres chats. Le maître d'un chat calme peut ne pas réaliser à quel point ce dernier est attentif aux sons, aux odeurs et au comportement visuellement observable des occupants de la maison, même s'il réagit peu.

Les célibataires peuvent être confrontés à un problème particulier : leur chat peut devenir trop dépendant de leur compagnie, surtout s'il ne sort jamais et qu'il habite la maison depuis qu'il est un chaton. Le chat s'attache alors à une seule et même personne. Cela, aggravé par l'ennui, peut entraîner une détresse extrême quand le maître s'absente. Le chat peut alors se cacher, refuser de s'alimenter ou d'utiliser sa litière jusqu'à son retour. Certains chats se libèrent de leur anxiété sur le mobilier,

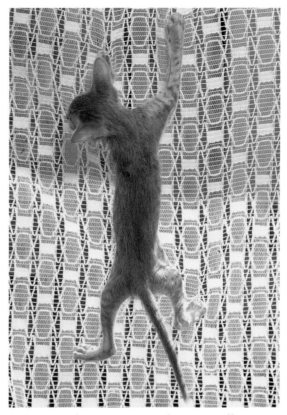

mettant en pièces coussins et rideaux et griffant les meubles. Vous pouvez éviter ces désagréments en prenant deux chatons de la même portée, qui s'amuseront ensemble et avec leurs jouets. Deux chatons ne posent pas beaucoup plus de problèmes qu'un seul, et avoir de la compagnie offrira à chacun d'eux une vie plus intéressante.

En haut à gauche
Le chat peut associer
son panier de voyage
à un mauvais souvenir,
comme une visite chez
le vétérinaire ou un séjour
dans une pension.

En haut à droite
Il faut faire jouer
les chatons, sinon ils se
défoulent sur le mobilier.

Ci-contre
Un second chat
peut tenir compagnie
et éviter l'ennui à un chat
laissé souvent seul.

LE CHAT D'EXTÉRIEUR

Le chat autorisé à sortir vit peut-être dans le meilleur des mondes félins. Tout en conservant une « base » chaude et sûre (votre maison), il peut se rapprocher de son mode de vie naturel. Il peut délimiter et conserver un territoire, chasser, choisir un éventail d'endroits en plein air où dormir en suivant la course du soleil, voire revenir à un style de vie nocturne. Il devient moins dépendant de son maître et peut prendre de l'exercice plus naturellement. Le revers de la médaille est, bien sûr, la vulnérabilité du chat d'extérieur aux accidents et combats et, assez fréquemment, sa décision soudaine de quitter son maître et d'élire une nouvelle famille d'accueil… sans raison particulière. Et même s'il n'en arrive pas là, le chat qui vagabonde développe assez souvent des réseaux humains, se présentant régulièrement ici et là pour réclamer câlin ou bon morceau, sans même que son maître s'en aperçoive. Cela renvoie au comportement territorial des fauves, qui visitent plusieurs sites où ils savent pouvoir trouver nourriture ou abri.

LES BONNES MANIÈRES

Si vous recueillez un chat errant, il existe un risque qu'il n'ait pas appris, chaton, les rudiments du comportement social. Une bonne mère corrigera l'agressivité de son chaton d'une petite tape, mais encouragera le jeu innocent et constructif et prendra le temps de partager avec lui des moments chaleureux et paisibles. Un chat n'ayant jamais fait ces expériences souffre d'une carence et sera sujet à des troubles similaires dans sa nouvelle vie – incapacité à s'adapter aux autres, flambées d'agressivité ou simplement mauvais comportement. Il vaut donc mieux n'acheter un adulte que si l'on connaît ses origines, et observer le comportement de la chatte avec ses chatons avant d'en prendre un chez soi.

Ci-dessus
Un excellent emplacement : de ce poste d'observation ensoleillé, le chat peut partir en chasse sur son territoire.

Ci-contre
L'attrait du chat d'extérieur pour les voitures constitue pour lui un grave danger.

Le « langage » du chat

L E CHAT DOMESTIQUE maîtrise tout le répertoire du langage corporel, facial et vocal employé par ses cousins sauvages et harets. Seule différence : le chat d'appartement dispose d'un plus large éventail d'expressions orales. C'est probablement parce qu'il sait d'expérience que les sons sont importants dans le monde humain et suscitent une réponse immédiate.

LA COMMUNICATION ORALE

Langage corporel et phéromones renseignent le chat sur ses congénères, mais sont inefficaces pour communiquer avec l'homme. Aussi, le chat produira un son particulier pour être nourri, un autre pour sortir – situations absentes du monde sauvage ou

haret. Certains chats, les Siamois en particulier, développent un éventail de variations de « miaous » assimilables à une forme primitive de conversation. Cependant, le chat accède rarement au même niveau de compréhension de son maître que le chien. Cela ne signifie pas que le chien soit plus intelligent ; cela veut simplement dire que le chat a tendance à limiter ses expressions vocales à celles produisant les effets désirés, tandis que le chien est plus avide de plaire.

UN VOCABULAIRE FÉLIN ?

Voici plus de cinquante ans, Mildred Moelk, psychologue américaine, a répertorié seize sons distincts dans le vocabulaire audible du chat, exception faite du ronronnement, acte réflexe. Elle a analysé de près ces sons et les a divisés en trois groupes. Elle a identifié des murmures produits bouche fermée, des « miaous » réalisés avec une bouche ouverte qui se ferme progressivement, et des sons plus pressants et plus forts réalisés bouche ouverte.

Certains de ces sons, comme les appels lors de l'accouplement, ou les grognements, grondements et cris perçants d'un violent combat de chats, ne seront jamais produits par un chat domestique castré. Mais la plupart des maîtres reconnaissent un répertoire d'une poignée de sons qui peuvent relever d'une communication spécifique entre chat et maître, ou entre deux chats. Il leur arrive aussi d'entendre un « rugissement » de colère ou de douleur, et le crachement de frustration lorsque le chat est « taquiné » par un oiseau.

En haut à droite
Chat exprimant sa contrariété en montrant les dents ; cette attitude peut être suivie d'un sifflement.

Au milieu
Le Siamois est la race la plus « bavarde ».

EXPRESSIONS QUOTIDIENNES

L'expression orale la plus familière est probablement le « chirp » de bienvenue (semblable à celui d'un oiseau) dont les chats domestiques gratifient leur maître. Souvent accompagné d'un soulèvement de la queue, d'un creusement du dos et d'un rebond des pattes avant, ce son est similaire à celui produit par les chats harets d'une colonie se rencontrant en territoire neutre. Il est avéré que les chats considèrent leur maître et sa famille comme des membres de la même « colonie », bien que cette dernière soit constituée d'animaux différents.

Un autre son familier est le « hé oh », vocalise plus longue produite typiquement quand le chat attend près de la porte qu'on le laisse sortir. Ce son ou un « miaou » plus bref peut être employé si le chat veut manger. Bien sûr, ces différents sons n'ont pas la « signification » spécifique que l'on donne aux mots du langage humain. Ce sont simplement des sons dont le chat sait, par expérience, qu'ils produisent les effets désirés. Si grogner près de la porte poussait quelqu'un à l'ouvrir, le chat utiliserait ce signal – si ce n'est que le grognement est réservé au mécontentement. La chatte grognant si ses petits sont trop turbulents, se nourrissent gloutonnement ou s'aventurent trop loin du nid, ce grognement a une signification spéciale. C'est aussi le cas du sifflement, son plus pressant et menaçant, assez haut sur l'« échelle de Richter » du chat. Lorsqu'il siffle, le chat indique à son maître d'être prudent – quelque chose l'a mis dans une colère noire. Après le sifflement, le chat a recours au crachement.

PREMIÈRES VOCALISES

Le premier langage oral acquis par le chaton (ou inné) est l'appel de détresse qui alerte immédiatement la mère et l'incite à s'occuper de lui ou à le nourrir. Son vocabulaire s'élargit petit à petit et, vers trois mois, il vocalise librement avec un répertoire étendu. Plus le chaton joue avec ses frères et sœurs, plus son vocabulaire est riche. Chez l'adulte, les vocalises varient considérablement, les Siamois étant les plus « bavards ». Naturellement, plus on parle à son chat, en utilisant les mêmes phrases et le même ton, plus il sera communicatif. Il réagira d'autant mieux si tous les membres de la famille emploient les mêmes phrases et les mêmes tons.

En haut
Ce chat accueille affectueusement son maître ; il se frotte contre ses jambes, soulève la queue et arque le dos.

Ci-contre
Le chat reconnaît très tôt son nom et il accourt quand on l'appelle à l'heure du repas.

LE SAVIEZ-VOUS ?

La peau du chat est très souple, ce qui réduit les risques de blessure lorsqu'il est aux prises avec une proie prête à tout pour s'échapper, ou avec un rival ou un prédateur.

En haut à gauche
La posture agressive par excellence : dos arqué, oreilles aplaties et poil hérissé.

En haut à droite
Attitude typique du combat : les rivaux tournent en rond avant qu'un chat passe à l'attaque.

En bas à droite
On peut lire le plaisir dans ces yeux mi-clos.

LE LANGAGE CORPOREL

Dans la communication féline, le langage postural prime sur l'expression orale. Le chat s'exprime par des mouvements des oreilles, des vibrisses, des poils, de la colonne, des pattes et de la queue. Certains experts affirment avoir distingué neuf expressions faciales et seize postures du corps et de la queue, pouvant être combinées pour formuler des messages subtils – ou plutôt des réactions aux événements – accessibles en partie seulement aux humains.

Le poil hérissé, la queue levée et remuant légèrement trahissent l'agression. Les vibrisses se raidissent, les oreilles sont dressées mais un peu repliées vers l'arrière et les pupilles se réduisent à des fentes. Plus le chat est en colère, plus ses oreilles pointent vers l'arrière et ses moustaches vers l'avant. S'il s'apprête à attaquer, ses oreilles pivotent encore plus et sa queue s'agite davantage.

SUR LA DÉFENSIVE

Les oreilles s'aplatissent. Fourrure et vibrisses se hérissent, le chat arque le dos, et sa bouche s'entrouvre, prête à grogner ou à gronder, à siffler ou à cracher. Pour indiquer la soumission, il a un mouvement de recul, sa fourrure se plaque, ses moustaches s'affaissent, sa queue tombe et bat le sol, et ses pupilles se dilatent.

La confrontation de deux chats étrangers donne lieu à tout un éventail de postures agressives

et défensives. La rencontre débute habituellement par un échange prolongé de regards fixes, puis un des chats relève le défi en reniflant la queue de son adversaire et en grognant. Cela oblige l'autre à passer à la défensive. Si l'agresseur continue à avancer, l'agressé peut abandonner et reculer, et laisser son rival partir en se pavanant. Mais il peut aussi décider de défendre sa position et adopter une posture agressive. C'est le début des vraies hostilités. L'un des chats passe à l'attaque, et l'autre roule sur le dos et lève les pattes, toutes griffes dehors. Nous assistons maintenant à un authentique combat de chats, comme il en éclate quelquefois en pleine nuit. Il se poursuivra jusqu'à ce qu'un chat décide que cela suffit et cherche un moyen de se tirer d'affaire. Une fois à distance respectueuse l'un de l'autre, les deux chats se livreront à une toilette méticuleuse. Mais ils n'ont probablement pas réglé leur différend et reviendront sûrement à la charge un autre jour.

UN LANGAGE INSTINCTIF

Outre le langage de l'agression, le chat adopte aussi, avec son maître, des postures remontant à sa vie dans le nid. Ainsi, un mouvement des oreilles vers l'arrière et le bas, parfois associé à une petite tape donnée d'une patte de velours, est une invitation au jeu. Un chat satisfait garde les oreilles droites – elles se redressent s'il est caressé – et les yeux mi-clos, fléchit les jarrets et… cherche une position confortable.

De même que nous interprétons certaines attitudes félines, le chat interprète les nôtres. Si vous êtes confortablement assis devant la télé, votre chat sait que c'est le bon moment pour s'installer sur vos genoux et se faire caresser. Il sait aussi où vous rangez son écuelle, et si vous vous dirigez dans cette direction, il émettra peut-être un « chirp » d'anticipation ou se frottera contre vos jambes. Enfin, il aura noté les signes indiquant que vous vous apprêtez à sortir, à vous mettre au lit, à accueillir les enfants après l'école…

La « lordose », position adoptée par la femelle pour indiquer qu'elle est prête à s'accoupler, entre dans une tout autre catégorie posturale. L'avant du

corps descend et l'arrière monte, queue plaquée de côté, et la chatte « piétine » le sol avec les pattes arrière. Les chaleurs peuvent s'accompagner de roulades, de frottements contre personnes et objets, et de cris répétés. Si la chatte n'est pas couverte, ce comportement persiste de trois à cinq jours, voire plus chez certaines races (notamment le Siamois). Chez les chatons (non châtrés), il apparaît vers six ou sept mois.

COMMUNICATION OLFACTIVE

Outre le langage posturo-verbal, les chats utilisent entre eux une autre forme de communication : le langage olfactif. Deux chats se rencontrant approcheront doucement leurs nez et leurs têtes, flairant leurs glandes odorifères. S'ils sont amis, ils se frotteront l'un contre l'autre. Un chat en patrouille fera des arrêts fréquents pour contrôler ses marquages et ceux des autres sur poteaux, arbres et clôtures. Lorsqu'il aiguise ses griffes, il dépose des phéromones sur l'objet griffé ; ces traces ont une signification particulière, les chats ne choisissant pas au hasard les endroits où ils affûtent leurs griffes et leur restant généralement fidèles.

Cette communication olfactive instinctive resurgit dans la vie domestique : le chat se frotte contre les jambes de son maître ou dépose avec la tête des phéromones sur ses pieds. Par ce comportement, il recueille aussi des informations (vous remarquerez peut-être que le parfum de certains gels douche l'attire particulièrement). Le dépôt d'urine est un aspect moins agréable des marquages, à moins que vous ne parveniez à proscrire cette pratique à l'intérieur.

En haut
Ces deux chats se saluent amicalement et font connaissance en se flairant.

Au milieu
Illustration de la « lordose », position indiquant que la femelle est en chaleur.

Ci-contre
En aiguisant ses griffes sur cet arbre, ce chat dépose ses phéromones.

Adopter un chat

L E CHAT a la réputation d'être un animal facile et relativement peu coûteux. L'élever nécessite cependant un investissement – équipement, nourriture, abri et attention. Bien que nombre de chats semblent distants et indépendants, dans le cadre domestique, ils dépendent énormément de la compagnie des humains, même si cela ne semble pas évident.

tenir compagnie. Mais *chaque* membre de votre foyer devrait accepter la présence du chat : ce dernier ne doit pas avoir d'ennemis dans la maison. Il est important que vous vous rappeliez que ce chat fera partie de votre vie de longues années – jusqu'à douze ans en moyenne, davantage si vous prenez un chaton.

QUESTIONS À SE POSER

Question fondamentale : votre style de vie vous permet-il d'avoir un chat ? La routine étant un besoin psychologique pour le chat, le foyer idéal rime avec régularité. À l'inverse, des allées et venues imprévisibles et une maison vide durant de longues périodes ne conviennent absolument pas. La plupart des chats s'habitueront à être laissés seuls toute la journée, si vous travaillez, en particulier s'ils peuvent sortir à volonté ou disposent de jouets et d'un bon poste d'observation, comme un appui de fenêtre. Ils aiment «prédire» quand quelqu'un rentrera à la maison, aptitude qu'ils acquièrent rapidement. Ceux à qui il arrive souvent de partir en voyage du jour au lendemain ne devraient pas posséder de chat, à moins de charger une personne de confiance de le nourrir et de prendre soin de lui.

Il faut aussi se demander comment s'organiser quand toute la famille partira en vacances. Malheureusement, trop de chats sont livrés à eux-mêmes quand leur maître s'en va. La solution idéale est qu'un ami ou une connaissance veille sur

UN MEMBRE DE LA FAMILLE

Si bien des chats se contentent d'être présents dans la maison, d'autres réclament jeux, câlins et «conversations».

Le chat a choisi de vivre avec l'homme pour partager la chaleur d'un foyer, mais aussi pour bénéficier d'une compagnie similaire à celle qu'il partageait, chaton, avec le reste du nid.

Le chat dépend de son maître pour abri, nourriture, affection et bonne santé. Cela signifie qu'un membre de la famille (autant le désigner dès le début) devra lui consacrer un peu de temps chaque jour ; le nourrir, changer sa litière, le brosser et lui

Ci-dessus
Il faut prendre le temps de jouer avec votre chat et de lui parler ; le chaton en particulier réclame beaucoup d'attentions.

Ci-contre
Chaque membre de la famille devrait approuver l'arrivée du chat afin qu'il se sente le bienvenu.

joué et veut se reposer, il faut le laisser tranquille. Et surtout, il faudrait leur dire que ses griffes sont dangereuses. Le chat peut les sortir non seulement quand il est en colère, mais aussi, souvent, en plein jeu. Il faudrait expliquer aux enfants de veiller particulièrement à garder leur visage hors de portée de ses griffes.

Il faudrait aussi fixer un certain nombre de règles (et cohérentes) concernant les endroits interdits au chat – comme la cuisine, les tables ou les plans de travail, les chambres et ainsi de suite.

AUTRES ANIMAUX FAMILIERS

Introduire un chat dans un foyer abritant déjà des animaux de compagnie provoque parfois

votre chat, dans votre maison de préférence. Les pensions sont une solution acceptable, mais elles sont chères et le chat ne s'y adapte pas aussi facilement que le chien au chenil. Un grand nombre des problèmes posés par l'absence du maître s'estompent s'il y a deux chats dans la maison. Ils s'amuseront ensemble, se tiendront compagnie et risqueront moins de présenter des troubles se traduisant par le dépôt d'urine ou la dégradation des meubles et des rideaux. L'idéal serait d'en avoir deux de la même portée.

des difficultés… qui peuvent souvent être évitées si le maître est attentif aux sentiments du premier occupant et veille à accorder autant d'attention à chacun. Le nouveau venu mettra, quoi qu'il en soit, un peu de temps à s'adapter, et développera généralement ses propres relations. Il est important qu'il dispose d'un endroit sûr bien à lui, où il pourra se réfugier si son rival devient trop pressant.

LE CHAT ET LES ENFANTS

Il est déconseillé d'introduire un chaton dans une maison avec de très jeunes enfants. Le cas du chat occupant une maison avant l'arrivée d'un bébé est différent. S'il sent qu'on lui accorde toujours un peu d'attention, il s'adaptera facilement. Mais les jeunes enfants n'ayant jamais vu de chat doivent connaître certaines règles basiques. Ainsi, il faut leur apprendre à l'approcher par-devant, jamais par-derrière ou par-dessus. Ils doivent savoir que, si le chat fait comprendre qu'il a assez

En haut
Bien que fournissant au chat un abri chaud et sûr en l'absence de son maître, les pensions ne constituent pas une solution à long terme.

Ci-contre
Chaton et chiot ont fait leur entrée dans la maison au même moment, ce qui évite les rivalités.

Quel chat ?

IL EXISTE BIEN DES FAÇONS de choisir un chat. Parfois, c'est lui qui vous choisit. Plus d'un chat perdu ou abandonné a trouvé un refuge temporaire dans une maison accueillante… et a fini par s'installer et faire partie de la famille. La réciproque est vraie. Certains, dérangés par l'arrivée d'un bébé ou d'un autre animal de compagnie, ou par le déménagement de la famille, partent à la recherche d'un foyer plus stable. Ainsi, le chat domestique fait à la fois preuve de dépendance et d'indépendance.

au moins avec le carnet de vaccination du chaton et sa carte de tatouage (comportant son numéro d'identification, sa race, son signalement précis, le nom et l'adresse du vendeur et vos coordonnées), dont vous renverrez une partie au Fichier national félin.

Les éleveurs vendent aussi des chatons (parfois sans pedigree) présentant des « défauts » leur interdisant l'accès aux expositions mais faisant d'eux des animaux domestiques parfaitement sains. La catégorie « chat de maison » s'applique parfois à ces derniers. À noter que seuls les chatons âgés de plus de huit semaines peuvent être vendus.

Associations félines et presse animalière vous donneront les coordonnées des éleveurs réputés. Les vétérinaires devraient être capables de recommander des éleveurs locaux, et connaissent souvent des chats sains sans pedigree ayant besoin d'un foyer accueillant. Il faut noter que certaines chatteries, n'étant pas inscrites auprès d'une association féline, ne sont donc pas vraiment « agréées ».

ACHETER UN CHAT À PEDIGREE

La manière classique de faire l'acquisition d'un chat va de la lecture des petites annonces dans le journal ou en vitrine des magasins à l'achat chez un éleveur. Il faut bien entendu privilégier cette dernière solution si vous avez l'intention de faire participer votre chat de race à des expositions. Les formalités régissant l'obtention d'un pedigree varient selon les pays ; les associations félines adhérant au LOOF n'acceptent d'inscrire que les chats issus de trois générations de race pure. Mais si vous entendez présenter votre chaton en exposition, il est important de noter que le pedigree en soi n'est nullement un gage de « qualité » ou de bonne santé.

En achetant un chat de race, vous signerez peut-être un contrat de vente spécifiant, entre autres, les caractéristiques de l'élevage ; ainsi, le métissage est interdit chez certaines races. Ce contrat peut obliger le vendeur à reprendre le chaton s'il tombe gravement malade dans le délai dit de suspicion, ou ne parvient pas à s'adapter à son nouveau foyer. En l'absence de contrat détaillé, vous devriez repartir

Au milieu
Tous les chatons sont attachants, mais il est primordial d'en choisir un qui ait fourrure propre et yeux secs.

En haut
Pour s'adapter à son nouveau foyer, le chat doit avoir au moins dix semaines, douze de préférence.

En bas
La stérilisation est une des rares mais nécessaires dépenses entraînées par l'acquisition d'un chat.

SECOURIR UN CHAT

Refuges et sociétés de protection des animaux accueillent nombre de chatons et de chats adultes. Si la plupart des derniers ont déjà connu la vie de famille, les premiers ont peut-être vécu des expériences traumatisantes. Si aucune association

LE SAVIEZ-VOUS ?
Le chaton noir au pied du lit de l'*Olympia* de Manet symbolise pour le peintre la corruption et la décadence morale de la société.

digne de ce nom ne donnera un chat qui n'a pas de grandes chances de faire un bon animal domestique, certains chats perturbés doivent être traités avec beaucoup d'attention et pourraient ne pas s'adapter à un foyer comptant jeunes enfants ou animaux familiers. Avant de donner un chat, la plupart des organismes enverront un bénévole qui vous interrogera, par exemple, sur la fréquence et la durée

de vos déplacements. Certaines questions semblent indiscrètes, mais les associations ayant enlevé un chat à une vie peu satisfaisante ne veulent pas courir le risque de l'envoyer vers une autre laissant tout autant à désirer.

Le marché de plein air n'est certainement pas un endroit où acheter un animal, et la plupart des vétérinaires déconseillent les animaleries, où les maladies félines sont souvent endémiques. Il faudrait aussi être vigilant en achetant sur petite annonce : visiter la maison d'origine et examiner le reste de la portée (dans le cas de chatons) est généralement un bon indicateur des « origines » du chat.

PRÉCAUTIONS

Il vaut probablement mieux choisir votre chat sans vos enfants ou, en tout cas, ne pas vous laisser influencer par eux. L'animal pitoyable ayant manifestement besoin d'un foyer chaleureux est rarement le bon. Le futur maître ignorant tout

des chats sera avisé d'emmener une personne les connaissant – pas nécessairement un expert, mais quelqu'un qui sache à quoi ressemble un animal sain. Il faut éviter les chatons aux yeux larmoyants ou irrités, au nez qui coule ou au pelage terne ou emmêlé. Ils doivent avoir dix semaines au moins, douze de préférence, avant qu'on les enlève à leur mère. Presque tous sont attachants, mais le meilleur choix consiste à prendre le plus vif et le plus amical de la portée. Il doit s'approcher d'une main tendue pour l'inspecter, puis répondre à la caresse et vous laisser le prendre. C'est l'occasion de l'examiner. Il ne doit présenter aucun suintement des yeux, du nez ou de la bouche, ses oreilles doivent être propres et sa fourrure nette et sèche au toucher.

La décision d'acquérir un chat doit être mûrement réfléchie. Le futur maître doit avoir une idée du genre de chat qu'il veut. En réalité, ce choix, souvent personnel, est plus une affaire de goût qu'un ensemble de considérations pratiques.

En haut
Les refuges de la SPA sont l'endroit idéal pour trouver un chat.

Au milieu
Avant l'achat, il est important qu'un vétérinaire s'assure de la bonne santé du chat que vous avez choisi.

Ci-contre
Si vous êtes souvent absent dans la journée, adoptez donc deux chatons : ils se tiendront compagnie.

MÂLE OU FEMELLE ?

Si tous les chats (non destinés à la reproduction) étaient stérilisés, on noterait très peu de différences – comportement, santé ou longévité – entre mâles et femelles. L'idée selon laquelle les mâles castrés deviennent gros et paresseux est un mythe.

CHAT DE RACE OU DE GOUTTIÈRE ?

Si le chat doit être un animal de compagnie, peu importe. Beaucoup de chats sans pedigree sont aussi intéressants que leurs cousins de race, et il n'y a pas de différence en termes de santé, de sociabilité ou d'aptitude à la vie domestique. Les seuls éléments à considérer pour un chat de race sont, peut-être, la « volubilité » et l'activité présentées par certaines races, et le besoin de vie paisible ou de présence constante d'autres. Ces traits sont mentionnés dans la partie consacrée aux diverses races.

CHATON OU CHAT ADULTE ?

Ce choix mérite peut-être davantage de réflexion. Un chat adulte pourrait avoir plus de mal à s'adapter à son nouvel environnement. Même si l'on a l'intention de laisser sortir son chat, il est conseillé de le garder à l'intérieur pendant une période, le temps qu'il s'adapte, sans quoi

En haut à gauche
Ce chat de gouttière n'est pas moins beau que ses cousins à pedigree.

En haut à droite
Le chat à poil long demande beaucoup de soins.

Ci-contre
Les enfants aiment observer l'évolution d'un chaton et ses apprentissages le menant à l'âge adulte.

il pourrait tenter de retourner à son ancien domicile. Il est très enrichissant pour des enfants de voir un chaton grandir, et ce dernier est plus facile à éduquer et s'adaptera plus rapidement à son foyer.

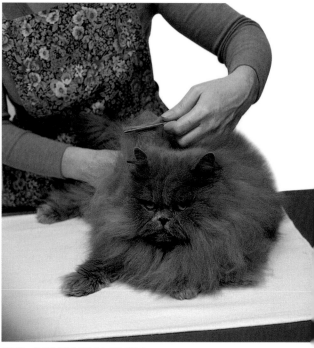

POIL COURT OU LONG ?

Ce dernier choix implique des considérations pratiques. La mue du chat à poil long est bien plus « visible » ; sa fourrure, souvent plus fine, a davantage tendance à attirer poussière et acariens. Il faut prendre cet élément en compte si un membre de votre famille souffre d'asthme, de rhume des foins ou d'eczéma. Demandez conseil à votre médecin : selon la forme de la maladie, la présence d'un chat peut être à proscrire.

PRÉCAUTIONS SANITAIRES

Toute personne faisant l'acquisition d'un chaton doit vérifier qu'il a été vacciné contre les principales maladies félines, comme la leucose ou le coryza, et en particulier contre la rage. Le vaccin antirabique est le seul obligatoire (tous étant vivement recommandés). Le chaton peut être vacciné à partir de deux mois environ, et une fois adulte, le chat subira toute sa vie des rappels annuels. Les vendeurs et éleveurs responsables vous fourniront un carnet de vaccination, carte sur laquelle sont notées les dates de vaccination et des rappels. Si vous prenez un chat adulte, il est peu probable que l'on vous fournisse ce genre de renseignements, et il est conseillé de consulter un vétérinaire.

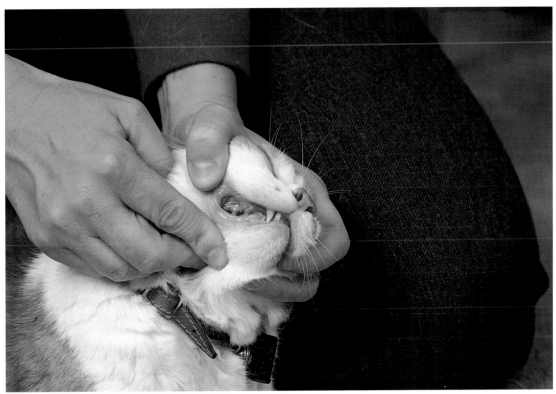

LE SAVIEZ-VOUS ?
Face à la réticence du chat à être « éduqué » de quelque manière que ce soit, les Romains utilisaient son image comme symbole aux pieds de la déesse de la Liberté.

Il vaut mieux, dans tous les cas, faire appel à un vétérinaire avant de vous décider à acheter chat ou chaton. Cela est valable que vous achetiez votre chat chez un voisin ou chez un éleveur « agréé ». Dans le cas de chats adultes dont l'âge est incertain, le vétérinaire peut faire une estimation en inspectant les dents.

LA STÉRILISATION

Le mâle atteint la maturité sexuelle vers six à huit mois, la femelle deux mois plus tôt. Il faut les faire stériliser (sauf si l'on veut les faire se reproduire pour l'élevage). La femelle en chaleur est bruyante, lunatique et peut se livrer au marquage urinaire. Le mâle procède à des dépôts d'urine, dégage une odeur répugnante et peut faire preuve d'agressivité. Si la stérilisation limite ces problèmes, elle a aussi tendance à rendre le chat plus casanier. Cependant, le sujet castré n'est pas un chasseur moins doué ; l'instinct de la chasse n'a rien à voir avec l'aptitude à la reproduction. Un autre mythe veut qu'on laisse la femelle mettre bas une fois avant de la stériliser. Rien ne prouve que cela soit bénéfique, tant médicalement que psychologiquement. Les vétérinaires ne tiennent souvent pas compte de la rumeur selon laquelle

le chat castré est plus sujet aux troubles urinaires ; à en croire les statistiques, le chat stérilisé vit plus longtemps, même si cela est probablement dû au fait qu'il a moins tendance à vagabonder, plutôt qu'à un quelconque bénéfice médical.

L'opération a normalement lieu avant que le chaton n'atteigne la maturité sexuelle. Pour le mâle comme pour la femelle, elle ne dure que quelques minutes et nécessite quelques jours de convalescence. Le chat adulte peut être stérilisé tout aussi facilement.

En haut
Le vétérinaire peut estimer l'âge d'un chat en examinant ses dents.

Ci-contre
Le mâle a tendance à être plus grand que la femelle.

Préparer son arrivée

L'ÉQUIPEMENT NÉCESSAIRE, plutôt minimal, n'est pas nécessairement coûteux… à une exception près. Il s'agit du panier d'osier ou du sac de toile plastifiée avec hublot, bien utiles pour la visite chez le vétérinaire et les voyages. N'emmenez jamais un chat en le laissant en liberté dans la voiture. Vous courez au désastre, car il risque de détériorer vos housses ou de distraire dangereusement le conducteur.

Corbeille ou boîte en carton, le lit de votre chat deviendra sa «base», l'endroit où il pourra se réfugier. Il vaut mieux le placer en dehors de l'agitation de la maison, mais à portée de vue et de voix des activités familiales, au chaud et à l'abri des courants d'air. Mais il est très probable qu'une fois habitué à sa nouvelle maison, le chat choisira son propre lit, par exemple sur un tapis posé au-dessus d'un tuyau de chauffage, ou près d'un radiateur.

LE SAVIEZ-VOUS ?

Donner sa langue au chat, c'est, par une automutilation symbolique, devenir irrémédiablement muet, et donc le plus sûr moyen de ne jamais pouvoir répondre à la question posée.

LE COUCHAGE

Le reste du «trousseau» est peu coûteux ou gratuit. Vous pouvez offrir à votre chat une corbeille et un coussin de luxe achetés dans une animalerie, mais une boîte de la taille d'une caisse à vin, au fond tapissé de papier journal et recouvert d'un vieux pull, fera son bonheur. Vous pouvez découper une ouverture sur le côté. Secouez la garniture une fois par semaine, lavez-la et séchez-la bien de temps en temps. Évitez les garnitures en mousse de plastique. Elles sont difficiles à nettoyer et votre chat pourrait en ingérer des fragments.

LE MATÉRIEL

Vous aurez aussi besoin d'une écuelle, d'un bol, d'un bac et d'un collier avec médaille d'identification. Le chat n'aime pas fourrer son museau dans les récipients profonds : choisissez une large assiette plate, assez lourde pour ne pas se renverser ou glisser sous ses coups de langue. La traditionnelle soucoupe fait aussi l'affaire, même si elle peut déborder. Vous pouvez placer un tapis lavable sous l'écuelle et le bol d'eau. Ce bol devrait toujours être rempli, et l'eau changée régulièrement.

Au milieu à gauche
Le chat n'aimant pas être transporté dans son panier, autant s'assurer qu'il est bien enfermé et ne peut s'échapper.

Ci-contre
Le chat peut dédaigner sa corbeille au profit d'un coin chaud comme le dessus d'un sèche-linge ou l'appui ensoleillé d'une fenêtre.

COLLIER ET IDENTIFICATION

Le collier doit être élastique ou muni d'une partie élastique afin que le chat puisse se libérer s'il est pris dans un arbre. Même si vous avez l'intention de faire un chat d'appartement de votre petit félin, *rien ne* garantit qu'il ne s'échappera pas. Voilà pourquoi les chats d'intérieur comme les grands baroudeurs

et relativement peu coûteux, mais votre chat s'amusera tout autant avec une balle de ping-pong, une ficelle ou une bobine. Attention aux objets susceptibles d'être mis en pièces ou avalés ; du papier mâchouillé ne peut pas faire grand mal, mais ingérer du plastique pourrait être fatal. S'il a l'âme d'un aventurier, votre chat appréciera un tunnel réalisé avec du carton ondulé et juste assez large pour qu'il s'y faufile. Si vous avez envie de dépenser de l'argent et si vous disposez de suffisamment d'espace, vous pouvez évidemment investir dans un « tapis de jeux », mais cela n'est pas indispensable, et il est toujours possible, et même probable, que votre chat s'amuse tout seul avec vos meubles et dédaigne votre coûteux jouet.

LE SAVIEZ-VOUS ?
Aelurus, dieu-chat de l'Égypte ancienne, représentait la lune, en raison des habitudes nocturnes du chat et de ses pupilles elliptiques, en forme de croissant de lune.

devraient être identifiés – à noter que le collier ne dispense pas du tatouage. Vous pouvez attacher au collier une médaille gravée ou un petit cylindre contenant un petit rouleau de papier. Vous y inscrirez le nom du chat, votre nom et votre adresse ou numéro de téléphone. Prévoyez un collier et une médaille d'identification de rechange : les chats ont l'habitude de les perdre souvent.

Un collier pouvant se perdre, ou être enlevé si le chat est volé, certains maîtres recourent pour leur chat à un mode d'identification permanent et difficile à falsifier. Une puce de la taille d'un grain de riz, porteuse d'un code spécial pouvant renvoyer à l'identité du maître, est introduite sans douleur juste sous la peau du cou du chat. Un scanner spécifique passé au-dessus du chat permet de lire le numéro de code. Vous pouvez vous informer auprès de votre vétérinaire, qui se chargera d'insérer la puce.

LE RESTE DU TROUSSEAU

Il vous faudra aussi une brosse à poils souples, un peigne en acier et quelques jouets. Les animaleries vendent quantité de jouets ingénieux

Le chat n'apprécie pas le changement ; les tout premiers jours, il peut être nerveux. Il choisira souvent de se réfugier dans un endroit tranquille et sombre, derrière une chaise ou sous un lit, le temps de s'adapter à son environnement. Il faut donc boucher, pour plus de sécurité, les cachettes potentiellement dangereuses comme les cheminées ou autres ouvertures hasardeuses, et fermer fenêtres, placards, tiroirs… Il faudrait aussi garder à distance enfants et animaux domestiques, jusqu'à ce que le chat choisisse de se mêler au reste de la famille.

La priorité du chat est de créer des liens. Une fois qu'il s'est défait de sa nervosité, passez un peu de temps avec lui chaque jour, parlez-lui calmement et prononcez son nom. Le désir d'être caressé et câliné étant variable, mettez ces premiers jours à profit pour découvrir les préférences de votre nouveau compagnon.

En haut
Chez les familles souvent absentes en journée, la chatière est idéale pour permettre au chat d'accéder au jardin.

Au milieu
Ces chats ont trouvé une cachette loin du remue-ménage familial.

En bas
Les jouets les moins chers sont souvent les préférés.

Soins au chaton

SAUF ÉVÉNEMENT EXCEPTIONNEL, tel le décès de la chatte aussitôt après la mise bas, vous accueillerez généralement un chaton âgé de dix à douze semaines. Il aura été sevré par sa mère et acceptera la nourriture solide ; il sera aussi propre, bien qu'il puisse oublier temporairement (dans le bouleversement du « déménagement ») les bases de l'hygiène et qu'il faille parfois le remettre sur la bonne voie.

animaux familiers à l'écart, et essayez d'éviter les bruits forts ou soudains. Veillez à ce que le chaton ait à sa disposition eau, nourriture et corbeille, cela pourrait finir par le tirer de sa cachette. S'il se lance dans une toilette méticuleuse, c'est le signe encourageant qu'il s'adapte à son nouveau foyer, mais laissez-lui du temps.

Si vous avez d'autres animaux familiers, il vaut mieux nourrir et faire dormir le chaton à part, sans quoi il risquerait d'être trop effrayé pour manger (et les autres pourraient voler sa nourriture) et trop nerveux pour se reposer. Une fois que tous auront fait connaissance, vous pourrez prévoir un point de ravitaillement et un dortoir uniques, sans oublier que chaque animal doit avoir son écuelle, son bol d'eau et sa corbeille. Souvent, en s'habituant à sa nouvelle vie, le chaton se blottira contre les autres animaux. Deux chatons de la même portée, achetés au même moment, dormiront volontiers ensemble dès le début. Ils y ont été habitués.

ADAPTATION À LA NOUVELLE MAISON

Il n'empêche que chaque aspect de cette nouvelle vie est potentiellement effrayant. Le chaton peut ne pas être habitué à la nourriture proposée. Bruits et odeurs lui sont étrangers. Il ne comprend pas ce qu'il est advenu de sa mère et de ses frères et sœurs. Chaque certitude de sa courte vie a été balayée et remplacée par une foule d'incertitudes. Le monde familier initial s'est transformé en un environnement étranger, dominé par des humains grands et incompréhensibles.

Il n'est pas surprenant que tout cela puisse produire des symptômes inquiétants si vous n'y êtes pas préparé. Le chaton vif et affectueux que vous avez acheté s'est transformé en un introverti nerveux et timide. Il peut aller se terrer dans une cachette. Il n'y a alors qu'une chose à faire – attendez votre heure. Tenez enfants et autres

En haut
Âgé de onze semaines,
ce chaton est prêt
à être adopté.

Au milieu
Âgé de deux semaines,
ce chaton est encore
totalement dépendant
de sa mère.

En bas
Il faut prévoir
une corbeille pour le
nouveau venu... sans le
forcer à dormir dedans.

Comme un bébé, le chaton a besoin de beaucoup de sommeil et, pour un enfant excité à l'idée d'un animal avec qui jouer, il peut sembler désespérément inactif. Dans le nid, la chatte se livre avec ses petits à de courtes périodes de jeu, les laissant se reposer dès qu'ils le souhaitent ; cela devrait être la règle chez vous. Les enfants doivent être prévenus que même le chaton est susceptible de griffer si on le contrarie ou qu'il est fatigué. En grandissant, la durée des sommes du chaton se réduira et son envie de jouer grandira, mais il faut être patient.

ATTENTION, FRAGILE !

Le chaton est très fragile et doit être manipulé avec grand soin. Il ne faut jamais le serrer, car ses os sont encore délicats. Il ne faut pas non plus le saisir par la peau du cou. Il est vrai que c'est ce que fait la chatte quand il est petit, mais la bonne méthode pour prendre un chaton (assez âgé pour être séparé de sa mère) consiste à glisser la main droite sous la taille et à le soulever en plaçant l'autre sous les épaules. Vous pouvez ensuite déplacer la main gauche afin que le chaton se retrouve assis. S'il se débat, rapprochez-le toujours du sol afin qu'il n'ait plus qu'un petit saut à faire.

En haut
L'assiette du chaton doit être plate, rester propre et se trouver toujours au même endroit.

En bas à gauche
Ces deux chatons d'une même portée ont l'habitude de dormir ensemble.

En bas à droite
Voici comment porter un chaton.

LE SAVIEZ-VOUS ?
Bien que le chat ait un odorat relativement mauvais (par rapport au chien notamment), une partie de sa communication repose sur les odeurs.

L'ALIMENTATION

Même totalement sevré, le chaton a toujours besoin d'aliments lactés pour remplacer le lait de sa mère, en particulier pour leur teneur en calcium contribuant à la formation d'os et de dents solides. Vous pouvez acheter des substituts lactés destinés aux chatons.

À douze semaines, le chaton devrait avoir une alimentation riche en éléments nutritifs favorisant son bon développement. Les quantités variant d'une marque à l'autre et selon qu'il s'agit d'aliments secs (croquettes) ou en boîte, nourrissez-le en vous fiant aux indications de l'étiquette et aux recommandations de votre vétérinaire. Gardez à l'esprit que son estomac est très petit, et qu'il ne pourra absorber qu'une quantité limitée de nourriture à la fois. Cela signifie qu'il a tendance à manger peu mais souvent.

Il faut cependant lui proposer dès le départ des goûts divers, afin qu'il ne devienne pas difficile. Il ne faudrait jamais lui donner de la nourriture ou du lait à peine sortis du réfrigérateur. Préparez-les à l'avance et laissez-les atteindre la température ambiante.

LES ALIMENTS SOLIDES

En grandissant, le chaton doit faire moins de repas lactés ; à l'âge de six mois, il devrait se nourrir exclusivement d'aliments solides, à raison de deux repas par jour, matin et soir. Parallèlement, augmentez progressivement les quantités.

Le chaton étant de plus en plus actif, ses besoins énergétiques augmentent. Son appétit constitue la meilleure des indications : s'il finit son écuelle, donnez-lui en un peu plus la fois suivante ; sinon, réduisez légèrement la quantité au repas suivant. Il faut vider l'écuelle de la nourriture en boîte délaissée, pour éviter qu'elle ne se gâte ou ne soit contaminée par les mouches. Si votre chaton a

un appétit d'oiseau, essayez de lui proposer des croquettes, que vous pouvez laisser dans son écuelle et qu'il finira de « grignoter » plus tard.

Vers dix mois, le chaton s'attaquera à des rations adultes et on pourra lui proposer un plus large éventail d'aliments.

DEDANS OU DEHORS ?

En grandissant et en s'adaptant à sa nouvelle vie, le chaton devient de plus en plus joueur, vif et audacieux, et offre un spectacle très divertissant. Lorsqu'il atteint huit ou neuf mois, il faut décider s'il va passer sa vie à l'intérieur ou être autorisé à sortir. Dans ce dernier cas, il faut l'y préparer.

Un chaton ayant passé les premiers mois de sa vie à l'intérieur avant de sortir est lâché dans un monde passionnant dont le spectacle, les sons et les odeurs sont grisants. Plus dangereux, il risque d'envahir le territoire d'un chat voisin qui le fera fuir. La solution consiste à ne le laisser sortir au début que pour de courtes périodes, avant le repas

de préférence, en l'accompagnant et en l'appelant régulièrement par son nom, tout en gardant un œil sur les chats voisins. Ayez avec vous un aliment à l'odeur alléchante, sardines ou thon en boîte,

En haut
Même si les chatons préfèrent manger peu et souvent, chacun devrait avoir son écuelle.

Au milieu
Ces chatons abyssins explorent le monde extérieur, nouveau et passionnant.

En bas
Le chaton peut pénétrer sur le territoire d'un chat adulte.

pour le tenter et le faire rentrer s'il s'aventure trop loin. Certains maîtres préfèrent tenir leur chaton avec une laisse de fortune durant ces premières « excursions ».

Bientôt, le chaton commencera à marquer son territoire en frottant tête et flancs contre les arbres et les poteaux. Il dresse ainsi une carte de son territoire et signale sa présence aux chats susceptibles de le traverser. Une fois ce stade atteint, ses « séjours » à l'extérieur peuvent être allongés progressivement, mais il est conseillé de rester vigilant, au cas où le chaton serait confronté à d'autres chats, puis de le rappeler et de lui donner aussitôt à manger, pour qu'il assimile l'idée que la maison est l'endroit où on le nourrit. L'étape suivante, si vous avez une chatière, consiste à lui apprendre à l'utiliser, et à vérifier chaque soir, une fois qu'il est rentré, qu'elle est bien verrouillée.

LE BROSSAGE

Le brossage est un élément important de l'attachement du chaton à son maître, surtout les premiers jours, quand l'affection de sa mère lui manque (bien que cela ne soit pas nécessaire du point de vue de l'hygiène). L'effleurer de la main puis le brosser avec une brosse à poils souples en lui parlant l'habituera aux plaisirs de la compagnie humaine et contribuera à établir une relation heureuse et confiante qui durera toute sa vie. Brosser votre chaton (puis votre chat adulte) vous donnera aussi l'occasion de procéder à un contrôle général de l'état de son pelage, de sa peau, de ses oreilles et de ses yeux.

Le jeune chaton est particulièrement sujet à la gale auriculaire, souvent contractée dans le nid. Le premier symptôme est la présence d'un cérumen noirâtre dans le conduit auditif. Très contagieuse, cette gale provoque démangeaisons intenses, douleur et parfois comportement irrationnel. Si vous suspectez une infestation, consultez votre vétérinaire. Mais les problèmes de santé sont rares chez le chaton. Lorsqu'il arrive chez vous, il a traversé la période la plus vulnérable de sa vie et, à l'instar des adolescents humains, il est généralement au mieux de sa forme.

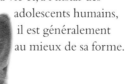

En haut
Il faut apprendre à votre chat à utiliser la chatière, même si elle l'effraie au début.

Au milieu
Grâce au brossage, ce chaton s'attachera bientôt à son maître.

Ci-contre
Deux chatons somalis en pleine santé.

Comment éduquer votre chat

ON ENTEND parfois dire qu'il est difficile, voire impossible, d'éduquer son chat. Si cela est exagéré, il est certainement vrai qu'il ne réagit pas avec la bonne volonté, voire l'enthousiasme du chien. Animal grégaire, celui-ci répond instinctivement à son maître, qu'il reconnaît comme le chef de la meute et dont il recherche l'approbation. Le chat réagit différemment.

LE SAVIEZ-VOUS ?

Le colostrum, ou « premier lait », est essentiel pour la santé du nouveau-né. Il lui transmet les immunoglobulines maternelles pour l'aider à surmonter les infections.

Il est nécessaire d'apprendre à votre chat certaines choses, comme de venir lorsque vous l'appelez, et de le dissuader d'en faire d'autres, comme de griffer les meubles. Chaque apprentissage devrait être entrepris séparément et abordé avec patience et un luxe de temps.

L'HYGIÈNE

Le chaton apprend généralement la propreté sous l'œil vigilant de sa mère, mais il arrive qu'il oublie les règles d'hygiène (dans l'énervement du déménagement et de la découverte de sa maison) et le bac peut lui être étranger. Un petit rappel à l'ordre lui réapprendra rapidement

LA BONNE APPROCHE

Le chat n'a pas ce désir inné de « plaire ». Il est plus pragmatique et ne prend le parti de faire quelque chose que s'il peut en retirer un avantage. Cela signifie que l'éducation d'un chat repose grandement sur la récompense. Ce qui ne veut absolument pas dire que le chat n'est pas intelligent. Il a parfois une mémoire assez phénoménale des personnes et des lieux, et retient très vite vos habitudes ; il sait quand vos enfants doivent rentrer de l'école ou quand il est l'heure de se lever. Avec le chat, récompense et mémoire sont les clés de l'apprentissage. Dans la nature, les fauves l'ont bien compris. Quand ils apprennent à leurs petits à chasser et à tuer, ils répètent leur démonstration encore et encore, récompensant les bonnes performances par des morceaux fins de leurs victimes.

En haut
Jeune fille apprenant à un chaton à se servir d'une litière, en lui faisant remuer les pattes avant dans le gravier.

Au milieu
On peut apprendre au chaton quelles sont les « zones interdites ».

En bas
Le chat utilisera d'abord sa litière avec circonspection.

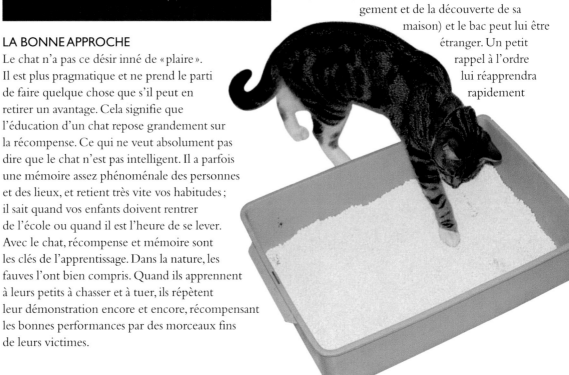

les bonnes manières. Le maître devrait placer le chaton devant le bac et faire aller doucement les pattes avant de l'animal dans la litière pour lui montrer comment la remuer. Le chat recouvre instinctivement urine et déjections, et il devrait vite comprendre le principe. Récompensez-le toujours par une caresse, des mots de félicitations et, éventuellement, une petite « friandise ». La litière devrait être changée immédiatement et le bac nettoyé.

RÉPONDRE À L'APPEL

Pour éviter perte de temps considérable et frustration, entraînez votre chat à répondre à votre appel (certains sont manifestement rebelles à cette idée). Utilisez sans cesse son nom, en particulier quand vous posez son écuelle par terre. Tout membre de la famille susceptible d'appeler le chat pour qu'il rentre devrait participer à ce « programme », afin qu'il prenne l'habitude de réagir à des voix et à des intonations différentes. L'instruction « viens » devrait ensuite accompagner l'appel de son nom. L'étape suivante consiste à appeler le chat entre les heures de repas, en récompensant son obéissance par un câlin et une « friandise ». Pour le chat autorisé à sortir, mettez au point un appel audible à bonne distance. Ou entraînez-le à répondre quand vous tapez contre son écuelle avec une cuillère ou agitez une clochette.

DÉGRADATION DES MEUBLES

Un chat non éduqué pourra faire des dégâts dans une pièce meublée, urinant pour marquer son territoire, déchirant la garniture des fauteuils et se faisant les griffes sur les pieds de la table ou des chaises. La stérilisation a l'avantage d'empêcher le chat de procéder à des dépôts d'urine, bien que la plupart s'y livrent encore lorsqu'ils sentent leur territoire menacé. Déplacer les meubles, introduire un autre animal et tout changement similaire peuvent provoquer un accès de marquage urinaire.

Le chat autorisé à sortir se livre généralement à ces marquages à l'extérieur.

Au milieu

Un chat qui a ses habitudes à l'extérieur ne fera généralement pas de dépôt d'urine à l'intérieur de l'habitation.

En bas

Le chaton adore escalader les rideaux, mais on réussit – parfois – à l'en dissuader.

En bas à gauche
Si votre chat n'est pas autorisé à sortir, mieux vaut qu'il s'attaque à un griffoir plutôt qu'à vos meubles.

En bas à droite
Il faut apprendre au chaton à se méfier des objets dangereux, comme les fils électriques.

LE SAVIEZ-VOUS ?

Les félins sauvages ont des portées de un à sept petits. Ce nombre dépend typiquement de l'espèce, mais il peut être influencé par la quantité de lait dont dispose la mère.

PRATIQUER LA DISSUASION

Il ne sert à rien de réprimander le chat une fois le mal fait, mais, si vous le surprenez en train d'uriner, lancer un « non ! » sonore et taper dans les mains servent de dissuasion. Le marquage urinaire en l'absence du maître pose davantage problème, mais les animaleries vendent des répulsifs efficaces dégageant une odeur désagréable pour le chat. L'huile de citronnelle, disponible en pharmacie, constitue une solution bon marché ; son odeur piquante n'agresse pas les narines humaines. Elle doit être employée avec parcimonie – appliquez-en une goutte ou deux sur les surfaces appropriées avec un mouchoir en papier.

Les répulsifs sont aussi utiles pour empêcher votre chat de griffer meubles et tapis, mais une solution plus efficace et permanente consiste à lui apprendre à utiliser un griffoir. S'aiguiser les griffes – principaux outils de chasse et de survie – est instinctif, et rien ne peut en faire perdre l'habitude au chat. On peut toutefois lui apprendre à se livrer à cet exercice sur une surface appropriée. Vous pouvez acheter un griffoir dans une animalerie, ou en confectionner un si vous savez vous servir d'un marteau et de clous. Il doit mesurer de 60 à 90 cm et posséder une base solide. Pour l'élément vertical,

il vaut mieux un bois tendre brut (avec l'écorce de préférence). Certains recouvrent le griffoir d'un bout de moquette, mais il faudra le remplacer souvent et, si c'est la même moquette que celle couvrant vos sols, votre chat pourrait être désorienté. Il existe aussi des panneaux de liège à fixer au mur. Montrez au chat comment s'en servir en lui faisant exécuter avec les pattes avant des mouvements de griffage sur la surface, puis récompensez-le.

Le chat autorisé à sortir se livrera parfois à un griffage intempestif à l'intérieur du domicile, et ce afin d'aiguiser ses griffes (le griffage à l'extérieur ayant une signification territoriale).

TERRITOIRE DÉFENDU

Il est essentiel de trouver un moyen de détourner le chat d'activités indésirables comme s'allonger sur certains meubles, sauter sur la table ou jouer avec les fils électriques. Lancer un « non ! » cinglant ou faire claquer un journal plié peut suffire. Sinon, faites-lui quitter gentiment mais fermement la scène du crime. Il est important que chaque membre de la famille observe ces règles, sans quoi le chat sera perturbé. Il faut définir quels sont les endroits défendus de la maison. Mais la vie d'un chat ne doit pas être une longue liste d'interdictions. Le chat apprécie un bon fauteuil tout autant que l'homme,

et il est possible de trouver un compromis comme une vieille couverture ou un coussin réservé au chat pour éviter qu'il ne mette des poils partout. N'oubliez pas qu'il peut choisir certains endroits parce qu'ils sont à l'abri des courants d'air ou offrent une vue idéale sur le jardin.

LA CHATIÈRE

Le chat n'ayant jamais utilisé de chatière devra apprendre à s'en servir. Il faut d'abord lui montrer comment faire balancer le panneau d'arrière en avant avec la patte, et l'encourager à emprunter l'ouverture, panneau levé, en échange d'une « friandise ». Répétez l'opération en abaissant petit à petit le panneau, jusqu'à ce que le chat fasse tout le travail. L'entraînement peut alors se transformer en jeu. Fixez une boule de papier au bout d'une ficelle, agitez-la près du chat et faites-la passer d'un coup sec de l'autre côté de l'ouverture. Veillez à démontrer et à renforcer l'usage du panneau dans les *deux* sens.

ENTRER

Si vous n'avez pas de chatière, il est utile d'entraîner le chat autorisé à sortir à produire un signal, comme taper sur la fenêtre de la cuisine, quand il veut rentrer. Certains adoptent seuls ce type de comportement, et peuvent même apprendre à ouvrir les portes munies d'une poignée à levier. Vous entraînerez les autres par la démonstration, en les récompensant et en les félicitant.

MARCHER EN LAISSE

Certaines villes américaines exigent que les chats soient tenus en laisse, et si le vôtre doit sortir, il est primordial de lui apprendre à marcher en laisse. Certaines races, comme le Siamois, réagissent particulièrement bien, mais la plupart des chats auront tendance à vagabonder. Il est astucieux de sortir juste avant le repas, qui devient alors la récompense, de retour à la maison. Le chat devrait être équipé

d'un léger harnais, avec une partie élastique de préférence, et vous devriez débuter l'entraînement en laissant traîner la laisse. Ensuite, soulevez-la et introduisez progressivement la notion de contrôle, pendant une courte période d'abord, et augmentez-en la durée chaque jour. Les premières sorties se feront dans un environnement calme, un parc par exemple, et une fois que votre chat aura l'habitude d'être tenu en laisse, vous pourrez l'emmener dans la rue. Mais n'attendez pas de lui qu'il vous suive aussi docilement qu'un chien.

LE CHAT ET LE JARDIN

L'amoureux des chats amateur de jardinage sera souvent confronté à un conflit d'intérêt, et votre chat peut aussi être à l'origine de frictions avec vos voisins. Il est très irritant qu'un chat décide d'installer ses toilettes dans le parterre qui fait votre fierté (chose encore plus agaçante si ce n'est pas votre chat). Un pistolet à eau, dirigé en l'air afin qu'il pleuve sur le chat, est une bonne arme qui, utilisée souvent, peut devenir définitivement dissuasive. Les répulsifs, assez désagréables pour impressionner durablement certains chats, existent sous la forme de cristaux, mais il faut généralement les changer régulièrement. Une solution naturelle consiste à planter dans les zones autorisées des arbustes appréciés des chats – comme l'herbe-aux-chats *(Nepeta cataria)* ou la valériane *(Valeriana officinalis)* – et la rue *(Ruta graveolens)* dans les zones « interdites ».

En haut
Ce chat a appris à utiliser la chatière.

Ci-contre
Bien qu'il puisse apprendre à marcher en laisse, le chat s'arrêtera invariablement pour flairer autour de lui.

Comment nourrir votre chat

LES CHATS SONT CARNIVORES. Le régime des félins sauvages se compose presque exclusivement de proies animales. Des siècles de domestication n'ont pas altéré le besoin fondamental d'acides aminés et d'éléments nutritifs présents dans les protéines animales, ainsi que de lipides.

BEAUCOUP DE PROTÉINES

À la différence de bien des mammifères, le chat ne synthétise pas ces éléments essentiels à partir d'autres types d'aliments : il lui faut un apport direct. Il a donc besoin d'une grande quantité de protéines, environ deux fois plus que le chien ; un tiers de son alimentation devrait comporter des protéines animales. Un bon régime est riche en lipides, que le système digestif du chat métabolise bien.

En haut à droite
Les boîtes apportent une alimentation équilibrée.

Au milieu
Comme tous les félins, le guépard est carnivore. Celui-ci a attrapé un springbok.

Ci-contre
Cette jeune fille appelle son chat en frappant l'écuelle avec une fourchette.

DES REPAS RÉGULIERS

Le chat est un être routinier qui préfère manger régulièrement, deux fois par jour si possible, dans un endroit tranquille et familier. La norme consiste à donner un repas léger le matin et un autre plus consistant le soir. Néanmoins, c'est l'appétit de votre chat qui doit vous guider. Si vous le nourrissez de conserves ou d'aliments frais, ne placez pas dans son écuelle la totalité de la ration quotidienne, car ce qu'il laissera s'altérera et sera susceptible d'être contaminé par les mouches. Le reste doit être ôté dès que le chat a fini de manger, et l'écuelle aussitôt nettoyée.

LES ALIMENTS EN BOÎTE

Grâce aux aliments industriels, le chat domestique n'a jamais été aussi bien nourri qu'aujourd'hui. Voici ne serait-ce que cinquante ans, il devait se contenter des restes et avait parfois droit à une soucoupe de lait. De nos jours, ce sont, de loin, les aliments complets qui fournissent au chat le régime le plus équilibré, car ils contiennent la parfaite proportion de lipides et de protéines. Ils renferment aussi des compléments (vitamines et minéraux). Lisez les étiquettes pour vérifier que ces aliments préparés assurent un régime « complet », et fuyez les marques bon marché qui remplacent une bonne partie des protéines par des céréales et des arômes chimiques.

Vous pouvez faire plaisir à votre chat en lui offrant de temps à autre des aliments pour « gourmets », mais ceux-ci ne sont pas toujours équilibrés du point de vue nutritionnel. Ne soyez pas tenté, pour économiser, de lui donner des boîtes pour chien. Elles sont moins riches en protéines animales, ce qui explique qu'elles soient souvent moins chères, et contiennent davantage de céréales et de légumes.

Une boîte de conserve ouverte doit être placée au réfrigérateur, mais il faut la sortir une demi-heure environ avant le repas, le temps qu'elle atteigne la température ambiante.

LA BONNE MARQUE

Si certains chats restent fidèles toute leur vie à une marque, d'autres sont manifestement inconstants et refusent brusquement d'y toucher. Heureusement (les fabricants industriels faisant bien les choses), chaque marque propose divers arômes et, en général, on finit par tomber sur celui qui plaît. Il n'empêche qu'il vaut mieux, surtout avec un nouveau chat, ne pas acheter trop en avance. Avoir un chat difficile est très gênant, et les chatons devraient être encouragés, dès qu'ils sont sevrés, à manger divers types d'aliments.

C'est une erreur de donner toujours la même marque à un chaton, en se réjouissant que

l'écuelle soit vidée ; il pourrait refuser désormais de manger autre chose. Il est difficile de pousser un chat adulte à se montrer plus aventureux dans son régime. Il peut être incroyablement borné et refuser de s'alimenter, jusqu'à ce qu'on lui réserve son plat favori. Votre chat ne se laissera pas mourir de faim : continuez à lui servir régulièrement l'aliment incriminé. C'est à qui sera le plus têtu, et vous avez une bonne chance de l'emporter.

En haut à gauche
Le chat renifle sa nourriture pour vérifier qu'elle est fraîche.

Ci-contre
Le chat préfère être servi à température ambiante.

LES ALIMENTS SECS

Les aliments préparés secs et semi-humides présentent plusieurs atouts, et quelques risques.

Ils se conservent bien dans l'écuelle, ce qui permet d'y verser en une fois la ration quotidienne du chat. Cela présente un avantage certain pour les maîtres absents toute la journée. En outre, ces aliments sollicitent dents et gencives (remplaçant l'exercice que pratique le fauve en s'attaquant à une proie) et contribuent à les protéger du tartre. Mais même les produits semi-humides ne contiennent qu'une petite quantité d'eau ; il faut les accompagner d'une grande quantité d'eau fraîche, en mouillant l'aliment ou en donnant un bol d'eau. Il faut s'assurer que le chat boive suffisamment ; si ce n'est pas le cas, alternez avec des aliments en boîte. Autrefois, les produits secs entraînaient des troubles de la vessie et des reins, mais les aliments d'aujourd'hui sont formulés pour éviter ces problèmes. Malgré tout, les chats âgés ou ceux souffrant de troubles du système urinaire peuvent avoir besoin d'un régime spécial ménageant leurs reins, prescrit par le vétérinaire.

Ci-contre
Les aliments secs préviennent le dépôt de tarte.

Au milieu
Distributeurs de croquettes et d'eau.

En bas
Boîtes et produits secs sont les aliments les plus nutritifs, les plus pratiques et les moins chers.

FAIT MAISON

Certains maîtres, pensant que proposer à leur chat des aliments industriels est une solution de facilité, se donnent du mal pour lui fournir une alimentation fraîche, faite maison. Si l'on veut offrir un régime équilibré, cette solution ne reviendra pas forcément moins cher et demandera du temps, et il faudra compléter le régime avec des minéraux et des vitamines. Un chat nourri de viande ou de poisson aura besoin de suppléments de calcium, de vitamine B1 et de taurine, et de doses régulières d'huile de foie de morue pour les vitamines A et D. Il faudra veiller à éviter le surdosage de nutriments.

Rien ne vous empêche de faire plaisir à votre chat en lui donnant de temps en temps un morceau de viande ou de poisson. Lui offrir un peu d'un de vos bons petits plats, légèrement réchauffé pour rehausser les arômes, est une bonne façon de le persuader de manger après une opération, par exemple. Bœuf haché, poulet, poisson sans arêtes (frais, surgelé ou en conserve) et foie ne feraient probablement pas de mal à un chat en bonne santé… mais ne sont pas recommandés par les vétérinaires.

BESOINS NUTRITIONNELS

Un chat adulte en bonne santé a besoin d'un régime comportant 31 % de protéines, 41 % de lipides et 28 % de glucides, mais l'étiquette des aliments pour

chats indique rarement le poids sec, et les calculs de conversion sont complexes. En outre, chatons et chats âgés ont des besoins différents. La meilleure solution consiste donc à acheter des aliments préparés complets, de bonne qualité, appropriés à l'âge de votre chat, et à demander conseil si nécessaire à votre vétérinaire.

Si votre chat ne finit jamais son écuelle, adaptez les rations jusqu'à trouver un équilibre. Le chat mange lentement et certains laissent exprès un peu de nourriture, en comptant bien la retrouver plus tard.

BESOINS EN EAU

Les besoins quotidiens avoisinent les 20 centilitres (mais cela peut varier énormément en fonction du régime). À l'instar des félins sauvages, le chat domestique étanche sa soif en mangeant, surtout si vous lui donnez des boîtes. Néanmoins, il doit toujours disposer d'un bol d'eau fraîche, et vous devez contrôler autant que possible la quantité bue. Si votre chat vide invariablement son bol et que le vétérinaire a écarté diabète et hyperthyroïdie, ajoutez de l'eau chaude sur sa nourriture pour accroître ses apports : une consommation trop faible peut entraîner des troubles urinaires.

LA PERTE D'APPÉTIT

Les fauves ont tendance à se nourrir de façon irrégulière, se gavant quand ils en ont l'occasion puis dormant pour digérer. Il ne faut donc pas vous inquiéter si votre chat se désintéresse soudain et temporairement de la nourriture. Un chat domestique délaissant son écuelle peut être malade, mais il est assez probable que la cause en soit plus banale, surtout s'il sort : la plupart des chats d'extérieur complètent leur alimentation avec les proies qui croisent leur chemin, et certains quémandent chez le voisin.

Un changement de ses habitudes – même mineur, comme le retour des enfants à l'école après les vacances – peut aussi affecter son appétit. Il arrive aussi qu'il soit dérangé alors qu'il mange. Pour lui, se nourrir n'est pas une activité sociale ; il apprécie donc le calme. Mais si son manque d'appétit persiste plus d'un jour ou deux, et qu'il continue à résister aux aliments de prédilection que sont sardines ou foie, emmenez-le faire une visite de contrôle chez le vétérinaire.

ET LES FRIANDISES ?

En dehors des repas, vous pouvez donner à votre chat des « friandises » pour le récompenser de s'être bien comporté, ou simplement lui faire plaisir. Vous en trouverez quantité dans les grandes surfaces, et ces produits sont généralement très sains. Vous pouvez aussi étaler l'huile des sardines en boîte sur de petits morceaux de pain. En revanche, empêchez les enfants de donner au chat des bonbons ou du chocolat.

N'oubliez pas que les friandises sont riches en calories ; si vous en donnez régulièrement à votre chat, vous devrez réduire ses rations en conséquence. Veillez donc à ne remplacer qu'une très petite proportion de son alimentation habituelle, et consultez votre vétérinaire si son poids semble augmenter ou diminuer de manière significative.

En haut à gauche
Il est important de toujours prévoir un bol d'eau fraîche.

En haut à droite
Une excessive consommation d'eau peut trahir du diabète ou de l'hyperthyroïdie.

Ci-contre
Le chat âgé doit parfois être aidé ou encouragé à manger.

Comment soigner votre chat

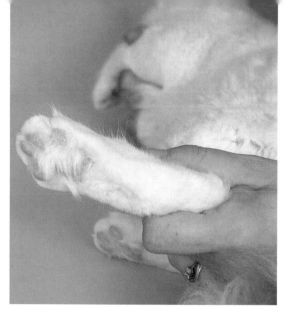

LA PROPRETÉ du chat est l'une de ses caractéristiques les plus attrayantes. Mais, contrairement au mythe populaire, même s'il passe beaucoup de temps à sa toilette – après avoir été formé, chaton, par sa mère –, le chat a besoin de soins. Il existe trois bonnes raisons pour que le maître se livre régulièrement à une séance de brossage avec son petit félin.

Ce brossage n'a rien en commun avec le lustrage de la fourrure auquel on procède avant une exposition. Les seuls instruments indispensables sont une brosse à poils (naturels) souples – une brosse pour bébé, c'est parfait – et un peigne fin en métal.

LA TECHNIQUE

Le chaton devrait être brossé dès ses premiers jours dans une nouvelle maison, et s'habituera rapidement si son maître lui parle d'une voix calme et rassurante tout en le brossant. Avec les chats plus âgés, en particulier les chats errants ou issus d'un refuge, l'adaptation peut se révéler plus difficile. Douceur, patience, détermination et approche en douceur sont les clés du succès.

Placez le chat sur un journal pour récupérer puces mortes, débris ou poils détachés, maintenez-le doucement et immobilisez les pattes avant (vous

CRÉER DES LIENS

Le brossage est d'abord un élément important du processus d'attachement, et une expérience agréable – il le devient en tout cas avec l'habitude. Il rappelle au chat les attentions prodiguées par sa mère. Ensuite, il débarrasse la fourrure des poils détachés qui pourraient finir dans l'estomac ou l'intestin sous la forme d'une boule. Cela est très important chez les races à poil long. Enfin, il permet de contrôler régulièrement l'état du pelage, des oreilles, des yeux, du nez et des pattes. Le brossage est particulièrement important au printemps et au début de l'été, quand la plupart des chats (à l'exception des races comme le Rex et le Sphynx) muent, souvent par touffes. Un brossage régulier contribuera à éviter que les poils ne se déposent sur meubles et tapis.

En haut
Il faut inspecter les pattes au moment du brossage.

Au milieu
Même si le chat se lave, il est important de continuer à le brosser.

En bas
On peigne le chat dans le sens du poil, en allant vers la queue.

repliez soigneusement le journal vers l'intérieur avant de le jeter). Le pelage doit être peigné légèrement, puis brossé lentement et doucement avec une brosse douce, en allant du haut du corps vers la queue et les pattes arrière. Chez les races à poil court, cela ne prendra que quelques minutes. Celles à poil long nécessitent plus de soins.

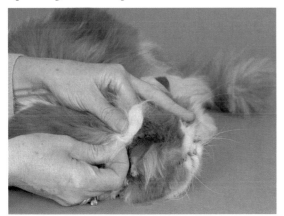

Commencez par démêler les nœuds avec les doigts ou au peigne, en veillant à ne pas trop tirer la peau. Humecter la fourrure peut vous faciliter la tâche. Les poils sont très souvent emmêlés sous le menton et entre les pattes avant. S'il est impossible de les dénouer, coupez-les avec une paire de ciseaux. Vous pouvez maintenant brosser la fourrure, en soulevant bien la brosse à la fin de chaque mouvement pour en dégager l'extrémité. Sachez que la plupart des chats n'aiment pas que l'on touche à leur arrière-train, aussi tenez-le fermement.

DES SOINS INDISPENSABLES

Prêtez une attention particulière aux taches – de goudron, de peinture ou d'huile en particulier – apparaissant sur la fourrure. Ramollissez-les avec de l'huile de friture et faites-les disparaître avec de l'alcool à 90° sur un Coton-Tige. Tenez ce produit éloigné des yeux, du nez et de la bouche du chat, et utilisez-le avec parcimonie. Le chat pourrait être intoxiqué par les vapeurs et présenter les symptômes de l'ébriété.

L'inspection de routine permet de s'assurer que les yeux ne coulent pas et que les pavillons sont propres. Vous pouvez enlever le cérumen avec un bouchon de coton, mais le conduit auditif lui-même ne doit pas être nettoyé. Il faudrait habituer le chat à ce que l'on examine sa bouche. Placez l'index et le pouce d'une main aux commissures de la bouche, tandis que l'autre main abaisse doucement la mâchoire inférieure. Ce n'est

pas chose aisée et vous essuierez sûrement des protestations, mais soigner les dents d'un jeune chat préviendra les problèmes chez le chat mûr et chez le chat âgé. S'il y a le moindre signe de jaunissement des dents ou que les gencives semblent enflammées, consultez votre vétérinaire. Avant de brosser le pelage, vérifiez l'état de la peau en soulevant les poils à différents endroits avec le peigne fin.

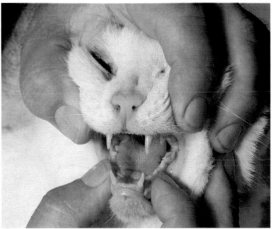

Brossez votre chat lorsqu'il est détendu. Une fois que vous avez fini, un petit jeu le confortera dans l'idée que le brossage est une expérience agréable. Pour les races à poil court, une séance par semaine suffit, mais celles à poil long réclament des soins tous les trois jours environ, surtout pendant la mue.

En haut à gauche
Le propriétaire de ce Persan démêle un nœud.

En haut à droite
Voici comment ouvrir la bouche d'un chat.

Ci-contre
Il faut nettoyer l'intérieur du pavillon sans toucher au conduit auditif.

En voyage

CHAQUE CHAT devra un jour « voyager », ne serait-ce que pour aller chez le vétérinaire. Une fois le voyage commencé, beaucoup se calmeront, tout en continuant peut-être à manifester leur mauvaise humeur… mais les préparatifs peuvent être un vrai cauchemar. Dès que leur panier fait son apparition, la plupart des chats se terrent et protestent si on tente de les déplacer.

PRÉPARATIFS

Il est évident que la plupart des chats associent déplacement et visite chez le vétérinaire. Ils ont le souvenir d'avoir été manipulés, inspectés et soumis à diverses indignités, dans un monde aux odeurs et aux sons étrangers. Le meilleur conseil à donner est de garder le panier hors de vue jusqu'au dernier moment, d'essayer de se comporter comme tous les jours et de s'emparer du chat au moment de partir. Il vaut mieux alors être deux : le premier s'occupe de faire entrer le chat dans sa valise de transport, et le second de la refermer avec soin.

ÉQUIPEMENT

Comme il a été dit plus tôt, il est essentiel de transporter le chat dans un bagage spécifique, à moins qu'il ne soit très malade ou immobilisé par un accident. Dans ce cas, il est préférable de l'envelopper dans une couverture et de le tenir fermement.
Ne cédez pas à la tentation d'utiliser un des bagages en carton vendus en animalerie, ou d'économiser en prenant une caisse au supermarché. Tout chat qui se respecte aura vite fait de pratiquer, avec ses griffes, une ouverture dans le carton ondulé. L'outil idéal est la valise de transport en plastique, qui peut être complètement lavée et désinfectée après usage (un avantage de taille si vous avez transporté un chat malade). Certains chats se sentent plus en sécurité dans l'obscurité d'un panier en osier. Doublez le fond, avec de l'essuie-tout par exemple, pour absorber urine et vomi.

LE TRAJET

Si vous prenez la voiture, le chat devrait voyager comme tout passager, jamais dans le coffre. Une bonne âme pourra empêcher le panier de bouger sur le siège arrière (un sachet en plastique placé dessous empêchera l'urine ou le vomi de suinter). Évitez de poser le panier sur le plancher, qui est souvent le siège de vibrations et de bruits intenses.

LE SAVIEZ-VOUS ?
Dans la Chine ancienne, le chat était considéré comme un animal bienfaisant, et on mimait son attitude dans les danses paysannes.

En haut
Cette cage grillagée est idéale : elle est aérée, et l'on peut facilement la désinfecter.

Ci-contre
Le chat blessé doit être enveloppé dans une serviette et emmené chez le vétérinaire.

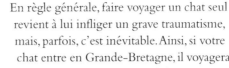

LA MISE EN QUARANTAINE

En règle générale, faire voyager un chat seul revient à lui infliger un grave traumatisme, mais, parfois, c'est inévitable. Ainsi, si votre chat entre en Grande-Bretagne, il voyagera en général non accompagné de son point de départ jusqu'à la chatterie britannique. Vérifiez bien à l'avance les conditions du transporteur, et prenez des dispositions pour que quelqu'un aille chercher le chat à l'aéroport d'arrivée. Les chatteries s'en chargent, normalement.

EN PENSION

Si votre famille envisage de passer des vacances dans un gîte, la question de savoir s'il vaut mieux emmener le chat ou s'organiser autrement surgit souvent. À moins que vos congés

ne soient prolongés, il est probablement moins stressant pour le chat d'être placé dans une pension ou, mieux encore, d'être gardé chez vous par des amis ou des parents.

De plus, confronté à un environnement étranger, le chat pourrait se sauver et/ou devoir faire face à des risques inconnus.

Ces conseils s'appliquent aussi au déménagement. La situation est alors assez perturbée sans que s'y ajoute le risque de perdre le chat ! Ce dernier pourra être introduit dans sa nouvelle maison une fois que vous aurez le temps de l'aider à s'adapter.

En haut
Ce panier de transport est préférable pour certains chats, car il est couvert.

Au milieu
Après son « transfert » en pension, le chat pourrait associer son panier à son séjour là-bas.

En bas
Le chat ne doit pas être transporté dans le coffre de la voiture.

Si le voyage doit durer plus d'une heure, emportez de l'eau. Évitez la nourriture, à cause du risque de mal des transports. En été, assurez-vous que la voiture ne soit pas trop chaude ; veillez à ce qu'il circule toujours de l'air frais. Ne laissez jamais le chat seul dans la voiture, même si cela signifie que la famille doit renoncer à un bon repas en route et se contenter de sandwiches.

Si vous prenez les transports en commun, vérifiez que les chats sont acceptés comme passagers. Vous garderez votre chat dans un panier fermé. Les compagnies aériennes demandent généralement que les chats voyagent dans la section pressurisée et chauffée de la soute, dans un conteneur spécifique. Certaines compagnies de chemin de fer considèrent les animaux familiers comme des bagages devant être transportés… dans le compartiment à bagages.

Le chat d'intérieur

FAUT-IL GARDER son chat à l'intérieur ou le laisser vagabonder ? Pour et contre sont débattus avec véhémence par les vétérinaires et les amis des chats. Si beaucoup d'Européens laissent leur chat libre d'aller et venir (à l'exception de ceux de race et d'élevage), la plupart des Américains semblent privilégier la vie à l'intérieur. Mais dans certains cas (comme un appartement dans une tour), il n'y a pas le choix, et aux États-Unis, certains arrêtés locaux exigent que les chats soient tenus en laisse.

LES DANGERS EXTÉRIEURS

La circulation représente le principal danger pour le chat d'extérieur ; une statistique affirme que plus de 1 000 chats meurent chaque année dans une ville de quelque 200 000 habitants. Beaucoup de ces victimes sont des chats harets ou errants, mais cette triste estimation baisserait considérablement si les propriétaires faisaient rentrer leur chat la nuit.

On pourrait citer bien d'autres aléas constituant une menace majeure pour le chat d'extérieur. Ainsi, des bandes écumeraient les rues à la recherche de chats à capturer et à vendre aux laboratoires. La réalité déplaisante est que ces laboratoires sont bien approvisionnés en animaux élevés à cet effet.

GARDER SON CHAT À L'INTÉRIEUR

Tous s'accordent à dire que, si un chat doit rester enfermé, il ne faut pas lui permettre de goûter à la liberté. S'il n'a rien connu d'autre, il acceptera d'être confiné chez vous, même si cela ne l'empêchera pas forcément de tenter de s'échapper.

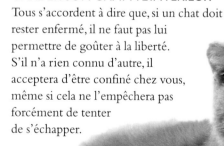

Mais cloîtrer un chat adulte autrefois libre d'aller et venir est déraisonnable, sauf dans le cas d'un chat âgé ne montrant pas grand empressement à sortir. Le problème du changement de mode de vie du chat peut surgir si l'âge du propriétaire ou les circonstances impliquent de quitter une maison pour un appartement, ou pour une maison de retraite où les chats ne sont pas bienvenus. Il vaut mieux alors trouver un nouveau foyer où le chat pourra continuer à mener une vie en plein air, et tout recommencer avec un chaton qui s'habituera à vivre à l'intérieur. Il faut toutefois noter que certains contrats de location émettent des restrictions sur la présence d'animaux familiers ou sur leur nombre.

Errer et chasser étant ancrés dans la nature du chat, vivre entre quatre murs n'est pas normal pour lui ; il faut le stimuler pour donner à sa vie intérêt et variété. Le manque d'activité entraîne en effet ennui et stress qui pourraient se traduire par un comportement agressif, une boulimie ou un défaut d'utilisation de la litière. Si nous avons un animal de compagnie pour éclairer nos vies, nous lui devons bien de faire en sorte qu'il apprécie la sienne.

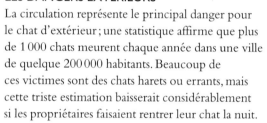

Ci-dessus
Il est injuste de garder confiné un chat adulte habitué à sortir.

Ci-contre
Le chat âgé, souvent fatigué, peut préférer vivre à l'intérieur.

en milieu de journée, pour vérifier que tout se passe bien et offrir au chat quelques instants de conversation et de caresses. Une radio au volume baissé peut aussi aider le chat à se débarrasser de son sentiment d'isolement.

L'EXERCICE

Le chat d'intérieur doit avoir l'occasion de faire de l'exercice et être incité à jouer. Grandes boîtes de carton solide (à condition qu'elles n'aient pas été utilisées pour le conditionnement de substances dangereuses comme de l'eau de Javel) et tubes de carton ondulé dont vous aurez enlevé les extrémités en plastique fourniront des distractions bienvenues. Les souris factices bourrées d'herbe-aux-chats et autres jouets similaires rappelleront au chat ses dons de chasseur. Une vieille pantoufle fera un bon jouet. Il est essentiel de se procurer un griffoir.

SEUL À LA MAISON

Un chat confiné dans une maison peut-il raisonnablement mener une vie épanouie si ses maîtres sont absents la majeure partie de la journée ? C'est douteux. On tient de bonne source que le chat reste, toute sa vie durant, un chaton qui a besoin de la compagnie du reste du nid. Les nouveaux propriétaires seront parfois surpris de constater que, bien que passant les trois quarts de la journée à dormir, le chat domestique recherche, le reste du temps, compagnie et activité.

Ce problème peut être résolu en adoptant deux chats, ou même un chien sympathique avec qui le chat s'entendra. Vous pouvez aussi demander à un ami ou à un voisin – un adolescent de confiance, par exemple – de jeter un œil dans votre maison

En haut
Cet objet mixte, à la fois griffoir et jouet, permet à ces deux chats de s'amuser.

En bas à gauche
Le chien fait parfois un bon compagnon pour le chat.

Ci-contre
Avec de l'imagination, on trouve de quoi distraire son chat à bon compte.

FENÊTRE SUR COUR

Même sans être autorisé à sortir, le chat doit pouvoir observer le monde extérieur. Si vous ne disposez pas déjà d'un poste d'observation comme un appui de fenêtre, vous pouvez fixer, à hauteur, une solide

tablette d'où le chat regardera dehors. Choisissez une fenêtre où le soleil de midi ne darde pas ses rayons et d'où l'activité extérieure est facilement observable. Bien que la vue d'un chat fixant le monde extérieur d'un air apparemment nostalgique puisse constituer un triste spectacle, le chat prend plaisir en réalité à suivre le mouvement des oiseaux, des feuilles, des passants et même de la circulation.

LE SAVIEZ-VOUS ?

L'adage selon lequel le chat a neuf vies vient de sa remarquable agilité, qui lui permet de ne pas se blesser en tombant, et de son aptitude à échapper aux meutes de chiens.

LE FUGITIF

Il faut accorder une attention spéciale aux portes et aux fenêtres. N'oubliez pas que votre chat encourt de gros risques s'il s'échappe, car il maîtrise moins les techniques de survie et n'est pas habitué aux températures extérieures (en particulier l'hiver). Il n'a pas davantage été confronté à la circulation. Le chat peut faire preuve d'une ingéniosité remarquable, et laisser simplement le vasistas entrebâillé sans le bloquer n'est pas suffisant. Ces précautions s'appliquent aussi aux fenêtres à guillotine. Une option consiste à fabriquer ou à acheter un cadre amovible pouvant se fixer solidement sur une fenêtre entrouverte. Il peut être nécessaire de prévoir un système pour permettre aux occupants de la maison d'aller et venir librement, sans que le chat en profite pour sortir.

En haut
Ce chat bénéficie
d'un bon point de vue
sur le monde extérieur.

Au milieu
Le chat d'intérieur
devrait toujours avoir de
l'herbe fraîche à grignoter.

Ci-contre
Le chat trouve toujours
un moyen de s'évader.

ALÉAS

Si un chat doit être laissé à l'intérieur, pour quelque durée que ce soit, il faut prendre grand soin de fermer les placards (surtout dans la cuisine, où ils peuvent contenir des substances dangereuses) et de barrer l'accès aux conduits de cheminée. Les fils électriques doivent être attachés pour que le chat ne soit pas tenté. Il faut prévoir une ou deux surfaces libres de bibelots, assez grandes pour servir de lieux de repos. Et secouer draps et couvertures chaque jour.

AUTRES PRÉCAUTIONS

La plupart des chats grignotent de l'herbe de temps à autre : vous pouvez faire germer des graines dans un pot ou un bac, ou acheter en animalerie de l'herbe déjà semée. Cependant, beaucoup de plantes vertes, les variétés de lierre par exemple, sont vénéneuses pour le chat et devraient être supprimées.

Si vous laissez votre chat seul en journée, observez quelques règles avant de quitter la maison. Lavez son bac et changez sa litière. Remplissez son bol d'eau fraîche. Vous pouvez laisser quelques croquettes dans son écuelle, mais vous devriez lui donner son repas du matin et enlever les restes avant de partir. Vérifiez que fenêtres et portes de placards sont bien fermées.

Il existe toujours un risque que le chat d'intérieur ne fasse pas assez d'exercice pour brûler ses réserves, et devienne obèse. Il faut donc se montrer très attentif à son régime et, en particulier, contrôler rigoureusement le nombre de bons morceaux offerts. Le test courant consiste à tâter les côtes du chat. Si vous ne pouvez pas les palper, le chat est probablement obèse et il faut réduire les portions. N'essayez pas d'appliquer à votre chat votre propre régime minceur – demandez conseil à votre vétérinaire, qui vous indiquera un programme et les nombreux régimes basses calories prévus pour les chats.

ALTERNATIVES

Même si vous ne voulez pas laisser votre chat libre de vagabonder, il existe des alternatives au confinement. Une solution consiste à lui apprendre à marcher en laisse, ce qui lui fera faire de l'exercice et le changera du train-train quotidien. Une autre est d'acheter une grande cage solide, avec toit et parois grillagés. C'est la meilleure option pour le propriétaire d'un chat de race qui se refuse à l'exposer aux risques extérieurs mais veut lui offrir la meilleure vie possible.

Même une petite cage (de 2 mètres carrés par exemple) améliorera grandement la vie d'un chat d'intérieur. Idéalement, il devrait s'y trouver une litière ou un bac (amovible et lavable) de terre meuble ou de sable, un carré d'herbe et une zone en béton ou pavée. Un tronc où aiguiser ses griffes, des tablettes et des jouets comme une corde suspendue au toit compléteront l'équipement. Veillez à ce que la cage ne soit pas exposée aux courants d'air ni au soleil. Un espace couvert offrira un abri contre la pluie. Si votre chat pouvait se rendre dans sa cage depuis la maison, grâce à une chatière, ce serait parfait. Pour remplacer cette cage indépendante, vous pouvez construire une annexe grillagée à votre cabane de jardin.

LE SAVIEZ-VOUS ?
Les chats errants vivent en groupes sociaux s'il y a assez de nourriture pour que combats ou confrontations ne se produisent pas trop souvent.

En haut à gauche
Si votre chat ne peut pas sortir pour faire ses besoins, il faut lui fournir un bac à litière.

En haut à droite
L'obésité est un problème auquel le propriétaire devrait songer avant de décider de garder son chat à l'intérieur.

En bas
Ce chat bénéficie d'une grande cage où faire un peu d'exercice.

Le chat d'extérieur

IL EST ÉVIDENT qu'un chat qui peut aller et venir à sa guise, tout en sachant qu'il peut compter sur un foyer sûr et accueillant, est gagnant sur les deux plans. Il peut continuer à exercer ses talents innés de chasseur, mais n'a pas à relever en permanence le défi de survivre, qui est le lot des chats harets ou errants.

ALÉAS

Le monde extérieur réserve des dangers, à commencer par la circulation. Il est toutefois surprenant, compte tenu du nombre de chats errant dans les rues, qu'on ne constate pas plus de victimes. Le chat des villes semble maîtriser le Code de la route : il est courant de voir un chat regarder prudemment à gauche et à droite avant de traverser.

En haut
Ces chats peuvent aller et venir à leur guise.

Ci-contre
Moteur et roues peuvent attirer le chat, mais ils sont dangereux.

Les rues bordées de voitures en stationnement bouchant la vue représentent probablement le plus grand risque. Inversement, le chat rural est souvent mis en danger à cause de la circulation relativement peu dense, qu'il ne perçoit pas comme une menace.

Citons aussi l'éventualité de combats de chats, bien qu'ils soient rarement graves si ces derniers ont été stérilisés. Outre le risque de blessure, il existe le danger de contracter des maladies telles que la leucose féline et le FIV, par le sang et/ou la salive.

Mais la plupart des confrontations sont des «coups de semonce» prenant fin dès que les chats ont échangé leurs points de vue. Certains curieux se retrouvent enfermés dans le garage du voisin, mais cela reste rare. Il est assez rare aussi que le chat s'égare. Il a une bonne notion de sa position par rapport à la maison, et il est improbable qu'il s'éloigne de son territoire, à moins d'être effrayé ou chassé par un rival. Il pourrait alors être désorienté et, en l'absence de repère et de marquages familiers, errer sans espoir.

LES DANGERS NOCTURNES

Les chats les plus menacés sont ceux que l'on laisse dehors la nuit. Certes, le chat est un animal nocturne de nature, mais la plupart des fauves chassent en réalité au crépuscule et à l'aube. Le chat domestique apprécie de chasser à ces moments-là, mais ce n'est pas une raison pour l'enfermer dehors toute la nuit. Il est assez facile de lui faire prendre l'habitude de rentrer le soir, surtout si c'est le moment où vous lui donnez son repas. Bloquez la chatière la nuit. Il est arrivé à des chats laissés dehors de chercher abri et nourriture chez un voisin, ce qui peut se solder par une confrontation bruyante en bas des escaliers au petit jour !

POINTS À CONSIDÉRER

Il faut mentionner ici un autre inconvénient pouvant se présenter si vous laissez votre chat sortir : l'hostilité des voisins. Certains développent une véritable

cristaux à répandre sur leurs parterres, ou permettez-leur de faire fuir votre chat de leur jardin avec un pistolet à eau. Les amoureux des oiseaux sont plus durs à satisfaire, sauf peut-être à faire remarquer que le chat réussit relativement rarement à attraper les oiseaux. Certains propriétaires affirment avoir appris à leur chat à ne pas les chasser, mais leur chant et leur mouvement sont si profondément ancrés dans les instincts du chat que cela reviendrait à remettre en question toute l'évolution.

paranoïa envers les chats, en particulier les passionnés de jardinage et les amis des oiseaux. Sans compter les personnes ayant une peur obsessionnelle des chats. Dans les deux cas, le mieux est de négocier. Proposez aux amateurs de jardinage d'acheter des répulsifs en

Que le chat dépose ses trophées devant votre porte ou sur le tapis devant la cheminée est un autre problème. Même s'il vous fait une faveur (pour partager avec vous sa bonne fortune), se débarrasser des restes d'une souris parfois encore à moitié vivante peut être une gageure. Il est possible d'entraîner le chat à laisser ses offrandes dehors, en le ramenant devant la porte avec un mot de félicitations et un bon morceau. Protester chaque fois ne sert à rien et risque de déboussoler le chat, qui n'a que de bonnes intentions.

En haut à gauche
Persan blanc espérant avoir de la chance.

En haut à droite
Somali guettant sa proie.

En bas
Deux Siamois tigrés explorent le fond du jardin.

81

TERRITOIRES

Le territoire du chat d'extérieur est l'élément clé de sa vie. Son étendue varie selon le sexe du chat (même le mâle castré a un territoire bien plus vaste que la femelle) et la densité de la population féline. Dans une banlieue densément peuplée, il peut se limiter au jardin du maître auquel s'ajoutent, de chaque côté, quelques jardins qu'il peut avoir à partager avec d'autres chats.

En haut à gauche
Exploration du territoire.

En bas à gauche
En zone rurale, le territoire du chat peut être vaste et compter plusieurs postes de prédilection, comme le toit des maisons.

En bas à droite
Ce chat marque son territoire par le griffage.

À la campagne, le territoire du mâle peut embrasser la superficie d'un petit village. À moins de chercher à en prendre la mesure, vous n'en découvrirez peut-être jamais l'étendue. Plus d'un propriétaire a appris de voisins distants que son chat leur rend régulièrement visite. Le territoire typique inclut divers lieux de repos comme un toit de garage, un toit de voiture et des arbustes donnant de l'ombre pour les jours ensoleillés ; des postes d'observation dans les arbres ou sur les toits ; des terrains de chasse comme les fondations d'une cabane de jardin abritant des souris ; éventuellement, des points de ravitaillement supplémentaires chez des voisins.

Il peut aussi inclure plusieurs voies d'accès entre des territoires adjacents défendus par d'autres chats. Ces dernières semblent avoir un statut neutre. Un chat ne tolérant aucun intrus sur *son* territoire autorisera sans protester un autre chat à emprunter une voie d'accès adjacente. À la campagne, les territoires peuvent comprendre garennes, basses-cours, champs de blé et bâtiments de ferme éloignés.

Le chat marque son territoire en urinant (ce n'est pas l'apanage du mâle non castré), en déposant des phéromones avec les glandes situées sur sa tête et ses flancs, et en griffant poteaux et arbres. Le territoire a une dimension spatiale et temporelle. Un groupe de chats peut patrouiller dans une zone donnée le matin, et un autre groupe, le soir. Un chat que l'on laisse sortir plus tôt que d'habitude peut empiéter sur la « tranche horaire » d'un autre.

UNE NOUVELLE MAISON

Après un déménagement, il faudrait garder votre chat à l'intérieur quelques jours, le temps qu'il surmonte son stress et réalise que, même si l'environnement est différent, la vie de la famille continue comme avant. Vient alors le moment de lui présenter son nouveau monde extérieur, après vous être assuré qu'il est correctement identifié, par un collier et une médaille ou une micropuce.

Le «folklore» regorge d'histoires de chats qui, dès qu'on les laisse sortir, partent à la recherche de leur ancienne maison, donnant naissance à la théorie que les endroits comptent plus pour le chat que pour l'homme. Si certaines histoires sont vraies, la plupart des chats, une fois rassurés sur l'affection de leur maître, surmontent le stress du déménagement et restent fidèles ; le chat recherche avant tout le confort. Il est donc extrêmement improbable que votre chat se sauve dès sa première sortie. Certains propriétaires ont recours à des stratagèmes qui, s'ils sont inutiles, ne font pas de mal. L'un consiste à nouer une cordelette autour du collier du chat et à l'emmener faire une promenade, en lui faisant découvrir les limites du jardin. Une histoire de bonne femme veut que l'on beurre les pattes du chat, afin qu'il soit capable de retrouver son chemin en suivant ses traces. En réalité, une fois qu'il aura fait le tour du jardin, il aura déposé des phéromones qui le guideront.

DÉFENDRE SON TERRITOIRE

Rares sont les zones urbaines ou de banlieue ne faisant pas partie du territoire d'un chat. Même si le chat domestique ne défend pas son territoire avec autant d'agressivité que le fauve, probablement parce qu'il sait que ses besoins alimentaires seront satisfaits, le nouveau venu se heurtera à une résistance physique et psychologique. Pour les environs immédiats, vous pouvez aider votre chat en vous montrant régulièrement à ses côtés dans le jardin et en approuvant

ostensiblement sa présence. Cela établira en partie sa bonne foi aux yeux des autres petits félins, et donnera aussi confiance à votre chat. Il faut néanmoins s'attendre à des confrontations. Cela peut aller des longues séances d'intimidation aux combats en bonne et due forme, bien que ces derniers soient rares et fassent toujours plus de bruit que de mal.

LA DISPARITION

En dépit de toutes vos précautions, malheureusement, votre chat peut se volatiliser. Vous l'avez appelé encore et encore, et il ne rentre pas. Vous avez fouillé les alentours, sans résultat. Que faire ?

La première règle est de ne pas paniquer. Le chat peut tout à fait disparaître pendant trois jours puis rentrer et réclamer son repas. La première mesure évidente consiste à appeler police et refuges locaux pour savoir si l'on a signalé un chat errant ou victime d'un accident. Parfois, les magasins autorisent un petit panneau en vitrine. Votre chat peut avoir perdu sa médaille d'identification et avoir tout simplement été «adopté» par d'autres. Pensez à informer le vétérinaire local ; une personne consciencieuse ayant recueilli un chat perdu «risque» de l'emmener chez ce dernier pour un bilan de santé.

Repensez aussi aux visiteurs s'étant présentés chez vous, y compris entrepreneurs et autres commerçants. Certains chats sont tentés d'explorer les camionnettes aux portes ouvertes.

En haut

Lorsqu'ils se rencontrent en terrain neutre, les chats se reniflent amicalement.

En bas

Ce chat porte un collier avec une clochette et un tube d'identification.

Un être routinier

Le chat domestique, fort adaptable, a troqué de bonne grâce une partie de son indépendance contre le confort de la vie de famille. L'homme a des animaux familiers pour embellir sa vie, mais il ne faut pas oublier que les animaux familiers eux aussi ont des besoins. Ces pages traitent de quelques éléments qu'un futur maître doit considérer avant de se décider.

Ce goût pour la routine persiste chez le chat domestique. Il aime que tous les jours se ressemblent. Cela s'applique non seulement aux heures de repas, mais aussi aux moments de jeu et de repos, à ceux où il est câliné, brossé et caressé, et à ceux où on le fait sortir ou rentrer. Son excellente notion du temps lui permet d'apprendre rapidement quand il est l'heure de manger, quand la famille doit se lever, les enfants aller à l'école et en revenir, et quand la famille s'installe pour la soirée. Il est aussi sensible aux activités inhabituelles dans la maison, comme les préparatifs d'un déménagement ou d'un départ en vacances, et l'absence de membres de la famille. Face à ce genre d'événements, il peut exprimer son stress en manquant d'appétit, en se cachant, voire en disparaissant. On le rassurera en lui témoignant encore plus d'attentions et d'affection.

L'INSTINCT DE LA ROUTINE

Le chat est un être routinier. Les fauves observent, de jour comme de nuit, des « rituels » dictés par la luminosité. Ils patrouillent systématiquement dans leur territoire, s'arrêtant à des endroits choisis pour se reposer ou observer les environs, très attentifs aux changements, synonymes de dérangement ou de danger.

En haut
Ce chat sait qu'il a le droit de dormir sur cette chaise.

Au milieu
Stress ou modification de son habitat peuvent pousser le chat à se cacher.

Ci-contre
Câliner votre chat doit faire partie de vos rituels quotidiens.

Bien sûr, nul n'attend de vous que vous organisiez toute votre vie autour de votre chat, mais vous devriez, autant que possible, prendre en compte son besoin d'une routine familiale et rassurante.

Un autre aspect est la constance dont vous ferez preuve vis-à-vis de votre chat. Il est déroutant pour ce dernier de pouvoir dormir un jour dans un fauteuil, mais plus le lendemain, ou qu'un membre de la famille le chasse d'une pièce quand les autres s'en abstiennent. La plupart des chats sont prêts à accepter les restrictions, mais il ne faut pas leur demander d'observer des règles incohérentes.

En haut à gauche
Le chaton tire des leçons
de ses expériences,
mais sa vie sera enrichie
par la présence
d'un second chat.

Ci-contre
Le chat peut s'amuser
à faire semblant
d'attaquer son maître.

En bas
Le dessus du panier…

LE GOÛT DE LA COMPAGNIE

Bien que le fauve mène une existence essentiellement solitaire, les premiers mois de sa vie sont riches en expériences qui le lient étroitement à la mère qui le nourrit et l'éduque, et aux frères et sœurs avec qui il joue. Ce besoin d'un lien fort semble persister chez le chat domestique ; certains vétérinaires ont suggéré que la domestication prolonge l'enfance à vie, le chat ne devenant jamais tout à fait adulte.

Le chat apprécie la compagnie. Cela peut signifier simplement qu'il aime se trouver dans la même pièce que le reste de la famille, ou s'installer sur le bureau ou le lit de son maître (à ne pas encourager, surtout avec des enfants). Cela peut aussi se traduire de façon plus active : par le jeu, les courses-poursuites ou un simulacre de combat passionné avec les doigts de son maître. Compagnie signifie aussi « conversation ». Plus vous parlerez à votre chat, plus il vous répondra.

Un chat laissé seul toute la journée mènera une vie plus heureuse et plus intéressante s'il a un compagnon. Après avoir été distants, des chats stérilisés du même sexe se lieront d'amitié, même s'ils ne sont pas introduits ensemble dans la maison. La solution idéale consiste à acheter deux chatons de la même portée, qui se connaissent déjà.

Le chat ne doit jamais être soudain laissé sans compagnie, ou ne devoir plus compter que sur lui-même. Si vous devez partir, veillez à ce qu'un ami ou un voisin le nourrisse et passe un peu de temps avec lui chaque jour – ce qui reviendra moins cher que de faire appel à une pension, même si les meilleures sont excellentes.

LE FOYER

Si le fauve est plus souvent prédateur que victime, ses petits sont très vulnérables, et c'est probablement de sa mère que le chat apprend la prudence. Le nid est synonyme de sécurité. Un chat domestique a besoin que son monde tourne autour d'un centre, simple boîte en carton ou coûteuse corbeille. Cette « base » doit se trouver à portée de vue des activités familiales, mais hors des courants d'air et loin des bruits violents et des mouvements soudains. Mais s'il n'aime pas la base qu'on lui a prévue, le chat choisira la sienne.

LE SAVIEZ-VOUS ?

L'un des plus gros chats domestiques est le Ragdoll : le mâle pèse de 7 à 9 kg. On dit cette race insensible à la douleur, mais c'est faux.

Le chat se fera souvent rare s'il y a trop de bruit ou de mouvements brusques autour de lui. En revanche, il aime les murmures, et une radio laissée allumée, volume baissé, lui donnera l'illusion d'une compagnie, s'il doit rester seul pendant un moment.

RESPECT ET DIGNITÉ

L'une des caractéristiques les plus attirantes du chat est sa dignité. Alors que le chien ferait n'importe quoi pour s'amuser, l'humour ne semble pas faire partie du caractère du chat. Un chat qui évalue mal un bond et finit par atterrir lourdement est habituellement très contrarié, et se retirera souvent pour se réconforter en faisant sa toilette. N'en riez jamais. N'essayez pas non plus de dresser votre chat, même si certains acquièrent un ou deux tours d'eux-mêmes, ni de le déguiser. Expliquez aux jeunes enfants que le chat n'est pas un jouet, mais un membre de la famille.

UN PEU DE CALME

Le chat passe jusqu'à trois quarts de la journée à dormir, de préférence dans un endroit chaud et confortable. Le chat d'extérieur choisira, comme ses cousins sauvages, plusieurs lieux de repos selon le moment – sous un arbuste quand le soleil de midi darde ses rayons, sur un toit plat pour bénéficier de la douceur de l'après-midi… De même, le chat d'intérieur suivra souvent le soleil de pièce en pièce. Le chat domestique adapte son rythme circadien en fonction des habitudes de la maison. Si la famille est sortie toute la journée, il passera la majeure partie du temps à dormir et sera prêt à faire des « mondanités » quand quelqu'un rentrera. Comme l'homme, le chat n'aime pas qu'on le dérange quand il dort. Si enfants ou autres animaux familiers l'en empêchent, il pourrait donner un coup de griffe.

EN LIBERTÉ

Le fauve est libre de délimiter et de marquer son territoire, de choisir l'heure à laquelle il se nourrit et de se déplacer à sa guise. La domestication réduit inévitablement cette liberté, mais le chat oublie aussi faim, froid et humidité, ce qui semble être un échange équitable. L'une des premières choses à décider en tant que propriétaire est de savoir si vous allez laisser sortir votre chat ou le garder à l'intérieur.

Il ne fait aucun doute que le chat d'extérieur a une vie plus intéressante, mais il faut prendre en compte le danger de la circulation et des combats avec d'autres animaux, le risque d'attraper maladies ou parasites… D'un autre côté, le chat d'intérieur a davantage tendance à se livrer au marquage urinaire, à griffer les meubles et à devenir obèse à cause du manque d'exercice. Ce choix vous revient entièrement, à une exception près. Si vous prenez un chat adulte, il doit continuer à mener le type d'existence auquel il est habitué. Il est cruel de confiner un chat qui a pu auparavant vagabonder à sa guise, de même qu'il est dangereux de laisser sortir un chat qui n'a pas appris à composer avec les aléas extérieurs.

En haut
Un coin tranquille,
sous un siège.

Ci-contre
Ce chat tigré est bien
réveillé et prêt à jouer,
car il sait que ses maîtres
vont rentrer bientôt.

de votre chat avec des vitamines et des minéraux. Les seules autres dépenses à envisager sont les frais de vétérinaire, qui sont assez élevés mais inévitables (ne serait-ce que pour des occasions ponctuelles telles que les rappels annuels et les bilans de santé), et les frais de pension si vous ne pouvez pas vous arranger autrement pour les vacances. Le fait que le chat soit l'animal familier favori des personnes âgées aux revenus limités prouve assez que son coût n'est pas élevé.

LE COÛT D'UN CHAT

Seul un élément essentiel du «trousseau» du chat est coûteux – il s'agit du panier ou de la valise de transport. On peut souvent en trouver d'occasion (lavez-les avant usage avec un désinfectant inoffensif

pour le chat). Amis ou voisins donnent souvent chats et chatons de gouttière, en échange de bons soins, et les refuges vous en céderont contre un petit don. Bien sûr, si vous voulez un chat de race à présenter en exposition, il faut vous attendre à verser une somme considérable.

Les frais courants pour un chat domestique ordinaire restent toutefois modestes. Une semaine de nourriture revient environ au prix d'une bouteille de vin bon marché. Cela vaut la peine d'acheter une bonne marque, même si elle coûte un peu plus cher, car les aliments seront équilibrés et vous n'aurez probablement pas à compléter le régime

LE SAVIEZ-VOUS?

Les larges pupilles du chat laissent entrer un maximum de lumière la nuit. Ses yeux sont un peu plus petits que les nôtres, et pourtant il voit six fois mieux que nous dans l'obscurité.

ATTENTION!

Un dernier mot : votre chat *dépend* de vous – vous devez veiller à sa santé, à son bien-être et à son bonheur –, et il a le droit que vous lui accordiez attention et temps. Si vous ne le pouvez pas, vous n'êtes pas fait pour avoir un chat.

En haut
Un chat qui s'ennuie ou que l'on garde à l'intérieur sans griffoir peut s'attaquer aux meubles.

Au milieu à gauche
Ce chat attend d'être adopté dans son refuge.

Au milieu à droite
Ce petit garçon n'oublie pas de faire jouer son chaton.

Un chat en bonne santé

LE CHAT est robuste et bien portant de nature, et la plupart des chats domestiques ne rencontreront le vétérinaire que pour des contrôles de routine et des vaccinations, voire pour une stérilisation. La domestication balaie bien des aléas de la vie sauvage ou férale – exposition aux intempéries, manque de nourriture, attaques des prédateurs, infections et parasites, endémiques chez les chats sauvages et harets.

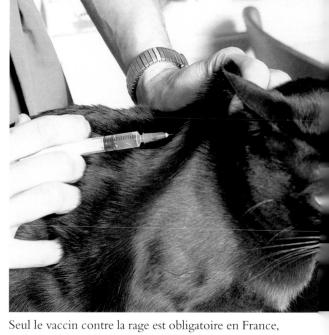

Seul le vaccin contre la rage est obligatoire en France, mais tous sont vivement recommandés.

Le chaton peut être vacciné à partir de deux mois environ. Si vous l'achetez chez un éleveur de bonne réputation, il sera déjà partiellement ou entièrement protégé et vous devriez recevoir un carnet de vaccination. Dès lors, les rappels annuels sont conseillés et donnent l'occasion d'effectuer un bilan de santé chez le vétérinaire. Les pensions refusent le chat dont le carnet de vaccination n'est pas à jour, ce qui est aussi le cas des organisateurs d'expositions.

LE SAVIEZ-VOUS ?
Le chat a un très bon sens de l'orientation, car il peut devoir parcourir une distance considérable pour trouver des animaux à chasser, avant de revenir chez lui.

LES CLÉS D'UNE BONNE SANTÉ
Quoi qu'il en soit, même le plus choyé des chats domestiques est sensible, comme tout être vivant, à l'attaque d'organismes pathogènes dont le niveau de gravité va du petit rhume aux infections pouvant être fatales. Quelques mesures simples vous permettront d'accroître les chances de votre chat de jouir d'une bonne santé.

Vaccination. La première mesure est la vaccination contre certaines des maladies félines les plus courantes : typhus, coryza (maladie infectieuse virale), chlamydiose, leucose (FELV) et rage.

En haut
La vaccination est essentielle pour garder un chat en bonne santé.

Au milieu
Le chat d'extérieur est plus exposé aux infections par les combats avec d'autres chats.

En bas
Le chaton peut être vacciné à partir de deux mois.

88

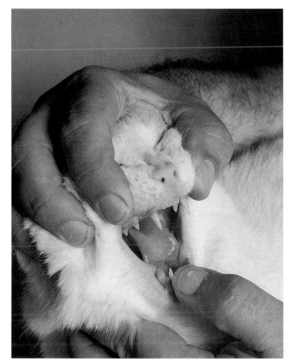

Hygiène. La troisième clé d'une vie saine est une hygiène scrupuleuse. Ôtez les excréments de la litière avec une petite pelle ou, mieux, remplacez-la complètement.

Au moins une fois par semaine, le bac doit être vidé et lavé à fond avec un désinfectant inoffensif pour les chats (vous pouvez vous en procurer dans les animaleries). C'est un plus de s'en tenir strictement à ce «rituel».

Régime.
Le quatrième élément est un régime équilibré fourni, dans la nature, par les proies fraîchement tuées. Les bonnes marques d'aliments pour chats reprennent les éléments de ce régime naturel en ajoutant vitamines et substances nutritives. Mais la plupart des propriétaires oublient que consommer suffisamment d'eau est essentiel, d'autant que certains chats ont tendance à ignorer leur bol. Vous y remédierez en versant régulièrement de l'eau chaude sur les aliments (pour produire une «sauce»), que vous laisserez ensuite refroidir. Peu de maîtres résistent au plaisir de donner de temps en temps des friandises à leur petit félin, mais il faut savoir faire preuve de modération (voir p. 71).

Contrôle hebdomadaire. La deuxième mesure de prévention est un contrôle hebdomadaire, qu'il est commode d'accompagner d'un brossage (sans oublier qu'il faut brosser plus souvent le chat à poil long). La fourrure doit être «soulevée» avec un peigne et le pelage inspecté, à la recherche de parasites. Yeux, oreilles et nez ne doivent pas être encombrés, et la zone anale doit être propre. Si votre chat sort, vérifiez que ses pattes ne comportent pas plaies, gerçures ou échardes. La bouche doit être rose et les dents blanches. Vous pouvez brosser les dents du chaton, mais le vétérinaire se chargera du chat adulte qui n'y est pas habitué. Utilisez un Coton-Tige ou une brosse à dents pour chats (disponible chez le vétérinaire et dans les animaleries), et un dentifrice «spécial chat».

En haut
On contrôle dents et gencives pour vérifier qu'il n'y a pas d'inflammation et que le chat est en bonne santé.

Au milieu
Il faut aussi désinfecter le couvercle des bacs à litière.

En bas
Le peigne à puces facilite l'enlèvement des parasites.

qu'un chat qui a apprécié des mois durant la même marque d'aliments en boîte la dédaigne soudain. Un test consiste à proposer un aliment très attirant, comme des sardines à l'huile – juste une fois. Vous venez peut-être d'entrer dans une guerre d'usure, et si vous avez établi que la perte d'appétit est davantage due à un caprice qu'à la maladie, revenez alors à un régime normal. Sinon, votre chat pourrait ne plus jurer que par ces gâteries, qui ne constituent pas un régime équilibré.

Autres symptômes. Habituellement, la perte d'appétit due à la maladie est accompagnée d'autres symptômes – apathie inhabituelle, mauvaise humeur, confinement dans des endroits insolites ou, chez le chat d'extérieur, répugnance à sortir. Là encore, c'est à vous de connaître votre chat, mais le jeûne peut entraîner chez lui une grave maladie hépatique, aussi, s'il refuse de s'alimenter plus de vingt-quatre heures, consultez le vétérinaire.

Comme la plupart des animaux… et des hommes, le chat qui se sent mal va dormir dans un coin tranquille, espérant que le malaise aura disparu au réveil. Souvent, pour la plupart des petits maux humains, cela fonctionne. Le recouvrement de l'œil par la troisième paupière est souvent un symptôme. Il peut parfois se produire quand le chat s'assoupit, mais cette paupière doit normalement disparaître une fois que le chat est réveillé. L'état de la fourrure est un autre indicateur. Si elle est anormalement ébouriffée et les poils hérissés, il se peut que le chat lutte pour réguler sa température. Les autres symptômes incluent difficulté à uriner ou à déféquer, salivation excessive, consommation d'eau anormalement élevée et bruyante, et « oubli » de la toilette après le repas.

LES SIGNES ALARMANTS

Perte d'appétit. C'est un symptôme assez fiable, mais vous êtes le seul à connaître votre chat. La plupart des chats sont toujours prêts à manger et vident rapidement leur écuelle, mais d'autres sont lents, voire peu enthousiastes. Si vous avez observé le mode d'alimentation de votre chat, vous pourrez relever tout changement, qui constituera alors un signal d'alerte. Comme chez l'homme, le désintérêt pour la nourriture peut être provoqué par d'autres facteurs. Le chat d'extérieur peut avoir mangé une proie, voire avoir déjà été nourri ailleurs. Et une contestation territoriale ou un combat avec un autre chat peuvent produire un stress inhibant l'appétit. Dans la maison, l'introduction d'un autre animal, des changements dans la routine domestique ou le déplacement de meubles peuvent détourner le chat de son écuelle un jour ou deux. Il faut aussi prendre en considération le fait exaspérant

En haut
Le chat contagieux doit être gardé à l'intérieur.

Ci-contre
Le chat négligeant sa toilette est souvent malade.

Vomissements. S'il survient seul, ce comportement ne doit pas vous alarmer. Le chat vomit très facilement, et très bruyamment, pour des raisons multiples. C'est ainsi qu'il débarrasse son estomac des boules de poil. Il peut aussi avoir mangé une proie qui ne lui convient pas. Il peut même avoir mangé trop goulûment.

Les aliments arrivent non mâchés dans son système digestif, et c'est ce dernier qui est chargé de les décomposer, tâche qui, chez la plupart des mammifères (dont les humains), débute dans la bouche. Il peut donc facilement être « débordé », ce qui explique que le chat ait tendance à faire des pauses au cours du repas. Bien sûr, si les vomissements persistent, le problème est plus grave. De même, une diarrhée ou un éternuement occasionnels ne doivent pas inquiéter, mais s'ils persistent, il faut les prendre au sérieux.

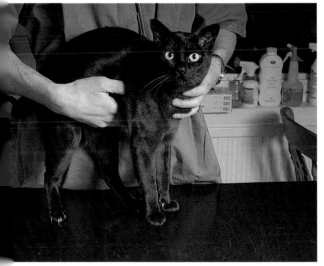

Marquage urinaire. Des dépôts d'urine répétés dans la maison peuvent aussi indiquer une maladie. C'est en tout cas le signe qu'un changement a provoqué un stress ; si les symptômes persistent, une visite chez le vétérinaire s'impose. S'il trouve le chat en bonne forme physique, le vétérinaire peut vous conseiller de consulter un comportementaliste animal, voire prescrire des tranquillisants.

LE CHAT ET LA SANTÉ HUMAINE

Les médias évoquent de plus en plus les maladies animales infectieuses (ou zoonoses) se transmettant à l'homme. La bonne nouvelle pour les propriétaires de chats est que les zoonoses félines sont très rares.

Rage. C'est la zoonose la plus grave. On la rencontre dans le monde entier, sauf en Australasie, en Grande-Bretagne et dans quelques îles où les contrôles sont très stricts. Ailleurs, un vaccin (souvent obligatoire) existe pour l'animal domestique. La rage est généralement transmise par la morsure d'un animal infecté, et se retrouve chez bien des animaux sauvages – renard, raton laveur, mouffette, mangouste, chauve-souris et chat haret. Elle se transmet à l'animal

domestique. Une fois la maladie dans l'organisme, elle est incurable : la mort survient en deux à dix jours.

Toxoplasmose. Moins effrayante, elle n'en est pas moins sérieuse. Le parasite responsable se reproduit dans l'intestin grêle du chat et se transmet à l'homme par les selles. La toxoplasmose ne s'accompagne habituellement pas de symptômes et sa transmission à l'homme peut passer inaperçue. Elle peut cependant provoquer des anomalies congénitales, et les médecins recommandent aux femmes enceintes de ne pas laver le bac à litière. Il est d'ailleurs toujours préférable de porter des gants pour changer la litière et, bien sûr, de se laver soigneusement les mains ensuite.

Teigne. Mycose de la peau et des poils, transmissible à l'homme par contact, la teigne est l'une des zoonoses les plus courantes. Il arrive qu'elle soit transmise par un chat étant un porteur sain (et ne présentant donc aucun symptôme). En cas de doute, le chat doit immédiatement être isolé et emmené chez le vétérinaire. La teigne étant extrêmement contagieuse, il faut se laver les mains chaque fois que l'on touche un chat.

Puces. Elles irritent la peau mais constituent un problème moins grave. Les puces du chat ne sont qu'une des nombreuses espèces passant librement du chat au chien, et à l'humain. Si elles n'envahissent pas l'homme, elles le mordent. En cas d'infestation du chat, les traitements disponibles dans le commerce sont efficaces. Sinon, consultez le vétérinaire.

Morsures. La salive du chat contient inévitablement des bactéries ; toute morsure devrait être nettoyée avec un antiseptique et recouverte d'un pansement. Cette précaution s'applique aux griffures. Si la plaie enfle ou devient douloureuse, consultez un médecin. La maladie dite des griffes du chat, transmise par griffure ou morsure, nécessite antibiotiques et antiseptiques locaux.

En haut
Consultez le vétérinaire si persistent des symptômes tels que vomissements répétés ou diarrhée.

Ci-contre
Déjection de puce dans le pelage d'un Persan.

Soins vétérinaires

DES VISITES MÉDICALES régulières doivent faire partie de la vie de votre chat. Même le plus sain des chats doit aller chez le vétérinaire chaque année pour se faire vacciner et subir un bilan de santé, et ce praticien devrait être choisi avec le même soin qu'un médecin, vétérinaire et chat étant appelés à se voir souvent.

QUAND APPELER LE VÉTÉRINAIRE ?

Certaines maladies infectieuses se développent de manière fulgurante, mais nombre des affections les plus courantes peuvent être évitées si les vaccins sont à jour. Par ailleurs, le mieux est de consulter un vétérinaire si les symptômes persistent plus de vingt-quatre heures. Entre-temps, gardez votre chat à l'intérieur et sous observation. Il n'est pas particulièrement utile (et l'animal se débattra comme un beau diable) de prendre la température d'un chat ou de contrôler son pouls, et, surtout, il ne faut administrer aucun médicament sans avis vétérinaire.

Cependant, si durant ces vingt-quatre heures vous êtes inquiet, appelez le vétérinaire et demandez-lui s'il pense qu'une visite à son cabinet est nécessaire. Il est important de pouvoir lui faire le compte rendu

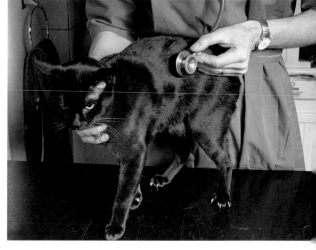

des symptômes, de leur apparition et de leur durée, et il est utile de noter ces renseignements dès que vous soupçonnez un problème, ainsi que le détail de ce que le chat a mangé et fait la veille ou les deux jours précédents – est-il sorti ? a-t-il rapporté une proie ?…

COÛT DES SOINS DE SANTÉ

Le coût des soins vétérinaires doit être pris en compte si l'on envisage d'avoir un chat. Les personnes n'allant que rarement chez le vétérinaire sont souvent surprises par les honoraires élevés, mais ces derniers reflètent les frais inhérents à la gestion du cabinet, à l'administration de médicaments, au personnel, au recours à des prestataires de services externes comme les laboratoires d'analyses et, dans certains pays, l'obligation de proposer un service d'urgence permanent, en personne ou grâce à un remplaçant. Bien sûr, le prix des médicaments s'ajoute aux honoraires. Si l'éventualité de devoir supporter des frais vétérinaires imprévus vous inquiète, contractez une assurance, mais elle ne couvrira pas les soins généraux – vaccins, stérilisation…

En haut
Vétérinaire utilisant un stéthoscope lors d'un bilan de santé.

Ci-contre
Après une opération, on équipe parfois le chat d'une collerette pour l'empêcher de lécher la cicatrice ou d'arracher les points de suture.

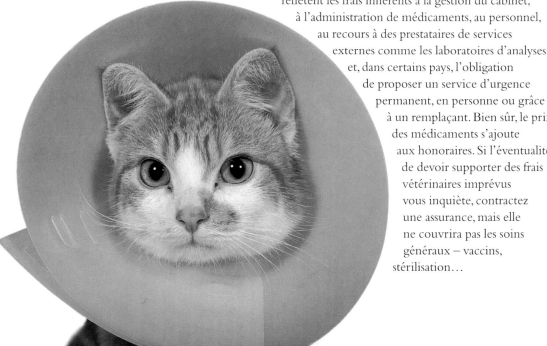

Si vous avez le choix, jetez votre dévolu sur un vétérinaire spécialisé dans les animaux familiers de petite taille. Si vous venez d'emménager ou n'aviez jusqu'à présent aucun animal de compagnie, demandez au club félin, à la SPA ou au refuge locaux de vous recommander un vétérinaire. Avant de s'engager, il est judicieux de s'informer sur le montant des honoraires. Ils peuvent varier énormément en fonction de la situation géographique, de la taille et de l'équipement du cabinet.

URGENCES

Le vétérinaire se déplace à domicile en cas d'urgence (ce qui a un coût), mais il préfère voir ses patients sur rendez-vous au cabinet, où il dispose de tout l'équipement nécessaire aux examens et aux traitements. Il devrait toujours être disposé à répondre à vos interrogations par téléphone, d'où l'intérêt qu'il connaisse votre chat. Si une opération est envisagée, il vous indiquera combien de temps durera le jeûne (habituellement douze heures), et si le chat devra rester une nuit ou davantage au cabinet. Veillez toujours à emmener votre chat dans une cage ou un panier bien fermés, que vous n'ouvrirez qu'une fois arrivé au cabinet ou à la clinique vétérinaires.

CHOISIR UN VÉTÉRINAIRE

Face à l'augmentation du nombre de propriétaires d'animaux familiers, les services vétérinaires se sont grandement améliorés ces cinquante dernières années dans la plupart des pays industrialisés. Rares sont les zones urbaines et même rurales qui n'aient pas l'embarras du choix, et certaines animaleries proposent un service vétérinaire. Le praticien sera choisi avec le même soin qu'un médecin, car le chat et le vétérinaire nouent des liens à long terme. Ce qui présente un gros avantage : le praticien conserve l'historique de l'animal, ce qui est utile pour un diagnostic futur et permet de ne pas oublier les dates de vaccination et de bilans de santé annuels. Vous pouvez attendre du vétérinaire qu'il vous expose les faits en des termes compréhensibles et réponde à vos questions. Le personnel doit être serviable et manipuler les animaux avec assurance. Les locaux, propres, devraient inclure un bloc opératoire.

En haut
Le chat doit être emmené chez le vétérinaire dans un panier bien fermé.

Ci-contre
S'il est manipulé avec assurance, le chat sera plus rapidement examiné et moins stressé.

Maladies félines

L E TYPHUS, le coryza, la chlamydiose, la leucose (FELV) et la rage sont des maladies pour lesquelles il existe des vaccins et dont nous pouvons protéger nos chats. Les chatons en forme et en bonne santé peuvent être vaccinés (en deux injections) dès l'âge de neuf semaines, avec un rappel annuel – contactez le cabinet du vétérinaire pour savoir à quel moment exactement faire vacciner votre chat.

environ et s'accompagne d'éternuements, voire d'une conjonctivite. S'il y a suspicion de RVF, le chat devrait être isolé et le vétérinaire appelé immédiatement. La survie est rare chez les chatons et les chats âgés. Le chat qui y survit peut souffrir de complications, comme une cécité partielle ou totale, et demeurera probablement porteur de la maladie et contagieux pour les autres chats.

Le symptôme caractéristique du CVF est une bouche ulcérée, qui peut s'accompagner de symptômes similaires à ceux de la RVF, ainsi que de fièvre. Le principal danger de cette maladie vient des complications, qui incluent la pneumonie. Là encore, une visite chez le vétérinaire s'impose.

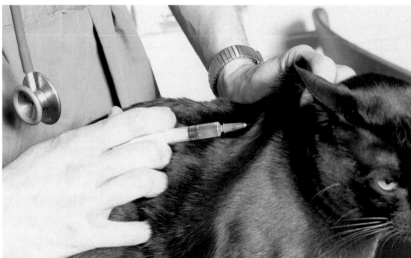

INFECTIONS RESPIRATOIRES VIRALES

Ces infections touchent le nez et la gorge, qui sont le siège des voies respiratoires supérieures. Elles sont provoquées par plusieurs virus, mais les deux plus courants sont la rhinotrachéite virale féline (RVF) et le calicivirus félin (CVF). Tous deux sont extrêmement contagieux, surtout en cas de promiscuité, comme lors d'expositions, dans les pensions et les élevages. Ils peuvent cependant être évités par la vaccination.

Les symptômes de la RVF incluent les yeux larmoyants et le jetage nasal, associés à une salivation excessive, une perte d'appétit et un désintérêt général. La période d'incubation varie de deux à dix jours. Le chat infecté développe une fièvre qui culmine au cinquième jour

En haut à droite
Cette exposition illustre la facilité avec laquelle une maladie infectieuse peut se transmettre par la promiscuité.

Au milieu
La vaccination peut éviter au chat certaines maladies.

Entérite. Cette inflammation intestinale se manifeste soudainement et peut entraîner rapidement la mort. S'il y a suspicion d'entérite, il faut réagir de toute urgence. Les symptômes sont la diarrhée, la perte d'appétit, les vomissements bilieux et les cris de douleur au contact, suivis par un collapsus. Cette maladie touche les chats de tout âge ; ceux qui survivent semblent bénéficier d'une immunité à vie.

Cependant, la vaccination du chaton, avec des rappels annuels, est presque toujours efficace.

Leucose (FELV). Cette maladie incurable très contagieuse est presque toujours fatale. Elle est transmise par le sang et les sécrétions corporelles, comme la salive ; on la rencontre très souvent chez le chat qui vagabonde et se bat, ou dans les élevages, les pensions ou les maisons accueillant un grand nombre de chats. Le chaton semble particulièrement vulnérable. Avant le développement du vaccin dans les années 1980, c'était un véritable fléau pour l'éleveur. Un vaccin (rappels annuels) est maintenant disponible, mais il n'est pas d'une grande aide si le chat est déjà malade. Un test existe, pour éviter la vaccination de sujets déjà infectés qui n'ont pas encore été diagnostiqués.

Les symptômes incluent vomissements, diarrhée, difficulté respiratoire, fièvre et anémie, mais le seul signe visible est souvent un amaigrissement progressif pouvant s'étendre sur une longue période, des années parfois. Le diagnostic repose sur un test sanguin. S'il est positif, le vétérinaire recommande d'isoler le chat pour éviter la contamination, et traite ses symptômes jusqu'à ce qu'il juge plus humain de l'endormir.

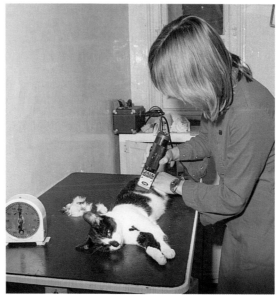

PIF et FIV. Les deux autres maladies félines graves sont l'immunodéficience féline (FIV) et la péritonite infectieuse (PIF), qui sont incurables. Il n'existe pas encore de vaccin pour ces maladies, mais stériliser le chat non destiné à l'élevage (réduisant ainsi le risque de confrontations et de combats territoriaux), ne pas le laisser approcher de chats visiblement malades et, pour l'éleveur, ne faire se reproduire que des sujets négatifs, permet de réduire les risques. Les cas de FIV et de PIF ne sont heureusement pas aussi courants que les maladies mentionnées plus tôt.

En haut à gauche
Le chaton est très vulnérable à la maladie ; les anticorps du lait maternel contribuent à le protéger.

Au milieu à droite
Rasage avant une opération.

Ci-contre
Les maladies infectieuses comme le FELV peuvent se transmettre lors des combats.

MALADIES CUTANÉES

Nombre de problèmes de peau sont dus aux parasites, abordés plus loin dans ce chapitre.

La teigne est la principale maladie cutanée, doublement grave car elle peut être transmise par contact à l'homme et aux autres animaux, parfois par un chat qui n'est qu'un porteur sain (ne présentant aucun symptôme). Si le chat est infesté, la teigne est extrêmement difficile à éradiquer.

Teigne. Elle est due à des champignons microscopiques se développant à la surface de la peau et dans les poils, et libérant des toxines dans la peau, provoquant inflammation et démangeaisons. Les poils tombent, entraînant l'apparition de dépilations diffuses ou localisées, souvent circulaires, sur la tête, les oreilles, les pattes avant et le dos. Le fait que le chat se gratte aggrave naturellement la situation. Curieusement, il ne semble habituellement pas affecté et ne présente pas de perte d'appétit.

On traite l'infection avec des lotions appliquées sur la peau et/ou des comprimés, mais la clé pour en venir à bout est une hygiène rigoureuse. Le chat doit être isolé des autres animaux, et il faut éviter autant que possible le contact humain direct. Débarrassez-vous de la corbeille utilisée avant l'infection et préférez une « literie » jetable. Utilisez aussi bol à eau, écuelle et bac à litière jetables jusqu'à ce que des examens vétérinaires indiquent que l'infection n'est plus qu'un mauvais souvenir.

Dermatite ou eczéma. Ils peuvent avoir diverses origines et, comme chez l'homme, une fois que l'on a pu en établir la cause, plus de la moitié du chemin est faite. On observe des lésions cutanées, petites croûtes et papules pouvant suinter. Dans tous les cas, gratter n'améliore pas la situation.

La dermatite de contact est provoquée par des allergènes. Détergents et autres produits nettoyants sont les coupables les plus courants.

LE SAVIEZ-VOUS ?

En Afrique centrale, le chat est réputé avoir le don de clairvoyance ; nombre de sacs à médecine sont donc faits de peau de chat sauvage.

TROUBLES DIGESTIFS

La constipation apparaît souvent chez le chat à poil long, ou âgé. Elle peut être le résultat d'une tumeur intestinale (incurable), mais il est plus probable qu'elle soit due simplement au manque de tonicité musculaire intestinale, ou à une obstruction causée par les poils avalés. Occasionnelle, elle peut être traitée en donnant un peu d'un aliment gras comme des sardines à l'huile – ou juste l'huile – et en proposant beaucoup d'eau. Si les symptômes persistent, consultez un vétérinaire.

La diarrhée occasionnelle, si elle ne s'accompagne pas d'autres symptômes, ne doit pas alarmer. Elle est très probablement due à quelque chose que le chat a mangé ; ne consultez un vétérinaire que si la diarrhée dure plus d'un jour ou deux.

TROUBLES URINAIRES

Le chat âgé, en particulier, est sujet aux troubles urinaires comme la cystite, qui se traduit par une augmentation de la fréquence des urines, parfois teintées de sang. Les troubles de la vessie et des reins entraînent respiration offensive, miction fréquente ou difficultés à uriner et augmentation notable de la soif.

La soif peut indiquer hyperthyroïdie (courante chez le chat âgé) ou diabète ; le chat qui se met soudain à boire davantage doit être emmené chez le vétérinaire.

En haut à gauche
Ce Persan chinchilla a une magnifique fourrure blanche.

En haut à droite
Ce Persan bleu est rasé à cause de la teigne.

Un chat peut se frotter contre un placard lavé avec un nettoyant ; sa corbeille peut avoir été nettoyée avec un détergent. La dermatite allergique est une réaction à certains aliments. La dermite solaire apparaît sous l'influence d'une insolation prolongée, et touche surtout les chats entièrement ou partiellement blancs. La dermatite peut aussi être due à des parasites (voir plus bas) et au stress.

La priorité est d'empêcher le chat de se gratter et de transformer de petites taches cutanées en plaies infectées. Le vétérinaire vous fournira des poudres ou des lotions apaisantes qui supprimeront l'irritation, mais dans les cas extrêmes, il peut être nécessaire que le chat porte une collerette, le temps que la peau guérisse.

Traiter l'irritation est une chose ; trouver son origine en est une autre. Prenez la peine de vous remémorer ce que le chat a fait les dix jours précédents. Y a-t-il eu un changement dans son régime ? Avez-vous employé un nouveau type de nettoyant ménager ? La corbeille du chat a-t-elle été lavée, et si oui, avec quel savon ou détergent ? Le chat a-t-il subi un stress inhabituel ? Le chat a-t-il un nouveau collier ? Cela vaut la peine de vérifier si les autres animaux de la maison sont affectés de la même manière. Remonter jusqu'à la racine du mal (la dermite) est réputé difficile, pour les chats comme pour les humains, mais procéder par élimination peut parfois fournir la réponse. Entre-temps, votre vétérinaire pourra commencer par traiter les symptômes avec des anti-inflammatoires.

Séborrhée. La sécrétion excessive de sébum peut provoquer des signes cutanés qui, bien que ne dérangeant pas le chat, sont disgracieux. Une forme de cette affection se caractérise par l'apparition de taches grasses à la base de la queue. Très courante chez le mâle non castré, elle peut aussi apparaître chez le sujet stérilisé. Une autre forme, dite acné féline, produit des points noirs sur les lèvres et le menton. Dans chaque cas, le traitement est le même – lavages fréquents avec un shampooing pour chats et crème antiseptique.

Dans les cas extrêmes, le vétérinaire prescrira des antibiotiques.

Au milieu
L'acné féline peut apparaître autour des lèvres et sur le menton.

En bas
Le chat blanc est particulièrement sujet à l'insolation.

ABCÈS

L'abcès se forme lorsqu'une écorchure, une coupure ou une morsure s'infectent, enflent et se remplissent de pus. Pour traiter un petit abcès, percez-le avec une grosse aiguille bien désinfectée, pressez avec du coton pour vider le pus et nettoyez au soluté de Dakin. Veillez ensuite à garder la région scrupuleusement propre. Si l'abcès ne montre aucun signe de guérison, allez chez votre vétérinaire qui prescrira peut-être des antibiotiques.

PARASITES EXTERNES

Le chat peut héberger sur sa peau et dans sa fourrure diverses sortes de parasites. Certains sont juste irritants ; d'autres peuvent entraîner des allergies, voire une anémie sévère chez le chaton. Le chat d'extérieur court davantage de risques, mais le chat d'intérieur est vulnérable à certaines espèces.

En haut
Vétérinaire administrant
des antibiotiques ;
il tient la tête du chat et
lui ouvre la bouche.

Au milieu
Si vous découvrez
des puces en peignant
votre chat, il faudra aussi
traiter corbeille et meubles.

Ci-contre
Le chat d'extérieur
attrape des parasites au
contact d'autres animaux.

Puces. Les puces sont le parasite le plus courant : presque chaque chat en aura. Poudres et colliers antipuces sont utiles, mais pas efficaces à 100 %. La puce est un insecte brun sombre sans ailes, de la taille d'une pointe d'aiguille, qui mord la peau du chat et se nourrit de son sang. Le chat gratte ces morsures, provoquant parfois des plaies ; une allergie à la salive des puces peut entraîner une dermatite allergique.

En peignant la fourrure d'un chat infesté, il est possible que vous ne voyiez pas de puce vivante, mais vous découvrirez des puces mortes et leurs déjections. Si l'invasion débute, le traitement est assez simple. Poudres, aérosols et colliers antipuces sont disponibles en animalerie, ainsi que des traitements plus efficaces sous forme de pulvérisateurs (moins effrayants pour le chat que les aérosols), de gouttes appliquées sur la nuque, voire de liquide incorporé dans la nourriture et empêchant les puces de se nourrir, mettant ainsi un terme à l'infestation. Lisez attentivement la notice et suivez les instructions à la lettre – n'appliquez jamais plus d'un traitement à la fois, cela peut entraîner un surdosage fatal.

Les meubles de la maison devront aussi être traités avec une bombe antipuces spéciale, car les puces sur le chat ne sont que la partie visible de l'iceberg – œufs et larves se cachent dans les tapis et dans la corbeille du chat.

Gale. Affection disgracieuse et pénible, transmise par des acariens vivant dans le pelage, ou sur/sous la peau.

Il en existe plusieurs espèces, toutes produisant des effets similaires allant de la peau qui pèle (comme si le chat avait des pellicules) aux grandes dépilations. Les diverses espèces répondant à des traitements différents, le vétérinaire commencera par identifier la forme de gale.

Gale auriculaire. Elle est due à un acarien très courant et contagieux. La plupart des chats abritent ces parasites sans en subir les effets, mais le nombre de ces derniers peut augmenter et provoquer inflammation du conduit auditif (otite) et irritation. Si le contrôle de santé hebdomadaire révèle la présence d'un cérumen noirâtre, ou si le chat ne cesse de se gratter les oreilles ou de secouer la tête, il s'agit probablement de la gale auriculaire. Vous obtiendrez des gouttes pour les oreilles chez le vétérinaire ; une collerette permettra d'éviter que le chat ne se gratte, jusqu'à ce que l'infestation soit jugulée.

Tiques. Le chat peut avoir des tiques sur les oreilles, le cou et les pattes s'il sort, mais ce ne sont pas des parasites courants. On les découvre souvent en brossant le chat : gorgées de sang, elles peuvent atteindre 1 centimètre de long. Avant d'extraire la tique, frottez la peau infectée avec un coton imbibé d'éther. Après quelques secondes, vous pourrez l'enlever avec une pince à épiler ou un «tire-tique», en veillant à extraire tout l'insecte. Certains produits antipuces tuent la tique

une fois qu'elle a mordu, mais le chat aura alors déjà pu s'en débarrasser en se grattant ; les pinces seront peut-être restées plantées dans la peau et pourraient causer une infection.

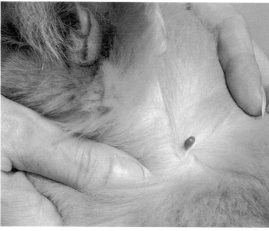

Poux. Ce parasite est relativement rare chez le chat domestique, mais le chat haret en mauvaise condition physique les attire souvent. Bien que les poux du chat lui soient spécifiques, ils sont similaires aux poux de tête de l'homme, et leur présence est trahie par des œufs blanchâtres collés aux poils. Une infestation peut être très débilitante et rendre le chat irritable et déprimé. Un traitement, poudre ou liquide, sera prescrit par le vétérinaire. L'infestation maîtrisée, il peut vous conseiller de changer le régime de votre chat pour l'aider à se rétablir.

En Amérique du Nord, le chat est exposé aux infestations des larves d'œstre qui sortent d'œufs pondus dans sa fourrure. Généralement, on les remarque au brossage et ils sont assez faciles à enlever. Mais si les œufs éclosent, il faut consulter un vétérinaire.

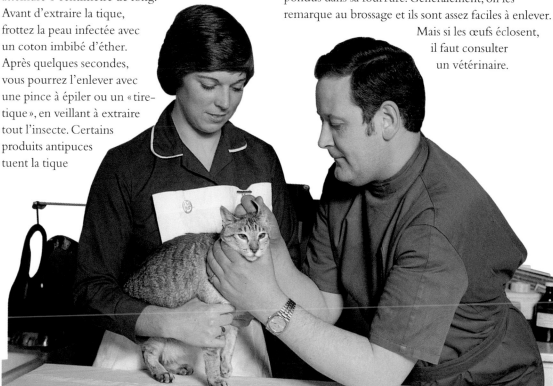

En haut à droite
Tique cachée dans le pelage d'un Persan.

Ci-contre
Vétérinaire contrôlant les oreilles d'un chat, à la recherche du cérumen noirâtre caractéristique de la gale auriculaire.

PARASITES INTERNES

Le chat d'extérieur est très vulnérable à plusieurs parasites internes, car il est souvent contaminé par ses proies. C'est le cas des coccidies, organismes microscopiques entraînant une diarrhée nauséabonde.

Ci-dessus
Les proies, les souris en particulier, transmettent souvent des vers au chat d'extérieur.

Ci-dessous
Le chaton peut être contaminé par le lait maternel.

Hormis de rares exceptions, les parasites internes sont des espèces de vers extrêmement courants chez le chat haret et errant, mais relativement rares chez le chat domestique en bonne santé et bien nourri. Le chat d'extérieur est davantage susceptible d'être contaminé, en mangeant des proies infectées. Les vers vivent dans ses intestins et se nourrissent des aliments digérés ou de la paroi intestinale. Ils répandent leurs œufs par l'intermédiaire de ses excréments, devenant ainsi une nouvelle source d'infestation. La chatte peut transmettre certains vers à ses chatons par son lait ; ces derniers s'affaiblissent et restent chétifs malgré un solide appétit. Ils peuvent être traités par le vétérinaire à partir de l'âge de trois semaines.

Vous pouvez éviter ces parasites. La première mesure consiste à traiter régulièrement votre chat avec des vermifuges, que vous trouverez dans une animalerie. Mieux vaut néanmoins consulter votre vétérinaire, qui identifiera le parasite avant de prescrire un traitement. La seconde mesure préventive est de respecter des règles d'hygiène strictes en désinfectant fréquemment le bac à litière (voir p. 89).

Ascarides. Aussi appelés ascaris, ce sont les vers les plus courants. Ronds, épais et blancs, pouvant atteindre 10 centimètres de long, on les trouve dans les excréments du chat. Ils sont souvent transmis par la souris. On suspecte leur présence si un chat avec un bon appétit et sans autre problème de santé a l'air en mauvaise forme, avec une fourrure terne et un ventre ballonné.

Ankylostomes. Ces suceurs de sang se trouvent sous les climats tropicaux humides, soit extrêmement rarement en Europe du Nord. La perte de sang peut être telle que le chat meurt. Les premiers symptômes incluent fatigue extrême, anémie, diarrhée et sang dans les selles.

Oxyures. Il est rare qu'un chat contracte ces parasites. Petits, ils peuvent vivre dans son organisme sans apparemment le déranger ni lui faire de mal, mais les infestations peuvent entraîner un amaigrissement progressif et une santé générale déclinante, accompagnés de diarrhée.

Ténias. Le chat est contaminé en avalant pendant sa toilette une puce ou un pou infectés, ou en mangeant une proie infectée. On constate dans les selles des anneaux semblables à des grains de riz. Les ténias ne sont pas dangereux, sauf si l'infestation est massive.

MÉDICAMENTS

Ne donnez jamais de médicaments autres que ceux prescrits par le vétérinaire. Surtout, JAMAIS d'aspirine ou de paracétamol, qui pouvent être fatals. Transmettez cette mise en garde aux enfants qui pourraient, avec les meilleures intentions du monde, commettre une terrible erreur.

S'OCCUPER D'UN CHAT MALADE

En appliquant les mêmes principes que pour un enfant malade, vous ne vous tromperez pas. Gardez le patient au chaud dans un endroit calme et confortable, et laissez-le dormir tout son saoul, néanmoins à portée de voix de la famille, ce qui le rassurera. Jeunes enfants et autres animaux familiers seront tenus à distance. Certains chats apprécieront la compagnie d'une radio à faible volume. En cas de maladie grave, demandez au vétérinaire quels aliments proposer. Présentez au chat de petites quantités de sa nourriture favorite et veillez à ce qu'il ait toujours à boire. Un chat malade ne doit pas avoir à aller loin pour se nourrir ou utiliser sa litière.

Le chat malade est sujet à la dépression, qui entame l'envie de se rétablir et de vivre, aussi, consacrez-lui autant de temps et d'attention que possible, avec de fréquentes visites, des « conversations », des brossages et, s'il est en état, des petits jeux. Corbeille, écuelle et bol d'eau, bac à litière et environnement resteront d'une propreté scrupuleuse, mais utilisez des désinfectants inoffensifs pour le chat. Nombre de désinfectants ménagers contiennent phénols et crésols ; dérivés du goudron végétal ou de houille, ils sont très toxiques. Il vaut mieux demander conseil à votre vétérinaire ou acheter dans une animalerie un désinfectant inoffensif pour les chats, et suivre les instructions à la lettre.

Si le chat a souffert d'une infection ou a été infecté par des parasites externes, il peut être nécessaire de se défaire de la corbeille dans laquelle il a dormi pendant maladie et convalescence. S'il est impossible de la brûler, enfermez-la dans un sac en plastique que vous sortirez avec les poubelles. Ne risquez pas une nouvelle infection en vous contentant de laver la corbeille, qui peut rester contaminée. Remplacez aussi tous les jouets en peluche que le chat a touchés pendant sa maladie, et stérilisez les autres en les désinfectant.

LE SAVIEZ-VOUS ?

Les Indiens Pawnees d'Amérique du Nord pouvaient – pour des fêtes religieuses et en observant certains rites – tuer le chat sauvage, animal sacré.

En haut
Chat convalescent, au chaud et tranquille dans sa corbeille.

Au milieu
Ce chat à la patte cassée se repose dans une clinique vétérinaire.

Ci-contre
Ce chaton se remet d'une maladie avec un jouet familier ; le jeu participe à son rétablissement.

Neuf vies

L E CHAT est un battant, mais sa curiosité et sa fâcheuse habitude de se fourrer dans des situations inextricables le prédisposent aux accidents. Aussi y a-t-il un certain nombre de précautions à prendre.

son acuité auditive chuter ; cela, ajouté au fait qu'il n'est plus aussi agile, ni aussi apte à évaluer vitesse et distance, rend le chat âgé particulièrement vulnérable aux accidents de la route.

La plupart des chats victimes d'un accident de la route sont (c'est peut-être mieux ainsi) tués sur le coup. Si le chat est blessé, la priorité est de le déplacer avec précaution et de le mettre en lieu sûr, en veillant à le bouger le moins possible. L'étape suivante consiste à consulter un vétérinaire. En cas d'urgence, contactez la SPA ou la police. Sinon, tout ce que vous pouvez faire est de traiter l'état de choc en gardant la petite victime au calme. Enveloppez le chat dans quelque chose de chaud et ne lui donnez ni à boire ni à manger. Vous pouvez demander aux passants ou aux voisins un récipient – un carton hermétique, par exemple – dans lequel transporter le chat chez le vétérinaire. Rappelez-vous que, même blessé, le chat est conscient et mobile ; son instinct peut lui commander de s'enfuir et de se terrer quelque part, aussi, maintenez-le doucement mais fermement. Notez le nom et l'adresse indiqués sur la médaille pour avertir le propriétaire.

ACCIDENTS DE LA ROUTE

Hors de la maison, la cause la plus courante de blessure grave est la circulation. Même s'il est surprenant de constater à quel point nombre de chats des villes « maîtrisent » le Code de la route, un grand nombre sont tués et blessés chaque année. Ils ne sont pas à l'abri non plus à la campagne : le trafic étant relativement faible, le passage d'un véhicule peut les prendre par surprise. Le chat vieillissant voit

En haut
Ce Siamois joue
avec ses neuf vies.

Ci-contre
Drôle d'endroit pour
une rencontre…

En bas à droite
Après un accident de la
route, il faut emmener
d'urgence le chat
chez le vétérinaire.

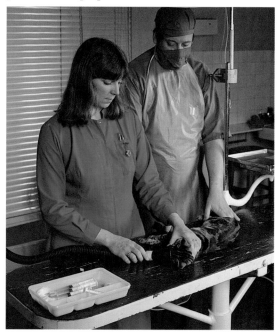

Un chat n'ayant apparemment que des blessures légères devrait néanmoins être emmené chez le vétérinaire pour un bilan de santé, car il peut souffrir d'une hémorragie interne, et il aura certainement besoin d'être traité pour le choc.

CHUTES

Les mêmes règles s'appliquent au chat blessé en tombant. L'adulte peut survivre à une chute de 6 mètres, mais une chute de plus haut peut entraîner de sérieux dommages. Elle peut aussi entraîner une commotion, provoquant une perte de conscience totale ou partielle ; le traitement est le même que pour un choc. Même si le chat réussit à se retourner, pattes avant ou tête peuvent avoir souffert ; il vaut mieux que le vétérinaire l'examine. Entre-temps, enveloppez le chat dans quelque chose de chaud et gardez-le au calme.

CHOC ÉLECTRIQUE

Les fils électriques sont particulièrement attirants pour les chatons, qui peuvent les mâchonner et souffrir de brûlures de la bouche et des pattes. L'électrocution est habituellement fatale, mais si vous trouvez un chaton ou un chat dans cet état, mort ou vivant, commencez par sortir la fiche de la prise ou par couper le courant. Si le chat est toujours en vie, appelez le vétérinaire et traitez son état de choc. Les dangers de l'électricité sont évités en apprenant au chaton, dès ses premiers jours dans la maison, à ne pas jouer avec les fils électriques, qui devraient, autant que possible, ne pas traîner. Il faudrait aussi veiller à ce que l'on ne donne pas au chat des jouets qui ressemblent de près ou de loin à des fils électriques.

COUP DE CHALEUR

Le chat est sujet au coup de chaleur, surtout les races à poil long, en cas de long trajet en voiture en été. N'oubliez pas que le panier de transport est un espace confiné, avec moins d'aération et de liberté de mouvement que l'espace libre de la voiture. Les symptômes sont une respiration très rapide et une augmentation notable de la température. Ils peuvent apparaître avec une rapidité alarmante. Ayez toujours avec vous eau, écuelle et vieille serviette. Aux premiers signes de détresse, proposez à boire au chat et enveloppez-le dans une serviette humide, en veillant à couvrir la tête, tout en vérifiant qu'il peut toujours respirer facilement. Si les symptômes persistent, consultez un vétérinaire (même si cela n'est pas pratique en voyage). Le chat se rétablit souvent sans présenter de séquelles. Le risque de coup de chaleur peut être minimisé en plaçant le panier de transport à l'ombre, en veillant à ce qu'un petit courant d'air frais circule au-dessus. Ouvrez les portières lors des arrêts, ou sortez le panier. Ne laissez jamais un chat seul dans une voiture, même si la fenêtre est ouverte.

Au milieu
Ce chaton s'amuse avec un câble ; on peut lui apprendre à ne pas jouer avec les fils électriques.

En bas
Le chat à poil long, comme ce Birman, est particulièrement sujet à l'insolation.

LE SAVIEZ-VOUS ?

Bâiller – même en dormant et sans se réveiller – fait entrer davantage d'air dans les poumons. Ce réflexe aide le chat à digérer un repas trop copieux.

INTOXICATIONS

Le système digestif du chat est mal équipé face au poison ; sa curiosité et son goût pour les rongeurs (pouvant eux-mêmes avoir été empoisonnés) le rendent très vulnérable. À la campagne, le chat peut entrer en contact, directement ou par le biais d'une proie, avec herbicides et pesticides, dans les jardins ou les champs. Beaucoup sont à base de substances pétrochimiques auxquelles le chat est très sensible. Même les produits courants tels que peinture fraîche, créosote, térébenthine et antigel sont très toxiques et peuvent provoquer des convulsions entraînant le coma. Ils sont souvent ingérés pendant la toilette, le chat s'étant frotté ou ayant marché sur une surface contaminée. Raison de plus pour ôter de la fourrure et des pattes toute tache, dès que vous l'apercevez. Les substances liquides s'éliminent avec un détergent doux (liquide vaisselle), en veillant à en enlever ensuite toute trace à grande eau. Les substances plus résistantes (peinture ou goudron) seront ramollies avec du beurre ou de l'huile de friture, puis enlevées comme expliqué plus haut. Si vous pensez que votre chat s'est déjà léché, consultez un vétérinaire.

Malheureusement, si le chat présente des symptômes d'empoisonnement (vomissements, diarrhée, troubles de l'équilibre, léchage permanent de la fourrure, écoulement de bave et convulsions), la cause en est souvent inconnue. Traitez l'état de choc (voir plus haut) et demandez conseil au vétérinaire par téléphone, avant d'emmener rapidement le chat au cabinet. Il est imprudent de tenter d'administrer quelque type d'émétique que ce soit. Toute information sur le type de poison probable est utile (marque et nom des produits de jardinage donneront des indices), mais nombre de poisons n'ont aucun antidote spécifique, et la priorité du vétérinaire sera de stabiliser l'organisme du chat et de le garder en observation.

En haut
En faisant sa toilette, le chat peut avaler des substances toxiques coincées dans sa fourrure.

En bas
Le chat est un bon grimpeur qui reste très rarement piégé dans un arbre.

PIÉGÉ !

Un chat pris au piège sur un toit et sauvé par les pompiers fait les gros titres de la presse locale ; cela n'est pas chose courante, le chat étant habituellement assez sage pour ne pas s'aventurer dans des endroits impossibles. Cependant, dans le feu de la chasse, en particulier si c'est *lui* qui est chassé, cela peut arriver.

La première règle est de ne pas paniquer – certainement pas d'appeler les pompiers, à prévenir en dernier ressort. La plupart des chats évaluent la situation et, après quelques faux départs, trouvent le chemin pour redescendre. Cela peut prendre un jour : autant laisser le chat se tirer d'embarras seul, et ne pas l'observer. Placer à proximité une assiette remplie d'un aliment à l'odeur forte fournit une motivation supplémentaire. Quand il sera tiré d'affaire, observez-le à la recherche de symptômes de choc ou de blessures entraînées par l'atterrissage.

BLESSURES GRAVES

Arrêtez le saignement en exerçant une pression d'un doigt. Ne consacrez pas trop de temps aux premiers secours ; le traitement est prioritaire.

Si vous connaissez la cause de la blessure, informez-en le vétérinaire, qui pourra prescrire des antibiotiques.

PROBLÈMES RESPIRATOIRES

La fumée que dégage une matière grasse qui brûle, « expérience » souvent faite dans les cuisines, peut être très gênante et provoquer de graves problèmes respiratoires chez le chat. Il doit être emmené aussitôt à l'air libre et peut avoir besoin d'un traitement s'il est en état de choc. Une bonne raison (parmi tant d'autres) pour faire de la cuisine, si possible, une zone interdite au chat.

BLESSURES LÉGÈRES

La plupart des chats souffrent de temps à autre de blessures légères, après un combat ou des démêlés avec une proie. Oreilles, face et pattes avant sont très vulnérables. Inspectez les plaies ; s'il s'y trouve saleté ou corps étranger, enlevez-les avec du coton, puis tamponnez avec une solution saline, une cuillerée à café pour un demi-litre d'eau bouillie refroidie. N'utilisez pas de désinfectants du commerce, pouvant s'avérer nocifs. Aucun soin vétérinaire n'est nécessaire, à moins que la plaie ne tarde à guérir ou qu'un abcès ne se développe.

En haut
Un combat peut se solder par des blessures ; vérifiez qu'elles sont superficielles.

Ci-contre
Si la blessure est légère, appliquez une solution saline avec un coton.

Prendre soin du chat âgé

L'ESPÉRANCE DE VIE du chat domestique est de quatorze ans. Il est évident que le sujet stérilisé survit au sujet non castré, cela étant probablement davantage dû au fait qu'il a moins tendance à vagabonder, et risque donc moins l'accident, qu'à un quelconque effet médical positif de la stérilisation.

LES SIGNES DE VIEILLISSEMENT

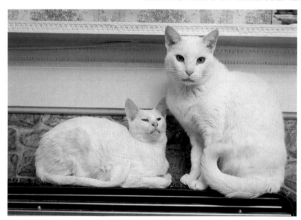

La plupart des chats restent alertes et joueurs jusqu'à l'adolescence, mais il faut savoir que dix ans équivalent à soixante ans chez l'homme. Bien sûr, ce n'est pas un âge canonique, mais cela signifie, par exemple, que le temps de réaction peut s'allonger, la vue et l'ouïe perdre de leur acuité, les périodes d'intense activité raccourcir et la durée du sommeil augmenter. Cela dit, certains continuent à chasser jusqu'au jour de leur mort.

Quand le chat atteint l'âge de dix ans, il est recommandé d'augmenter la fréquence des bilans de santé (deux par an), sans oublier de tenir à jour les vaccinations, le chat âgé étant moins résistant aux infections.

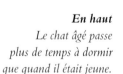

En haut
Le chat âgé passe plus de temps à dormir que quand il était jeune.

Ci-contre
Le vétérinaire peut déterminer l'âge d'un chat à ses dents.

Les premiers signes de vieillissement sont des changements subtils du comportement – moindre empressement à sortir, recherche de la chaleur, penchant pour la sieste et baisse de l'appétit. Le jeu est moins turbulent, le chat se lasse plus vite. Plus tard, la fourrure perd son lustre et sa luxuriance, et des poils gris apparaissent sur le museau. Le corps du mâle a tendance à devenir plus flasque.

Le chat d'âge mûr et avancé a tendance à perdre du poids plutôt qu'à en gagner, mais certains deviennent obèses s'ils sont suralimentés et ne bougent pas assez. Il est important d'encourager le chat âgé à bouger s'il se montre réticent, et dans le cas du chat d'extérieur, il ne faut pas oublier qu'il passera probablement moins de temps dehors et sera un chasseur moins acharné. N'attendez pas de lui qu'il abandonne totalement son ancienne vie, mais écourtez ses séjours dehors, et suspendez-les si le temps est mauvais.

LE BON RÉGIME

Il faut maintenir un régime riche en protéines hautement digestibles, complété de vitamines et de minéraux sur recommandation du vétérinaire. Ne donnez aucun supplément sans son avis ; l'excès de vitamines et de minéraux peut être aussi nuisible que la carence. Certains chats semblant perdre leur endurance face aux deux repas habituels, tentez de proposer de plus petites portions trois ou quatre fois par jour. Mais le chat devrait garder son enthousiasme pour la nourriture, même s'il s'agit de plus petites quantités. Soyez attentif à tout signe montrant que le chat éprouve des difficultés à manger. Les problèmes buccaux sont fréquents chez le chat vieillissant, la gingivite (inflammation des gencives) en particulier,

Le chat vieillissant est sujet, comme l'homme, aux tumeurs bénignes et malignes. Le cancer se développe lentement et n'est souvent décelé qu'une fois qu'il est trop tard pour un traitement et que le chat est trop âgé pour subir une opération. Cancer et autres maladies précipitent le jour où il faut prendre la décision d'endormir le chat. Cela n'est jamais facile, surtout si des enfants sont concernés, mais il faut se poser deux questions décisives. Le chat est-il si âgé ou si malade que la vie soit devenue pour lui un fardeau ? Vaut-il mieux l'euthanasier « humainement » (il s'endormira juste après l'injection et mourra dans la minute) ou courir le risque qu'il se sauve, comme son instinct le lui commande, pour aller mourir lentement et peut-être dans la douleur ? Aucun véritable ami des chats ne doutera de la réponse à ces questions.

en raison d'une mauvaise santé bucco-dentaire. La perte d'appétit peut aussi être un symptôme d'insuffisance rénale, qui est l'un des problèmes de santé classiques du chat âgé. Il faut veiller, encore plus qu'avec le jeune chat, à ce que le chat âgé soit suffisamment hydraté, quitte à humecter ses aliments s'il ne boit pas assez. Les troubles urinaires sont un autre problème courant, comme l'incontinence.

PROBLÈMES PHYSIQUES

Vue et ouïe déclinantes ne handicapent pas outre mesure le chat, à condition que cela n'indique pas un problème plus grave ; vous remarquerez qu'il faut parler plus fort ou plus distinctement pour attirer son attention. La surdité met un terme définitif à la vie extérieure.

En haut
Le chat âgé peut délaisser le jeu pour une vie plus tranquille.

Ci-contre
Ce chat âgé, totalement apathique, a l'air malade.

Faire de l'élevage

É LEVER DES CHATS est un passe-temps fascinant qui demande temps, argent et savoir. Nul ne se lance dans l'élevage avec l'idée de gagner sa vie, mais cela peut devenir une occupation à plein temps. Même sans vouloir devenir éleveur, il est possible que vous désiriez que votre chatte mette bas une portée avant d'être stérilisée.

LE SAVIEZ-VOUS?

Dormir et ne rien faire est typique des chats. Ils se détendent et digèrent entre deux repas.

En haut
Chatte somali
avec ses chatons.

Au milieu
Même si la femelle
peut mettre bas à tout
moment de l'année,
il est préférable que les
nouveau-nés bénéficient
de la chaleur estivale.

En bas
Cette Persane en chaleur
lève la queue, se roule
par terre et se montre
très affectueuse.

CHOISIR L'ÉLEVAGE

Certains pensent que ce n'est que justice qu'une femelle fasse l'expérience épanouissante de donner la vie, même une fois, mais le vétérinaire n'accorde généralement aucun crédit à l'idée que cela présente un intérêt (physique ou psychologique) pour elle. Vous pouvez aussi vouloir que votre chatte ait des petits pour faire profiter vos enfants de cette expérience instructive, mais vous obtiendriez le même résultat en demandant à un ami éleveur de les laisser assister à une naissance, puis de s'occuper des chatons.

Avant de vous engager dans l'aventure, assurez-vous que les chatons que vous ne garderez pas seront placés dans une bonne maison. La première démarche consiste à demander autour de vous et à obtenir des engagements fermes. Ne donnez en aucun cas les chatons à une animalerie ou à tout autre magasin.

POINTS À CONSIDÉRER

Outre les habitudes asociales (marquage urinaire) du mâle non castré, il n'est pas possible de se lancer dans l'élevage de chats comme avec d'autres animaux de petite taille, en achetant mâle et femelle et en les laissant simplement s'accoupler. Il est également irresponsable de laisser une chatte trouver seule son mâle dans le maelström du monde extérieur (ou être « trouvée » par lui).

Si vous êtes plus regardant, ou possédez un chat de race, vous voudrez que la chatte soit couverte par un étalon. Il est important de choisir un reproducteur ayant de l'expérience. La chatte, surtout s'il s'agit de son premier accouplement, peut se montrer agressive après le rapport, et le mâle averti battra discrètement en retraite une fois l'acte accompli. Dans la pratique, nombre de propriétaires se sont retrouvés devant le fait accompli d'un accouplement accidentel.

L'INSTINCT

L'œstrus apparaît chez la femelle des félins entre ses quatre et douze mois. Chez la chatte domestique, il se produit généralement à l'âge de six à huit mois.

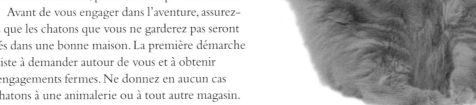

Les « chaleurs » s'accompagnent d'un comportement agité incluant démonstrations d'affection débordante, allées et venues incessantes dans les pièces, appréhension à sortir de la maison, miaulements d'intensité croissante et adoption de la position de la lordose – ramassée sur le sol, arrière-train relevé et queue sur le côté – quand la chatte est caressée. Dans les cas extrêmes, les chattes en chaleur peuvent sauter par la fenêtre ou chercher à fuguer à la première occasion.

L'ŒSTRUS

Les chaleurs se produisent toutes les deux à trois semaines au printemps et en été, et pourraient réapparaître toute l'année dans notre habitat chauffé et éclairé en permanence. Elles durent de sept à dix jours. Le vétérinaire pense que la chatte ne devrait pas être couverte pour la première fois avant l'âge de neuf mois, et pas après son troisième ou quatrième œstrus ; avant de faire se reproduire votre chatte, faites-la examiner. Grâce à la régularité du cycle œstrien, on peut prévoir les chaleurs et prendre des arrangements (y compris s'entendre sur le prix de la saillie) avec un propriétaire d'étalon. L'idéal serait que les chatons naissent au printemps ou au début de l'été, afin que leur mère et eux-mêmes bénéficient de chaleur et d'un temps ensoleillé, à un moment où ils seront encore assez faibles.

LA SAILLIE

On emmène habituellement la chatte à la chatterie lors du deuxième ou troisième jour de l'œstrus (lorsqu'elle se roule par terre), et elle y reste normalement trois ou quatre jours. Mâle et femelle passent le premier jour dans deux pièces séparées par un grillage. Le deuxième jour, les deux partenaires sont mis en présence et s'accouplent plusieurs fois. Certains « couples » garderont leurs distances en dehors des saillies, mais d'autres dormiront pelotonnés l'un contre l'autre dans la même corbeille.

Après avoir récupéré votre chatte, gardez-la à l'intérieur quelques jours. Elle sera toujours en chaleur et, malgré la saillie, continuera peut-être à en présenter les symptômes. Elle attirera certainement toujours les mâles, et sa présence pourrait vous valoir quelques sérénades nocturnes... En attendant, le propriétaire a du pain sur la planche. Si l'accouplement a été une réussite, les chatons naîtront en principe 63 jours plus tard.

En haut
Il faut savoir avant la mise bas qui va adopter les chatons.

En bas
Fœtus de chat d'environ huit semaines, peu avant la naissance. Il est nourri par le placenta, grâce au cordon ombilical, et protégé par le liquide amniotique contenu dans l'utérus. Après la mise bas, liquide, placenta et cordon seront expulsés.

> **LE SAVIEZ-VOUS ?**
> Le chat est attiré par les sources de chaleur ; il est même capable de repérer une différence de quelques degrés à plusieurs mètres de distance !

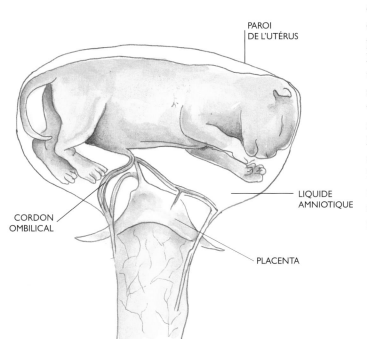

PAROI DE L'UTÉRUS

LIQUIDE AMNIOTIQUE

CORDON OMBILICAL

PLACENTA

Gestation et mise bas

O N NE SAURAIT TROP INSISTER sur le fait qu'une chatte pleine traverse une phase de sa vie tout à fait normale, que le/la propriétaire doit aborder de manière sereine, sans communiquer son anxiété à la chatte. Prendre trop soin d'elle peut la rendre dépendante, et elle risquerait de ne pas assumer ses charges de mère quand les chatons seront nés.

LE SAVIEZ-VOUS ?

Après un déménagement, un chat domestique a fait la preuve de son excellent sens de l'orientation en parcourant des centaines de kilomètres pour retrouver son territoire familier.

LES BESOINS DE LA CHATTE PLEINE

La chatte d'extérieur pourra sortir, jusqu'à la sixième semaine de gestation au moins ; la chatte d'intérieur pourra jouer comme d'habitude. Bien sûr, il faut continuer à la brosser régulièrement. Comme les futures mères humaines, les chattes sont au mieux de leur forme durant la gestation, et il n'est pas nécessaire de s'en occuper particulièrement, sauf quand approche la mise bas. La gestation n'est pas une maladie !

En haut
Cette Siamoise est pleine, mais au mieux de sa forme.

Au milieu
Il faut dissuader cette chatte en fin de gestation de faire son nid dehors.

En bas
Durant le dernier stade de la gestation, la chatte aura du mal à faire une toilette aussi méticuleuse qu'avant.

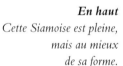

LES ÉTAPES DE LA GESTATION

Les premiers signes de fécondation apparaissent au bout de trois semaines environ : les mamelles s'élargissent et rosissent. L'absence d'œstrus confirmera cette hypothèse. Cependant, l'abdomen n'enfle pas de façon notable, et l'on ne peut encore rien sentir ; si la gestation doit absolument être confirmée, il faudra alors faire examiner la chatte par un vétérinaire, mais ce n'est pas obligatoire. À aucun moment de la gestation, le propriétaire ou qui que ce soit d'autre que le vétérinaire ne doivent tenter de palper les fœtus dans l'utérus.

Vers la quatrième semaine, un léger renflement apparaîtra au niveau de l'abdomen, et l'élargissement des mamelles sera de plus en plus manifeste. L'appétit de la chatte va alors grandir, et vers la cinquième semaine, il faudra lui proposer un régime spécial conseillé par votre vétérinaire. L'appétit ira croissant durant la sixième semaine ; la gestation sera alors évidente, même pour des yeux non exercés. La chatte se déplacera avec plus de prudence, évitant étirements et torsions, et préférant probablement rester à l'intérieur. Il est néanmoins important qu'elle garde une certaine activité en retrouvant certains jouets de son « enfance » : bouchons en liège ou souris factices bourrées d'herbe-aux-chats. C'est à la chatte de déterminer le rythme et la durée de ces activités. Les jeunes enfants devraient, si possible, être tenus à l'écart et, surtout, ne pas le soulever.

Vers la septième semaine, les fœtus commencent à bouger ; la gestation s'accélère. Le comportement de la chatte évolue nettement : elle donne des signes d'excitation. Elle roule sur le sol, s'étire et cherche un nid convenable. Pour éviter qu'elle n'en trouve un dehors, il vaut mieux ne plus la laisser sortir. Dedans, elle pourrait choisir un tiroir ou un placard ouverts : le moment est donc venu de préparer une boîte aménagée spécifiquement.

MATÉRIEL NÉCESSAIRE

Les animaleries vendent des boîtes spéciales, et certains éleveurs professionnels en utilisent en bois ou en plastique, mais une simple boîte en carton fera parfaitement l'affaire et présente l'avantage de pouvoir être jetée et remplacée à moindres frais lorsqu'elle sera sale. Assurez-vous qu'elle n'a pas été utilisée pour stocker des substances toxiques, comme de l'eau de Javel, et vérifiez qu'aucune agrafe ne dépasse. Repliez légèrement les rabats pour assurer plus d'intimité et découpez une entrée suffisamment grande d'un côté. Un petit trou supplémentaire pour observer la mise bas puis les chatons peut être utile. Ayez plusieurs boîtes du même style en réserve.

Pour le fond, évitez les journaux, car les encres d'imprimerie contiennent des solvants pétrochimiques. Achetez un rouleau ou deux de papier peint épais bon marché, que vous plierez plusieurs fois pour faire un lit douillet. Pour plus

de confort, vous pouvez ajouter des torchons. Placez ce nid dans un endroit chaud, à l'abri des courants d'air mais à portée de voix et de vue des membres de la famille. La température idéale, 22 °C, devrait être constante jour et nuit. Certaines chattes pourront préférer un autre lieu que celui choisi par le propriétaire ; il faudra alors suivre leur choix, pour peu que l'endroit remplisse aussi les conditions citées plus haut, et à moins qu'il ne soit impraticable. Il faudra peut-être apprendre à certaines chattes à utiliser la boîte, en les attirant à l'intérieur, en leur montrant comment entrer et sortir, et comment replier les rabats pour rendre leur nid encore plus intime.

En haut
Chatte lavant ses chatons âgés de quatre jours.

Ci-contre
Le carton, renouvelable à peu de frais une fois sale, convient parfaitement pour la mise bas.

PRENDRE SOIN DE LA CHATTE

Quatre repas quotidiens deviennent nécessaires. À ce stade de la gestation, la chatte peut être constipée ; donnez-lui de temps en temps un peu d'un poisson gras, comme la sardine ou le thon. Continuez à la brosser doucement.

Dans la huitième semaine de gestation, inspectez chaque jour la zone anale de la chatte, celle-ci étant devenue parfois trop volumineuse pour faire sa toilette. Au besoin, nettoyez avec du savon doux et de l'eau tiède, et essuyez avec du papier de ménage.

Contrôlez aussi les mamelles ; si elles sont encroûtées ou sèches, appliquez une fine couche de vaseline.

La chatte peut très bien se désintéresser de sa boîte, même à ce stade avancé de la gestation. Il faut l'empêcher de chercher un autre nid en rendant celui-ci plus attrayant (vous pouvez y placer son jouet favori), ou charger un enfant complaisant de la ramener doucement mais fermement vers sa boîte (sans la tirer) si elle veut fuguer. Les signes annonciateurs de la naissance sont l'élargissement des mamelles et de l'abdomen, un comportement encore plus affectueux, un usage accru de la litière et parfois une baisse de l'appétit. Ce dernier point n'est pas inquiétant, il suffira de veiller à ce que la chatte continue à boire suffisamment.

PRÉPARER LA NAISSANCE

Quand approche la mise bas, il est préférable de placer provisoirement la boîte de naissance, le bac à litière et l'écuelle dans une « enceinte », comme un parc d'enfant, pourvu que vous puissiez y accéder facilement si nécessaire. Normalement, la chatte gère très bien la naissance de ses petits sans l'aide de l'homme. Préparez néanmoins quelques objets en cas de besoin. Ayez à portée de main : torchons, coton hydrophile, quelques serviettes, désinfectant – demandez conseil à votre vétérinaire –, Thermos d'eau chaude, stock de sacs en plastique et poubelle en plastique ou en métal. Si vous avez de bonnes relations avec votre vétérinaire, indiquez-lui que vous pourriez l'appeler en cas d'urgence, même s'il est assez improbable que cela arrive.

LE TRAVAIL

Le travail débute entre 61 et 70 jours après la conception. Dans le cas d'un accouplement imprévu, la date sera bien sûr approximative, et vous devriez être prêt quelques jours avant. Il est important que le ou la propriétaire reste près de sa chatte pendant le travail et la mise bas, quitte à dormir sur un lit de camp, dans la « maternité » improvisée.

Le début du travail est annoncé par une agitation accompagnée de grognements ou de ronronnements rythmés. Cette étape peut durer plusieurs heures, jusqu'à vingt-quatre dans certains cas. Puis débutent les contractions, espacées de trente minutes au début, voire plus, puis se rapprochant progressivement jusqu'au moment de la naissance du premier chaton, où elles se produiront toutes les trente secondes. La chatte pourra alors émettre d'autres grognements et lécher de manière répétée la zone vaginale pour stimuler l'expulsion.

En haut
On voit clairement les mamelles roses et élargies de cette Siamoise.

Au milieu
Cette chatte de gouttière entre et sort facilement de la « maternité » où se trouvent ses petits.

À ce moment du travail, certaines chattes préféreront l'intimité et l'obscurité de leur carton, alors que d'autres – en particulier les primipares qui seront plus apeurées ou désorientées – auront besoin de la présence et des encouragements de leur propriétaire. De toute façon, il est préférable de rester proche de la chatte et de la rassurer par votre présence : préparez-vous à une longue attente, avec la radio, la télévision ou un bon livre. En revanche, les enfants et les autres animaux devraient, autant que possible, être tenus à l'écart.

LE SAVIEZ-VOUS ?

Le chat domestique joue souvent avec ses proies, car il n'est pas affamé ; son instinct conjugué à une immaturité de « chaton attardé » explique ce comportement.

LA MISE BAS

Le premier chaton naît normalement dans les vingt minutes suivant l'apparition des contractions rapprochées. Les autres – la portée classique compte quatre petits – suivront soit rapidement, soit à intervalles longs, pendant lesquels les contractions cessent. Il n'est pas rare, en particulier pour les portées nombreuses, que le travail dure jusqu'à vingt-quatre heures. La chatte s'épuisera certainement et aura besoin de nourriture pour tenir. On pourra lui offrir une petite portion de son mets favori.

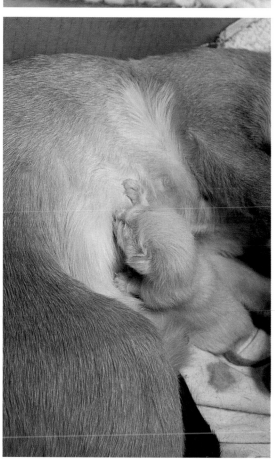

Chaque chaton arrive, tête la première d'ordinaire, dans une poche que la chatte rompt avec la langue. Son premier geste est de nettoyer son petit ; en léchant sa face à grands coups de langue, elle provoque sa première inspiration. Le chaton crie et se tord, ce qui est bon signe. Une fois que la chatte a fini de le sécher, elle tranche le cordon ombilical, qu'elle mange généralement, de même que le placenta et le reste de la membrane. Le chaton se met à ramper vers le corps de sa mère, à la recherche d'une mamelle à téter, ce qui devrait normalement stimuler les instincts maternels de cette dernière.

En haut
Persane colourpoint
en famille.

Au milieu à droite
La chatte aide souvent
les chatons à trouver
ses mamelles.

En bas
Ces petits Burmeses
crème, yeux toujours clos,
cherchent à tâtons
le chemin des mamelles.

COMPLICATIONS

Presque toutes les naissances se déroulent facilement, mais il vaut mieux connaître les complications possibles. D'une manière générale, il est préférable de n'intervenir que s'il y a une difficulté manifeste ou que la mère présente de réels signes de souffrance. Les activités naturelles pendant et après la naissance sont un élément important de l'attachement entre mère et petits, et constituent pour eux la meilleure entrée possible dans ce monde.

Il arrive parfois qu'en léchant son vagin pour stimuler la naissance, la chatte rompe la poche avant l'expulsion. Cela ne présente pas de danger si le chaton sort tête la première ; même s'il vient par le siège (queue la première), quelques contractions supplémentaires et peut-être des poussées avec les membres postérieurs sur la paroi du carton ou votre main suffiront générale-ment à le libérer. Mais si une patte reste bloquée, il sera plus difficile pour la chatte d'expulser le chaton, et son petit et elle pourront s'épuiser. Dans ce cas, il est temps d'appeler le vétérinaire ou d'emporter rapidement la chatte à son cabinet.

En haut
Les gestes instinctifs suivant la naissance permettent à la mère et aux chatons de s'attacher les uns aux autres.

En bas
Le chaton nourri au biberon a besoin de toute l'attention possible.

LES NOUVEAU-NÉS

Si les chatons se succèdent rapidement, la chatte pourrait ne pas avoir le temps de s'occuper correctement du premier avant que le second arrive. Normalement, elle lèche et nettoie le chaton quelques secondes après sa naissance. Si le délai se prolonge ou qu'elle ne semble pas vouloir s'en occuper (déconcentrée par une naissance imminente, ou par simple inexpérience pour une primipare), il faut dégager la tête du chaton de la poche et laisser la chatte revenir vers lui. Si elle ne s'intéresse toujours pas à lui après un quart d'heure, appelez le vétérinaire. Essayez autant que possible de ne pas séparer un petit de sa mère, car elle pourrait le rejeter et il faudrait le nourrir au biberon ou trouver une mère nourricière.

Donner le biberon est une tâche difficile et astreignante. Renseignez-vous auprès de votre vétérinaire ; il pourra peut-être vous conseiller une mère nourricière, solution plus simple et plus satisfaisante. Mais gardez en tête les conseils donnés plus loin sur les chatons faibles ou malades.

UNE NOUVELLE FAMILLE

Quand toute la portée est née, la chatte se livre normalement à une toilette méticuleuse et peut s'adonner aux joies de sa nouvelle famille. Il faut alors changer le fond de sa boîte et lui fournir une couverture chaude ; si la boîte de naissance est sale, il faut la remplacer. Certaines chattes apprécient un repas copieux après la mise bas, mais la plupart – surtout si elles ont mangé le placenta – ne

APRÈS LA MISE BAS

La chatte récupère généralement en quelques jours et se préoccupe alors de nourrir et nettoyer ses petits et de leur tenir chaud. Si le régime habituel est équilibré et riche en vitamines et minéraux, il est conseillé de ne pas le modifier, même pour l'enrichir pour la mère allaitant : elle pourrait avoir la diarrhée. Mais si elle n'a pas assez de lait ou que les chatons présentent des signes de malnutrition, demandez au vétérinaire de vous conseiller un régime adéquat ou des compléments alimentaires.

voudront pas manger avant quelques heures. La chatte n'aura besoin que de peu d'attention et recherchera certainement la tranquillité ; assurez-vous visuellement que les chatons semblent en bonne santé et bien formés, et qu'ils reçoivent tous suffisamment de lait. Si un chaton est rejeté par sa mère, il peut être malformé, faible ou non viable ; consultez un vétérinaire. Il est plus humain de faire endormir un chaton qui, de l'avis du vétérinaire, ne deviendra jamais un chat en bonne santé.

En haut
Ces chatons passeront le plus clair de leur temps à dormir.

Ci-contre
Il est important que chaque nouveau-né boive suffisamment de lait.

Le chaton

LES TROIS PREMIÈRES SEMAINES, les chatons sont maternés par la chatte : nourris, lavés et câlinés. À la naissance, ils sont aveugles et leurs oreilles sont flasques et repliées. Elles se déplient et se dressent vers l'âge de deux semaines. Les chatons entrouvrent les yeux après cinq à dix jours, et il faut deux ou trois jours pour qu'ils s'ouvrent totalement.

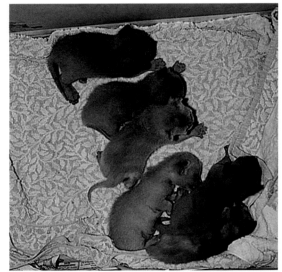

SOIGNER MÈRE ET PETITS

Pendant cette période, les yeux peuvent couler : essuyez-les avec précaution avec un mouchoir en papier imbibé d'eau tiède. Tous les chatons ont les yeux bleus, couleur qu'ils conservent durant les douze premières semaines. Chez certaines espèces, la couleur définitive n'apparaît qu'à un an.

L'ALIMENTATION

Durant les premiers jours, vérifiez que chaque chaton boit suffisamment de lait. Chacun tend à préférer *sa* mamelle, qu'il identifie rapidement à son odeur, et pousse les hauts cris s'il est repoussé. Cela peut s'expliquer simplement par le fait que la mamelle est irritée ; consultez un vétérinaire, car la douleur de la chatte peut être due à une mastite. La chatte

En haut
Tous les chatons ont les yeux bleus jusqu'à l'âge de douze semaines.

Ci-contre
Ce chaton vient d'ouvrir les yeux, mais ses oreilles sont toujours flasques.

En bas à droite
Le chaton doit grossir chaque semaine de l'équivalent de son poids à la naissance.

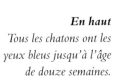

possède huit mamelles…
il devrait y en avoir assez pour « tourner ».
Pour garantir une quantité suffisante de lait de bonne qualité, ainsi que pour la santé de la chatte, quatre repas quotidiens et une bonne quantité d'eau fraîche seront nécessaires tant qu'elle nourrira la portée.

LES PREMIERS JOURS

Les chatons passent les premiers jours à dormir et à manger. À la naissance, ils pèsent entre 57 et 114 grammes, et ils devraient grossir de 15 grammes par jour. Ils devraient prendre chaque semaine l'équivalent de leur poids de naissance. Une fois que chatte et chatons ont trouvé leurs marques, il faudrait examiner les chatons chaque jour et, si possible, les peser. Pour cela, soulevez-les en plaçant une main sous eux, l'autre posée légèrement sur leur nuque, et tenez-les assez fermement pour qu'ils se sentent en sécurité. Un chaton bien nourri et en bonne santé aura un corps ferme et dodu, une face et un arrière-train propres. Dès le premier jour, la chatte léchera la région anale de ses petits, pour stimuler la défécation et la miction, et la nettoiera ensuite. Elle léchera aussi, de façon quasi obsessionnelle, leur face, leur corps et leurs membres.

Après quelques jours, la mère peut décider d'emporter un par un ses chatons dans un autre endroit, par la peau du cou. Ce comportement, habituel chez le chat sauvage, est destiné à éviter l'attaque d'un prédateur qui aurait remarqué le nid. Il est souvent possible de lui faire croire à un déplacement en emportant le carton de naissance dans un nouvel endroit (qui sera lui aussi au chaud et à l'abri des courants d'air), en changeant la « literie », mais en laissant quelques éléments (propres) de l'ancienne, afin que le nid garde son odeur familière.

À DEUX SEMAINES

Peu après l'âge de deux semaines, les chatons commencent à explorer le carton et s'aventurent parfois à l'extérieur, mais leur mère les ramène au bercail. S'ils vont trop loin sans qu'elle s'en aperçoive, ils appellent à l'aide en gémissant, et leur mère répond d'un cri et va à leur secours. En apprenant à marcher, vers trois semaines, ils s'aventurent plus loin, avec l'accord de leur mère qui garde un œil vigilant sur eux et les rappelle ou les ramène au besoin. Les dents de lait commencent à se développer, mais ne posent habituellement pas de problème. En explorant les environs, les chatons ont tendance à frotter leur museau contre toutes les surfaces inconnues, ou à les lécher ; évitez donc dès le début, dans la « maternité », les cires, les détergents et les produits tels que l'eau de Javel.

En haut
Le chaton doit être manipulé avec précaution et ne pas être enlevé trop longtemps à sa mère.

Ci-contre
Le chaton commence à « explorer le monde » vers l'âge de deux semaines.

LE SEVRAGE

À quatre semaines, quand les petits ont le sens de l'équilibre, le sevrage peut commencer. Il faut remplacer progressivement le lait maternel par des aliments, lactés au début, puis solides. Il existe dans le commerce du lait spécial « chaton ». Il faut le faire chauffer à la température appropriée à l'âge du chaton (lisez les instructions sur l'emballage), et votre vétérinaire pourra vous fournir un kit alimentaire spécifique. Chaque chaton peut alors avoir sa propre écuelle, éloignée de celle de la mère, qui pourrait y voir une ration supplémentaire pour elle.

L'étape suivante, après deux ou trois jours, consiste à proposer un peu de nourriture de sevrage du commerce. L'estomac des chatons est petit, la règle sera donc « peu mais souvent » – quatre, voire cinq repas par jour. Pour les quantités, là encore, consultez l'emballage. Au début, les chatons ont du mal à saisir les aliments solides ; vous les aiderez en formant trois ou quatre petits tas. Vers huit semaines, ils doivent être encouragés à renoncer au lait maternel et à se tourner vers une formule de croissance « spécial chaton »… sans oublier l'eau.

> **LE SAVIEZ-VOUS ?**
> Le chat libre évite les risques inutiles, car une blessure, même légère, peut entraîner sa mort simplement en le rendant incapable de chasser, et donc de survivre.

L'APPRENTISSAGE

Tout en nourrissant ses petits, la chatte continuera à stimuler leur défécation et leur miction. Elle les nettoiera et les encouragera même à atteindre la litière, leur montrant comment s'en servir. Une mère expérimentée, plus rarement une primipare, pourra même leur apprendre la propreté. Mais dès le début du sevrage, elle commencera à se désintéresser de sa tâche et le propriétaire devra parfois prendre le relais. Il est alors important de veiller à ce que le bac à litière soit toujours propre, en changeant la litière régulièrement.

LA VACCINATION

Une fois sevrés, les chatons sont prêts à être vaccinés. Votre vétérinaire vous indiquera le bon moment. Il est important qu'ils soient vaccinés avant d'avoir des contacts avec d'autres chats que leurs mère, frères et sœurs. Jusqu'au sevrage, ils sont protégés, grâce au lait, par les vaccins de leur mère (s'ils sont à jour), transitant par le lait, mais ces effets s'estompent rapidement.

LES STIMULATIONS

Vers trois semaines, les chatons commencent à jouer ensemble. Leurs simulacres de combats paraissent violents et dangereux, mais ils ne font que s'amuser et sont étroitement surveillés par leur mère, qui saura écarter un protagoniste trop enthousiaste.

En haut
Vous pouvez commencer à brosser le chaton à quatre semaines, pour l'habituer à votre contact.

Au milieu
Les chatons sevrés passent à une alimentation solide.

Jusqu'à l'âge de six mois, ils devraient être amenés progressivement à ne plus manger que des aliments pour chat ou « spécial chaton », à raison de deux repas par jour. Mais c'est leur appétit qui vous indiquera la fréquence et l'importance des repas. Il est souhaitable de proposer des aliments variés, pour éviter qu'ils ne se fixent sur une saveur et ne deviennent difficiles. Accordez-leur tout de même le droit d'avoir des préférences, et ne persistez pas à leur offrir un aliment dont ils ne veulent pas.

du propriétaire de s'assurer que les chatons iront dans une famille où ils seront soignés et aimés.

Quant aux chatons de race, ils devraient avoir été préalablement inscrits auprès de l'organisme approprié (dès l'âge de six semaines), et le pedigree devrait vous être remis, ainsi qu'un contrat de vente indiquant les coordonnées du vendeur et de l'acheteur. Le propriétaire d'un reproducteur de race peut avoir des droits sur les chatons engendrés par son étalon, comme d'en choisir un dans la portée ; cela doit être mentionné dans le contrat de vente.

Les jeux présentent de plus en plus de précision et une gamme de mouvements croissante. Peu après cette phase, le propriétaire et toute sa famille pourront commencer à participer avec des jeux simples, comme attaquer des bouchons en liège ou poursuivre des balles de ping-pong. La mère encouragera souvent ses chatons en y participant.

Ce contact humain (tout comme les câlins) doit se poursuivre car il est la clé d'une domestication heureuse. Il en va de même pour le brossage. S'il n'est pas réellement nécessaire pour les chatons, sauf comme prétexte à une inspection hebdomadaire, le chaton brossé doucement dès le plus jeune âge – disons quatre semaines – y verra, adulte, une expérience agréable.

UN NOUVEAU « CHEZ SOI »

Les chatons ne devraient pas changer de propriétaire avant l'âge de dix semaines ; il est même préférable d'attendre une ou deux semaines de plus. Ils devraient être propres, vaccinés (au moins en partie) et, si le vétérinaire le conseille, vermifugés. Le « carnet de santé » devrait être tenu à jour, et porter en particulier la mention des vaccins et la date des rappels. Il est, bien sûr, de la responsabilité

Les chatons, souvent nerveux pendant leurs premiers jours dans une nouvelle maison, ne semblent pas souffrir. Ils manqueront en revanche à la mère, à qui il faudra donner de bons morceaux, voire des friandises, et prodiguer une attention particulière pendant quelques jours ; pourtant, elle ne les reconnaîtra pas si elle les rencontre un peu plus tard.

En haut
Les chatons s'entraînent à la chasse sur des jouets.

Au milieu
Cette chatte aiguise les instincts de chasseur de son chaton.

Ci-contre
Il est normal qu'un chaton soit nerveux en découvrant son nouveau foyer.

Les origines

L E CHAT DOMESTIQUE est l'une des trente-huit espèces de la famille des Félidés. Pour retracer leur évolution, il faut remonter de 200 millions d'années, date d'apparition des premiers mammifères – vertébrés vivipares à sang chaud caractérisés par des mamelles. Ces petits animaux n'étaient pas de taille à lutter contre les gros dinosaures ovipares. Voici 65 millions d'années, les dinosaures disparurent : un énorme astéroïde a peut-être percuté la Terre, soulevant un immense nuage de poussière qui cacha la lumière du soleil pendant des années. Cette catastrophe sonna le glas des dinosaures, et les mammifères eurent finalement le dessus. Dès lors, ils se développèrent en taille, en variété et en nombre.

à se développer ; la plupart étaient de petits carnivores arboricoles, mais certains, que l'on a identifiés grâce à leurs restes fossilisés, atteignaient une taille impressionnante. À en juger par ces découvertes, on comptait parmi les espèces de miacidés le smilodon, ou « tigre à dents en sabre », arborant de longues canines supérieures, lisses et effilées.

LE SMILODON

Le smilodon, carnivore du pliopléistocène, se développa voici 35 millions d'années. À la différence des miacidés arboricoles, cette espèce terrestre de grand félin se nourrissait des herbivores dont regorgeaient les steppes et les savanes. Le plus ancien fossile de félin à dents en sabre, vieux de 30 000 ans, a été exhumé dans le Derbyshire (Angleterre). Un certain nombre de squelettes fossilisés datant de 13 000 ans ont également été découverts en Californie.

LE SAVIEZ-VOUS ?

Les yeux des félins luisent dans le noir parce qu'une couche tapissant la rétine optimise la moindre lumière en la réfléchissant dans l'humeur aqueuse contenue dans le globe oculaire.

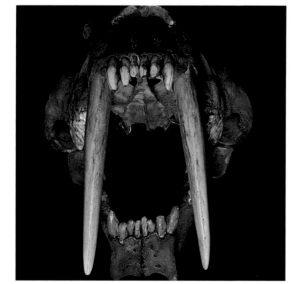

Au milieu
La gueule du smilodon, félin préhistorique, était dotée de longues canines.

En bas
Crâne d'un félin à dents en sabre trouvé en Californie.

LES MIACIDÉS

Les miacidés furent parmi les plus favorisés de tous les mammifères. Ces chasseurs invétérés utilisaient leur intelligence pour localiser leurs proies, et leurs terribles griffes pour les tuer. Leurs dents étaient conçues pour déchirer et arracher la chair de leurs victimes. Voici environ 40 millions d'années, différentes espèces de miacidés commencèrent

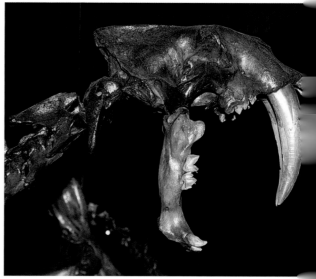

LES DINICTIS

Ce sont d'autres descendants des miacidés, les dinictis, plus petits et plus rapides, qui donnèrent naissance aux félins modernes. Au début de la période glaciaire, voici 3 millions d'années, ces espèces étaient manifestement bien implantées. Leurs plus anciens fossiles remontent à 12 millions d'années. La glaciation, tuant les troupeaux d'herbivores et faisant de la chasse une question d'adresse et d'intelligence, les favorisa par rapport aux plus grosses espèces. Après la période glaciaire, des félins (petits et grands) ressemblant davantage à ceux que nous connaissons commencèrent à se développer ; descendant des dinictis, ils comptaient cent espèces environ. Leurs fossiles nous ont appris qu'ils peuplaient la Terre bien avant l'apparition de toute créature proche d'*Homo sapiens*.

DÉVELOPPEMENT D'UNE ESPÈCE

Le processus d'évolution décrit plus haut débuta alors que les continents n'avaient pas encore leur position géographique actuelle. La masse terrestre qui devait donner les continents austraux – Amérique du Sud, Antarctique et Australasie – avait commencé à se détacher de la masse boréale comprenant Amérique du Nord, Europe, Asie et Afrique. Après avoir évolué, les premières espèces de fauves «colonisèrent» facilement la masse boréale, empruntant, de l'Asie à l'Amérique du Nord (comme les premiers colons américains), l'isthme (bande de terre étroite) qui allait devenir le détroit de Béring. Des fossiles prouvent que toutes sortes de félins, petits et grands, firent la «traversée» à l'époque préhistorique, bien que le lynx soit la seule espèce moderne qui peuple à la fois l'Asie et l'Amérique du Nord. Antarctique et Australasie, eux, étaient alors trop isolés pour qu'aucune espèce féline les atteignît, et en Australasie, l'évolution poursuivit son cours divergent, avec le développement de marsupiaux comme le kangourou et le wallaby.

Lorsque les premiers hommes apparurent en Asie et en Afrique, différents types de fauves étaient déjà implantés sur la masse boréale. Les grands félins firent sans doute des victimes dans les campements humains. Les petits félins s'aperçurent probablement que les restes de viande jetés par les chasseurs complétaient facilement et agréablement leur régime. Mais tant qu'*Homo sapiens* mena une vie itinérante de chasseur-cueilleur, puis de gardien de troupeaux de chèvres, ses contacts avec les félins demeurèrent occasionnels et accidentels. Il fallut attendre que l'homme se sédentarise et cultive la terre pour que débute la longue relation entre chats et humains.

À gauche
Le lynx est la seule espèce moderne à occuper l'Amérique du Nord et l'Asie.

Ci-contre
Ce chat haret australien descend des chats introduits par les colons européens.

L'évolution du chat domestique

Notre chat d'appartement a évolué à partir de trois, voire quatre espèces de Félidés sauvages. Les premiers chats domestiques dont on ait retrouvé la trace étaient ceux d'Égypte ancienne, dont des archéologues ont découvert les momies à Béni-Hassan, en Égypte centrale, en 1889.

LE CHAT ÉGYPTIEN

Ces restes datent de 2000 av. J.-C., époque où le culte du chat était bien établi. Le type le plus souvent rencontré en Égypte était similaire au chat de Nubie au pelage légèrement tigré, *Felis libyca*, originaire des côtes méditerranéennes. Mais tous les chats momifiés n'étaient pas de l'espèce *Felis libyca*. On comptait aussi quelques représentants de l'espèce *Felis chaus,* ce chat des marais à la queue annelée étant aussi originaire du Moyen-Orient.

Si le chat connut son heure de gloire vers 2000 av. J.-C., il avait sûrement fait son apparition bien avant en Égypte ancienne. La civilisation égyptienne reposait sur l'abondance des produits céréaliers, cultivés sur les terres fertiles de la vallée et du delta du Nil, inondés une fois par an. La moisson avait lieu deux, voire trois fois par an. Vers 3000 av. J.-C., l'apogée de ce royaume uni s'annonçait. Le chat sauvage fut sans doute attiré par les populations de rats et de souris écumant les granges, puis par ceux dévorant les vastes réserves de grains entreposées dans les greniers des villes. Grâce à sa légendaire capacité d'adaptation, le chat sera devenu un élément indéfectible de la vie égyptienne, initiant ainsi le processus de domestication, puis de déification.

L'ORIGINE DES ESPÈCES

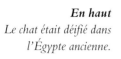

En haut
Le chat était déifié dans l'Égypte ancienne.

Ci-contre
Momie de chat datant de 800 av. J.-C. environ.

Ci-dessous
Le chat de Nubie, Felis libyca, *est le plus proche de ceux momifiés par les Égyptiens.*

C'était une découverte remarquable : des centaines de milliers de momies de chats – des millions peut-être, car la plupart des corps, pulvérisés, étaient utilisés comme engrais par les Égyptiens, ou exportés. Plus de 19 tonnes – représentant, pense-t-on, quelque 180 000 chats – furent acheminées vers l'Angleterre et vendues à des agriculteurs.

LE CHAT SAUVAGE D'EUROPE

Le troisième ancêtre du chat moderne est le chat sauvage d'Europe, *Felis silvestris,* à la queue touffue terminée par un manchon noir. Similaire au chat de Nubie, il est plus trapu et possède un pelage tigré plus foncé, peut-être dû au fait que son habitat naturel se trouve dans des régions plus tempérées. On ne connaît pas son ascendance génétique, mais c'était (c'est toujours, à l'exception des îles Britanniques) une espèce courante en Europe du Nord, qui s'est peut-être infiltrée dans les colonies rurales européennes comme

le chat de Nubie en Égypte. Il est aussi possible que les chats égyptiens, introduits par les marchands dans la Rome antique ou transportés comme passagers clandestins par les navires, se soient répandus vers le nord avec les légions romaines, et se soient reproduits avec leurs cousins européens. L'armée romaine s'était adjoint (dans toute l'Europe de l'Ouest) leurs services pour protéger ses réserves, et le croisement de *libyca* et *silvestris* est génétiquement possible.

ANCÊTRES ASIATIQUES

Le chat de Pallas, ou manul, *Felis manul,* est un quatrième ingrédient possible dans le mélange ayant donné le chat domestique. Venu d'Asie centrale, il pourrait avoir introduit le gène du poil long, alors que la domestication du chat se généralisait.

En Asie du Sud-Est, la population des chats domestiques était bien établie dans l'Antiquité, et il est possible que le manul – chat intrépide qui, à la recherche de nourriture, n'hésiterait pas à s'approcher de colonies humaines – et d'autres espèces ancestrales se soient reproduits.

LA DOMESTICATION

C'est simplifier à l'extrême que de suggérer que ces espèces sauvages ont simplement «adopté» leurs hôtes humains, devenant automatiquement domestiquées. Beaucoup de chats sauvages traînent autour des zones de peuplement humain pour se nourrir de restes, mais demeurent aussi sauvages qu'à leur naissance. Le chat

domestique, lui, naît apprivoisé et s'habitue rapidement à la compagnie humaine. Même le chat haret, qui a connu le contact humain mais peut être devenu «sauvage» dans son comportement, s'accoutume vite à l'homme, ne serait-ce que quand il est nourri par des amis des chats.

Il est évident que des modifications génétiques se sont produites : depuis que le premier chat sauvage s'est approché d'une ferme et a trouvé la grange pleine de souris, des générations se sont succédé, et le contact prolongé avec l'homme (et la chaleur, le confort et la nourriture qu'offre son environnement) a donné au chat domestique un caractère plus placide, ou plus pragmatique, que celui de ses parents sauvages. Ces changements progressifs, et non la simple habitude, ont produit le chat domestique ; son cerveau, considérablement plus petit que celui du chat sauvage, le prouve.

En haut
Même chaton, le chat sauvage d'Europe ne peut être apprivoisé.

Au milieu
Cette peinture murale égyptienne montre un chat au pied de deux dames, suggérant son importance en tant que membre de la famille.

En bas
Le manul contribua à l'évolution du chat moderne en introduisant le gène du poil long.

Amis et ennemis

VERS 8000 AV. J.-C., l'homme commença à passer du nomadisme (gardien de troupeau, chasseur) à un mode de vie fondé sur la sédentarisation et l'agriculture. Les premières colonies s'installèrent au Moyen-Orient. L'arrivée de chats sauvages plus petits aux abords de ces campements fut l'un des nombreux changements mineurs découlant de cette modification majeure du comportement humain. Ces colonies représentèrent sans doute une importante source de nourriture pour les petits félins. Souris et rats étaient attirés par milliards par les greniers à grain et les tas d'ordures en périphérie des villages. À la différence du chien, qui pouvait constituer une nuisance, le chat n'en voulait pas aux réserves de l'homme et ne menaçait ni le bétail ni les humains.

En haut
*Sur cette illustration,
une Égyptienne se rase
les sourcils pour porter
le deuil de son chat.*

Ci-dessous
*Statue de l'Égypte
ancienne, dont la culture
déifiait le chat.*

ÉGYPTE ANCIENNE

Le chat n'apparaît pas sur les peintures rupestres et autres objets fabriqués laissés par l'homme préhistorique. L'art primitif semble avoir favorisé les plus gros mammifères, chasseurs et chassés, et représente parfois des troupeaux domestiques. Il faut attendre la civilisation de l'Égypte ancienne, vers 3000 av. J.-C., pour que le chat apparaisse comme un élément important de la vie humaine.

En mille ans, le chat est passé en Égypte ancienne du ratier utile à l'icône religieuse. Il était aussi respecté, et même vénéré, dans les civilisations antiques – Grèce, Rome, Chine et Japon – même si, manifestement, ces peuples agissaient avec les chats avec moins d'enthousiasme que les Égyptiens.

QUALITÉS MYSTIQUES

Grâce aux témoignages laissés par cette civilisation, nous en savons beaucoup sur la place du chat dans la culture de l'Égypte ancienne. On lui attribuait des qualités mystiques, peut-être associées à son excellente vision nocturne. Il était aussi un bien précieux, au point que, lorsque le chat d'une maison mourait, toute la famille prenait le deuil et se rasait les sourcils en signe de tristesse. Si une maison prenait feu, le chat était la première « chose » que l'on sauvait des flammes. Plus haut sur l'échelle sociale, les chats sacrés et royaux étaient choyés durant leur vie et honorés à leur mort en étant momifiés.

ICONOGRAPHIE

L'art de l'Égypte ancienne est riche en représentations du chat : peintures murales, décors palatiaux, figurines en bronze et en bois, bijoux et autres objets fabriqués. Certains chats sont dépeints dans un cadre domestique (assis aux pieds de leur maître ou sur les genoux d'une femme) ou sur les terrains de chasse, où ils semblent avoir été utilisés pour débusquer le gibier et, peut-être, le rapporter. Mais nombre d'œuvres

troupeau de canards. Sur un autre dessin, un chat tenant éventail et serviette est assis à table avec un gros rat, à qui il tend une oie rôtie. On pense que ces illustrations furent réalisées pour s'amuser par les maçons employés à l'édification des tombes et temples royaux. Elles montrent en tout cas que le chat était un objet tant d'affection que de vénération.

d'art associent le chat à Bastet, déesse de la Fertilité et de la Féminité. Le culte de Bastet a perduré mille cinq cents ans, au cours desquels la loi interdit de faire du mal à un chat de quelque façon que ce soit, par crainte d'offenser la déesse.

LE CULTE DU CHAT

La nouvelle de l'existence de ce culte se répandit hors d'Égypte, où on le jugea ridicule. Un récit probablement apocryphe veut qu'à la bataille de Péluse, en 525 av. J.-C., les Perses aient posté des chats sur le front. Les Égyptiens refusèrent d'attaquer, de crainte de les blesser, et perdirent la bataille. Même si l'authenticité de cette histoire est douteuse, elle montre la façon dont le monde extérieur percevait la vénération des Égyptiens pour le chat.

L'art égyptien représentait aussi le chat avec un humour proche de celui des cartes de vœux modernes. Des fragments de papyrus et de pierre calcaire présentent des dessins mettant en scène des chats dans des rôles improbables. L'un porte un pot et un panier qu'il balance au bout d'un bâton. L'autre mène un

Les Égyptiens interdisaient l'exportation du chat, mais les marchands phéniciens firent sortir clandestinement des chats domestiques pour les introduire en Méditerranée. La Grèce antique identifiait le chat à la femme, et en particulier à Vénus, déesse de l'Agriculture et de la Fertilité (les qualités de ratier du chat expliquent peut-être cette association). Mais les anciens Grecs n'avaient nullement la vénération des Égyptiens pour le chat – ils entraînaient aussi belettes, martres et putois à chasser les rongeurs –, et ne semblent pas l'avoir adopté comme animal de compagnie. Le chat est relativement rarement représenté dans la Grèce antique, où il n'apparaît que sur des pièces de monnaie.

[61546]
BAST,
THE CAT-GODDESS OF THE CITY OF BUBASTIS.

En haut
Cette peinture égyptienne prouve le rôle intrinsèque que jouait le chat dans la vie quotidienne ; ici, il aide les paysans à chasser le gibier à plumes.

En bas à gauche
Statue en bronze de la déesse égyptienne Bastet, XXIIᵉ dynastie.

Ci-contre
Statue de Bastet, déesse de la ville de Bubastis.

LES CHATS ROMAINS

La Rome antique adopta une attitude assez terre
à terre envers le chat, appréciant ses dons de chasseur
mais ne lui prodiguant pas beaucoup d'affection.
Si la déesse de la Liberté était parfois représentée
avec un chat symbolisant probablement une nature
indépendante, l'art romain figure le plus souvent le
petit félin dans des situations ordinaires, sans allusion
à une vénération ou à des pouvoirs mystiques.
Ainsi, une mosaïque de Pompéi montre un chat tigré
attaquant un pigeon. Le chat est présenté de façon
réaliste et nullement idéalisée. La valeur du chat
comme gardien des réserves fut néanmoins reconnue
par l'armée romaine, qui introduisit le chat en Gaule,
puis en Angleterre. Les familles romaines devinrent
des maîtres enthousiastes (beaucoup gardaient, outre
l'espèce domestique, de plus gros chats), et certains
de leurs chats se reproduisirent avec *Felis silvestris*,
chat sauvage alors répandu en Angleterre
et en Europe de l'Ouest. En battant en retraite
vers Rome au IVe siècle, les Romains laissèrent
les chats derrière eux.

MAHOMET ET SA CHATTE MUEZZA

Après la mort de Mahomet, en l'an 632, l'islam
se répandit vers l'est, à travers l'Asie du Sud, et
vers l'ouest, le long des côtes nord-africaines.
Le chat tenait une place spéciale dans l'islam.
Le Prophète avait une chatte appelée Muezza,

En haut
*Mosaïque romaine
(vers l'an 100) représentant
un chat et un volatile, deux
canards, des oiseaux
et du poisson.*

En bas
*Dessin illustrant avec
humour la superstition
chinoise des chats magiques
gardant les vers à soie.*

et on raconte qu'il coupa un jour la manche
de sa djellaba plutôt que de troubler le sommeil
de l'animal. Il se lavait aussi avec l'eau dans laquelle
Muezza avait bu.

EN ASIE

Pendant ce temps, le chat trouvait sa place dans
le cœur des peuples d'Asie. En Inde, dès l'époque
chrétienne, on trouvait des chats dans les maisons,
et une déesse chat était associée à la fertilité. Le chat
était arrivé en Chine quelque mille ans plus tôt.
Les Chinois de l'Antiquité ne savaient trop quoi
penser de lui. Le chat était traditionnellement maudit
dans le bouddhisme pour avoir été la seule créature,
avec le serpent, à ne pas verser de larmes à la mort
du Bouddha. Dans la culture chinoise, le chat
fut identifié à la pauvreté, peut-être à cause de
la tradition bouddhiste, ou parce qu'une ferme
prospère et bien tenue n'a pas besoin de ses
services pour limiter le nombre de rongeurs.
Mais, curieusement, la croyance populaire voulait
que l'on plaçât, pour éviter la pauvreté, un chat

UN RATIER INVÉTÉRÉ

La christianisation de l'Europe de l'Ouest et la fondation d'ordres religieux virent le chat devenir extrêmement apprécié pour ses qualités de chasseur. Les monastères étaient alors de grands centres agricoles et le grain devait être entreposé des mois avant de pouvoir être entièrement battu et vanné à la main : avoir quelques chats était donc un atout. De la cour, le chat passa dans la cellule monacale ; il était d'ailleurs le seul animal de compagnie que pouvaient garder moines et religieuses. Les pages enluminées des *Lindisfarne Gospels* et du *Livre de Kells* (VIIIᵉ siècle) représentent le chat avec beaucoup de tendresse.

Pangur Bán fut un chat célébré par son maître, un moine, dans un poème repris par la plupart des anthologies de poésie sur les animaux. Hélas ! après cet âge d'or, le chat fut tué dans les monastères, sa peau servant à garnir et à doubler les habits cléricaux. Les peaux de chat étaient en effet les seules fourrures autorisées par le droit canon.

en porcelaine hors de la maison, et des peintures de chats dedans. C'est d'ailleurs de la Chine antique que vient l'idée qu'un chat noir porte malheur. Ce mythe est peut-être le plus tenace, seuls les Britanniques étant persuadés du contraire.

Au Japon, où il fut introduit de Chine à l'époque médiévale, le chat entretenait un rapport étroit avec l'industrie de la soie, dont les magnaneries étaient infestées de souris. On raconte que, vers l'an 1000, lorsqu'il devint à la mode d'avoir un chat domestique, les chats ruraux fuirent en masse vers des quartiers plus confortables. Pendant des siècles, des images de chats sur les murs des bâtiments durent servir de succédanés, mais les magnaneries (et le commerce et l'industrie considérables dépendant d'elles) risquant la ruine, l'empereur ordonna finalement que le chat domestique abandonnât son existence choyée et retournât gagner sa vie.

MYTHOLOGIE AMÉRINDIENNE

Les Amérindiens, à cause peut-être de leur vie itinérante, ne semblent pas avoir apprécié le chat en tant qu'animal domestique, mais les dons de chasseur du chat sauvage étaient admirés. Il apparaît dans la mythologie des Indiens Pawnees comme l'une des bêtes – avec l'ours noir, le loup et le puma ou lion des montagnes – nommées par Tirawahat, « Celui d'en haut », pour veiller sur l'étoile du Berger.

En haut
Peinture japonaise du XIXᵉ siècle montrant une vieille femme qui court porter secours à son chat.

Ci-contre
Le puma, très respecté par les Amérindiens, figure en bonne place dans leur mythologie.

De la persécution à la popularité

O N IGNORE POURQUOI, à partir de 1400, la relation entre le chat et l'homme commença à tourner au vinaigre en Europe. Le chat était le bienvenu au milieu du XIVe siècle, lorsque les puces vivant dans la fourrure du rat répandirent la peste noire le long des routes empruntées par les caravanes, de Chine en Europe. Face à la perte généralisée des récoltes (due au manque de main-d'œuvre) et à la faim qu'elle entraîna, la voracité du rongeur était doublement préoccupante, et le chat partit pour le front, combattre le rat et sauver le grain du désastre. Mais, peu après, de façon assez soudaine, il devint une créature redoutée, injuriée – et tuée.

LE MOUVEMENT ANTICHAT

L'Église chrétienne, catholique puis protestante, semble avoir joué un rôle majeur. Il est impossible aujourd'hui de décoder la pensée des théologiens médiévaux, mais une superstition vit le jour (ou fut cultivée), selon laquelle la forme terrestre revêtue par Satan était celle du chat noir. Il devenait alors facile d'associer les chats aux sorcières, agents de Satan sur Terre, en faisant d'eux leurs compagnons.

On a suggéré que deux sources légendaires pouvaient constituer le noyau de ce mouvement antichat. L'une concerne Hécate, déesse grecque de la Magie, hantant les cimetières. Un serviteur d'Hécate avait été transformé en chat et pouvait invoquer l'esprit des défunts. L'autre vient de la mythologie scandinave. Dans la région du Rhin, en Germanie, le XIIIe siècle vit la résurgence d'un culte païen de la fertilité reposant sur Freyja, déesse scandinave de l'Amour et de la Fertilité, dont le chariot était tiré par deux chats. Les chats jouaient un rôle important dans les rites associés à Freyja.

> **LE SAVIEZ-VOUS ?**
> Le chat capte les cris suraigus poussés par les rongeurs. Leur fréquence se situant entre 20 et 50 kHz, ce sont des ultrasons, imperceptibles à l'oreille humaine.

En haut
Cette peinture illustre le mythe scandinave de Freyja, représentée avec les deux chats tirant son char.

Ci-contre
En Europe, le chat et Satan ont été associés dès le Moyen Âge.

sorcières soient aussi susceptibles de concocter des remèdes de bonne femme ne contribua pas à améliorer sa réputation.

Au début du XVIe siècle, la persécution atteignit son point culminant. Ce fut l'occasion d'une alliance « non sacrée » entre enseignement de l'Église et superstition populaire. Toute femme âgée vivant seule (c'était le cas de beaucoup, à cause de l'écart de longévité entre homme et femme ; il faut aussi garder à l'esprit que toute personne de plus de quarante ans était alors considérée comme âgée) était soupçonnée, surtout si elle avait un chat, encore davantage s'il était noir. Par association, même le chat seul devint suspect. Le carême devint la période du sacrifice des chats, pendus en de nombreux endroits d'Europe de l'Ouest, jetés sur les bûchers ou brûlés dans des paniers, au bout de longs bâtons, dans diverses régions de France.

La noirceur du chat fut autant invoquée par les protestants que par l'Église catholique. Dans le *Livre des martyrs* de John Foxe, virulente attaque contre l'Église catholique romaine publiée en 1563, un chat était représenté enchaîné et vêtu comme un prêtre romain.

Chacune de ces histoires semble être un prétexte bien mince avancé par les chrétiens pour attaquer tous azimuts le chat, en soulignant qu'on ne trouve aucune mention du chat dans la Bible (il en existe *une* dans la Lettre de Jérémie). Mais les chats devinrent des boucs émissaires bien commodes, représentants du mal, associés en particulier à la sorcellerie. À la fin du XVe siècle, le pape Innocent VIII, féroce adversaire des magiciens, des sorcières et des adorateurs de Freyja, ordonna que les chats périssent sur le bûcher avec les sorcières.

ASSOCIATION AVEC LA SORCIÈRE

La sorcière était « une personne tenant conseil avec le diable ou remplissant son office ». Elle était donc tenue pour responsable des inondations, épidémies, naufrages, incendies, tempêtes… événements que nous qualifions aujourd'hui de « catastrophes naturelles ». Dans la tradition populaire, le chat d'une sorcière était réputé capable de prédire ces désastres, et l'on pensait que les sorcières pouvaient se changer en chats, et inversement, jusqu'à neuf fois (d'où, peut-être, les « neuf vies » proverbiales). On disait aussi qu'elles chevauchaient leur chat pour se rendre au sabbat. On racontait qu'elles utilisaient ses organes pour préparer leurs brouets. Le chat servait aussi au charlatan pour ses drogues, et le fait que les présumées

LE SAVIEZ-VOUS ?
Les boules de poils se formant dans l'estomac du lion peuvent, avec le temps, se couvrir d'un dépôt de sels minéraux les rendant lisses et polies comme des pierres noires.

En haut
Un grand nombre de femmes accusées de sorcellerie – ainsi que leurs chats – finirent sur le bûcher.

Ci-contre
La mythologie populaire continue à associer le chat au mal.

129

LA PERSÉCUTION ÉLISABÉTHAINE

En 1566, sous Élisabeth Ire, l'aversion pour le chat atteignit de nouveaux sommets, avec le premier d'une longue série de procès en sorcellerie à Chelmsford, dans l'Essex (Angleterre). Comparaissaient trois

inculpées : Elizabeth Francis, Agnes Waterhouse et sa fille Joan, accusées d'avoir communiqué avec le diable par le biais d'un chat tacheté de blanc qu'elles appelaient Satan. Jugée coupable, Agnes Waterhouse fut exécutée avec son chat. Au cours des vingt années suivantes, on compta quelque cent cinquante procès dans le seul comté d'Essex, en Angleterre ! Une sorcière jugée à Windsor en 1579 confessa posséder un démon revêtant la forme d'un chat noir, qu'elle nourrissait chaque jour de pain et de lait mélangés à son propre sang. Une sorcière écossaise affirma en 1622 pouvoir se changer à

volonté en chat et inversement, citant les formules utilisées. En 1646, une femme avoua qu'une sorcière lui avait appris que, si elle souhaitait la mort de quelqu'un, elle devait prononcer une malédiction, piquer son doigt et le donner à lécher à son chat. Les magistrats ne demandaient qu'à entendre l'histoire de chats sautant par la fenêtre, soulevant un loquet ou réalisant toute autre action naturelle, qu'ils s'empressaient d'attribuer à quelque puissance malveillante.

On attribuait parfois au chat une œuvre plus ambitieuse. Selon une légende du Lancashire (Angleterre), les pierres de l'église de Leyland sont «empruntées» au village de Whittle, à quelques kilomètres de là. Le diable serait intervenu nuit après nuit sous la forme d'un gros chat pour l'ériger, pierre par pierre. Toute personne tentant de s'en mêler était retrouvée étranglée. Finalement, les bâtisseurs décidèrent de dresser l'église à l'endroit choisi par le chat diabolique.

CHATS ET VAMPIRES

Aux XVIe et XVIIe siècles, en Europe centrale, beaucoup étaient convaincus que le chat pouvait posséder un cadavre et transformer le défunt en vampire. Cette croyance était peut-être due à l'association chat-sorcellerie, à moins qu'elle ne tirât son origine de la légende grecque d'Hécate. On empêchait les chats de pénétrer dans la pièce où reposait la dépouille, et tout chat entrant par hasard était tué. Selon la légende originale, le vampire ne se contentait pas de sucer le sang de sa victime, mais l'injectait dans un cadavre, le ressuscitant et faisant de lui son sujet. Le mort ramené à la vie pouvait alors faire le travail du diable. Jusqu'à la publication du *Dracula* de Bram Stoker (1897), on n'associait pas vampire et chauve-souris. Le vampire était traditionnellement un chat ou un loup.

FIN DE LA PERSÉCUTION

Lorsque s'acheva le XVIIe siècle, l'obsession de l'Église pour la sorcellerie s'évanouit aussi mystérieusement qu'elle était apparue. Le dernier procès en sorcellerie eut lieu en 1684 en Angleterre, et en 1722 en Écosse. En Amérique, la célèbre chasse aux sorcières de Salem (Massachusetts), entraînant vingt exécutions, eut lieu en 1692 mais ne s'attaqua pas au chat. Les Nord-Américains semblent avoir eu alors une vision des chats plus bienveillante que les Européens, peut-être parce que ceux qui traversèrent l'Atlantique avec le *Mayflower* firent de l'excellent travail en protégeant les provisions des colons.

En haut
L'une des sorcières de Chelmsford avec son chat.

Ci-contre
Cet ouvrage de 1619 traite des procès de présumées sorcières.

THE
WONDERFVL
DISCOVERIE OF THE
Witchcrafts of *Margaret* and *Phillip*
Flower, daughters of *Joan Flower* neere *Beuer*
Castle : executed at Lincolne, *March* 11. 1618.

Who were specially arraigned & condemned before
Sir *Henry Hobart*, and Sir *Edward Bromley*, Judges
of Assize, for confessing themselues actors in the destruction of *Henry*, Lord *Rosse*, with their damnable prac-
tises against others the Children of the Right
Honourable *Francis* Earle of *Rutland*.

Together with the seuerall Examinations and Confessions of *Anne*
Baker, *Ioan Willimot*, and *Ellen Greene*, Witches in *Leicestershire*.

Printed at London by *G. Eld* for *I. Barnes*, dwelling in the long Walke
neere Christ-Church. 1619.

CHASSEUR DE RATS

Une fois encore, la place du chat dans la société s'améliora grâce à une calamité. Au début des années 1700, un sinistre visiteur commença à se répandre de l'Asie centrale dans toute l'Europe. Le rat brun, plus gros et plus rusé que le rat noir, était (comme son célèbre prédécesseur) un vecteur de la peste. Cette dernière se déclara en Allemagne en 1707, et en France en 1720. En 1730, des navires amenèrent rats bruns et peste en Angleterre, entraînant la quasi-extinction du rat noir. Il était temps d'accueillir de nouveau le chat sur les navires, dans les chantiers navals et les ports, et dans les rues des villes.

Le chat européen bénéficia largement des Lumières du XVIIIe siècle, la superstition cédant la place à la raison, tout au moins au sein des classes aisées et instruites.

En France, les résidences de campagne furent équipées d'espèces de chatières (dont on dit que le prototype fut inventé vers 1700 par le savant anglais Isaac Newton) permettant au chat de la famille d'aller et venir à sa guise.

La popularité du chat dans la haute société gagna les plus humbles foyers ruraux. Il fut alors autorisé à quitter l'appentis pour la chaleur de la cuisine.

À l'époque, les villes occidentales – en particulier les ports de l'Atlantique – se développaient à une allure alarmante. Les chantiers ne parvenaient pas à suivre le rythme de l'expansion démographique, et les villes surpeuplées, encrassées, étaient frappées par les maladies. Les restes, et pis, étaient simplement jetés dans la rue, où ils étaient quelquefois rassemblés en tas en attendant, avec un peu de chance, qu'on les ramasse et s'en débarrasse. Rats et souris s'invitèrent au festin, et les chats les suivirent, gagnant à la fois des prises faciles et l'approbation de l'homme. La longue persécution du chat touchait à sa fin.

En haut
Les services rendus par le chat sur le Mayflower *lui ont évité la persécution aux États-Unis.*

En bas
Vers la fin du XVIIe siècle, la sorcellerie n'était plus une préoccupation.

Mythes et folklore

Au fil des siècles et dans des cultures très différentes, le chat a nourri folklore et superstition, et n'a pas été associé qu'aux sorcières. Ainsi, aujourd'hui encore, on conseille souvent aux jeunes mères de ne pas laisser un chat dormir dans la même pièce que le bébé, de peur qu'il n'étouffe l'enfant ou « n'aspire son souffle », ou que le bébé ne s'étrangle avec sa fourrure.

ADAM, ÈVE ET LILITH

L'origine de cette superstition semble remonter à une ancienne légende populaire hébraïque. Adam aurait eu avant Ève une épouse nommée Lilith. Cette dernière refusa de se soumettre à Adam et fut donc bannie du jardin d'Éden, après quoi elle hanta la Terre en tant que démon. Les Séfarades pensaient que Lilith avait revêtu la forme d'un chat noir géant appelé El Broosha, qui suçait le sang des nouveau-nés.

CROYANCES BOUDDHISTES

Le chat occupait une place bien différente dans les croyances d'une branche de la foi bouddhiste, pratiquée en Asie du Sud-Est. On y pensait qu'au décès d'une personne ayant atteint le plus haut niveau de spiritualité, l'âme entrait dans le corps d'un chat. Elle y restait jusqu'à sa mort, puis accédait au nirvana. C'est peut-être cette croyance qui explique la présence d'un chat aux pieds de certaines statues du Bouddha, malgré l'opinion contradictoire de l'autre tradition bouddhiste sur le chat. C'est l'avis le plus favorable qui semble avoir persisté jusqu'au XXᵉ siècle. Lorsque Rama VII fut couronné roi de Siam (Thaïlande) en 1925, un chat prit part au cortège comme représentant de l'ancien roi, Rama VI.

En haut
Dans les temples bouddhistes comme celui-ci (Thaïlande), le chat est souvent figuré aux pieds du Bouddha.

En bas
Selon une superstition, cette jeune femme, tenant un chat noir, mourra vieille fille.

SIMPLES SUPERSTITIONS

À un niveau plus humble de la société, le chat a inspiré son lot de superstitions. À partir du XVIIᵉ siècle et jusqu'au XIXᵉ siècle, une coutume britannique consistait à emmurer un chat – souvent mort, par bonheur, mais parfois vivant – dans une maison fraîchement construite, ou à en placer un sous le pas de la porte, pour porter bonheur. Le folklore campagnard anglais regorge de contes sur le chat. On racontait qu'un chat né en mai

apportait des serpents dans la maison. Le chat que l'on achetait ne faisait jamais un bon chasseur ; le meilleur ratier était toujours offert. Les filles en âge de se marier devaient faire attention. Une jeune fille nourrissant un chaton ne se marierait jamais, et une petite fille adorant les chats finirait « vieille fille »…

C'est dans le domaine météorologique que le chat suscite le plus de superstitions. Ces dernières reflètent l'association du chat à la fertilité dans beaucoup de cultures anciennes, ou sont dues à la capacité supposée des sorcières et de leur chat de provoquer des catastrophes naturelles. Les dictons eux-mêmes sont parfois contradictoires. Ici, un chat qui se passe la patte derrière l'oreille annonce la pluie ; là, un autre proverbe affirme juste l'inverse. Une chaîne britannique organisa même un sondage auprès de ses téléspectateurs pour tenter de régler la question, mais les résultats furent peu concluants.

L'imminence de la pluie fait l'objet d'un couple de dictons opposés. Dans un poème, Jonathan Swift (*Les Voyages de Gulliver*) cite un proverbe selon lequel, quand la pluie menace, le chat s'arrête de jouer et devient calme et pensif. Swift naquit et vécut en Irlande, aussi, peut-être était-ce une observation irlandaise. En effet, on pense souvent que, si un chat devient nerveux et excessivement joueur, la pluie ne tardera pas.

FANTÔMES DE CHATS

Compte tenu de l'association entre chat, nuit et enfer, il est surprenant qu'il ne figure pas plus souvent dans les histoires de fantômes. Mais, si rares sont les régions sans contes avec un chien fantôme, les chats fantômes ne sont pas légion. On raconte toutefois qu'un spectre félin apparut à Chetwynd dans le Shropshire (Angleterre), jusqu'à ce que son maître fantomatique et lui soient exorcisés, au milieu du XIXᵉ siècle. La propriétaire, Mme Pigott, était morte en couches quelque soixante-dix ans auparavant. On la voyait la nuit dans le parc de Chetwynd, assise au pied d'un arbre en compagnie d'un chat noir, peignant les cheveux de son bébé.

À Ropley dans le Hampshire (Angleterre), une histoire de maison hantée met en scène un chat. Voici un siècle, une vieille femme retrouvait souvent un chat sur l'escalier de son cottage ou près du feu, puis il traversait la pièce et disparaissait brusquement. Elle raconta à un historien local qu'elle n'était pas effrayée, mais convaincue que c'était le fantôme de sa mère – ajoutant, chose plutôt curieuse, qu'elle avait reconnu sa façon de marcher.

En haut
Cette gravure sur bois datant de 1600 représente des sorcières avec leur chat.

Ci-contre
On dit que le langage corporel du chat annonce le temps qu'il fera.

Les chats célèbres

L E XVIIIᵉ SIÈCLE vit l'émergence du salon, lieu de rencontre des intellectuels. Le chat, dont la placidité seyait davantage à ce cadre que l'exubérance du chien, devint de plus en plus populaire dans ces cercles. Il faut rappeler que, à cette époque, les chiens vivaient essentiellement à la campagne, chassant ou gardant les troupeaux.

LE SAVIEZ-VOUS ?
Mesurant jusqu'à 2,70 m de longueur, le puma est considéré comme un petit félin, alors qu'il est plus grand que le guépard, l'un des « grands félins ».

DES LETTRÉS FÉLINOPHILES

Le XVIIIᵉ siècle était aussi le siècle de la philosophie, et il semble probable que le chat, si indépendant et si souvent plongé dans la contemplation, ait mieux correspondu à la personnalité des philosophes que le chien, plus extraverti. Montaigne (1533-1592) avait même pris, en son temps, l'exemple de son petit félin favori pour formuler une interrogation philosophique. « Quand je joue avec ma chatte, qui sait si elle ne s'amuse pas davantage avec moi que moi avec elle ? », écrivit le philosophe… qui confiait ses manuscrits aux chats pour les protéger des souris.

Les cercles littéraires britanniques du XVIIIᵉ siècle comptaient, eux aussi, beaucoup

Ci-dessus
Samuel Johnson,
James Boswell et Hodge
dans leur intérieur.

d'amis des chats. Le plus célèbre d'entre eux fut peut-être Samuel Johnson (1709-1784), poète, essayiste et homme d'esprit, dont l'amour pour son chat Hodge fut fidèlement consigné par son biographe, James Boswell. Ce dernier rapporta l'incroyable indulgence avec laquelle l'écrivain anglais traitait son animal de compagnie, allant jusqu'à lui acheter des huîtres !

L'ANGORA, UN ANIMAL DE SALON

Marie Du Deffand (1697-1780), une célèbre femme de lettres, tenait un salon parisien qui était fréquenté par les écrivains et les philosophes. Elle échangea plus de 1 600 lettres avec l'écrivain britannique Horace Walpole, fils de l'homme politique qui jeta les bases du régime parlementaire britannique (et contemporain de Samuel Johnson). Si l'on voit surtout en lui aujourd'hui l'initiateur du roman gothique, il fut aussi l'auteur d'essais, de poèmes et d'ouvrages sur des sujets aussi variés que la peinture et le jardinage, mais surtout d'une importante correspondance éditée en plusieurs volumes.

La marquise Du Deffand adorait les Angoras, et quantité de ses lettres s'attardent sur la beauté et sur les vertus de cette race. Elle en proposa deux à Horace Walpole, mais l'histoire ne dit pas s'il accepta cette offre. L'écrivain apprit aussi à Mme Du Deffand la mort, dans un bocal à poissons (!), de Selima, la chatte de son ami, le poète Thomas Gray. La triste fin de Selima donna d'ailleurs matière à un poème célèbre en Grande-Bretagne.

Ce n'était pas le premier du genre : dans les années 1550, Joachim Du Bellay (1522-1560) avait dédié un poème à son chat Belaud, un beau chartreux…

Couvert d'un poil gris argentin
Ras et poli comme satin
Couché par ondes sur l'échine […].

Mais la vie ne fut pas aussi douce pour certains : jusqu'au XIXᵉ siècle, le chartreux fut souvent élevé pour sa fourrure, qui se négociait fort cher.

CHAT ALORS !

Le philosophe britannique Jeremy Bentham fut l'un des amis des chats les plus excentriques du XVIIIᵉ siècle. Il possédait nombre de chats, chacun ayant été baptisé d'un nom « humain » et pourvu d'un titre honorifique, pompeux à souhait.

plutôt que dans l'appentis, comme ratier, devint donc une habitude bien établie au milieu du XVIIIe siècle. Ce fut aussi le cas de l'intérêt pour les différentes races. En 1756, alors qu'il jugeait que le chat n'était qu'un «domestique infidèle qui se sert de nous par commodité», le comte de Buffon (1707-1788), naturaliste, représenta dans son *Histoire naturelle* cinq races de chats distinctes, dont l'Angora. Cela, quelques années avant que Mme Du Deffand ne parle de ses Angoras à Horace Walpole.

UN SI GRAND AMOUR

Certains propriétaires aisés aimèrent tant leurs chats qu'ils prirent des dispositions en les couchant sur leur testament. Lorsque le duc de Montagu mourut, en 1749, il laissa une partie de sa fortune à plusieurs de ses chats. Comme il n'avait ni héritier ni parent proche, il ne se trouva personne pour contester ses dernières volontés. Mlle Dupuy, harpiste, eut moins de chance. Elle voulut laisser la majorité de ses biens à ses deux chats, mais une longue querelle judiciaire s'engagea, et son testament fut finalement invalidé.

En arrivant pour dîner, les hôtes de Jeremy Bentham avaient la surprise d'être introduits dans une pièce où plusieurs chats étaient assis à table, et présentés à tour de rôle.

DES COMPAGNONS DÉVOUÉS

Hodge, Selima, les petits protégés de Jeremy Bentham et les Angoras de Mme Du Deffand étaient, manifestement, des chats parfaitement domestiqués. Dans les cercles intellectuels au moins, avoir un chat dans le salon, comme animal de compagnie,

LE SAVIEZ-VOUS ?

En Afrique, on pensait jadis qu'une pierre trouvée dans l'estomac d'un lion protégeait de tous les dangers. Il était donc très important pour les chasseurs de tuer un lion.

En haut
L'Angora est devenu à la mode au XVIIIe siècle grâce à des personnalités comme Mme Du Deffand.

Au milieu
Le poète Thomas Gray fit l'éloge de sa chatte Selima.

Ci-contre
L'excentrique ami des chats Jeremy Bentham.

Le chat dans la littérature

Au Moyen Âge, le chat apparaît surtout dans les récits de sorcellerie. Et si Jean de La Fontaine (1621-1695) le dépeint encore comme un gros paresseux hypocrite et cruel, d'autres célébreront bientôt sa vivacité et sa malice !

LE SAVIEZ-VOUS ?

À l'occasion d'une expérience insolite et intéressante menée au zoo de Chicago, des félins nés d'un croisement léopard-jaguar se reproduisirent avec des lions.

En haut à droite
« *Nous sommes tous fous ici. Je suis fou. Tu es folle.* » *Le chat de Chester dans* Alice au pays des merveilles, *de Lewis Carroll.*

Ci-contre
Illustration du Chat botté *(début du XXe siècle).*

En bas à droite
La chatte Dinah est plus sympathique que le chat de Chester, précédemment inventé par Lewis Carroll.

LE CHAT BOTTÉ

En 1697, Charles Perrault (1628-1703) inventa le Chat botté, un personnage rusé, menteur, et terriblement sympathique, donnant au petit félin son premier rôle important dans la littérature occidentale. Ce héros, qui fit ses débuts dans les *Contes de ma mère l'Oye,* est encore célèbre aujourd'hui, comme les autres personnages de ce recueil de contes en prose. Certaines de ces histoires furent d'ailleurs reprises par les frères Grimm, en 1812.

LE CHAT DE CHESTER

Lewis Carroll, professeur à Oxford, est l'auteur d'un conte pour enfants qui contribua grandement à améliorer le sort du chat. En 1865, il publia *Alice au pays des merveilles,* mettant en scène le célèbre chat de Chester (ou du Cheshire), dont le sourire énigmatique dévoilait des dents diablement pointues.

Lewis Carroll sembla ensuite mettre un peu d'eau dans son vin ; en 1872, lorsqu'il publia *De l'autre côté du miroir,* la chatte Dinah et ses deux chatons Perce-Neige et Kitty étaient des créatures nettement plus attachantes. Les centaines de lettres que Lewis Carroll écrivit à l'époque à ses jeunes

lecteurs d'Oxford, essentiellement des petites filles, prouvent qu'il aimait personnellement beaucoup les chats et n'hésitait pas à les introduire dans la vie totalement fantaisiste qu'il dépeignait à ses jeunes correspondants. Il écrivait, par exemple, qu'il accueillait chez lui des chats errants et les laissait dormir entre des couvertures en feuilles de papier buvard, avec un essuie-plume pour oreiller. Pour leur petit déjeuner, il disait leur offrir «gelée de queue de rat et souris beurrées».

DICK WHITTINGTON

L'histoire de Dick Whittington et de son chat fit son apparition en Angleterre sous la forme d'une pièce de théâtre, aujourd'hui perdue. Cette dernière était très librement adaptée de la vie de Richard Whittington, qui fut trois fois lord-maire de Londres au XVe siècle. Mais le vrai Dick Whittington descendait d'une famille de gentilshommes campagnards qui avaient fait fortune dans le commerce de la laine. L'histoire le présente comme un garçon pauvre qui se rend à pied à Londres, avec son chat, pour y chercher fortune. Après bien des aventures au cours desquelles son chat lui porte chance, il épouse la fille de son maître et vit riche et heureux jusqu'à la fin de ses jours. Malheureusement, le «chat» était en réalité non un animal, mais un charbonnier faisant la navette entre Newcastle et Londres. On raconte que l'artiste chargé d'illustrer la couverture de la première édition de l'histoire avait représenté Whittington la main posée sur un crâne. L'éditeur jugea cela peu flatteur, et le crâne fut remplacé… par un chat. Il semble néanmoins que ce récit d'un garçon pauvre faisant son chemin avec l'aide de son chat (dont les Britanniques pensent qu'il s'agit essentiellement d'une métaphore sur l'argent que l'on peut gagner à Londres) apparaisse aussi dans les folklores perse, scandinave et italien.

LE CHAT QUI S'EN VA…

Rudyard Kipling (1865-1936), plus connu pour son *Livre de la jungle,* consacra au «Chat qui s'en allait tout seul» l'une de ses *Histoires comme ça pour les enfants* (1902) évoquant avec nostalgie les paradis enfantins. «Je suis le chat qui s'en va tout seul et tous les lieux

se valent pour moi», écrivit-il, rendant un bel hommage à ce grand solitaire.

COLETTE, COCTEAU, POE ET LES AUTRES

«À fréquenter le chat, on ne risque que de s'enrichir.» L'histoire d'amour des écrivains et du petit félin ne serait pas complète sans Colette, dont *La Chatte* parut en 1933. N'oublions pas enfin le *Chat Murr* (1822) d'Ernst Theodor Amadeus Hoffmann, ni le fantastique *Chat noir* d'Edgar Allan Poe. Et Jean Cocteau n'a-t-il pas déclaré : «Si je préfère les chats aux chiens, c'est parce qu'il n'y a pas de chat policier»?

LE CHAT MYSTÈRE

La poésie, elle aussi, a largement honoré les chats. Charles Baudelaire (1821-1867) évoqua dans *Les Fleurs du mal* (1857) la magie de ces animaux dont la voix «endort les plus cruels maux et contient toutes les extases» :

Viens, mon beau chat, sur mon cœur amoureux
Retiens les griffes de ta patte
Et laisse-moi plonger dans tes beaux yeux
Mêlés de métal et d'agate […].

DES BULLES

Comment ne pas mentionner pour finir les héros de bande dessinée que sont l'espiègle Billy the Cat, le chat surexcité de Gaston Lagaffe et l'inénarrable Chat de Philippe Geluck?

LE SAVIEZ-VOUS ?

Les molaires du félin, aussi appelées carnassières, sont des attributs de carnivore. Elles cisaillent la chair comme une paire de ciseaux, le chat mangeant de côté.

À gauche
Dick Whittington,
devenu vieux et riche,
caresse toujours son chat.

Au milieu
La comédie musicale
Cats, créée en 1981,
tient toujours l'affiche
dans le monde entier.

Le chat dans l'art

I L N'EST PAS DIFFICILE d'imaginer l'attrait exercé par le chat sur les artistes. D'abord, il est gracieux, et l'on peut le représenter dans divers mouvements et postures, chacun étant un défi pour le pinceau ou le crayon, le burin ou le ciseau. Ensuite, c'est une créature qui séduit par son mystère, son monde intérieur ne pouvant qu'être deviné ou suggéré par l'art. Enfin, il peut être dépeint dans toutes sortes de situations – en tant que chasseur, animal familier, confident, voire simple ornement d'un intérieur confortable.

LE SAVIEZ-VOUS ?
Plus on va vers le nord, plus les différentes sous-espèces de tigre ont tendance à s'allonger et à pâlir progressivement, en s'adaptant au climat.

Ci-contre
Au XVIII siècle, en France,*
le chat devient un élément
central du portrait
aristocratique.

En haut à droite
Illustration anglaise
du XIX siècle :*
les chats au premier plan
sont le symbole du foyer
chaleureux et accueillant.

PREMIÈRES REPRÉSENTATIONS
Les artisans et artistes d'Égypte ancienne explorèrent de nombreuses facettes du petit félin – chasseur, déesse et même, parfois, comédien. Les illustrateurs du royaume de Siam reprirent certains de ces thèmes, de même que les premiers Japonais dans leurs estampes et leurs aquarelles, et les moines copistes du Moyen Âge en Europe. Les chats apparaissent aussi, accessoirement, dans des illustrations réalisées sur les miséricordes des églises et des cathédrales médiévales ;

elles sont l'œuvre d'artisans à qui l'on permit de donner plus ou moins libre cours à leur imagination. Au XV siècle, au plus fort de la persécution des chats par l'Église catholique romaine, le peintre italien il Pinturicchio ne put résister à la « tentation » d'introduire un chat blanc pour combler un vide gênant dans sa fresque dépeignant l'Annonciation.

Lorsque, au XVIII siècle, les chats redevinrent respectables, ils commencèrent à figurer dans des portraits. Les peintres français en particulier aimaient les chats, et la tradition se poursuivit au XIX siècle, avec Manet notamment. Chez les peintres anglais reproduisant la vie champêtre à l'époque victorienne, il devint presque systématique d'inclure un chat dans une scène d'intérieur, comme l'incarnation du foyer heureux. Ce sont peut-être les attentions témoignées par la chatte à ses chatons qui firent du chat le meilleur symbole de la vie familiale victorienne. Dans l'art populaire, le chat apparaissait sur des housses de coussin, des pare-feu et des modèles de broderie, et des chats en porcelaine ornaient plus d'un dessus de cheminée.

Lors des dernières années du XIX siècle, un nouveau thème fit son apparition. Son initiateur était très probablement Théophile Alexandre Steinlen, peintre suisse qui s'installa à Paris et commença à utiliser le chat dans ses affiches publicitaires vantant les mérites de produits alimentaires. C'est alors que les peintres découvrirent que le commerce était une activité rémunératrice, et le portrait des chats devint nettement plus sentimental et anthropomorphique. On les représenta sous les traits de femmes du monde, de vendeuses de fleurs, de danseuses, de bébés, de filles de laiterie ou de domestiques. La nature intrinsèque du chat fut dissimulée sous le couvert de la sentimentalité, un avant-goût de ce qui allait se produire au XXᵉ siècle.

UN SUJET POPULAIRE

La fin du XIXᵉ siècle fut marquée par l'explosion de l'art populaire, sous la forme de réclames, de cartes de vœux, d'illustrations dans les magazines et d'affiches de spectacle,

en grande partie dans le sillage des progrès de l'impression en couleur. La publicité en tant que telle devenait, elle aussi, plus sophistiquée, mais se concentrait essentiellement sur les produits ménagers,

du savon au cacao. Comment mieux suggérer les joies du foyer qu'en utilisant un chat ? Mais on faisait jouer à ces chats un rôle humain, et c'est ainsi que leur image se dégrada.

Le peintre Louis Wain, né en 1860, se spécialisa dans la peinture populaire de chats anthropomorphes, tout en aimant sincèrement les petits félins. En 1884, les *Illustrated London News* publièrent le premier de ses dessins. Les chats de Wain, reproduits à l'infini sur des cartes postales et dans des albums illustrés, avaient l'habitude de porter binocles et nœud papillon, de marcher en se dressant sur leurs pattes arrière, de prendre le thé à dix-sept heures, bref, de se comporter comme de parfaits membres de la bourgeoisie.

En dépit de tout cela, Louis Wain était aussi capable de réaliser des portraits de chats fidèles à la réalité et dénués de sentimentalité mièvre, et il était assez respecté par les amoureux du chat pour devenir le deuxième président du British National Cat Club. Son évolution, ou plutôt sa régression en tant que portraitiste du chat est intéressante pour les étudiants en psychiatrie, car, au fur et à mesure qu'il glissait dans la démence, durant les dernières années de sa vie (il mourut en 1939), ses chats devinrent de plus en plus bizarres, les animaux caressants qui lui avaient valu le succès se métamorphosant en monstres menaçants au poil hirsute.

En haut
Illustration (XIXᵉ siècle) d'Edward Lear représentant le mariage de sa chouette et de son chat.

Ci-contre
Les impressionnistes, comme Renoir dans ce Jeune Garçon au chat, *ont aimé représenter les chats.*

Le chat au cinéma et au théâtre

IL N'Y A PAS EU d'équivalent félin à Rintintin, Lassie et autres héros canins des petit et grand écrans. Il n'y en aura d'ailleurs probablement pas, pour la raison évidente que les chats, dans l'ensemble, supportent mal d'apprendre des tours et de se donner en spectacle. Ils ont cependant prêté leurs mouvements et leur grâce à l'art de l'animation, et les chats les plus célèbres sur grand écran sortent de dessins animés.

DESSINS ANIMÉS

Créé par Otto Messmer et Pat Sullivan, Félix le Chat fut, dès 1927, l'une des premières vedettes du dessin animé parlant. Dans les années 1920, les enfants préféraient Félix à son obscure rivale : la souris Mickey. Mais le félin le plus célèbre est peut-être le Tom de *Tom et Jerry,* création des Américains William Hanna et Joseph Barbera. Les deux hommes se rencontrèrent en 1937 dans les studios d'animation de la MGM, à Hollywood ; ils produisirent en 1939 *Foyer… doux foyer,* avec, dans les rôles principaux, un chat et une souris. Tom et Jerry venaient de voir le jour, et allaient apparaître dans plus de deux cents films. La critique y a vu des accents de cruauté et de sadisme, et leurs dessins animés ne reproduisent certainement pas avec fidélité le comportement félin, mais Tom et Jerry ont constitué une distraction inoffensive pour des générations et des générations d'enfants. On ne peut pas en dire autant de *Fritz le Chat,* classé X, sorti en France en 1971 ! Star de la BD underground américaine, ce chat disjoncté symbolisait les GI traumatisés par la guerre du Vietnam. Un autre chat de dessin animé fut beaucoup apprécié en son temps : *Le Chat misanthrope,* court métrage de 1948, mettait en scène un chat new-yorkais qui, fatigué par le bruit de sa ville, se rendait sur la Lune en fusée pour y rechercher

un peu de tranquillité. Mais il trouva l'astre lunaire encore plus bruyant et se réjouit de retourner sur la Terre.

WALT DISNEY

Walt Disney contribua aussi à la filmographie du chat. Son film *L'Incroyable Randonnée* (1963) raconte l'aventure canadienne d'un bull-terrier, d'un labrador et d'un chat siamois, Tao, qui parcoururent 400 kilomètres pour rejoindre leurs propriétaires. *Le Chat qui vient de l'espace,* comédie sortie en 1978, mettait en scène un mystérieux

extraterrestre doté d'une intelligence supérieure, dont le vaisseau spatial se pose sur Terre en catastrophe. Il prend alors l'apparence d'un chat et, aidé par Lucie Belle, une splendide chatte angora, réduit à néant les projets d'un savant maléfique. Mais la plus célèbre aventure féline des studios Disney est probablement celle des *Aristochats,* sortie sur les écrans en 1970. Duchesse et ses chatons Marie, Toulouse et Berlioz, sont aux prises avec le malveillant majordome de leur maîtresse qui a appris, par hasard, qu'elle entendait coucher ses chats sur son testament. Il les abandonne, espérant hériter sa fortune, mais Duchesse et sa famille, aidés par Thomas O'Malley, un chat de gouttière au grand cœur, et par toute une bande d'amis à quatre pattes, déjouent ses plans.

VEDETTES DE CINÉMA

De vrais chats ont fait plusieurs apparitions dans des films, mais seulement dans des petits rôles. Un Persan blanc appelé Solomon joua un rôle légèrement sinistre dans deux James Bond, *On ne vit que deux fois* (1967) et *Les diamants sont éternels* (1971). Dans *Diamants sur canapé* (1961), Audrey Hepburn partageait son appartement avec un «chat sans nom». Et l'inimitable *Espion aux pattes de velours* (1965) montrait un chat siamois, devenu malgré lui agent secret, à la recherche d'un voleur de saumon.

CHATS… CABOTS

Avant les années 1970, la plus célèbre prestation féline sur scène fut probablement réalisée dans *La Belle au bois dormant,* ballet de Tchaïkovski basé sur l'histoire de Charles Perrault et présenté pour la première fois à Saint-Pétersbourg en 1889. Parmi les personnages, on trouvait le Chat botté et une chatte blanche. La chatte blanche fait son apparition dans le cortège nuptial, assise sur un coussin et faisant sa toilette. Le Chat botté tombe sous son charme et la courtise en exécutant avec elle un pas de deux qui est l'un des moments forts du ballet. Tchaïkovski avait choisi le hautbois pour imiter la voix du chat. *La Belle au bois dormant* ne séduisit pas la critique lors de sa première représentation, mais, après la mort de Tchaïkovski, en 1893, on reconnut que c'était un chef-d'œuvre du genre ; il devait d'ailleurs exercer une profonde influence sur le ballet du XXᵉ siècle.

Mais c'est sans nul doute la comédie musicale *Cats,* adaptation d'un recueil de poésie de l'écrivain britannique T. S. Eliot, qui remporta le plus grand succès théâtral. Représentée pour la première fois à Londres en 1981, elle a été jouée dans le monde entier ; depuis, son succès ne se dément pas.

Page ci-contre
Le chat est apparu sous des formes et dans des rôles divers, de Tom et Félix, en dessins animés, aux héros de cinéma.

Sur cette page
Le Troisième Homme (au milieu), Le Chat botté (en bas à gauche) et Cats (en bas à droite) : tous mettent le chat en vedette.

LE SAVIEZ-VOUS ?
Le premier mangeur d'hommes représenté est un lion. Il est gravé au trait sur un panneau d'ivoire assyrien datant de 800 av. J.-C. environ.

Le chat au XXe siècle

POPULATION TOTALE estimée dans le monde : 400 millions de chats – dont 8,5 millions rien que pour la France… contre 8 millions de chiens. Dans les années 1990, le chat avait damé le pion au chien en Grande-Bretagne, accédant au rang d'animal familier préféré, qu'il occupait déjà depuis quelques décennies aux États-Unis. Les raisons de cette passion sont essentiellement pratiques : la plupart des familles modernes manquent cruellement de temps. Que les deux parents travaillent ou que la famille soit monoparentale, l'animal de compagnie que l'on peut «abandonner» toute la journée ou laisser aller et venir à sa guise présente un avantage évident sur celui qu'il faut sortir une ou deux fois par jour. En outre, maisons et jardins ont ten-

infections provoquées par les déjections canines, les arrêtés exigeant que les chiens soient tenus en laisse, voire muselés pour certaines races, et que leurs excréments soient ramassés et jetés… Tous ces éléments ont contribué à faire du chat, animal propre, indépendant et plus placide, un animal familier plus «désirable».

LA GARDE DU CHAT

Les chats sont désormais au cœur du débat, au même titre que les enfants, lorsqu'il est question de divorce ou de séparation. Et le phénomène s'amplifie, surtout aux États-Unis. Les couples en crise ne peuvent se résoudre à abandonner leur petit félin, et n'hésitent pas à se battre devant les tribunaux pour obtenir sa garde. Cette nouvelle tendance fait bien évidemment le bonheur des avocats, mais les chats, comme les enfants, souffrent beaucoup d'être ainsi ballottés. En effet, le chat est très attaché à son environnement. Le changement fréquent de domicile peut donc entraîner chez l'animal des troubles du comportement et le rendre très anxieux. Il peut même cesser de manger et se terrer dans un coin.

PATTE DE VELOURS

L'incroyable souplesse et la grâce innée du chat ont, de tout temps, suscité l'admiration et inspiré le pire

En haut
Humphrey, le chat du 10, Downing Street, à Londres, pose pour le photographe en 1997.

Ci-dessus et à droite
L'indépendance du chat et son autonomie en font l'animal familier idéal.

dance à être plus petits qu'avant, et l'on peut garder un chat même dans un petit appartement. Quant aux enfants, les chats sont considérés comme des animaux familiers plus «sûrs».

UN ANIMAL POPULAIRE

Malheureusement pour les chiens, l'opinion publique a opéré un véritable revirement ces dernières années. Les histoires horribles de chiens attaquant les enfants de leurs maîtres, l'inquiétude médicale sur les

UN ÊTRE TÉLÉGÉNIQUE

Félix le farceur, chat « animé » noir et blanc représentant la marque d'aliments éponyme, est devenu un personnage récurrent du petit écran. Le chat, comme les autres animaux domestiques, représente un vaste secteur économique qui fait vivre des milliers d'entreprises : alimentation, soins, élevage, objets. En France, l'entretien d'un chat coûte, au minimum, de 200 à 300 euros par an. Mais, bien au-delà des boîtes et des croquettes, la publicité a fait du chat un de ses animaux favoris, l'utilisant pour symboliser, tour à tour, le mystère, le raffinement, la douceur ou le confort. Quant à l'émission télévisée *30 millions d'amis,* dont le succès ne se dément pas depuis des décennies, elle prouve assez l'intérêt que nous portons à nos compagnons à quatre pattes.

STAR DE CINÉMA

Certains chats acquièrent une renommée internationale en accédant au grand écran. C'est le cas d'Orangey (né en 1951). Star incontestée *(Diamants sur canapé)* et grand gagnant de plusieurs Patsy Award, ce beau chat roux avait, paraît-il, fort mauvais caractère. On raconte aussi que son cachet égalait celui de la vedette humaine du film, qu'il possédait un fauteuil à son nom et se rendait au studio dans une énorme limousine conduite par un chauffeur…

comme le meilleur. Un site américain vous offre aujourd'hui d'apprendre, en quelques leçons, à danser avec votre chat. Si l'idée peut d'abord sembler ridicule, il est possible d'en retirer des bienfaits, comme un exercice quotidien (pour votre ami félin et vous) et un certain renforcement de vos liens. Dans la même veine, plusieurs livres proposent déjà de s'inspirer du chat, roi de l'étirement, pour pratiquer en douceur un yoga alternatif.

Dans un tout autre registre, le chat est désormais intégré en milieu psychiatrique comme aide thérapeutique susceptible de calmer la tension nerveuse, et dans les prisons où il contribue à rendre plus supportable la solitude des détenus. Il est aussi admis au chevet des enfants dans certains hôpitaux, et auprès des personnes âgées dans certaines maisons de retraite.

En haut
La Poste londonienne s'est assuré pendant quinze ans les services d'un souricier.

Ci-contre
Arthur, ancêtre britannique de tous les chats de publicité.

Les noms des chats

 L EST UNE QUESTION que chaque propriétaire devra aborder au moment d'adopter un chat. Une question qui peut diviser les familles et provoquer des nuits blanches. Quel nom donner au chat ? L'affaire est sérieuse. Si complexe que des livres entiers ont été écrits sur le sujet !

UN PEU D'HISTOIRE

En Égypte ancienne, très vite, le chat eut sa place réservée dans toutes les familles. On l'appelait *Mau* ou *Myeo* (il n'est pas difficile de deviner pourquoi). Les anciens Grecs le considéraient surtout comme un animal utilitaire et l'appelaient *Galê,* tout comme les belettes, les fouines et autres petits carnassiers chasseurs de souris.

EN TOUTES LANGUES

Le mot « chat » viendrait d'Afrique, où il se nomme *kadista* en nubien. Les anciens Grecs l'appelaient *kattos* ou *katta,* les Latins *catus,* d'où viennent *gato* en espagnol, *gatto* en italien, *cat* en anglais, *Katze* en allemand, *kot* en polonais et *chat* en français. Quant à *pussy,* c'est la transcription (à l'anglaise) de Pascht ou Bastet, déesse chatte de l'Égypte ancienne. On dit aussi *katta* en suédois, *kat* en néerlandais, *qatt* en arabe et *qato* en syrien.

UNE LETTRE, UN NOM

Il est conseillé de choisir un nom qui « sonne » bien, de deux ou trois syllabes bien détachées, mais les choses sont différentes si vous possédez un chat avec pedigree. Comme

En haut
Solomon dans les bras de Donald Pleasence, alias Blofeld, le chef du Spectre dans On ne vit que deux fois/ You Only Live Twice *(1967), de Lewis Gilbert.*

En bas
Orangey savoure avec Audrey Hepburn une coupe de champagne dans Diamants sur canapé/Breakfast at Tiffany's *(1961), de Blake Edwards.*

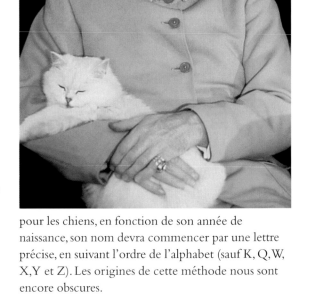

pour les chiens, en fonction de son année de naissance, son nom devra commencer par une lettre précise, en suivant l'ordre de l'alphabet (sauf K, Q, W, X, Y et Z). Les origines de cette méthode nous sont encore obscures.

2003 étant l'année des U, voici quelques suggestions : Ubert, Ugo, Uhlan, Ujanie, Ulla, Ulna, Ulrik, Ulyana, Ulysse, Uma, Umilie, Unic, Unix, Uranie, Uranus, Urgence, Uriana, Urielle, Usha, Usul, Uveyis, Uzeb, Uzès…

DRÔLES DE NOMS

Florence Nightingale donnait à ses chats les noms d'éminents personnages publics de son époque, comme Bismarck. On raconte qu'elle posséda jusqu'à soixante Persans à la fois ; trouver autant de prénoms aussi honorables doit avoir été difficile ! Charles Dickens baptisa son chat William, avec nettement moins d'à-propos : il dut se rabattre sur Williamina lorsque ce dernier mit bas… Ernest Hemingway, autre écrivain amoureux des chats, posséda jusqu'à cinquante chats dans sa maison de Key West, en Floride. Les prénoms de ses chats étaient aussi excentriques que l'auteur lui-même. Il y

DES NOMS CÉLÈBRES

La difficulté de donner un nom à son chat tient peut-être au fait que, comme lorsqu'on choisit le prénom d'un enfant, cela revient à livrer un peu de nous-même. Tout le monde n'a pas envie de recourir «bêtement» à Minou, Minette ou… Le-Chat. Ceux qui se sentent des affinités littéraires pourront opter pour le rusé Tibert du *Roman de Renart,* lui préférer le Belaud de Joachim Du Bellay ou copier Colette et sa Kiki la Doucette. Les fans de dessins animés ou de bande dessinée pourraient vouloir «commémorer» Félix, Tom, Sylvestre ou encore Garfield. Les cinéphiles leur opposeront Orangey, star féline de *Diamants sur canapé* et de plusieurs autres films des années 1950 et 1960, ou Solomon, le Persan blanc du méchant Blofeld dans les James Bond *On ne vit que deux fois* et *Les diamants sont éternels.*

Quoi qu'il en soit, mieux vaut ne pas choisir un prénom ridicule. Sans oublier qu'un nom qui semble amusant ou intelligent aujourd'hui ne le sera peut-être plus dans dix ans. Un prénom, pour le chat comme pour l'homme, c'est pour la vie.

avait là Nuisance Value (ou «Casse-Pieds»), Fats («Grassouillet»), Friendless («Sans amis») et Friendless's Brother («Frère de Sans amis»)…

LIBERTÉ D'INSPIRATION

Si vous avez l'intention de laisser sortir votre chat, il vaut mieux choisir un prénom caractéristique, mais que vous puissiez crier aux quatre vents sans mourir de honte à l'idée que les voisins vous entendent. Si vous possédez deux chats, que leurs noms aient

une sonorité différente. Hormis ces considérations pratiques, n'hésitez pas à donner libre cours à votre imagination : à la différence des enfants, les chats ne seront pas embarrassés par leur prénom en grandissant…

Bien sûr, l'inspiration peut venir du chat lui-même. Les maîtres d'un chaton espiègle le baptisèrent Non-Non, parce que c'était ce qu'ils passaient leur temps à lui dire. Quant à la propriétaire cinéphile d'une chatte persane rousse particulièrement somptueuse, elle la nomma Falbalas…

En haut
La fourrure ou le caractère du chat pourront vous inspirer un nom.

À gauche
Promenade devant le 10, Downing Street (résidence du Premier ministre britannique) en 1939.

Les premières expositions félines

L E MONDE DES EXPOSITIONS FÉLINES est fascinant. D'abord, l'atmosphère de compétition est intense mais, en outre, il est presque aussi intéressant d'observer les participants humains que les chats eux-mêmes.

LES PREMIÈRES EXPOSITIONS

À ce que l'on sait, la première exposition officielle eut lieu à Winchester (Angleterre) en 1598, à l'occasion d'une foire, mais on ignore quels furent les critères d'évaluation. Au XIXe siècle, aux États-Unis, les fermiers organisaient parfois des expositions de chats à l'occasion de foires locales. Puis, vers la fin du XIXe siècle, certains propriétaires anglais de chats, qui souhaitaient obtenir des sujets de race pure,

en vinrent naturellement à vouloir comparer leurs résultats avec ceux obtenus par d'autres amateurs.

C'est ainsi que la première exposition féline au sens moderne du terme se tint en 1871, au Crystal Palace de Londres. Elle fut organisée par l'artiste et écrivain Harrison Weir, à qui l'on doit aussi les premiers standards de chats. Il fut d'ailleurs l'un des trois juges de ce premier concours. Son ouvrage, *Our Cats,* est devenu un manuel de référence pour les organisateurs d'expositions félines.

Il y disait qu'il avait eu «l'idée d'organiser des "expositions félines" pour que l'on puisse s'intéresser de manière plus organisée aux différentes races, couleurs, marques, etc. » Weir se désolait de constater que, «pendant longtemps, les chats ont été négligés, maltraités et victimes de la cruauté humaine », et son premier objectif, en organisant cette exposition, était que l'on se préoccupe du bien-être des chats et non pas qu'on en fasse un concours de beauté. C'est d'ailleurs la raison pour laquelle il finira par se désintéresser de telles expositions.

L'exposition de Crystal Palace attira des milliers d'amateurs de tout le pays, dont beaucoup, de retour chez eux, en organisèrent à leur tour. Dès le départ, on voulut y introduire une certaine démocratie en prévoyant des catégories non seulement pour les chats exotiques mais aussi pour les chats de maison et même les «chats d'ouvriers». Quant à l'argent, il n'a jamais joué un rôle prioritaire dans les expositions félines : les montants en jeu sont négligeables. Même aujourd'hui, l'intérêt des expositions tient, d'une part, à la compétition proprement dite et, d'autre part, au fait qu'elles offrent l'occasion d'acquérir ou d'échanger des informations avec d'autres propriétaires. Le profit que peuvent en tirer les éleveurs vient soit du prix versé pour les services d'un mâle, soit de la vente de chatons dont l'un ou l'autre parent a été sacré champion.

L'ESSOR DE LA FÉLINOPHILIE

Aux États-Unis, la première exposition fut organisée en 1895 par l'Anglais James T. Hyde au Madison Square Garden, à New York. On vit dès lors se multiplier, sur les deux rives de l'Atlantique, les clubs de félinophiles, qui se groupèrent bientôt en associations, ainsi que les expositions félines. En France, la première exposition eut lieu en 1896, au Jardin d'acclimatation de Paris. Le célèbre Cat Club de Paris organisa sa première exposition en 1925.

Selon les pays, ces expositions ont pris des formes différentes, notamment pour des raisons de géographie : ainsi, en Grande-Bretagne, ces expositions ne durent souvent qu'une journée. Mais lorsque les distances sont plus grandes, comme en Europe continentale et aux États-Unis, elles s'étalent souvent sur deux jours. En Europe, l'organisation de ces expositions en général placée sous le contrôle de la Fédération internationale féline (FIFé).

LA RAGE

Depuis 1902, la réglementation relative à la rage, qui prévoit une quarantaine de six mois pour les animaux arrivant en Grande-Bretagne, constitue un sérieux obstacle à l'échange de chats – que ce soit pour les expositions ou pour l'élevage – entre ce pays et le reste du monde. Des propositions de loi ont été présentées pour abolir la quarantaine à l'entrée en Grande-Bretagne, et, si elles étaient adoptées, les Britanniques pourraient plus activement participer à des expositions internationales telles que celles organisées par le Cat Club de Paris.

AUTOUR DU MONDE

Pour les expositions félines, il existe en gros deux types de procédure.

Dans la plupart des pays d'Europe continentale, en Amérique du Nord et au Japon, les juges se réunissent dans un lieu distinct de celui qui abrite les cages ; les propriétaires et le public sont admis à assister aux délibérations.

En Grande-Bretagne et dans la plupart des pays du Commonwealth, les juges passent d'une cage à l'autre, et les propriétaires et le public n'assistent pas à leurs délibérations.

Les avantages de l'une et l'autre procédure ne sont pas évidents, sinon que le premier système permet une certaine participation du public, ce qui donne plus d'intérêt au concours – et beaucoup d'animation !

> ### LE SAVIEZ-VOUS ?
> On a recensé en Asie et en Afrique des grands félins mangeurs d'hommes : les espèces concernées sont le lion, le tigre et le léopard.

Page ci-contre en haut
Des spectateurs admirent les chats lors de l'exposition de Crystal Palace en 1871.

Page ci-contre en bas
Illustrations présentant les lauréats du Crystal Palace.

Sur cette page
Ces photos montrent toute l'importance prise par les expositions félines, qui accueillent désormais des centaines d'exposants.

Retour sur les origines

L E MOUVEMENT FÉLINOPHILE a ses racines en Angleterre où, au XIXᵉ siècle, les propriétaires de chats commencèrent à créer des clubs et des associations pour développer et améliorer certaines espèces.

AU XIXᵉ SIÈCLE

Au début, ils s'intéressaient surtout aux Persans (qui restent aujourd'hui encore les plus appréciés) : ils s'aperçurent qu'un élevage soigneusement contrôlé permettait d'améliorer la conformation, la fourrure, la couleur et la santé des chats.

Il ne s'agissait encore que de tâtonnements empiriques, car les travaux de Mendel sur l'hérédité, pourtant réalisés vers le milieu du siècle, n'avaient pas encore atteint la communauté scientifique et moins encore le grand public. Les éleveurs commencèrent à tenir des registres d'accouplements, génération après génération, et il apparut bientôt nécessaire de centraliser et de réglementer l'identification des races.

En haut à droite
Portrait de
Harrison Weir,
qui fut le premier
à organiser
des expositions félines
en Grande-Bretagne.

Ci-dessus à gauche
Les Persans blancs
aux yeux bleus
sont souvent sourds.

LES PREMIERS CLUBS

Le National Cat Club fut fondé en 1887, à Londres, pour promouvoir l'élevage des chats de race et organiser des expositions. Son premier président fut Harrison Weir ; pourtant, il ne tarda pas à démissionner, considérant que les membres s'intéressaient plus aux concours et aux prix qu'à la promotion du bien-être des chats. Mais cela ne suffit pas à apaiser les controverses. En 1910, les différents groupes britanniques de félinophiles convinrent de créer le Governing Council of the Cat Fancy

(GCCF) qui avait (et a encore) pour fonctions de tenir à jour le registre des chats et de leurs pedigrees, d'homologuer et de classifier les races de chats et d'approuver les expositions organisées par ses membres. Ainsi, le contrôle de l'élevage et l'enregistrement sont centralisés et coordonnés, mais cela laisse une certaine indépendance aux multiples clubs régionaux et spécialisés. À l'exception du Supreme Show annuel, qu'il organise lui-même, le GCCF se contente d'autoriser les expositions et de fixer les règles qui leur sont applicables. En 1983 fut créée la Cat Association of Britain (CAB), affiliée à la FIFé.

EN FRANCE

Le Cat Club de France fut fondé à Saint-Raphaël (Var) par le Dr Jumaud en 1913 et le Cat Club de Paris en 1924. Après la Seconde Guerre mondiale, toutes les organisations félines de France se regroupèrent dans la Fédération féline française (FFF), qui eut la responsabilité de tenir le *Livre officiel des origines françaises* (LOOF), révisé en 1992 en collaboration avec le ministère de l'Agriculture, ainsi que le *Registre expérimental* (RIEX).

La FFF est affiliée à la Fédération internationale féline (FIFé), créée en 1949 à l'initiative de la France et de la Belgique et dans laquelle sont actuellement représentés une trentaine de pays du monde entier. La FIFé ne reconnaît les registres que de ses membres.

Il existe aussi des associations félines francophones en Belgique, au Luxembourg et en Suisse, notamment à Genève et à Bâle.

À première vue, on pourrait penser que cette prolifération d'associations aux États-Unis complique inutilement la vie des félinophiles, mais, en fait, elle présente des avantages. Il est vrai que, pour pouvoir présenter un chat dans une exposition, il faut l'inscrire à l'association sous l'égide de laquelle elle est organisée, et il faut donc que l'animal vive dans la région où cette association est présente. Cependant, compte tenu des dimensions du pays, cela ne pose guère de problèmes en pratique, sans compter qu'un certain nombre des expositions les plus importantes sont organisées conjointement par plusieurs associations. Par contre, ce système favorise la diversité des expositions dans ce pays ainsi que l'acceptation de nouvelles races.

Dans la plupart des autres pays, les activités en rapport avec les chats sont bien organisées. En Australie, comme aux États-Unis, la géographie complique la situation : chacun des sept États constitutifs de ce pays compte au moins une organisation d'amateurs de chats. Néanmoins, chacune accepte les registres et les règlements d'organisation des expositions des autres. La Nouvelle-Zélande ne compte qu'une seule organisation : le New Zealand Cat Fancy.

DANS LE RESTE DU MONDE

L'histoire et la structure des clubs félins en Amérique du Nord sont plus complexes, en raison en particulier de la géographie de cet immense pays. L'American Cat Club fut fondé en 1896, mais son existence fut brève. Les principales associations actuelles des États-Unis sont la Cat Fanciers' Association (CFA), fondée en 1906, l'American Cat Association (ACA), l'American Cat Fanciers' Association (ACFA), la Cat Fanciers' Federation (CFF), la Crown Cat Fanciers' Association (CCFA), The International Cat Association (TICA), la National Cat Fanciers Association (NCFA) et l'United Cat Federation (UCF). Au Canada, on trouve l'Association féline canadienne, bilingue.

LE SAVIEZ-VOUS ?
Les félins mangeurs d'hommes sont souvent des femelles cherchant à nourrir leurs petits, parfois des mâles malades, inaptes à chasser leurs proies habituelles.

LE SAVIEZ-VOUS ?
Les petites incisives du chat lui servent à dépecer ses victimes avant de les manger et aussi à attraper les parasites (puces et tiques) qu'il peut avoir dans sa fourrure.

En haut
Une assistante fait passer un chat d'un juge à un autre au Supreme Show britannique.

Ci-contre à gauche
Ce chaton birman est le grand vainqueur du Supreme Show.

Les expositions félines

SI VOUS SOUHAITEZ pénétrer dans ce monde et présenter vos propres chats, il vous faudra un long apprentissage pour vous familiariser avec le vocabulaire et les pratiques des félinophiles, apprendre à connaître les standards et découvrir les subtilités de ce domaine extrêmement spécialisé.

LES PREMIERS PAS

Même si vous n'avez pas de chat à présenter, en assistant aux expositions vous apprendrez à mieux connaître les différentes races et vous découvrirez quelle perfection peuvent atteindre certains chats. Mieux vaut y assister avec quelqu'un qui vous expliquera les subtilités qui distinguent les champions des autres, car, dans une salle pleine de chats remarquables, vous aurez du mal à les découvrir par vous-même. Si la plupart des propriétaires sont ravis de parler de leurs chats, ils sont en général plus détendus après que les résultats ont été proclamés.

DIFFÉRENTS TYPES D'EXPOSITION

Il existe des expositions en tout genre, depuis celles organisées par des clubs locaux jusqu'aux grandes expositions nationales. En Grande-Bretagne, les expositions ne durent en général qu'une journée mais, en Europe continentale et en Amérique du Nord, elles s'étalent souvent sur deux jours. Elles commencent généralement le samedi matin et se terminent le dimanche après-midi, la fin de la journée étant réservée à la distribution des prix. Cela implique qu'il faut trouver à loger, pour une nuit, tant les propriétaires que leurs chats. Les expositions ont lieu de préférence en hiver, quand les chats à poil long ont une fourrure bien épaisse, ou en automne et au printemps, lorsque les Siamois sont au mieux de leur forme.

En haut
Il faut beaucoup d'expérience pour bien connaître les caractéristiques qui font un champion.

Ci-contre à gauche
L'heureuse propriétaire d'un lauréat d'un concours pour chats sans pedigree.

Ci-contre à droite
Sur cette photo générale d'une exposition, on distingue nettement les cages et les sections.

LES RÉGLEMENTATIONS

Chaque exposition se déroule selon les règlements particuliers de l'association qui l'organise mais, pour arriver au sommet, les règles sont toujours très strictes. En Europe continentale et en Amérique du Nord (et, en Grande-Bretagne, dans les expositions organisées par la Cat Association of Britain [CAB], fondée en 1983), le système est très ouvert : en présence du public, les chats sont amenés devant les juges réunis autour d'une table, et les résultats sont annoncés directement aux exposants et aux spectateurs. Selon le système britannique (GCCF), repris dans la plupart des pays du Commonwealth, les juges délibèrent devant les cages, et les résultats ne sont annoncés qu'à la fin. Dans le reste du monde, la procédure suit l'un ou l'autre de ces systèmes, avec de légères variantes.

LE GCCF

Du point de vue des modalités pratiques, la principale différence entre ces deux systèmes tient au fait que, dans les expositions organisées sous l'égide du GCCF, les juges délibèrent devant des cages où l'anonymat est strictement respecté : seule la cage porte un numéro d'ordre.

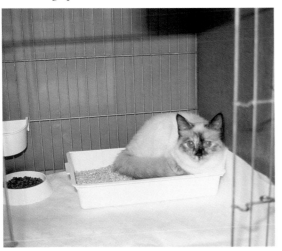

Tout le matériel apporté par le propriétaire – les auges, le plat à litière et la couverture sur laquelle repose le chat – doivent être blancs (bleus pour les chats blancs), sans aucune marque distinctive, et la cage n'est pas décorée ; sinon, le chat est disqualifié.

HORS DE GRANDE-BRETAGNE

Le système adopté en Europe continentale (et, en Grande-Bretagne, par la CAB) et en Amérique du Nord n'exige pas l'anonymat car les juges ne verront pas les cages personnelles des chats. Ceux-ci sont transférés dans une cage spéciale avant d'être présentés aux juges. Les propriétaires peuvent donc décorer et personnaliser comme ils le veulent les cages dans lesquelles leurs chats attendront d'être présentés au juge. Et certains ne s'en privent pas : certaines cages sont décorées avec des tissus et des rideaux harmonisés à la robe de leur occupant, avec des auges et des litières à l'avenant, des photos de ses géniteurs ainsi que des cocardes et rubans rappelant les prix déjà obtenus.

En haut à gauche
Sauf en Grande-Bretagne, les chats sont présentés directement aux juges au lieu de rester dans leurs cages.

En haut à droite
Aux États-Unis, les participants aiment bien décorer la cage de leur chat.

En bas à gauche
En Grande-Bretagne, le règlement prévoit que, dans une cage, tous les accessoires doivent être blancs et ne porter aucune inscription nominale.

LES CHAMPIONNATS

En France, pour qu'un chat puisse participer à une exposition, il faut d'abord que son propriétaire soit membre d'une association ou d'un club ; en outre, pour être inscrit dans l'une des catégories réservées aux chats de race, l'animal doit obligatoirement avoir un pedigree, et donc être inscrit au LOOF ; s'il n'a pas de pedigree prouvé, il peut être inscrit au RIEX sur avis de deux juges. La classe « Novices » regroupe les chats pour lesquels les propriétaires souhaitent une inscription au RIEX. S'il ne s'agit pas d'un animal de race, l'animal est inscrit dans la catégorie « Chats de maison ».

En France, les chats sont répartis en quatorze classes ; dans chacune d'elles sont délivrés des titres de « Champion » et de « Grand Champion ». Pour cela, il faut gagner des certificats décernés par les juges et en accumuler un certain nombre avant de participer aux concours dans les classes de championnat, où il faut alors remporter plusieurs victoires avant d'atteindre le statut de champion. L'animal pourra ensuite concourir dans les classes réservées aux animaux ayant déjà le statut de Champion et il pourra éventuellement devenir « Champion international », « Grand Champion » ou encore « Champion d'Europe ».

Il faut noter que les classes de championnat sont réservées aux animaux non castrés. Il existe en effet des classes spécifiques pour les chats castrés. Il y a aussi les « classes ouvertes » qui regroupent tous les neutres adultes, mâles et femelles. Les meilleurs neutres ne sont pas appelés « Champions » mais « Premiers ».

En haut à droite
Les enfants sont invités à participer aux expositions pour s'y familiariser.

En bas à gauche
Ce Persan a obtenu la récompense du plus beau chat au Madison Square Garden International Cat Show.

En bas à droite
Ce Bobtail japonais a été couronné vainqueur de sa catégorie au Madison Square Garden.

EXPOSITIONS NON OFFICIELLES

En dessous du niveau des expositions officielles, il existe parfois des expositions restreintes, appelées en France « présentations », notamment lorsqu'elles réunissent moins de quatre-vingts participants ; la concurrence n'y est pas moins sévère. Ces présentations suivent à peu près les mêmes règles générales et sont organisées, par exemple, à l'occasion d'une foire ou d'une fête locale. Cependant, les prix et les titres obtenus ne sont pas officiellement reconnus.

CHAMPIONNATS

En France, comme on l'a vu, pour pouvoir être inscrits dans une des quatorze classes de chats à pedigree, les animaux doivent avoir été enregistrés, en bas âge, auprès du LOOF. Mais, dans toutes les expositions, une catégorie est réservée aux chats sans pedigree : c'est celle des « chats de maison », dans laquelle les jeunes propriétaires présentent leurs premiers chats. C'est grâce à elle que sont nées de nombreuses vocations de félinophiles et elle permet aux amateurs de rencontrer des spécialistes. Toutes les associations félines considèrent qu'il est tout aussi important de veiller

au bien-être des chats en général que d'organiser l'enregistrement des pedigrees et de contrôler les expositions. C'est pourquoi elles souhaitent ouvrir leurs portes à tous les propriétaires de chats.

Les adhérents des associations et des clubs sont informés des dates des différentes expositions, qui ont lieu en général le samedi et le dimanche ; on a donc

tout intérêt à s'inscrire à un club local ou à une association spécialisée dans une race. En outre, ces dates sont annoncées longtemps à l'avance dans la presse spécialisée. Pour être membre, il n'est pas indispensable de posséder un chat de la race particulière ; cependant, certaines expositions sont réservées aux membres de l'association. Dans d'autres cas, l'exposition est ouverte à tous, mais seuls les chats présentés par les membres peuvent briguer les principaux prix. La qualité de membre permet d'obtenir des réductions, notamment sur le prix d'entrée ou d'inscription. Pour un débutant, un autre avantage est qu'il va rencontrer des éleveurs et des exposants aguerris et qu'il pourra ainsi recueillir de nombreux conseils et informations utiles.

COMMENT S'INSCRIRE

Pour participer à une exposition, il faut écrire au secrétariat pour demander (avec une enveloppe timbrée pour la réponse) le programme et un bulletin d'engagement. Vous y trouverez les conditions d'inscription ainsi que la liste des catégories prévues : par exemple pour les différentes classes d'âge, pour les chats neutres, pour les chats déjà primés et ceux qui ne l'ont pas encore été. On vous fournira aussi le règlement, qui prévoira par exemple l'interdiction de présenter des femelles à certaines périodes – en général, deux mois après qu'elles ont mis bas. Pour les chats de race, vous devrez fournir des précisions sur votre chat. Notez bien la date de clôture des inscriptions (parfois plusieurs semaines ou même plusieurs mois à l'avance) et étudiez soigneusement le règlement.

Envoyez en temps utile votre bulletin d'engagement, accompagné du droit d'inscription. Le plus souvent, les organisateurs demandent une enveloppe timbrée pour vous confirmer votre inscription et pour vous communiquer votre numéro d'inscription ainsi que d'autres détails, lorsqu'ils ne vous sont pas fournis à votre arrivée à l'exposition. Si vous avez des problèmes, adressez-vous au secrétariat avant d'envoyer votre bulletin.

LE SAVIEZ-VOUS ?
La plupart des chats écaille-de-tortue domestiques sont des femelles : en effet, les gènes qui donnent ces couleurs proviennent d'une combinaison de chromosomes X.

En haut
Les expositions favorisent les rencontres entre spécialistes et novices.

En bas à gauche
Les expositions permettent aux éleveurs de vendre leurs chatons de race.

153

PRÉPARATION

Avant la date prévue pour l'exposition, à l'exception des « présentations » locales, vous recevrez différents documents que vous devrez apporter. En particulier, il y aura peut-être des règlements supplémentaires, comme l'obligation de couper les griffes – mais il n'est pas question de les extraire. De plus, en France, l'identification par tatouage est obligatoire ;

En haut
Contrôle sanitaire à l'entrée d'une exposition.

En bas à droite
Certains chats n'apprécient pas qu'on les toilette. Aussi, mieux vaut ne pas présenter des animaux qui ne supportent pas cela.

les photocopies des certificats antirabiques et le numéro de tatouage vous seront demandés au moment de l'inscription ; le carnet de santé et le certificat de vaccination (à jour) doivent être présentés à l'entrée de l'exposition, lors de l'examen vétérinaire préliminaire ; tout animal malade ou suspecté de maladie sera disqualifié. Si, à la dernière minute, votre chat souffre d'une infection quelconque, vous devrez annuler votre participation et en informer le secrétariat.

À L'EXPOSITION

Une exposition féline est fondamentalement différente d'une exposition canine : les meilleurs chiens sont des exhibitionnistes qui se sentent bien dans l'atmosphère d'une exposition et aiment à se pavaner devant le public. Et beaucoup dépend aussi de la capacité du propriétaire à faire valoir les qualités de son chien. Dans une exposition féline, la situation est complètement différente : le chat est seul ; ne comptent que ses qualités intrinsèques, et tout ce que peut faire le propriétaire, c'est avant l'exposition qu'il le fait. Les chats qui ont l'habitude de participer à des concours restent plutôt flegmatiques, ne manifestant ni plaisir ni impatience.

Mais ce n'est pas le cas de tous : certains chats n'apprécient pas le toilettage intensif qui précède nécessairement toute exposition. D'autres n'aiment pas voyager ou ne se feront jamais à l'atmosphère particulière d'un concours. Inutile de leur infliger cette épreuve : ils ne remporteront aucun prix parce qu'un chat stressé n'est jamais au mieux de sa forme. Si vous tenez à participer à des expositions, achetez un chaton et préparez-le à ce genre de manifestation en l'habituant à être manipulé par des inconnus, à subir un toilettage intensif et à voyager.

Cela dit, on peut aussi prendre grand plaisir à assister à des expositions en tant que visiteur. Il faut du temps et du personnel pour les organiser, et votre aide bénévole sera toujours appréciée.

LES JUGES

Dans une exposition, les personnages les plus importants sont les juges, les assesseurs et les assistants. Tout juge est un expert d'une ou plusieurs races particulières (il existe aussi des juges « toutes races »). Pour devenir juge, il faut avoir une expérience de plusieurs années d'élevage et de participation à des concours, en tant qu'assistant, puis élève-juge. Il faut ensuite passer des examens écrits et pratiques, pour lesquels le candidat doit donner 85 % de réponses justes.

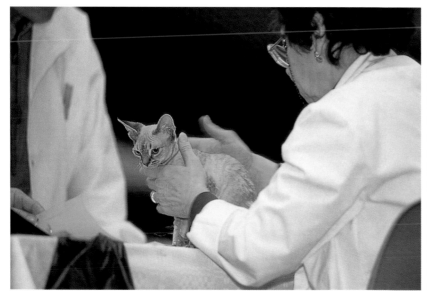

LES CONCOURS

Dans les expositions européennes, qui ont généralement lieu le samedi et le dimanche, le concours proprement dit commence dès le samedi en fin de matinée, après les inscriptions et les contrôles vétérinaires. Il se termine le dimanche en début d'après-midi : les vainqueurs sont présentés au public, et les propriétaires reçoivent des cocardes, des coupes, des rubans, etc. Chaque juge se voit attribuer un certain nombre de numéros, correspondant aux chats qu'il doit juger. Une fois que les juges des différentes classes ont terminé leurs examens, ils se réunissent et votent pour élire le gagnant dans chaque catégorie. S'il s'agit là d'une responsabilité partagée, chacun des juges est cependant confronté au difficile choix à faire entre les plus beaux chats de l'exposition, entre lesquels les différences de qualité seront minimes.

Quant à l'assesseur, il est chargé de préparer à l'avance le registre du juge, en y inscrivant le numéro d'inscription de chaque participant, il note les commentaires du juge et le nombre de points attribués à chaque chat.

Les exposants et les visiteurs ne sont pas autorisés, sous peine de disqualification, à parler au juge avant que la compétition ne soit terminée ; mais, après, la plupart des juges ne demandent pas mieux que de discuter de leurs décisions avec les propriétaires et à leur donner des conseils.

En effet, il est très difficile d'être juge : les critères de jugement ne sont ni simples ni évidents pour un œil non averti, d'autant qu'un même chat peut parfois être inscrit dans plusieurs classes ou catégories. En outre, tout ce que le juge sait du chat qu'on lui présente, c'est qu'il remplit les conditions minimales (points ou certificats) requises pour être admis dans une classe particulière. Les chats sont présentés de façon anonyme, sans indication de propriétaire. Dans un temps limité, le juge doit examiner le chat et le juger en fonction des autres chats qu'il a vus. Il prend des notes et, lorsqu'il a examiné tous les sujets d'une catégorie, il compare les différentes évaluations avant d'annoncer les gagnants.

En haut
Si l'on a l'intention de présenter un chat dans des expositions, mieux vaut l'habituer, dès son plus jeune âge, à être manipulé.

Ci-contre
Ce Burmese a remporté deux prix au National Cat Club Show britannique.

Les standards

POUR LES CHATS À PEDIGREE, les documents de référence fondamentaux sont les standards fixés par les organisations félines nationales pour chacune des races qu'elles reconnaissent.

LES STANDARDS

Les standards décrivent d'abord l'apparence générale de la race, puis chacune des parties de l'anatomie l'une après l'autre, précisant certaines caractéristiques, telles la disposition des yeux, la taille des oreilles ou la longueur de la queue. Le pelage est lui aussi décrit en détail, avec sa texture, sa qualité et sa couleur. Pour certaines variétés, les standards définissent le type, la disposition et la densité des marques, ainsi que, le cas échéant, la proportion relative de chacune des couleurs. Ils indiquent parfois aussi les marques admises pour la queue, les couleurs autorisées pour les yeux, ainsi que, pour les colourpoints, la couleur des extrémités. Certains standards précisent aussi les défauts – par exemple le strabisme chez les Siamois ou une queue nouée dans presque toutes les races.

LA PERFECTION

En fait, le standard décrit un sujet parfait d'une race et d'une variété particulières aux fins d'une exposition. En réalité, il n'existe aucun sujet parfait, dans aucune race ; cependant, dans une grande exposition, tous les chats présentés approcheront de ce modèle idéal. Aussi un novice aura-t-il intérêt à assister à une exposition en compagnie d'un félinophile averti qui lui indiquera les nuances qui permettent à un juge de se prononcer, et c'est précisément dans les associations ou clubs locaux que l'on pourra faire leur connaissance. Disons bien que le standard n'est pas nécessairement la description d'un champion car d'autres facteurs peuvent influencer la décision d'un juge. Il se peut, par exemple, qu'un chat possède toutes les qualifications requises par le standard mais que son tempérament ou son état de santé lui interdise de participer à des expositions. Au pis, il peut arriver qu'un chat griffe ou morde un juge, et celui-ci pourra alors le disqualifier – mais ce n'est pas certain. Car le juge a toujours le dernier mot.

En haut à droite
Un juge vérifie si la face d'un chat est bien conforme aux standards fixés pour cette race.

Ci-dessus
Profil d'un Chat sacré de Birmanie lilas.

Ci-contre
Le standard fixé pour une race peut préciser la couleur exacte et le type de poil requis pour chaque variété.

Un Siamois ne peut pas être bréviligne et un Bleu russe ne peut pas être svelte. Une fois établis ces principaux aspects du chat, le standard précise d'autres caractéristiques telles que la couleur des yeux, les marques, la forme des oreilles, etc.

STANDARDS PARTICULIERS

Toutes les associations qui tiennent un registre ont leurs propres standards, lesquels varient, ne serait-ce que sur des points de détail, d'un pays à l'autre et même, aux États-Unis, d'une association à une autre. Précisons que les indications fournies dans cet ouvrage, au chapitre

TROIS CRITÈRES FONDAMENTAUX

Les standards ont pour objectif premier de fixer des caractéristiques physiques qui serviront de références aux éleveurs, aux propriétaires et aux juges. On peut dire qu'ils se résument, en gros, à trois critères fondamentaux : la couleur, le pelage et la conformation du corps.

Chez un chat dont la couleur est annoncée « bleue », la couleur bleue devra correspondre à celle donnée par le standard, mais cette couleur « bleue » ne sera pas nécessairement la même d'une race à l'autre. En fait, il n'existe pas de chats vraiment bleus : selon les races, ce sera un gris bleuté ou un blanc bleuâtre. Quant au pelage, les standards précisent la longueur et la texture des poils. On n'imagine pas un Persan à poil court ni un British Shorthair sans son pelage dense caractéristique. De même, tous les chats appartenant à la même race ont un type physique (conformation) identique.

des « Races », ne sont que des résumés. Pour plus de détail, on se référera aux standards établis par l'association organisatrice de l'exposition à laquelle on souhaite participer. Les propriétaires qui ont l'intention de participer à une exposition doivent se procurer les dernières informations en date, car il arrive que les standards soient modifiés. Il existe des standards pour toutes les races qu'une association a reconnues (en France, le *Livre officiel des origines félines,* ou LOOF) ou inscrites au *Registre expérimental* (RIEX) et même pour des races dont la reconnaissance est en cours d'examen (auquel cas, le standard risque fort d'être amendé). Il arrive que la reconnaissance officielle soit refusée à une race, soit à cause d'incertitudes sur des anomalies génétiques, soit parce que le nombre de sujets de race pure est trop peu élevé (en général, il en faut au moins cent) pour que le maintien de la race puisse être assuré sans consanguinité excessive. La presse spécialisée vous tiendra informé des modifications des standards et de la reconnaissance de nouvelles races.

En haut à gauche
Les juges examinent la couleur de la robe, la texture du pelage et le type physique du chat.

En haut à droite
Pour être conforme au standard, le Scottish Fold doit avoir de petites oreilles inclinées vers l'avant.

UNE QUESTION DE QUALITÉ

Bien entendu, si un chat à pedigree ne satisfait pas à toutes les conditions fixées pour sa race ou sa variété, cela ne lui enlève pas son pedigree ; cela signifie simplement qu'il n'est pas apte à concourir parce qu'il sera comparé à des sujets plus proches de l'idéal. Il arrive à tous les éleveurs de trouver, dans une portée, des chatons qui ne satisfont pas au standard. Dans ce cas, soit ils les vendent – avec ou sans certificat de pedigree et avec ou sans la stipulation qu'ils ont été castrés/stérilisés – comme simples « animaux de compagnie » (ce dont le prix doit naturellement tenir compte), soit ils les utilisent comme reproducteurs, en espérant que les

imperfections d'une génération auront disparu dans la suivante. Bien évidemment, cela dépend de la nature du défaut, et cela explique aussi pourquoi, de plus en plus, les éleveurs s'intéressent à la génétique.

LES POINTS

Le standard de la race est le document de référence fondamental du juge, qui est lui-même un éleveur expérimenté ; aussi le connaît-il par cœur. En théorie, tout chat présenté dans un concours peut obtenir un maximum de 100 points par rapport au standard. Ces points sont répartis, en proportions variables, entre les différentes caractéristiques physiques, cette répartition pouvant d'ailleurs n'être pas la même d'une race à l'autre et d'une association à l'autre.

Par exemple, le standard d'une race permettra d'attribuer jusqu'à 20 points pour la tête, 15 pour la taille, la forme et la couleur des yeux, 50 pour la couleur et l'état de la fourrure et 15 pour la conformation. Ces points sont notés sur un formulaire, avec les commentaires du juge, en vue de l'attribution des certificats. Cependant, en pratique, si cette échelle de points, plus ou moins détaillée selon les associations, est partie intégrante des standards de l'exposition, ce n'est qu'une référence générale permettant au juge de décider dans quelle mesure chaque caractéristique correspond à l'idéal fixé par le standard.

Car, en fin de compte, le vainqueur est en général le chat qui présente le mieux. Outre les critères physiques fondamentaux fixés par le standard, les chats sont aussi jugés en

---

LE SAVIEZ-VOUS ?

L'expression « Acheter chat en poche » signifie acheter quelque chose sans l'avoir bien examiné.

En haut de la page
Tous les chatons d'une portée issue d'une chatte à pedigree n'auront pas nécessairement les qualités nécessaires pour être présentés dans une exposition.

fonction de leur aspect d'ensemble : lorsqu'un juge est tenté d'accorder à deux chats le même nombre de points, il donnera la préférence, pour les départager, à celui dont la condition et l'état général sont les meilleurs. Ainsi, un chat bien noté dans une exposition peut très bien ne rien obtenir dans une autre.

LES CHATS SANS PEDIGREE

Bien entendu, pour les chats sans pedigree, normalement présentés (en France) dans la catégorie « chats de maison », les juges ne se réfèrent pas à des standards. Même les comités de standards les plus diligents seraient incapables d'en définir pour des animaux de compagnie ! Dans cette catégorie, les juges vont plutôt estimer si le chat est en bonne santé et si leur propriétaire l'aime et en est aimé.
Il ne faut cependant pas croire qu'il leur soit plus facile de porter un jugement : la concurrence est forte, les exigences élevées, et il faut tout autant préparer ces chats avant le concours que ceux qui peuvent se prévaloir d'un pedigree et appartiennent aux catégories plus exotiques ou plus « nobles ».

En même temps, les juges sont bien conscients du fait que les conditions dans lesquelles vit un chat de maison sont bien différentes de celles d'un chat à pedigree, à qui l'éleveur a consacré beaucoup de temps et d'argent. Les félinophiles accordent beaucoup d'importance à ces concours entre chats sans pedigree, notamment parce qu'ils permettent de susciter de l'intérêt pour les chats et pour leur bien-être en général, en particulier, chez des jeunes qui peut-être un jour, deviendront à leur tour des félinophiles avertis.

AUX ÉTATS-UNIS

Aux États-Unis, outre les standards applicables à chacune des races et variétés, certaines conditions supplémentaires sont prévues pour l'état général des chats présentés dans les expositions : en effet, le plus souvent, il n'y a pas de contrôle vétérinaire à l'entrée, et il est prescrit que les propriétaires ne doivent pas présenter des chats dont l'état général serait insatisfaisant. En pratique, on imagine mal un propriétaire présenter un animal qui ne serait pas au mieux de sa forme. Mais du moins ces prescriptions permettent-elles au juge de disqualifier un chat qu'il n'estime pas digne de participer à une exposition.

> **LE SAVIEZ-VOUS ?**
> Les spécialistes pensent que les ancêtres des chats domestiques étaient des chats sauvages d'Afrique ; il est possible qu'ils se soient croisés avec des chats de la jungle ou des chats sauvages.

Ci-dessus
Ce tabby âgé de quinze mois a remporté le concours réservé aux « chats de maison ».

Avant l'exposition

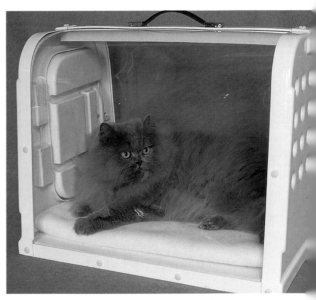

L'IDÉAL est de préparer un chat aux expositions dès son plus jeune âge : une exposition implique des activités que le chat n'apprécie pas lorsqu'il n'y est pas accoutumé, par exemple effectuer de longs trajets, rester longtemps enfermé dans une cage et être manipulé par des inconnus.

En haut à droite
Une excellente cage de voyage, bien ventilée et facile à nettoyer.

Ci-contre à droite
Il faut accoutumer les chats aux cages d'exposition.

PRÉPARATION

Mieux vaut donc commencer à accoutumer votre chat à ce genre d'expérience aussi tôt que possible. Les standards ne traitent pas du caractère des chats, mais celui-ci peut être décisif dans une exposition, car, lorsqu'un juge hésite entre deux chats de valeur à peu près équivalente, c'est souvent ce facteur qui fait pencher la balance. Même pour la catégorie des « chats de maison » (c'est-à-dire sans pedigree) ou, dans certaines expositions, celle des chats d'enfants, mieux vaut que l'animal y soit préparé pour être au mieux de sa forme le jour venu.

LES CHATS DE CONCOURS

Si vous voulez que votre chat vous fasse honneur, il faut qu'il prenne plaisir à participer à une exposition. Si, par exemple, vous ne mettez votre chat dans une cage de voyage que pour aller chez le vétérinaire, où l'expérience sera peut-être douloureuse, il réagira mal lorsque vous l'y mettrez pour l'amener à une exposition. Il y a deux solutions possibles à ce problème. L'une consiste à « noyer » la visite chez le vétérinaire parmi des expériences plus agréables :

dans ce cas, aussi souvent que possible, habituez votre chat à faire des déplacements de plus en plus longs, qui se concluront par une récompense. L'autre consiste à avoir deux cages très différentes, dont l'une sera exclusivement réservée aux expositions et dans laquelle vous lui ferez faire des trajets « à blanc », qui se concluront par une récompense.

Il faut aussi habituer votre chat à la cage d'exposition, dont la conception et les dimensions sont normalisées. Procurez-vous-en une, habituez

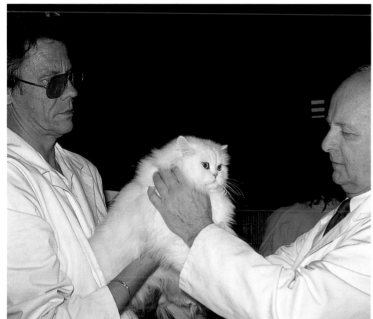

PRÉPARATION GÉNÉRALE

Il est essentiel que la préparation « psychologique » aux expositions s'accompagne d'une préparation physique. Il faudra donc, en particulier, veiller avec soin à son régime alimentaire et à l'entretien de son pelage (indépendamment des soins spécifiques précédant l'exposition) ; enfin, il devra faire suffisamment d'exercice. Il n'est pas rare que les chats à pedigree soient confinés dans le logement de leur propriétaire – pour des raisons compréhensibles –, mais cela signifie qu'il faut imaginer de multiples stratagèmes pour leur procurer de l'exercice et donc leur éviter de prendre du poids. L'idéal, c'est de leur construire un parcours extérieur aussi grand que possible. On peut accorder plus de liberté aux chats à poil court ou sans pedigree ; en revanche, il est difficile de conserver à un chat à poil long son pelage soigné si on le laisse aller et venir sans restriction.

La préparation immédiate à l'exposition devrait commencer environ quatre semaines à l'avance, mais, là encore, il est bon d'habituer progressivement l'animal à cette préparation intensive grâce à des « répétitions ». Vérifiez aussi que son carnet de vaccination est à jour et que vous avez bien sous la main tous les documents que vous devrez présenter à l'exposition. Faites aussi une visite chez le vétérinaire, en lui précisant que votre chat va participer à une exposition.

votre chat à y passer un peu de temps chaque jour et augmentez progressivement le temps qu'il y passe, en lui offrant toujours une récompense à la fin. On ne peut pas faire cela avec les cages de voyage, car elles sont trop petites. Puis, progressivement, vous pourrez ajouter, le cas échéant, des éléments normalisés prescrits par l'association organisatrice (par exemple auges à manger et à boire, plat à litière et couverture), pour que votre chat se familiarise à cet environnement.

Pendant l'exposition, votre chat sera manipulé par des professionnels expérimentés. Normalement, votre chat ne subit ce genre de traitement que lorsqu'il va chez le vétérinaire ; aussi, là encore, essayez de « noyer » cette expérience parmi d'autres plus agréables. En vous organisant bien, vous pourrez ainsi rassembler toutes les conditions de l'exposition – temps passé dans la cage, trajet et manipulation – de façon que, dans l'esprit du chat, tout cela soit associé. Éventuellement, demandez à des voisins ou à des amis de jouer le rôle de l'« étranger » afin que le chat s'habitue à être manipulé par différentes sortes de gens.

Il se peut que, malgré tous vos efforts, votre chat reste rétif à ce genre d'expérience. Dans ce cas, n'espérez pas le présenter dans des expositions : un chat qui arrive à une exposition déprimé ou stressé n'a aucune chance de remporter un prix.

En haut
Habituez votre chat à être manipulé par des étrangers pour qu'il ne soit pas désorienté pendant l'exposition.

En bas
Un Turc Van dans un parcours extérieur. C'est une excellente idée pour les chats d'intérieur.

LE SAVIEZ-VOUS ?

Selon la légende, Andro-clès, un esclave romain, avait ôté à un lion une épine plantée dans sa patte. Quand Androclès fut livré aux fauves dans l'arène, le lion le reconnut et l'épargna.

LE TOILETTAGE

Le toilettage qui précède une exposition est plus soigneux et prend plus de temps qu'un toilettage ordinaire. Il faut d'abord peigner le pelage avec un peigne fin pour éliminer pellicules et parasites. Puis on brosse l'animal, de préférence avec une brosse en soies de porc. Pour un chat à poil long, brosser la collerette vers l'avant de façon qu'elle encadre bien sa face, et démêler soigneusement les poils des pattes et de la queue. Pour un chat à poil court, on utilisera un tampon de soie ou une peau de chamois pour faire un ultime lustrage du pelage. Tout cela doit être fait aussi doucement que possible, pendant que l'on parle au chat, pour que celui-ci y prenne plaisir.

Sans trop attendre – deux ou trois semaines avant l'exposition –, vérifiez les griffes. Si le chat ne les entretient pas lui-même, par exemple en faisant de l'exercice, il faudra les couper. Certains propriétaires s'en chargent souvent eux-mêmes mais, si vous ne l'avez jamais fait, adressez-vous au vétéri-naire. De toute façon, il faut toujours être deux, utiliser un coupe-griffes approprié – et avoir de l'expérience. Demandez aussi au vétérinaire de vérifier les dents de votre chat, de les détartrer et de les nettoyer. Une mauvaise haleine ne fera pas bonne impression sur le juge.

En haut
Pour le toilettage qui précède une exposition, les accessoires à utiliser varient selon le type du chat.

En bas à droite
Toilettage d'un Persan bleu.

Quatre ou cinq jours avant l'exposition, shampouinez le pelage de votre chat ou, pour les poils courts, donnez-lui un bain de son. Mieux vaut bien entendu habituer votre chat à être baigné dès son plus jeune âge (vers six mois), mais rares sont les chats qui finissent par aimer vraiment cela.

LE BAIN

Comme pour couper les griffes, il vaut mieux être deux pour baigner un chat : quelqu'un pour le tenir et quelqu'un d'autre pour le baigner. La meilleure baignoire, c'est encore une grande cuvette posée sur le plan de travail de la cuisine, avec plusieurs serviettes autour, car, inévitablement, il y aura beaucoup d'éclaboussures. L'eau doit être tiède, pas trop chaude, comme pour un bain de bébé, dont on vérifie la température en y plongeant le coude. Pour le shampoing, on prendra soit un produit spécialisé, soit du shampoing pour bébé. Surtout ne pas utiliser du shampoing pour adultes.

Avant de baigner votre chat, éliminez de son pelage toute tache de peinture, de suie ou autres substances difficiles à enlever. La meilleure façon de procéder consiste à ce que le chat ait, alternativement, les pattes postérieures et les pattes antérieures dans l'eau pour qu'il repose toujours en partie sur une surface solide et sèche. Mouillez tout le pelage puis faites pénétrer le shampoing, en évitant les yeux, les oreilles, le nez et la bouche. Puis rincez rapidement à deux reprises pour bien enlever tout le shampoing, éventuellement avec une pomme de douche. Vous aurez au préalable préparé des serviettes chaudes pour le sécher

immédiatement, parce que les chats attrapent facilement un rhume (coryza). Certains acceptent qu'on les sèche avec un sèche-cheveux à basse température, mais n'insistez pas si votre animal manifeste des signes de désagrément. Après le bain, brossez votre chat comme d'habitude et gardez-le au chaud jusqu'à ce que son pelage soit bien sec.

LE SHAMPOING SEC

Pour ceux qui n'ont pas le courage de se lancer dans une entreprise de ce genre ou qui considèrent inutile de baigner les chats à poil court, on peut donner à l'animal soit un shampoing sec, soit un bain de son. Les boutiques spécialisées vendent des shampoings secs spéciaux, mais beaucoup de gens utilisent simplement du talc non parfumé, de la terre de Fuller (argile sèche) ou de la farine. Là encore, il faut être deux. On «ouvre» le pelage de la tête à la queue, par un brossage léger, on met la poudre et on masse légèrement avec les doigts. Il faut laisser le produit agir pendant quelques heures, pendant lesquelles le chat en léchera une partie ou s'en débarrassera en s'ébrouant. Puis on éliminera le reste par un brossage et un peignage soigneux.

Les règlements des expositions refusent tout chat dont le pelage montre des traces de substances nettoyantes ; c'est pourquoi le bain sec devra être

fait au moins quatre jours avant l'exposition. Il est également interdit d'utiliser une teinture ou un agent colorant pour modifier la couleur naturelle de la robe d'un chat.

Pour le bain de son, on procédera de la même façon. Le son que l'on utilise est celui que l'on donne à manger aux lapins. Après l'avoir légèrement réchauffé, on le fait délicatement pénétrer dans le pelage, et on l'y laisse quelques heures avant de l'éliminer complètement par brossage. Sur des pelages foncés, mieux vaut ne pas utiliser de talc ou de poudre, dont la moindre trace pourrait faire croire que votre chat a des pellicules. Il existe de nombreux trucs pour relever la couleur d'un pelage sombre, entre autres l'eau de Cologne ou une solution ammoniaquée. Mais mieux vaut demander l'avis du vétérinaire pour éviter toute réaction allergique.

En haut à gauche
Il faut habituer le chat au bain dès son plus jeune âge.

En haut à droite
Il faut nettoyer les chats à poil long avec une poudre, que l'on enlève ensuite à la brosse.

En bas à droite
Bain de son pour un Bleu russe.

LE TOILETTAGE

Les boutiques spécialisées proposent différents types de lotion pour le toilettage. En général, on en verse quelques gouttes sur un tampon absorbant que l'on passe méthodiquement des épaules à la queue, en évitant la tête ; ensuite, on essuie doucement le pelage avec un chiffon sec.

Pour les chats à poil long, évitez de couper les « nœuds » quand l'exposition approche : dans certains cas, cela vaudra à votre chat d'être disqualifié et, de toute façon, cela fait mauvais effet sur les juges.

DERNIERS PRÉPARATIFS

Dans les jours qui précèdent le concours, rassemblez tout le matériel nécessaire pour le jour J. Nettoyez et désinfectez bien la cage de transport, mettez-y de la litière fraîche. Prévoyez deux ou trois couvertures chaudes – une pour mettre au fond de la cage au début, et les autres en cas d'urgence. Pour la couleur et la composition, vérifiez auprès du secrétariat du concours : en Grande-Bretagne, les couvertures doivent être blanches et en tissu naturel ; ailleurs, elles peuvent être de couleur. N'oubliez pas les auges pour la nourriture et l'eau ni le plateau pour la litière.

En Grande-Bretagne, tout cela doit être blanc ; ailleurs, les couleurs peuvent être assorties. Vous pourrez acheter de la nourriture et de la litière à l'exposition, mais mieux vaut prendre une provision des aliments préférés de votre chat. Beaucoup de propriétaires emmènent aussi leur propre réserve d'eau, car certains chats refusent de boire de l'eau à laquelle ils ne sont pas habitués. N'oubliez pas quelques friandises dont votre chat a l'habitude, ainsi que des sacs en plastique pour la litière souillée et autres déchets. En hiver, prévoyez une bouillotte qui pourra être dissimulée dans la couverture. Vous pouvez aussi prendre deux ou trois jouets de votre chat mais, dans certains cas, il est interdit de les placer dans la cage avant la fin des délibérations des juges.

Ci-contre
Tous les accessoires nécessaires pour participer à une exposition en Grande-Bretagne.

Dans les expositions où chaque chat est apporté individuellement au juge dans une salle à part, les propriétaires sont autorisés à orner la cage de rideaux, de coussins ou autres et aussi à y accrocher les cocardes, rubans et autres prix remportés par le chat, ainsi qu'une pancarte donnant des précisions sur l'animal et son propriétaire. Là encore, mieux vaut préparer tout cela à l'avance pour éviter les oublis de dernière minute.

ULTIMES DÉTAILS

Enfin, vérifiez une fois encore le règlement pour être certain de bien remplir toutes les conditions. Dans certains pays, tout chat présenté doit être muni d'un disque d'identification distribué par l'organisateur. Le cas échéant, habituez votre chat à porter quelque chose de similaire.

Faites un dernier toilettage complet la veille au soir, en éliminant bien à la brosse toute trace de poudre. Inutile de laver et de brosser un chat à poil long juste la veille : rien ne vaut un bain et un brossage réguliers pour lui donner une belle fourrure. À l'exposition, vous ne serez autorisé à utiliser que la brosse, le peigne et une serviette.

Avant de partir de chez vous et pendant le trajet, surtout, restez calme : si vous êtes énervé, votre chat le sentira et s'en ressentira. Préparez soigneusement l'itinéraire à suivre et calculez largement le temps nécessaire pour arriver à l'exposition (ou à votre hôtel).

Vérifiez bien que votre chat ne présente aucun symptôme de maladie (nez ou yeux qui coulent ou autre). En cas de doute, mieux vaut vous résigner à ne pas participer : inutile d'infliger un long trajet à votre chat et à vous-même pour vous voir refuser l'entrée. Bien entendu, prévenez le secrétariat de votre désistement.

En haut à droite
Annonce
d'une exposition.

Ci-contre
N'arrivez pas trop tard à l'exposition pour éviter le stress – celui du chat, mais aussi le vôtre.

Les expositions dans le monde

DANS LE MONDE, plusieurs centaines d'expositions de haut niveau sont organisées chaque année sous l'égide des grandes associations internationales, notamment la FIFé, qui compte des membres dans une vingtaine de pays européens (y compris dans l'ex-Europe de l'Est), le GCCF (en Grande-Bretagne) et la TICA (aux États-Unis). Il existe, fondamentalement, deux systèmes.

LE SYSTÈME AMÉRICAIN

Selon le système américain de l'*open ring,* chaque section *(ring)* est considérée comme un concours autonome, placé sous la responsabilité d'un seul juge. Une ou plusieurs sections peuvent être ouvertes à toutes les races d'un certain âge, alors que d'autres peuvent être réservées, par exemple, aux poils longs ou aux poils courts. Ainsi, un chat peut participer à plusieurs concours dans la même exposition et récolter plusieurs prix.

Dans chaque section, on appelle par haut-parleur les numéros des cages des chats en compétition.

Des assesseurs sont chargés de vérifier que le chat correspond bien à ce qui est indiqué au catalogue, de prendre note des décisions du juge et de rédiger le procès-verbal de chaque concours. C'est un assistant qui est chargé de présenter

chaque chat, l'un après l'autre, au juge, qui l'examine de près et à bout de bras. Tout chat qui mord ou qui est jugé «récalcitrant ou menaçant» est disqualifié. Il ne pourra être présenté dans aucune autre section de cette exposition. Après chaque examen, le juge se désinfecte les mains.

Lorsqu'il a examiné tous les chats, le juge annonce les résultats et distribue aux lauréats les certificats, les rubans et les cocardes, qui pourront être accrochés à la cage du chat. Comme dans d'autres pays, les prix sont essentiellement symboliques, mais certains propriétaires reçoivent parfois, en guise de prix, un abonnement à une revue, des livres sur les chats, etc.

Lorsque toutes les classes ont été jugées, on arrive aux «finales». C'est sur la base des points attribués précédemment par les juges que seront décernés les titres de «Best Champion», «Second Best Champion», «Best Premier» et «Second Best Premier».

QUESTION DE CONFORT

Aux États-Unis comme en Europe continentale, les juges ne parcourent pas la halle centrale où les chats attendent de leur être présentés, aussi les règlements sur l'équipement et la décoration des cages sont-ils très tolérants. Les propriétaires peuvent orner les cages avec des draperies de couleur, de la publicité et les trophées déjà obtenus par le chat ; ils peuvent aussi mettre dans leur cage

En haut
Un juge examine un chat au Madison Square Garden.

Ci-contre
Le lauréat des poils longs à l'exposition de Madison Square Garden.

une couverture de couleur, des jouets ou autre chose encore. Certains propriétaires vont même jusqu'à y installer un système de sécurité et la climatisation.

LES DIFFÉRENTES CLASSES

En France, les règlements du LOOF prévoient, dans les différentes catégories (poils longs, poils mi-longs, poils courts et, parfois, des catégories « spéciales ») plusieurs classes, une distinction étant faite entre « Champions » (chats entiers) et « Premiers » (chats neutres). La première classe est celle de Champion

CAC (Certificat d'aptitude au championnat) et CAP (Certificat d'aptitude au prémoriat, pour les chats neutres). Il faut trois CAC ou CAP pour être Champion/Premier. Puis vient la classe de Champion international/Premier international CACIB/CAPIB (Certificat d'aptitude au championnat/prémoriat international de beauté) pour les chats ayant obtenu trois titres dans deux pays ou cinq titres en France.

Vient ensuite la classe de Grand Champion international et Grand Premier international CAGCI/CAGPI (Certificat d'aptitude au grand championnat/prémoriat international) pour les chats ayant obtenu trois titres dans trois pays différents ou cinq titres en France avec quatre juges internationaux différents. La classe de Champion d'Europe et de Premier d'Europe CACE/CAPE (Certificat d'aptitude au championnat/prémoriat européen) est réservée aux chats ayant obtenu trois titres dans trois pays différents ou cinq titres en France avec cinq juges internationaux différents. La classe de Grand Champion/Premier d'Europe CAGCE/CAGPE (Certificat d'aptitude au titre de Grand Champion/ Premier d'Europe) accueille les chats ayant obtenu cinq titres dans cinq pays différents ou six titres en France.

La classe d'honneur est réservée aux Grands Champions et Grands Premiers. Il existe aussi des classes pour les trois à six mois, pour les six à neuf mois, pour les adultes (à partir de neuf mois) classés par race, couleur et sexe, et une pour les « chats de maison ».

Au centre
Aux États-Unis,
les chats peuvent
être présentés dans
plusieurs catégories.

En bas à gauche
Un chat entouré
de plusieurs cocardes.

En bas à droite
Chatons à vendre
dans une exposition
aux États-Unis.

LE SAVIEZ-VOUS ?

L'expression « La nuit, tous les chats sont gris » signifie que, dans l'obscurité, on peut facilement confondre les gens et les choses, volontairement ou pas.

LE DÉROULEMENT D'UNE EXPOSITION

Chaque association a son propre règlement pour les expositions qu'elle organise mais, en Europe continentale, les procédures suivies ne divergent que sur des points de détail.

À l'exception des États-Unis, une exposition commence toujours par un contrôle vétérinaire. Le chat est très soigneusement examiné et son carnet de santé vérifié. Au moindre signe de maladie, un animal sera exclu de l'exposition pour éviter tout risque de contagion. De même, si un animal présente des symptômes de maladie pendant l'exposition, il sera exclu avec, le cas échéant, tous les autres chats du même propriétaire.

Après le contrôle vétérinaire, l'exposant admis à concourir reçoit un numéro de cage par chat inscrit. Ce numéro servira à identifier l'animal lorsqu'il passera devant les juges, tout en préservant l'anonymat du propriétaire.

Celui-ci va alors placer son chat dans la cage qui lui a été attribuée ; il est interdit de mettre un chat dans une cage autre que celle qui porte le numéro qui lui a été affecté. Le propriétaire aménage l'intérieur de la cage avec les accessoires autorisés (coussin, panier pour les chatons, etc.) et il peut en garnir le fond avec les cocardes et rubans précédemment gagnés, le devant étant réservé aux éventuelles récompenses obtenues pendant l'exposition.

Pour les expositions qui s'étalent sur deux jours (ce qui est très souvent le cas en Europe continentale, à cause des distances), le concours proprement dit commence immédiatement après le contrôle vétérinaire. Le propriétaire met la dernière main à la présentation de son chat. Les juges sont assis à une grande table dans une salle accessible au public. Eux seuls sont autorisés à faire des commentaires ; une remarque intempestive d'un membre du public peut entraîner la disqualification de l'animal présenté. Les chats sont installés dans des cages placées derrière ou à côté des juges. Des assesseurs vont chercher les chats l'un après l'autre dans leurs cages et les présentent sur la table de jugement. Lorsque l'assistant a remis le chat dans sa cage, on désinfecte la table et les mains du juge et de l'assistant.

En haut
Les expositions félines n'étant pas organisées dans un but commercial, il est interdit de mettre un panneau « À vendre » sur une cage.

En bas
Une cage décorée.

On passe ensuite à l'élection des meilleurs sujets dans chacune des catégories représentées (les trois longueurs de poils et éventuellement les catégories spéciales) : les lauréats de ces catégories sont admis à concourir pour le titre de plus beau chat de l'exposition : des juges toutes races choisissent le « Best of Best », qui récompense le meilleur chat de l'exposition. Enfin, le titre de « Best Suprême » peut être attribué dans certains cas, sur décision des organisateurs et selon des modalités différentes, en fonction du règlement particulier de l'exposition. Le lauréat est choisi parmi les « Best of Best » de l'exposition, et seuls les juges « toutes races » peuvent voter pour attribuer ce titre.

Tous les vainqueurs, en fonction de l'importance de leur titre, reçoivent une coupe, une cocarde ou un ruban, qui peuvent être exposés devant leur cage jusqu'à la fin de l'exposition. Si elles font la fierté du propriétaire et rétribuent ses efforts, ces récompenses servent en outre à faire avancer l'animal dans la classe supérieure. Mais un chat très bien noté dans une exposition peut ne rien obtenir dans une autre : tout dépend de sa forme du moment et du jeu de la concurrence, qui est toujours très sévère.

LES CRITÈRES

En France, les chats sont répartis en trois catégories : poils longs, poils mi-longs et poils courts ; chaque catégorie comprend une série de classes (voir page précédente) soigneusement définies par des standards, en fonction desquels, comme on l'a vu précédemment, les juges attribuent à chaque animal un certain nombre de points ; leurs commentaires sont inscrits sur des formulaires. Mais, outre la conformité au standard, les juges évaluent la condition d'ensemble du chat (on peut lui donner des vitamines, mais les tranquillisants sont interdits !) notamment lorsqu'il faut départager, dans une même classe, deux sujets ayant obtenu le même nombre de points.

LES TITRES

Après la distribution des certificats et des titres de champions, les distinctions suivantes sont attribuées : « Meilleur de Variété/Race » pour le meilleur sujet d'une même race et/ou d'une même couleur ; « Meilleur de l'exposition » dans trois catégories : poils courts, poils mi-longs et poils longs (parfois, il est aussi attribué dans une exposition réservée à une race particulière) ; « Best adulte », « Best jeune » ; il est aussi prévu un titre « Best neutre » pour les chats castrés/stérilisés.

En haut
Présentation d'un Ragdoll. La table est désinfectée après chaque chat.

En bas à droite
Grâce aux particularités des règlements américains, ce Cornish Rex a obtenu deux prix.

Le monde des félinophiles

ON TROUVE des associations félines dans la plupart des pays développés ; cependant, les distances et, dans certains pays, des mesures de quarantaine limitent parfois les possibilités d'expositions internationales. Cela n'empêche pas les associations des différents pays d'entretenir des relations étroites, en particulier pour la reconnaissance des races et la rédaction de standards.

LA FÉLINOPHILIE

Ce réseau international d'amateurs de chats (ou félinophiles) permet aux éleveurs d'importer et

d'exporter des chats à pedigree, notamment lorsque des maladies attaquent une race particulière dans un pays donné ou lorsque des éleveurs veulent implanter une nouvelle race dans un pays.

Chaque association nationale fixe ses propres règles pour la définition et la reconnaissance des races, en fonction des préférences nationales et aussi de la disponibilité d'une race particulière. En principe, une race n'est reconnue qu'à partir du moment où elle compte suffisamment de représentants (en général 100) pour créer un ensemble viable de gènes et éviter une consanguinité excessive.

LA COOPÉRATION INTERNATIONALE

À la suite du mouvement amorcé en Grande-Bretagne à la fin du XIXe siècle, des associations et expositions n'ont pas tardé à être organisées sur le continent européen, où il n'y a jamais eu beaucoup d'obstacles à la libre circulation des chats, pour autant

qu'ils aient été vaccinés contre la rage. Cependant, les deux guerres mondiales ont porté un coup sévère au mouvement félinophile : en raison de la pénurie alimentaire et de la difficulté à organiser des expositions, certaines races faillirent bien disparaître. Aussi, après 1945, la coopération internationale est-elle apparue comme le meilleur moyen de reconstituer les races en danger et, de façon générale, d'intensifier les échanges dans l'intérêt du bien-être des chats. Depuis, les grandes expositions organisées sur le continent européen attirent beaucoup de participants d'autres pays.

LE SAVIEZ-VOUS ?
« Ne réveillons pas le chat qui dort » : mieux vaut ne pas évoquer une affaire délicate et relancer une controverse pénible, ou attirer l'attention d'un ennemi qui reste tranquille.

En haut
Un juge examine un Abyssin.

En bas à droite
En Europe continentale, les expositions attirent des concurrents de plusieurs pays.

européens, elle prit le nom de Fédération internationale féline (FIFé) ; celle-ci constitue actuellement l'organe central de référence pour les associations européennes de félinophiles. C'est la plus grande organisation féline internationale : elle représente plus de 150 000 éleveurs et exposants. Chaque association ou club national affilié à la FIFé tient ses propres registres mais, de façon générale, tous reconnaissent

En 1949 fut fondée, à l'initiative de la France et de la Belgique, la Fédération internationale d'Europe (FIFE), qui comptait alors dix membres. À la suite de l'adhésion de nombreux pays non

les standards et admettent les reconnaissances dès lors que la FIFé a donné son approbation.

Celle-ci est en outre responsable, entre autres, de l'introduction de nouvelles races et de la réglementation des expositions organisées par ses membres. La FIFé compte quarante membres dans une trentaine de pays.

En 1994 commencèrent les discussions qui aboutirent à la création du World Cat Congress, dans lequel sont représentés la FIFé, la World Cat Federation, l'ACF, la TICA et la CFA.

Le World Cat Congress s'est fixé pour objectifs, définis dans une charte adoptée en 1999, de promouvoir la santé, le bien-être et la protection des chats au niveau international, de faire mieux connaître les aspects positifs de la félinophilie, de promouvoir la discussion et la coopération inter-nationales et de favoriser l'échange d'informations entre les membres, en particulier sur la reconnaissance des races, les maladies, la législation et la recherche scientifique.

En haut
Quand plusieurs pays concourent, un titre de Champion international est en jeu.

En bas à gauche
De nombreuses expositions internationales sont organisées en Europe – ici en Allemagne.

En bas à droite
Le Cat Club de Paris est l'un des principaux organisateurs d'expositions.

célèbre est le Supreme Show. Les grandes manifestations félines de niveau international se multiplient aussi dans les pays de l'ancienne Europe de l'Est, qui comptent plusieurs associations membres de la FIFé.

ASSOCIATIONS AMÉRICAINES

Rien qu'en Amérique du Nord, on compte environ quatre cents expositions organisées par les principales associations américaines : la Cat Fanciers' Association (CFA), l'American Cat Fanciers' Association (AFCA), l'American Cat Association (ACA), la Cat Fanciers' Federation (CFF), la United Cat Federation (UCF), l'American Cat Council (ACC) et The International Cat Association (TICA). Pour qu'un chat puisse être présenté dans une exposition, il doit avoir été enregistré dans l'association qui l'organise.

CANADA

L'Association féline canadienne (bilingue français-anglais) est responsable des enregistrements pour tout le Canada. Elle est surtout présente dans le sud-ouest du pays. Par ailleurs, trois grandes organisations des États-Unis – la Cat Fanciers' Association (CFA), l'American Cat Fanciers' Association (ACFA) et The International Cat Association (TICA) – comptent parmi leurs membres des clubs canadiens. Comme il n'y a pas de restrictions particulières dans ce domaine entre les États-Unis et le Canada, les chats peuvent circuler librement d'un pays à l'autre, aussi les échanges sont-ils nombreux, tant entre expositions qu'entre éleveurs. La plupart des expositions canadiennes se déroulent selon le système des États-Unis (open ring).

Il existe au Canada un championnat organisé à peu près comme celui d'Europe. L'élevage canadien tend à être occulté par celui

EUROPE

Dans la plupart des pays d'Europe, il existe, outre les associations affiliées à la FIFé, au moins une grande association qui tient son propre registre ; c'est le cas en Grande-Bretagne où, à côté de la Cat Association of Britain (CAB), affiliée à la FIFé, le Governing Council of the Cat Fancy (GCCF) est autonome. Par ailleurs, certains clubs ne s'intéressent qu'à des races spécifiques.

En Europe continentale, de nombreux exposants présentent leurs chats dans plusieurs pays. Comme aux États-Unis, en raison des distances à parcourir, les expositions durent souvent deux jours. L'une des plus grandes expositions européennes est celle organisée par le Cat Club de Paris ; en Grande-Bretagne, la plus

Ci-dessus
Dans la halle centrale de l'exposition, les cages peuvent être décorées.

Ci-contre
En Europe continentale, les spectateurs sont autorisés à assister à l'examen des chats.

des États-Unis, mais c'est au Canada que l'on doit d'avoir introduit, dans les années 1960, la race tonkinoise.

SUISSE

Le Cat Club de Genève a été fondé en 1934. La Fédération féline helvétique (FFH), affiliée à la FIFé, organise trois types d'exposition : des expositions de deux jours pour un certificat, avec toutes les catégories ; des expositions de deux-fois-un-jour pour un certificat, à catégories séparées ; des expositions de deux-fois-un-jour pour deux certificats, avec toutes les catégories. Un chat ne reçoit un certificat en exposition que s'il est le meilleur de sa classe dans sa race et sa variété.

AUSTRALIE ET NOUVELLE-ZÉLANDE

Chacun des États d'Australie a sa propre association féline, toutes affiliées au Coordinating Cat Council of Australia, de même que la Nouvelle-Zélande (New Zealand Cat Fancy). Les expositions sont en général organisées selon la procédure du GCCF britannique.

Outre les expositions officielles, des expositions locales sont souvent organisées dans le cadre des foires. Il n'existe pas de race de chats indigènes : les premiers chats furent apportés par des colons au XIXe siècle. Les manifestes des navires datant de cette époque mentionnent souvent des chats en même temps que des semences et des outils.

JAPON

Il existe des liens étroits entre les associations américaines et les associations japonaises. La CFA, l'AFCA et la TICA comptent parmi leurs membres des clubs japonais, qui organisent des expositions (selon le système américain de l'*open ring*) avec leurs propres règles. C'est par leur intermédiaire qu'a été introduit en Occident, dans les années 1960, le Bobtail japonais.

Comme il n'y a pas de quarantaine au Japon, les éleveurs peuvent librement importer des chats des États-Unis.

En haut
Les expositions organisées au Canada ressemblent beaucoup à celles des États-Unis.

En bas
Le Bobtail japonais a été introduit en Occident grâce à des expositions au Japon.

LE SAVIEZ-VOUS ?
Le chat-pêcheur d'Asie (ou chat viverrin) est petit mais robuste. Il est adapté à la vie semi-aquatique : ses pattes sont en partie palmées, ce qui lui permet de nager.

Le comportement des chats

EN GÉNÉRAL, les gens ne considèrent les chats – les leurs ou d'autres – qu'individuellement, et il est vrai que la plupart des félins sont plutôt des créatures solitaires. C'est en tout cas vrai lorsqu'ils chassent (on ne connaît guère qu'un exemple de félin qui chasse normalement en groupe : le lion) ou encore lorsqu'ils patrouillent sur leur territoire. Le titre : « Le chat qui s'en allait tout seul », dans les *Histoires comme ça* de Rudyard Kipling, est donc tout à fait justifié.

LA VIE SOCIALE DES CHATS

Le chat est différent des autres félins, puisqu'il peut être domestiqué : il accepte de l'homme nourriture, logement – et compagnie. Pourtant, chez les chats libres (mais non chez les harets), les femelles vivent ensemble, avec leurs chatons, qui dorment et jouent ensemble, et elles s'associent pour défendre leur territoire ; en fait, sous une forme modifiée, c'est aussi le comportement des chats domestiques.

Ci-dessus
Ces chats libres se retrouvent pour manger sur un territoire commun.

En haut à droite
Cette chatte déplace ses petits pour les mettre à l'abri de prédateurs éventuels.

Ci-contre
Ces deux chats se saluent amicalement, chacun se familiarisant avec l'odeur de l'autre.

CHEZ LES CHATS LIBRES

À l'état libre, le territoire (ou domaine vital) occupé par les femelles est relativement limité ; c'est là qu'elles se nourrissent et dorment, et ce territoire peut comporter des secteurs communs avec celui d'autres femelles, où elles se rencontrent et partagent des activités. Le territoire des mâles peut être jusqu'à 10 fois plus grand et se confondre avec celui de plusieurs femelles.

Seules les femelles s'occupent des chatons : après l'accouplement, le mâle s'en va – ou est chassé par la femelle, qui se prépare toute seule à la gestation et à la naissance. Au bout de six à huit semaines, elle commence à chercher un endroit chaud, protégé et isolé pour mettre bas. Elle n'hésitera pas à changer plusieurs fois de place tant qu'elle n'aura pas trouvé le lieu qui lui convient.

LES CHATONS

Il est essentiel que la femelle puisse trouver facilement des proies car, une fois les chatons nés, la mère ne les quittera jamais plus de quelques minutes. La période de gestation est d'environ neuf semaines. Dès qu'un chaton naît, la mère le lave et mange le sac dans lequel il est né, son cordon ombilical et le placenta, pour qu'ils n'attirent pas des prédateurs. Pendant plusieurs semaines, elle va s'occuper exclusivement de ses petits, les nourrir et les élever ; lorsqu'un chaton est trop faible, il arrive qu'elle le laisse mourir. Lorsqu'elle a repris des forces, la mère s'installe parfois dans un nouvel endroit propre et confortable.

Ci-contre
Ces chats libres
se retrouvent la nuit
pour se nourrir.

Ci-dessous
Ce mâle libre devra
s'imposer pour établir
son territoire
(ou domaine vital).

Cela signifie que, chez les chats libres, la mère vit toujours seule avec ses chatons. Lorsque, vers six mois, les chats atteignent leur maturité sexuelle, ils partent à la recherche de partenaires, et le cycle recommence. Les mâles vont assez loin, tandis que les femelles ont plutôt tendance à ne pas trop s'éloigner de l'endroit où elles sont nées. Mais chacun – mâle et femelle – a son propre territoire, déterminé en partie par la possibilité de trouver un(e) partenaire sexuel(le) et de la nourriture.

LES COLONIES

Chez les femelles vivant en colonie, la hiérarchie est fonction du nombre de chatons qu'a eus chacune d'elles : la femelle dominante est en général la femelle sexuellement active la plus âgée. Certaines femelles proviendront de la même portée et auront donc été en contact depuis la naissance, ce qui assure la cohésion naturelle du groupe. La femelle qui vient de mettre bas acquiert une prééminence temporaire, avant de retrouver sa place naturelle dans l'ordre social lorsque ses chatons auront été sevrés. Parfois, une autre femelle ayant mis bas récemment l'aide à nettoyer les nouveau-nés et à s'occuper d'eux.

Pour un mâle libre qui fait son entrée dans le monde, la situation est plus difficile : il lui faut, littéralement, se battre pour occuper un territoire et affronter plusieurs compétiteurs dans des combats parfois terribles et qui peuvent lui causer de graves blessures. Beaucoup en gardent des marques : cicatrices, oreille déchirée, etc. ; ces affrontements peuvent d'ailleurs durer plusieurs nuits. Pourtant, même après s'être imposé sur son territoire et avoir gagné sa place dans la hiérarchie, le nouveau mâle devra affronter d'autres combats pour trouver une partenaire et défendre son domaine vital.

LE SAVIEZ-VOUS ?

Les os de poulet risquent d'étouffer un chat, et les os de lapin, de provoquer des perforations. Cela peut arriver aussi (quoique rarement) avec les os d'autres animaux.

Une fois qu'une femelle a accepté un mâle – ce qui peut prendre plusieurs heures si elle ne le connaît pas –, la copulation est rapide. Le mâle monte sur la femelle par-derrière, attrapant son cou par les dents. L'accouplement terminé, il se dépêche de s'éloigner pour éviter d'être attaqué par la femelle. La femelle ne fait aucune difficulté pour accepter plusieurs fois le même mâle, jusqu'à ce qu'il soit épuisé. Ou encore, elle pourra accepter d'autres mâles, jusqu'à ce que son œstrus soit terminé. Quant au mâle, il ira peut-être chercher une autre femelle.

DANS UNE COLONIE

La femelle et le mâle dominants, donc au sommet de la hiérarchie, ont droit aux meilleurs endroits pour dormir, pour mettre bas (pour les femelles) et pour chasser. Une fois ces privilèges bien établis, les chats s'installent dans leurs groupes respectifs, et la paix relative règne – jusqu'à ce qu'arrive un autre intrus.

Chez les chats libres, la structure sociale dépend de l'activité sexuelle, ce qui interdit donc à des chats castrés d'y pénétrer. S'il se perd (ou est abandonné) dans la nature, le chat domestique castré n'a aucune chance de s'intégrer à un groupe ; il est condamné à vivre seul, avec tous les dangers que cela implique.

LA ROUTINE DOMESTIQUE

Les chats domestiques n'ont pas autant que les chats libres de possibilités de rencontrer d'autres chats et, s'ils ont été opérés, l'instinct sexuel ne les poussera pas à rechercher la compagnie de leurs congénères, comme le font les chats libres. Pourtant, les chats domestiques qui sortent la nuit ont eux aussi une certaine vie sociale. Ainsi, des groupes de chats domestiques peuvent se rassembler, par exemple, sur un toit plat ou dans tout autre endroit, pourvu qu'il ne relève pas du territoire particulier de l'un ou de l'autre, et passer la nuit ensemble à ronronner, à faire leur toilette ou à s'observer. Sauf apparition d'un intrus, ces réunions se déroulent plutôt calmement, sans manifestation sexuelle ni agression. Vers la fin de la nuit, les chats rejoignent leurs territoires respectifs, manifestement très satisfaits d'une telle réunion.

On a constaté des comportements identiques, par exemple, dans des sanctuaires pour animaux où des chats libres se partagent un large espace bien délimité ; dans le cas de colonies urbaines, des chats libres pourront se réunir par exemple sur un talus de chemin de fer, dans un cimetière ou dans un quelconque autre lieu de ce genre. En général, chacun s'installe de façon à bien marquer l'espace personnel qu'il se réserve, tout en restant à proximité des autres.

L'ACCOUPLEMENT

Chez la femelle, l'œstrus se produit deux ou trois fois par an, et parfois (mais rarement) jusqu'à dix fois. En liberté, ce cycle survient en général au cours de la première moitié de l'année et dépendrait de la longueur du jour ; chez les chattes domestiques, souvent exposées à la lumière électrique, il peut se produire n'importe quand. Au premier stade du cycle – une dizaine de jours si la femelle ne s'accouple pas et ovule, sinon cinq jours –, les ovaires produisent des hormones sexuelles femelles ; combinés à la lordose – mouvements d'extension et de pétrissage –, des appels répétés attirent les mâles (non castrés). Plusieurs s'approchent, excrétant de l'urine et des substances odoriférantes, lançant des appels, et ils se battent. C'est la femelle qui choisit et, si un mâle non désiré devient trop entreprenant, elle le repousse avec des coups de patte et des feulements. Les jeunes mâles inexpérimentés peuvent être sérieusement blessés à cette occasion. Cependant, ce n'est pas forcément le mâle dominant ou le plus expérimenté que la femelle choisira – on ignore pourquoi.

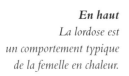

En haut
La lordose est un comportement typique de la femelle en chaleur.

Ci-contre
Un chat roux oriental s'accouple avec une femelle.

chevaux ont l'habitude de voir des chats, bien nourris grâce aux souris qu'ils trouvent dans les écuries, entretenir d'excellentes relations avec les chevaux.

Bien entendu, la vie sociale du chat domestique est centrée sur son propriétaire et le reste de la famille. Même s'il fait semblant de les ignorer la plupart du temps, gardant ses distances ou se retirant pour dormir, il se comporte à peu près comme un chat libre, mais d'une manière adaptée à la vie domestique ; en particulier, il aime avoir des compagnons tranquilles et silencieux. Par contre, peut-être parce que leur comportement naturel a été bridé par la domestication, les chats de compagnie semblent avoir besoin de jouer comme des chatons et d'avoir des contacts tactiles, habitudes que les chats libres perdent vite. Dans un sens, on pourrait dire que le chat domestique ne devient jamais adulte.

Il faut que cet espace soit assez grand : à l'instar de la plupart des mammifères, les chats n'aiment pas la promiscuité, qui les rend névrosés et agressifs. Si les «participants» sont trop nombreux, le groupe expulsera les membres les plus faibles.

EN COMPAGNIE

Il arrive que les chats domestiques modifient leur comportement en recherchant la compagnie de chiens ou d'autres animaux de compagnie – après une période d'observation –, surtout lorsqu'ils sont encore jeunes. Mais, une fois qu'ils se sont bien établis dans leur environnement, ils ont du mal à accepter l'intrusion d'un autre animal. Parfois, les deux animaux se lèchent mutuellement, se serrent l'un contre l'autre pour se tenir chaud et jouent ensemble. En rencontrant son compagnon d'une autre espèce, le chat dresse la queue à la verticale, comme le font deux chats qui se connaissent. Les propriétaires de

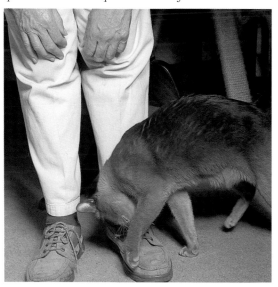

En haut à gauche
Ce chaton et ce chien se sont pris d'amitié.

À droite
En se frottant contre les jambes de son propriétaire, le chat le marque de sa propre odeur.

Ci-contre
Deux chatons se tiennent compagnie en jouant avec une plante.

Gènes et hérédité

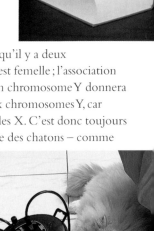

LES BIOLOGISTES appellent génotype la composition génétique qui donne à chaque individu ses caractéristiques physiques propres, en l'occurrence la forme du corps, la longueur et l'épaisseur des poils, la couleur de la robe et des extrémités, le sexe, etc.

LE FONDS COMMUN DES GÈNES

Au moment de la reproduction, la fertilisation de l'ovule par le sperme donne un ensemble de gènes qui détermine le génotype du rejeton. Ces gènes sont transportés dans les chromosomes. Chacun de ceux-ci contient un très grand nombre de gènes, dont la composition chimique contribue à déterminer la constitution physique (le « phénotype ») des chatons. Chez le chat, chaque cellule contient 38 chromosomes (8 de moins que chez les humains), chaque parent y contribuant pour moitié. Comme le père et la mère ont un génotype différent et que chacun ne fournit que la moitié des chromosomes d'un ovule fertilisé, le mélange de gènes de chaque chaton sera différent de celui de ses parents, quoique étant composé d'éléments de chacun des deux.

FORMATION DES CARACTÉRISTIQUES

En général, les chromosomes s'associent par paires, qui déterminent les caractéristiques de chaque parent transmises à chacun des chatons. Une exception est celle des chromosomes sexuels, qui parfois sont identiques et parfois ne le sont pas. La femelle transmet toujours un chromosome X (femelle). Le mâle transmet soit un chromosome X (femelle), soit un chromosome Y (mâle). Lorsqu'il y a deux chromosomes X, le chaton est femelle ; l'association d'un chromosome X et d'un chromosome Y donnera un mâle. Il n'y a jamais deux chromosomes Y, car la femelle ne transmet que des X. C'est donc toujours le père qui détermine le sexe des chatons – comme d'ailleurs chez les humains et dans presque toutes les espèces animales.

Quant aux autres paires de chromosomes, les gènes déterminant telle ou telle particularité physique – par exemple la longueur des poils – s'associent en paires appelées allèles. Dans chaque allèle, un seul gène sera transmis au chaton. Si les deux gènes sont identiques – par exemple deux gènes des poils courts –, alors le rejeton aura des poils courts. On dit dans ce cas que l'allèle est homozygote pour la longueur

Au centre
C'est le génotype qui détermine toutes les caractéristiques physiques du chat.

Ci-contre
Ces chatons proviennent de la même portée mais chacun a des gènes différents, d'où leur aspect différent.

des poils. Si l'un des gènes «longueur des poils» est un gène des poils courts et l'autre un gène des poils longs, les chatons auront des poils courts ; on dit alors que le gène est hétérozygote pour la longueur des poils. Enfin, si les gènes «longueur des poils» sont tous deux des gènes des poils longs (et donc également homozygotes), les chatons auront des poils longs.

GÈNES DOMINANTS ET GÈNES RÉCESSIFS

Ce qui caractérise ces trois possibilités, c'est l'effet des allèles non identiques : poils courts + poils longs = poils courts. Cela tient à ce que le gène des poils courts est dit «dominant» alors que celui des poils longs est dit «récessif», et le gène dominant l'emporte toujours sur le gène récessif. Si, dans l'allèle, il n'y a pas de gène dominant (par exemple lorsqu'il y a deux gènes «poils longs»), les gènes récessifs peuvent transmettre leur caractéristique au chaton. Ce qui est vrai des gènes pour les poils vaut aussi pour ceux qui déterminent les autres caractéristiques des chats. Certains sont dominants, d'autres récessifs, et tous jouent un rôle dans la constitution de la nouvelle créature.

Mais s'il n'y avait que cela, les gènes récessifs finiraient par disparaître progressivement et il n'y aurait plus de chats à poil long, car, à chaque génération, les gènes récessifs seraient de plus en plus remplacés par les gènes dominants. Pourtant, même lorsque le gène récessif n'est pas déterminant, par exemple pour la longueur

des poils, il est quand même transmis dans les cellules de tous les chatons de la portée. Et si un chat de cette portée s'accouple avec un autre chat possédant aussi le gène récessif des poils longs, certains des chatons de leur progéniture auront des poils longs. Cela explique que des caractéristiques disparaissent pendant plusieurs générations avant de réapparaître.

L'HÉRÉDITÉ

L'hérédité est la transmission de caractéristiques d'une génération à la suivante, mais deux autres facteurs viennent compliquer ce processus. D'une part, même si la plupart des gènes sont transmis indépendamment les uns des autres, certains sont associés à d'autres et se transmettent simultanément. C'est le cas par exemple pour les chats écaille-de-tortue : la couleur de la robe est déterminée par le génotype, car les gènes de la couleur font partie de la composition des cellules de la peau. Comme on trouve, sur les chromosomes X, les gènes tant du noir que du rouge, les femelles

peuvent posséder les gènes de l'orange (rouge) et du noir qui, associés, vont donner la couleur écaille-de-tortue.

Comme ils n'héritent que d'un seul chromosome X, les mâles peuvent hériter soit du rouge, soit du noir, ce qui explique que la quasi-totalité des chats écaille-de-tortue sont des femelles, et les rares mâles écaille-de-tortue sont presque toujours stériles. Le gène de la couleur orange («rouge») est donc dit «associé au sexe». Il existe d'autres formes d'associations de ce genre, qui n'impliquent pas les chromosomes X ou Y mais qui font que certaines caractéristiques sont associées dans l'hérédité.

En haut
La mère transmet toujours le chromosome X et ne peut donc déterminer le sexe.

Au centre
La couleur écaille-de-tortue est toujours associée au sexe.

Ci-contre
Bien que ce chat écaille-de-tortue soit très différent de celui de l'image ci-dessus, c'est aussi une femelle.

LES GÈNES MUTANTS

Le second facteur qui complique cette question de l'hérédité est la mutation, qui explique par ailleurs les multiples variations des caractéristiques physiques sans lesquelles la félinophilie serait bien ennuyeuse et l'élevage spécialisé inutile.

Il y a mutation quand certains gènes se transforment spontanément, c'est-à-dire lorsqu'ils se modifient en passant d'une génération à la suivante. S'il n'y avait pas de mutations, tous les chats du monde ressembleraient aujourd'hui au chat sauvage d'Afrique, au chat sauvage d'Europe, au chat de la jungle et peut-être au chat de Pallas – quoique

ce dernier, avec ses poils longs, soit lui-même le résultat d'une mutation.

À l'origine, tous les chats étaient des tabby à poil court. De génération en génération, des gènes mutants ont introduit toutes les variations qui distinguent les chats actuels de leurs ancêtres : les couleurs se sont diluées, les rayures ont disparu de la robe, de nouvelles marques sont apparues et certaines couleurs en ont éliminé d'autres. Par exemple, tous les chats dits « bleus » (en réalité, ils sont gris-bleu) portent un gène qui est une « dilution » ou une mutation du noir.

La plupart des gènes mutants sont récessifs ; il leur faut donc plusieurs générations pour s'imposer. Mais un gène qui a subi une mutation se transmet de génération en génération.

Lorsqu'un gène mutant détermine une caractéristique importante autre que la couleur de la robe, comme la conformation physique ou la résistance aux changements de température, il finit par constituer la base d'une évolution. Aujourd'hui, le tabby domestique ressemble au chat sauvage d'Afrique ou d'Europe mais, génétiquement, ils ne sont pas identiques. Même sans les interventions des éleveurs depuis une centaine d'années, le mécanisme de survie a produit un chat différent de celui qui, il y a cinq mille ans, a été pour la première fois domestiqué.

En haut
Tous les chats descendent du tabby à poil court.

Ci-contre
Ce tabby classique ressemble au chat sauvage d'Europe mais, génétiquement, ils ne sont pas identiques.

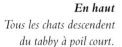

LES EFFETS DE LA MUTATION

Certains gènes mutants, tel que celui du noir « dilué » qui donne des chats bleus, sont parfois établis depuis si longtemps qu'on ne les remarque presque plus. Lorsque nous voyons un chat « bleu », nous ne pensons pas aux innombrables étapes génétiques qui ont fait passer le tabby au gris-bleu.

Il arrive pourtant qu'un gène mutant produise un résultat surprenant et radicalement nouveau. Ce fut le cas, par exemple, pour le Scottish Fold (qui des oreilles repliées vers l'avant), pour le Sphinx (presque entièrement nu) et pour les Rex (aux poils bouclés). Sans intervention humaine, il est probable que ces mutations auraient été englouties dans le fonds commun géné- tique et auraient disparu, car il s'agissait d'événements rares ; ils ont cependant été notés par les éleveurs, qui ont procédé à un élevage sélectif et, ainsi, lancé de nouvelles races.

MUTATIONS DUES À L'ENVIRONNEMENT

Quoique relevant d'un autre ordre, il y a des mutations qui sont causées, entre autres, par l'exposition à des radiations ou à d'autres conditions aléatoires et qui provoquent la naissance de chatons difformes. Comme, en général, les chatons de ce genre meurent à la naissance ou, en tout cas, sont presque toujours stériles, ces mutations finissent normalement par s'éteindre d'elles-mêmes.

Indépendamment de telles mutations, certains défauts apparaissent lorsqu'un gène transmet une anomalie génétique. Par exemple, le gène blanc dominant W, qui donne à un chat une robe complètement blanche, est associé à une tendance à la surdité, que l'on constate surtout chez les blancs aux yeux bleus mais aussi chez les blancs aux yeux orange ou vairons. Ce défaut de l'oreille interne se manifeste peu après la naissance et ne se corrige pas. En conséquence, lorsqu'il grandit, ce chat est dépourvu d'un sens essentiel, ce qui l'empêche d'avoir une vie sociale normale car il ne réagit pas au langage de sa mère. Si c'est une femelle qui, à son tour, donne naissance à des chatons, la situation est pire encore : la mère n'entend pas les cris de ses petits et ne s'en occupe donc pas. La seule solution consiste alors à stériliser les femelles sourdes.

Cela dit, il arrive que le gène blanc reste enfoui dans le fonds commun pendant plusieurs générations et ne réapparaisse que bien plus tard, mais il ne faut pas croire que tous les chats blancs sont sourds ; il existe des exceptions, et c'est toujours à vérifier. Il est vrai par ailleurs que les chats sourds compensent leur handicap par une très grande sensibilité de leurs pattes ; ainsi, s'ils ne vous « entendent » pas entrer dans la pièce, ils s'en apercevront aux vibrations que vous provoquez en marchant.

En haut à gauche
La couleur de ce chaton bleu provient de la mutation d'un gène noir.

Au centre à gauche
Les oreilles aplaties caractéristiques du Scottish Fold sont dues à un gène mutant.

Ci-contre
Il est probable que ce chat est sourd de l'oreille du côté de son œil bleu.

quant aux accouplements hétérozygotes, ils produisent parfois des anomalies mortelles. Cela dit, le gène M est particulièrement instable : une portée de Manx comprendra des chatons dont la queue est presque normale, d'autres qui ont un pompon, et d'autres encore sans queue du tout. S'il s'agissait d'une race nouvelle, de tels problèmes interdiraient presque certainement sa reconnaissance officielle. Mais, en fait, il se trouve qu'elle n'a pas été obtenue par un éleveur : cette mutation s'est produite spontanément il y a au moins trois cents ans et, si elle a pu s'imposer, c'est grâce à l'isolement de l'île de Man où elle est apparue.

PROBLÈMES DE MUTATION

Un autre gène aux effets néfastes est celui que l'on trouve chez le Siamois et qui peut provoquer un défaut dans les connexions nerveuses entre les yeux et le cerveau : le chat voit trouble et a donc du mal à évaluer les distances. Pour compenser ce défaut, certains Siamois louchent, ce qui est considéré à juste titre comme un défaut par les spécialistes. Pourtant, les Siamois qui louchent sont assez recherchés ; mais, avant d'en acheter un, mieux vaut être au courant de cette anomalie.

D'autres gènes encore causent des problèmes : c'est le cas par exemple du gène dominant M présent chez le Manx. Dans tous les cas d'accouplements homozygotes de Manx, les chatons meurent avant la naissance ;

UN EFFET DE L'ENVIRONNEMENT ?

Parmi les milliers de gènes qui « font » les caractéristiques du chat, ceux qui déterminent ses caractéristiques visibles sont relativement peu nombreux. Les autres définissent ce que l'on pourrait appeler les systèmes fonctionnels du chat, la plupart de façon presque automatique et invisible ; d'autres, par contre, peuvent

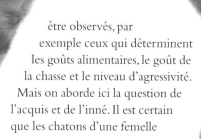

être observés, par exemple ceux qui déterminent les goûts alimentaires, le goût de la chasse et le niveau d'agressivité. Mais on aborde ici la question de l'acquis et de l'inné. Il est certain que les chatons d'une femelle

En haut
Si ce Siamois louche, c'est à cause d'un gène mutant qui le fait voir trouble.

Ci-contre
Chez le Manx, les gènes mutants peuvent provoquer de graves difformités, voire la mort des nouveau-nés.

paresseuse et flegmatique ne seront pas portés sur la chasse ; à l'inverse, les chats de ferme donnent naissance à des chasseurs hors pair de génération en génération. Il est en tout cas certain que les premières semaines sont critiques. Mais on ne saura jamais vraiment si l'instinct de la chasse est inné ou s'il est enseigné par la mère – ou s'il tient un peu des deux.

QUELQUES MOTS DE GÉNÉTIQUE

Les éleveurs ont recours à la génétique moderne de deux manières. Lorsqu'ils veulent élever des chats « conformes au type », c'est-à-dire qui correspondent le mieux possible à l'idéal fixé par le standard défini par une association particulière, ils veillent, autant que faire se peut, à ne pas introduire de variations génétiques dans la lignée. Évidemment, ce n'est jamais complètement sûr car, on l'a vu, des gènes récessifs peuvent réapparaître au bout de plusieurs générations. C'est ce qui explique l'enregistrement des chats avec la mention de leurs parents, de leurs grands-parents, etc., sur au moins quatre générations ; il s'agit là d'une garantie, mais elle n'est pas absolue. C'est pourquoi, souvent, les éleveurs vendent des chatons parfaitement sains mais qui ne peuvent être présentés dans des expositions parce que certaines de leurs caractéristiques ne correspondent pas au standard.

Par ailleurs, certains éleveurs ont des programmes dans lesquels ils combinent et recombinent des gènes mutants pour affirmer certaines caractéristiques. C'est ainsi que de nouvelles « races » ont fini par être officiellement reconnues, alors que d'autres ne l'ont pas été pour différentes raisons, par exemple parce que la nouvelle « race » n'était pas suffisamment distinctive ou parce qu'elle présentait des problèmes de santé.

DES CHATS SUR MESURE ?

En pratique, les associations félines et les vétérinaires tendent à exclure toute tentative de produire des « chats sur mesure » par le moyen de manipulations génétiques. On entend parfois dire que tel ou tel éleveur aurait obtenu des chats miniatures, mais les strictes procédures imposées par les associations pour la reconnaissance de races nouvelles constituent un rempart efficace contre les pires excès de l'élevage sélectif. Avec maintenant plus d'un siècle d'expérience, le monde des félinophiles comprend beaucoup mieux la nature du chat domestique en tant qu'espèce et reste bien conscient des dangers qu'il y aurait à provoquer des distorsions dans sa nature génétique au-delà de ce qui est raisonnable et acceptable pour le chat.

En haut
Les chats de ferme, par nature, sont des chasseurs remarquables.

Terminologie féline

NOUS ALLONS DÉFINIR ICI quelques termes utilisés par les vétérinaires et les éleveurs pour décrire les chats, expliquer la différence entre le type, la race et la variété, et enfin préciser ce sur quoi portent les standards.

LE SAVIEZ-VOUS ?
Les chats préfèrent boire l'eau d'une flaque plutôt que celle du robinet, chlorée. En revanche, un sol ou une douche lavés à l'eau de Javel les attirent pour effectuer leurs besoins.

LE TYPE
Ce mot désigne les caractéristiques de la tête et du corps, notamment leur taille et leur forme. On l'emploie parfois pour évoquer la ressemblance entre un chat sans pedigree et une race particulière. On dira par exemple d'un chat que « c'est un bon spécimen de Chat sacré de Birmanie », ce qui ne signifie pas qu'il s'agit d'un Birman à pedigree mais qu'il a la conformation générale de cette race.

LA RACE
Ce mot s'applique à un ensemble de chats ayant des caractéristiques physiques communes ainsi que des ancêtres enregistrés sur plusieurs générations. Ce n'est pas un terme précis, car ce qui est considéré comme une race à une époque ou dans un pays donnés ne le sera pas nécessairement ailleurs ou à une autre époque. Si tous les chats d'une race ont des caractéristiques physiques communes telles que la forme du corps, ils peuvent présenter des variations, par exemple pour la couleur. La différence est nette entre un Siamois et un Abyssin, mais elle l'est beaucoup moins entre un Siamois et un Balinais.

En haut
Ce tabby roux classique est un British Shorthair typique de son espèce, ce que révèle en particulier sa tête ronde.

En bas
L'Abyssin présente des caractéristiques qui le distinguent nettement des autres races.

LA VARIÉTÉ
On appelle « variété » la subdivision d'une race ; elle est déterminée le plus souvent par la couleur de la robe et des extrémités, mais parfois aussi par d'autres caractéristiques. Une race peut ne compter qu'une seule variété, c'est le cas du Bleu russe, pour lequel les États-Unis et la Grande-Bretagne n'admettent qu'une seule couleur ; ailleurs, on accepte parfois le Russe blanc et le Russe noir. Dans d'autres races, le nombre de variétés peut être beaucoup plus grand : on compte jusqu'à soixante variétés de Persans, mais toutes ne sont pas reconnues dans tous les pays, et une race reconnue dans un pays peut n'être qu'une variété dans un autre.

Les chromosomes du chaton, dont chaque parent a apporté une moitié, contiennent toutes les informations génétiques qui détermineront le sexe et les caractéristiques physiques du chat et assureront le fonctionnement

CLASSIFICATION DES RACES

Si nous précisons bien cela, c'est parce que toute cette section est consacrée à la manière dont les humains – essentiellement les éleveurs, mais aussi les vétérinaires – ont classifié les chats en fonction de certaines caractéristiques. Rien que pour les couleurs, par exemple, on a calculé qu'il y a au moins deux mille possibilités de permutations, compte tenu des variables génétiques. Si on multiplie cela par le nombre de races, puis par toutes les variables possibles spécifiques à chaque race, on atteint un chiffre astronomique pour le nombre de variétés d'animaux qui, génétiquement, peuvent être qualifiés de « chats », étant entendu que certaines combinaisons seraient impossibles ou non viables. En pratique, les félinophiles ne s'intéressent qu'à un nombre très limité de ces variétés possibles, et l'organisation du monde félin est telle que l'admission d'une nouvelle race parmi l'élite privilégiée est soumise à un examen très strict et à des conditions très sévères.

de ses organes, de ses sens, de ses instincts, etc. Lorsqu'il naît, le chat est le produit de la combinaison de tous ces gènes. Certains gènes ont une action autonome, d'autres n'agissent qu'en groupes (appelés polygènes), mais l'ensemble concourt à donner des chatons viables qui maintiendront la survie de l'espèce féline en général et de la lignée spécifique du chat en particulier. Il faut se rappeler que c'est là le seul impératif génétique ; peu importe, génétiquement parlant, que le chaton, à sa naissance, ait le poil long ou court, qu'il ait une robe noire, blanche ou rousse, qu'il soit beau ou laid, qu'il soit conforme à l'idéal ou ne soit qu'un chat de gouttière, qu'il donne naissance à de beaux rejetons ou pas, qu'il mange des aliments de choix ou se nourrisse dans les poubelles. Une fois le chaton né, la génétique et la nature ont fait leur travail.

La reconnaissance d'une nouvelle race ne signifie pas que l'on a « découvert » une nouvelle race de chats. De telles découvertes sont rares et, depuis que le monde des félinophiles a commencé à s'organiser, elles se comptent sur les doigts de la main, et encore s'agissait-il, le plus souvent, de mutations génétiques. S'il est vrai que ce monde n'est pas à l'abri d'autres surprises, on peut dire simplement que, lorsqu'une nouvelle « race » ou une nouvelle « couleur » est reconnue, c'est que les autorités en ont décidé ainsi. Nouveau ou pas, ce n'est jamais qu'un chat, avec des variations de type physique – de la longueur des poils, de la couleur, etc. – empruntées au fonds commun à tous les chats. On en revient toujours au fait que tous les chats, de l'humble chat de gouttière au plus beau des Siamois, appartiennent à une seule espèce : celle de *Felis catus*.

En haut
En Grande-Bretagne et en Amérique du Nord, c'est la seule couleur admise pour le Bleu russe.

Ci-contre
Différentes couleurs de la robe des chats.

Rouge	Chocolat	Bleu	Crème	Noir	Lilas	Blanc

L'ÉLEVAGE SÉLECTIF

Imaginons un instant que l'homme ait réussi à domestiquer le caracal pour l'accompagner à la chasse, comme on pense qu'il a essayé de le faire autrefois en Égypte et en Inde, ce livre serait alors consacré aux différentes races et variétés de caracals, dressés à chasser, à rapporter, à garder les maisons ou les troupeaux et peut-être à courir, avec probablement de multiples variations dans la conformation physique et le type du pelage.

En fait, il est apparu que le chien convenait mieux à toutes ces activités. Pour ce qui est des félins, deux ou trois espèces ont noué avec les hommes des relations

En haut à gauche
Les anciens Égyptiens avaient essayé de dresser le caracal à la chasse.

Ci-contre
Les Manx proviennent d'un gène mutant unique.

particulières. Malgré leur évolution et les interventions humaines, ils restent fondamentalement des félins ; s'ils correspondent à ce que les hommes attendent d'un animal de compagnie, ce n'est, en quelque sorte, qu'accessoirement.

CONFORMATION OU TYPE PHYSIQUE

L'attribut premier d'un chat est sa conformation ou son type. Il s'agit à la fois de la taille et de la forme du corps, de la proportion entre le corps et les pattes, de la longueur et de la forme de la queue, de la forme de la tête et de l'apparence de la face. Tous ces facteurs sont déterminés par des polygènes – des groupes de gènes qui, chez la plupart des chats, concourent à déterminer leurs principales caractéristiques. En général, ces polygènes sont transmis ensemble et les caractéristiques qu'ils déterminent ne se modifient pas abruptement d'une génération à la suivante. Mais des programmes d'élevage sélectif permettent de les modifier progressivement pour accentuer certaines caractéristiques ou en supprimer d'autres.

Il existe cependant quelques exceptions à cette règle générale, telles que les mutations qui sont à l'origine du Manx, du Bobtail japonais et du Scottish Fold, ainsi que le gène aberrant qui, parfois, donne des chats dont les pattes ont plus de cinq griffes. Elles sont dues à des gènes mutants isolés, alors que le type général est déterminé par les polygènes, dont chacun détermine une caractéristique particulière mais qui, tous ensemble, donnent une conformation spécifique. En général, les chats conservent le type physique inhérent à la composition génétique de leurs parents ; c'est la raison pour laquelle beaucoup d'éleveurs s'opposent aux croisements, qui risquent d'introduire des complications lors de la transmission du patrimoine génétique. La proposition de reconnaître une race hybride provoque toujours des cris d'alarme chez les spécialistes.

LE CHAT BRÉVILIGNE (« COBBY »)

Fondamentalement, il existe deux types physiques. Le premier est dit bréviligne, ou « cobby », dont un représentant typique est l'Européen à poil court. Il a un corps compact et robuste, le poitrail profond, des épaules et un arrière-train larges, des pattes et une queue courtes et une tête petite et ronde.

étroite, en forme de coin, et de longues pattes. Ils donnent une impression générale d'élégance, de souplesse des mouvements et de légèreté relative.

Pour certains biologistes, le cobby descendrait du chat sauvage d'Europe *(Felis silvestris),* alors que l'ancêtre du chat exotique ou oriental serait plutôt le chat de Nubie, *Felis libyca,* avec peut-être un apport du chat des marais, ou chaus, *Felis chaus,* et du manul, ou chat de Pallas, *Felis manul.* Mais ce ne sont que des hypothèses et, depuis quelque cinq mille ans que les hommes et les chats cohabitent, bien des croisements ont eu lieu, sans parler des croisements qui ont pu se produire auparavant, ce qui signifie que les chats que nous connaissons sont les produits de milliers de croisements.

Une fois cette définition générale donnée, les variations sont innombrables. Un chat à tête ronde, par exemple, pourra avoir un nez court ou moyen, des oreilles petites ou moyennes, des yeux plus ou moins rapprochés du museau, etc. La plupart des chats de compagnie ou de gouttière sont des cobbies.

LE CHAT LONGILIGNE

Le second type est dit longiligne, ou « oriental », « exotique » ou « foreign » ; c'est le cas notamment du Persan et du Siamois, dont on dit qu'ils ont un type « oriental », ce qui signifie simplement qu'ils ne sont pas « cobbies ». Ces chats ont le corps mince et nerveux, la tête

En haut
Ce Persan roux et blanc a le type bréviligne, ou cobby, caractéristique : face ronde, corps compact et pattes courtes.

Ci-dessus
Le Siamois, au corps mince et nerveux, est le type même du chat longiligne ou « oriental ».

Ci-contre
Ce tortie (écaille-de-tortue) oriental, au corps effilé, est typique de sa race.

D'UN EXTRÊME À L'AUTRE

Le chat bréviligne (cobby) et le chat longiligne (exotique ou oriental) peuvent être considérés comme les extrémités d'une gamme de différents types intermédiaires qui regroupent la majorité des races à pedigree. Mais l'attribution de caractéristiques à une race particulière relève d'une science inexacte : certaines différences entre les standards nationaux proviennent simplement du fait que, d'un pays à l'autre, les associations d'éleveurs accordent une importance différente à certaines caractéristiques et peuvent accentuer certains traits spécifiques du chat cobby ou du chat oriental.

Cela ne signifie pas qu'un standard soit plus exact ou « meilleur » qu'un autre ; c'est surtout une question de goût et cela reflète parfois l'historique d'une race dans tel ou tel pays. Par exemple, chez le Persan, les éleveurs américains préfèrent un corps plus compact que ne l'exigent les Britanniques, et cela tient à l'histoire de l'élevage de cette race dans ces pays. De même, pour une race et même pour une lignée de pedigree, il y aura parfois de légères variations pour le type physique, invisibles à l'œil du profane, mais suffisantes pour disqualifier un chat chez un éleveur ou dans une exposition. Cela dit, un chat à pedigree qui ne correspond pas à un standard particulier reste un chat à pedigree, toujours représentatif de sa race.

On qualifie parfois de « classiques » les chats qui présentent exactement le type physique défini dans un standard. Il faut cependant noter qu'aucun standard n'est jamais définitif ni universel.

Aujourd'hui, le Siamois « idéal » de 1900 n'aurait pas la moindre chance de remporter un prix dans une exposition. Les goûts évoluent et la science de l'élevage a fait des progrès, grâce en particulier à la génétique.

TYPES DE PELAGE

La deuxième caractéristique importante est le type de pelage. En gros, on peut dire que les chats ont soit le poil court, comme l'Européen à poil court, soit le poil long, comme le Persan. Comme on l'a expliqué dans le chapitre sur l'hérédité, le chat a les poils « naturellement » courts – les biologistes disent que les poils du « type sauvage » sont courts. Les poils longs sont apparus au cours des siècles par l'action d'un gène récessif. Lorsqu'un chat a le gène des poils longs, le pelage pourra, au cours des générations, s'adapter à l'environnement :

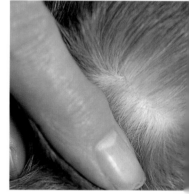

c'est à cela que le Maine Coon doit sa fourrure épaisse. Pour les poils de jarre, qui sont les poils les plus longs d'un chat, la longueur peut varier entre 4,5 cm chez l'Européen à poil court, à environ 15 cm chez le Persan. En Europe continentale, il existe aussi une catégorie pour les chats à poil mi-long.

En haut
En rebroussant les poils de jarre d'un chat à poil court.

Ci-contre
L'épais pelage du Maine Coon le protège des rudes hivers de l'Amérique du Nord.

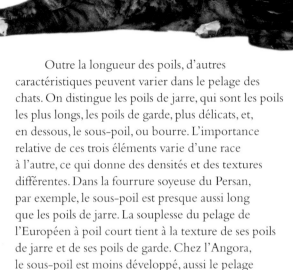

COULEURS ET MARQUES

Quand on admire la belle couleur bleue du Chartreux, la délicate couleur mauve d'un Persan ou la couleur crème, légèrement tachetée, d'un Persan Colourpoint, on a du mal à se rappeler que la couleur fondamentale du pelage et des motifs de tous les chats est le gris-brun, c'est-à-dire des marques brun doré irrégulières sur un fond plus clair. L'avantage évident de cette couleur est qu'elle sert de camouflage, chose courante chez les mammifères sauvages.

Chez les félins, le spectre des couleurs est déterminé par une douzaine de gènes qui se combinent de différentes façons. Les gènes responsables de la couleur du tabby brun sont, d'abord, le gène A de l'agouti (c'est un rongeur d'Amérique centrale) et un ou plusieurs des gènes T qui produisent différents motifs tabby. On retrouve ces gènes dans le génotype de tous les chats, ce qui signifie qu'ils ont tous le potentiel d'être des tabby bruns. Le gène A de l'agouti est dominant par rapport au gène A mutant non agouti, lequel empêche l'apparition des bandes tabby.

Outre la longueur des poils, d'autres caractéristiques peuvent varier dans le pelage des chats. On distingue les poils de jarre, qui sont les poils les plus longs, les poils de garde, plus délicats, et, en dessous, le sous-poil, ou bourre. L'importance relative de ces trois éléments varie d'une race à l'autre, ce qui donne des densités et des textures différentes. Dans la fourrure soyeuse du Persan, par exemple, le sous-poil est presque aussi long que les poils de jarre. La souplesse du pelage de l'Européen à poil court tient à la texture de ses poils de jarre et de ses poils de garde. Chez l'Angora, le sous-poil est moins développé, aussi le pelage est-il moins dense. Chez le Wirehair américain, il n'y a guère de différence de longueur entre les poils de jarre et les poils de garde qui, ainsi que le sous-poil, sont bouclés et froncés.

C'est l'élevage sélectif qui, au bout parfois d'une centaine d'années, a permis d'obtenir le pelage idéal spécifié par les standards. Mais il faut bien se rappeler que, même dans les races les plus courantes et les plus appréciées, les chats d'exposition sont en très nette minorité ; cela signifie que, parmi les chats à pedigree, quelle que soit leur race, on trouvera des individus dont le pelage n'est pas ce qu'un juge considérerait comme de bons sujets de la race.

Ici s'appliquent les règles habituelles de l'hérédité : tout accouplement avec un parent tabby donnera des chatons tabby, en raison de la présence du gène A dominant, mais deux parents non tabby, qui n'apportent chacun que des gènes A, donneront des chatons non tabby. Mais, « tabby » n'est qu'un terme relatif. Même les chatons non tabby auront tendance à avoir des motifs tabby, qui se manifestent souvent pendant les premiers mois avant de disparaître, ou qui persistent sous forme de marques « fantômes » dans le pelage de l'adulte. Il semblerait que, en dépit des lois de la génétique, les chats aient du mal à se débarrasser de leur tendance naturelle à être tabby qui, à l'état sauvage, leur offre une protection naturelle contre les prédateurs.

> ### LE SAVIEZ-VOUS ?
> Les chats sont « digitigrades », c'est-à-dire qu'ils marchent sur leurs doigts, ce qui leur donne un maximum d'efficacité quand ils courent.

En haut à gauche
Ce Cornish Rex n'a pas de poils de jarre.

Ci-contre
Le pelage de ce British Shorthair crème présente des marques « fantômes ».

En bas à gauche
Le pelage d'un British Blue est très différent de celui de son ancêtre, le tabby.

COULEURS UNIFORMES

Une fois éliminé le gène agouti dominant, d'autres gènes interviennent simultanément pour donner différentes nuances de couleurs unies, en fonction de la combinaison génétique. L'une des couleurs fondamentales du chat est le noir : c'est le gène B (*black* = noir) qui donne aux poils un pigment noir : la mélanine. Des mutations du gène B peuvent donner la couleur bleue (en fait, du gris bleuté), le brun foncé, le brun clair et le lilas (dit lavande aux États-Unis).

Le gène O (comme orange) donne le roux ainsi que le crème – qui est une version diluée du roux. Cependant, le gène non agouti n'agit pas sur le gène orange, ce qui permet au motif tabby naturel de ressortir. C'est pourquoi il est difficile d'obtenir des chats roux ou crème à la couleur unie car, souvent, les marques tabby apparaissent sur la face, les pattes et la queue. Le gène blanc dominant W

(*white* = blanc), qui est un gène mutant, donne le blanc mais, du point de vue de l'éleveur, c'est le gène le moins stable. Un accouplement homozygote de W donnera une portée de chatons blancs, mais un accouplement hétérozygote donnera des chats de multiples couleurs. Il ne faut pas confondre le gène blanc W avec le gène S, qui donne des taches blanches et qui, lui, n'est pas associé avec la surdité.

Ces couleurs unies ne sont qu'un point de départ. D'autres gènes influent sur la distribution, le motif et la prépondérance relative des couleurs du pelage, la couleur des extrémités (face, oreilles, pattes et queue) et ce que l'on pourrait appeler les « effets spéciaux » tels que le shading et le tipping. Quel que soit son type, le tabby doit porter sur le front une marque en forme de M.

LE TABBY CLASSIQUE

Le tabby le plus courant est le tabby dit « classique », ou « marbré », qui présente des larges rayures bien nettes sur un fond agouti gris plus clair. Les juges veulent toujours voir, chez le tabby classique, des anneaux sur les pattes et sur la queue. Les rayures du cou et du poitrail forment des « colliers » et remontent jusqu'à sur la nuque, où elles rejoignent les marques

En haut à gauche
Un chat noir uni.

En haut à droite
La couleur uniforme de ce chat s'appelle lilas (lavande aux États-Unis).

Ci-contre
On distingue bien, sur ce tabby roux classique, les larges rayures typiques de sa race.

LE SAVIEZ-VOUS ?

Le jaguarondi d'Amérique du Sud ressemble moins à un félin qu'à une otarie ; il excelle à nager et à grimper aux arbres de la forêt vierge.

du dos. Sur les flancs du chat, il doit y avoir des « cibles », c'est-à-dire des taches claires entourées d'un ou plusieurs anneaux.

LES AUTRES CHATS TABBY

Chez le tabby tigré, les rayures, plus étroites, courent le long de la colonne vertébrale où les rejoignent les rayures verticales des flancs de l'animal. Les rayures des pattes doivent être régulièrement espacées et rejoindre les marques du corps, avec des « colliers » sur le cou et le poitrail et des anneaux sur la queue.

Chez le tabby moucheté, les rayures tigrées sont brisées et forment des taches qui rappellent certaines espèces de félins tels que le lynx et le chat des pampas. Il est très difficile de conserver ces taches d'une génération à l'autre, car, souvent, avec l'âge, elles redeviennent des rayures tigrées. Idéalement, les taches devraient être rondes et régulièrement distribuées mais, dans la plupart des cas, leur forme, leur taille et leur répartition sont inégales. On trouve une succession de taches le long de la colonne vertébrale et des anneaux sur les pattes et la queue.

Le tabby tiqueté a un pelage agouti complet mais avec des marques tabby sur la face et, parfois, sur les pattes et la queue. Les poils du corps sont tiquetés ou mouchetés de la couleur principale du pelage et des marques.

La couleur de base des marques de tous les tabby est le noir, car le génotype comporte le gène B, mais, par convention, on l'appelle « brun » (on ne parle jamais de « tabby noir »). Des gènes de dilution peuvent faire passer le noir au bleu, au brun foncé, au brun clair et au lilas. C'est le gène O qui donne des tabby roux et crème.

LE CHAT ÉCAILLE-DE-TORTUE

Fondamentalement, le motif dit « écaille-de-tortue »,
également appelé « tortie », présente un mélange
irrégulier de noir et de roux, à la manière d'un
puzzle. Comme nous l'avons vu à propos de
l'hérédité, le pelage écaille-de-tortue est associé au
sexe et se limite presque exclusivement aux femelles.
Dans les zones où il n'y a pas de roux, les couleurs
de base se présentent sous leurs variations habituelles :
bleu, brun foncé, brun clair et lilas. En fait, les chats

bleus et les chats crème sont des chats écaille-
de-tortue mais ne sont pas reconnus comme tels
par certaines associations, qui en font des variétés
distinctes.

On trouve aussi des chats écaille-de-tortue chez
qui les marques tabby remplacent les taches noires
normales ; on les appelle « tabby-torties ». Ce sont des
tabby bleus, bruns ou argent dont le pelage présente
des taches rousses ou crème.

Quant au mélange idéal de couleurs chez
un chat écaille-de-tortue, les standards varient : en
réalité, ils reflètent les meilleurs résultats obtenus par
les éleveurs des différents pays parce que la différence
génétique entre deux types écaille-de-tortue est
minime, et le résultat obtenu tient plutôt du hasard.

ROBES À REFLETS

Les gènes I et Ch provoquent une variation de
la couleur de chaque poil : le gène I, qui supprime
les pigments des poils, entraîne une décoloration des
parties claires de chaque poil. Elle affecte en priorité
les poils agouti : chez le tabby, ce sont les parties
de la robe qui ne sont pas des rayures.

Le gène Ch a au contraire pour effet de foncer
l'extrémité de chaque poil et l'on obtient l'inverse :

En haut
Ce chat sans pedigree est
un tortie-and-white.

Ci-contre
Ce poil long bleu-crème
est en réalité un chat
écaille-de-tortue.

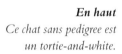

le « tipping », l'extrémité des poils étant plus foncée que la base. C'est l'intensité du tipping qui permet d'obtenir les différents effets de reflet : fumé *(smoke)*, ombré *(shaded)*, chinchilla, argent ou doré, mais il faut bien s'y connaître pour les distinguer. Les principales zones de tipping sont le dos, les flancs, la tête et la queue, mais cet effet est moins fréquent sur la face et sur les pattes.

Le tipping est le plus accentué dans le pelage dit « fumé », souvent spectaculaire : la coloration s'étend sur au moins la moitié du poil ; le tipping est le plus souvent noir sur blanc, mais il existe aussi des fumés bleus, roux-brun foncé, crème, bleu-crème, lilas et écaille-de-tortue. Chez un bon sujet de fumé noir, qui paraît effectivement noir au repos, on distingue la couleur de base blanche lorsqu'il se déplace, ce qui peut être très surprenant.

On appelle « ombré » la couleur de tipping inter-médiaire, c'est-à-dire lorsque la couleur recouvre entre un quart et la moitié de chaque poil à partir de l'extrémité. Si la couleur de base est roux sur blanc, on dit que le chat est *red shaded* ou *shaded cameo*. Si la couleur de base est noir sur blanc pur, on dit qu'il est *shaded silver*.

Enfin, dans le cas du chinchilla, la couleur se limite au dernier huitième du poil. Lorsque la couleur du tipping est chinchilla sur un fond roux ou crème, on dit que le pelage est *cameo*.

Il arrive que le gène Ch affecte non seulement les poils agouti (qui constituent la couleur de base du tabby) mais aussi ceux des rayures : dans ce cas, on obtient une robe de couleur uniforme, sans rayures, constituée uniquement de poils « tipped ».

TACHES BLANCHES

Les taches blanches qui apparaissent sur des fonds de couleur ne sont pas causées par le gène blanc W mais par un gène dominant appelé S. L'importance des taches varie beaucoup : elles se limitent parfois à des « gants » blancs sur les pattes, une pointe de blanc sur le museau ou sur le poitrail, mais parfois c'est le blanc qui domine, avec quelques taches de couleur. L'exemple le plus remarquable est celui du Turc Van, qui est en fait tout blanc et dont les seuls éléments de couleur – auburn en l'occurrence – sont la face, les oreilles et la queue ; on trouve parfois le motif van chez le Persan.

Lorsque, sur un pelage uni, les taches blanches occupent au total un tiers à la moitié du pelage, on dit que le chat est bicolore. L'Européen à poil court existe en plusieurs variétés de bicolores. Le Bobtail japonais est une race bicolore.

LE SAVIEZ-VOUS ?
La portée la plus nombreuse (tous les chatons ayant survécu) fut mise bas par une chatte persane en Afrique du Sud : elle comptait 14 chatons.

Ci-contre
Le pelage de ce British Shorthair présente un tipping noir parce qu'il porte le gène I dominant.

En bas à gauche
Ce superbe pelage est argent ombré.

Ci-dessous
Ce Turc Van typique montre bien la couleur auburn des oreilles et de la queue.

LES EXTRÉMITÉS (« POINTS »)

Les « extrémités » du chat sont les oreilles, le museau, les pattes et la queue. Chez le chat appelé *colourpoint,* le corps est de couleur uniforme, en général crème pâle, beige ou blanc, et la couleur des extrémités est plus foncée. Le blanc peut tirer sur le bleu, le crème ou l'ivoire. Les standards relatifs à la couleur varient d'un pays à l'autre mais, en général, la couleur des extrémités doit correspondre à la couleur de fond du corps ; par exemple, un blue point doit avoir un corps blanc bleuté. Il se peut aussi que les pieds soient blancs ; on parle alors de « gantage ».

LE COLOURPOINT

Le colourpoint est un chat dont les extrémités sont d'une couleur différente de celle de la robe. Le Siamois en est l'exemple le plus courant, mais on en trouve aussi dans d'autres races telles l'Himalayan (croisement entre un Siamois et un Persan) et le Burmese. L'effet de colourpoint est lié à la température du corps du chat : la température des extrémités est plus basse, ce qui favorise la production du pigment. Chez le Siamois, cette sensibilité est telle que, dans un environnement froid, la couleur est plus intense tant sur le corps qu'aux extrémités. On peut en constater les effets en comparant des chatons nés à différentes époques de l'année, quoique le chauffage central tende à occulter cette différence.

Chez le colourpoint, la couleur noire normale apparaît sépia sombre, couleur que les éleveurs appellent *seal* (gris phoque). On trouve aussi des extrémités bleues, chocolat, lilas, rousses et crème, mais aussi tigrées (chez le Lynx américain) et écaille-de-tortue.

LES YEUX

La couleur de l'iris a une grande importance pour les félinophiles, et elle influence aussi la perception de la beauté du chat chez les non-spécialistes. Lorsque le chaton ouvre les yeux (entre sept et dix jours après la naissance), ses yeux sont toujours bleus. La couleur change lorsqu'il devient adulte. La couleur des yeux va de l'orange au bleu en passant par

Ci-contre
Un Siamois lilac point.
C'est chez les Siamois
qu'on trouve les plus
beaux exemples
de colourpoint.

le jaune et le vert. Les standards spécifient les couleurs des yeux admises pour chaque race : parfois une seule, parfois plusieurs. Par exemple, chez l'Abyssin, la couleur des yeux est fonction de celle du pelage, alors que le Siamois et le Chat sacré de Birmanie doivent toujours avoir des yeux bleus, d'une couleur aussi intense que possible.

Un non-spécialiste n'appréciera peut-être pas un chat aux yeux vairons (c'est-à-dire de couleur différente), mais c'est une caractéristique très courante, en particulier chez les chats blancs et notamment les Persans. Comme dans le cas des blancs aux yeux bleus, elle s'accompagne souvent de surdité.

Les éleveurs et les exposants s'intéressent aussi à la forme des yeux. En gros, un cobby aura plutôt des yeux ronds, et un chat oriental, des yeux en amande. Il en va de même pour la position des yeux par rapport au museau. Chez le cobby, on préfère des yeux bien écartés.

CARACTÉRISTIQUES FACIALES

Les standards officiels déterminent aussi, pour chaque espèce, la forme et la longueur des oreilles ainsi que leur emplacement sur la tête. Chez l'Abyssin par exemple, les oreilles sont grandes, bien dressées

Coon. Le Manx et le Bobtail japonais n'ont peu ou pas de queue, ce qui est d'autant plus surprenant que le chat utilise beaucoup sa queue, notamment pour grimper, mais cela ne semble pas gêner ces races. Une queue dite «nouée» est toujours et partout considérée comme un défaut rédhibitoire, que l'on trouve assez fréquemment chez les Siamois. On raconte beaucoup de légendes sur l'origine de ce défaut mais, génétiquement, on n'en a pas encore découvert l'explication.

LES PATTES

Pour pouvoir concourir dans une exposition, un chat doit avoir les pattes de la même couleur que la truffe, que ce soit le noir ou autre (voir ci-dessus). Les pattes des chats peuvent présenter deux types d'anomalie, causées par des gènes dominants. Un chat polydactyle aura six ou sept doigts, le plus souvent sur les pattes antérieures. Il arrive aussi qu'un chat ait les pattes fourchues, c'est-à-dire que chaque patte est fendue en son milieu ; il s'agit là d'une déformation osseuse. Un chat polydactyle ne sera pas gêné pour grimper ; au contraire, avec des pieds fourchus, un chat sera quasi incapable de grimper.

et pointues. En revanche, les oreilles du Persan sont petites et arrondies aux extrémités, inclinées vers l'avant et bien séparées, ce qui donne à la face un contour bien rond. Les oreilles du Scottish Fold, uniques en leur genre, sont rabattues vers l'avant. On le remarque déjà chez les chatons, mais cette caractéristique s'accentue avec l'âge.

La taille et la forme du museau et la couleur de la truffe varient d'une espèce à l'autre. Un cas extrême est le standard américain pour les Persans, qui donne la préférence à un break ou stop nettement marqué entre le museau et le front ; le cas limite est le Persan à face de Pékinois, race qui n'est pas reconnue dans tous les pays en raison de la possibilité de difficultés respiratoires et autres problèmes que pourrait poser un nez trop court.

À l'autre extrême, on trouve le Mau égyptien, dont le nez rejoint le front par une pente douce. Pour la plupart des races, la couleur requise pour la truffe est le noir, mais il y a des exceptions. Par exemple, chez l'Exotic Shorthair, le brun uni doit avoir une truffe brune, l'Oriental bleu, une truffe bleue, le lilas, une truffe lilas, etc.

LA QUEUE

La queue sert au chat à conserver son équilibre, mais aussi à communiquer et à le protéger des courants d'air quand il dort. Elle peut être mince et longue comme un fouet, comme chez le Siamois, ou remarquablement touffue comme chez le Maine

LE SAVIEZ-VOUS ?
La plus petite espèce de félin sauvage est le chat tacheté de rouille, qui vit en Inde du Sud et au Sri Lanka. Il mesure au maximum 71 cm (voir p. 358).

En haut à gauche
Comme beaucoup de chats blancs aux yeux bleus, cet Angora turc est sourd.

Ci-contre
Quoiqu'il n'ait pas de queue, le Bobtail japonais est un remarquable grimpeur.

Avec ou sans pedigree ?

La TRÈS GRANDE MAJORITÉ des chats de compagnie, ou chats de maison, ou chats domestiques, n'ont pas de pedigree. Si, pour un éleveur ou un juge, il leur manque certaines caractéristiques pour atteindre l'idéal, ils n'en sont pas moins souvent très beaux, ainsi qu'on peut le remarquer dans les classes qui leur sont réservées au sein des expositions.

En haut à droite
Ce chat écaille-de-tortue blanc a été lauréat d'une exposition britannique.

En haut à gauche
Quoiqu'ils passent une bonne partie de leur temps à chasser, les chats de ferme apprécient la compagnie humaine.

Ci-contre
Ce chat sans pedigree est typique du chat de compagnie dans les pays occidentaux.

LES CHATS SANS PEDIGREE

Du fait qu'ils sont nés «naturellement» ou, pourrait-on dire, accidentellement – c'est-à-dire pas dans un élevage – et qu'ils comptent probablement un ou plusieurs ancêtres libres ou errants, les chats sans pedigree sont en général sains et robustes,

les plus faibles étant éliminés par la sélection naturelle. Par rapport aux chats à pedigree, ils auront un caractère plutôt mieux équilibré, ils exigeront moins d'attention, ils seront plus adaptables, moins bruyants et moins exigeants. Mais cela n'empêche pas leurs propriétaires de les présenter à des expositions, dans la classe réservée aux «chats de maison», où l'on récompense leur bonne santé, leur bonne nature et leur charme plutôt que leur conformité à un standard strict.

LE CHAT DE MAISON

On estime que, dans les pays industrialisés, 90 % des chats de maison n'ont pas de pedigree. Cela peut paraître surprenant par rapport aux chiens, mais il faut se rappeler que l'élevage de chiens à des fins particulières – la chasse, la garde, la course, etc. – se pratique depuis de nombreux siècles, alors que l'on ne fait de l'« élevage » des chats que depuis un peu plus de cent ans. Auparavant, un chat n'était ni plus ni moins qu'un chat.

LA CLASSIFICATION DES CHATS

Vers le milieu du XIXᵉ siècle, les félinophiles commencèrent à s'intéresser un peu plus scientifiquement à leurs animaux de prédilection. Gregor Mendel avait publié ses travaux sur l'hérédité en 1866 mais ce n'est que vers 1900 qu'ils furent pris au sérieux par la communauté scientifique, et il fallut attendre longtemps encore avant que le grand public

UN SUJET D'ÉTUDE

En 1881, sir George Mivart, biologiste britannique, publia le premier livre vraiment scientifique sur le chat domestique. Même s'il s'est fourvoyé sur des points de détail, c'était un savant réputé – et parfois contesté – qui avait adopté la théorie de l'évolution énoncée par Darwin. Son ouvrage *The Cat* (« Le Chat ») connut de nombreuses éditions et exerça une influence profonde et durable, des deux côtés de l'Atlantique, en donnant une respectabilité scientifique au monde des félins domestiques.

En 1882 fut publié un autre ouvrage sur les chats qui, pour être moins scientifique, n'en resta pas moins la bible des félinophiles pendant de longues années. Il s'agissait de *Our Cats* (« Nos chats »), de Harrison Weir, qui avait organisé la première exposition nationale en Grande-Bretagne en 1871 et était devenu le premier président du National Cat Club britannique. En fait, le titre complet de l'ouvrage était très évocateur : *Nos chats et tout ce qui les concerne. Leurs variétés, leurs habitudes, comment les élever et les présenter. Le standard d'excellence et de la beauté par le texte et par l'image.* Tout cela donna un bon programme de travail aux éleveurs de chats, et c'est à partir de là que commença la sélection de la conformation, de la couleur, du pelage et des marques.

ne s'intéresse à leurs implications. Mais, au XIXᵉ siècle, on avait la passion de la classification, qui correspondait à l'esprit scientifique de l'époque. C'est cette passion qui avait amené Charles Darwin à formuler sa théorie de l'évolution après un voyage aux îles Galápagos. Dans la seconde moitié du XIXᵉ siècle, ceux qui possédaient un chat ne voulaient plus se contenter de dire, avec Boileau : « J'appelle un chat un chat » ; ils voulaient savoir à quelle espèce il appartenait car ils voyaient bien qu'il y avait de grandes différences de l'un à l'autre. En outre, de plus en plus de gens voulaient acquérir un chat exotique : c'était, au fond, une forme de snobisme.

DE MIEUX EN MIEUX

Mais un autre facteur joua un rôle : au XIXᵉ siècle, la compétition, la concurrence, était un élément moteur de la vie économique et sociale. En Amérique du Nord et en Europe étaient organisés un peu partout des foires et des concours dans lesquels on désignait les plus belles bêtes, le meilleur blé, les plus beaux fruits et légumes, les meilleurs chiens de berger, les meilleurs chevaux de trait – et les plus beaux bébés. Pourquoi alors ne pas organiser aussi des concours pour les chats ? Dès les années 1860, les agriculteurs de Nouvelle-Angleterre, aux États-Unis, commencèrent à en organiser pour les Maine Coon qui, en fait, étaient de simples chats de ferme ; et un titre de « champion local » ou « champion de l'État du Maine », par exemple, était attribué à ces occasions.

En haut à gauche
Un splendide Persan bleu fumé aux yeux d'or.

En bas à droite
Les Maine Coon ont participé à des concours dès la fin du XIXᵉ siècle.

Ci-contre
Harrison Weir, l'un des premiers auteurs d'ouvrages de référence entièrement consacrés aux chats.

LE PEDIGREE

En fin de compte, qu'est-ce qu'un chat à pedigree ? La réponse dépend dans une certaine mesure du pays dans lequel il vit. Comme on l'a vu, le catalogue des races reconnues varie d'un pays à l'autre et parfois même, comme aux États-Unis, d'une association à l'autre. Mais, de façon générale, un chat à pedigree est un chat dont les ancêtres, appartenant à une race reconnue, ont été enregistrés sur au moins quatre générations. L'enregistrement est donc une fonction clef des organisations félines.

On enregistre normalement un chaton vers l'âge de six mois. Le certificat d'enregistrement indique sa date de naissance, son sexe et sa race, ainsi que sa généalogie pour le nombre de générations requis, le nom de l'éleveur et du propriétaire et, bien entendu, celui de l'animal. Pour que le processus d'enregistrement reste crédible, chaque changement de propriétaire doit être enregistré.

En France, tous les noms des chats de race nés et enregistrés la même année commencent par la même initiale (ce qui permet de connaître immédiatement l'âge d'un chat). Mais son nom officiel ne sera pas nécessairement celui que son maître lui donne dans la vie de tous les jours.

LES RACES

Depuis les années 1890, la classification des races et des variétés n'a pas cessé d'être affinée. Ainsi, ce n'est que dans les années 1950 que la Cat Fanciers' Association of America a reconnu les Persans et les Angoras comme des races distinctes. De «nouvelles» races sont reconnues de temps en temps, soit à la suite de la découverte de variantes spontanées telles que le Scottish Fold ou le Devon Rex, soit par l'introduction de nouvelles variétés, comme celle du Turc Van : celui-ci est en fait une variété d'Angora et fut importé de Turquie en 1955.

Si bon nombre de variétés «nouvelles» ont réussi à s'imposer dans les expositions, certaines races ont connu des éclipses. Ainsi de l'Angora, dont la mode a passé vers 1900 dans le monde occidental mais qui a fini par retrouver une place digne de lui après que de nouveaux sujets eurent été importés de Turquie dans les années 1960. Si de nombreuses familles américaines possèdent un Maine Coon, cette race ne fut officiellement reconnue comme race distincte par la Cat Fanciers' Association of America que dans les années 1970.

LES STANDARDS

Toutes les associations imposent la même rigueur à l'acceptation d'une nouvelle race ou d'une nouvelle variété : il s'agit de veiller à ce que la race proposée soit effectivement différente des autres, qu'il y ait suffisamment d'éleveurs qui souhaitent produire cette race sans risque de consanguinité excessive et que l'on arrive à se mettre d'accord sur un standard.

En haut
La race des Turcs Van n'a été reconnue que relativement récemment.

Ci-contre
Si le Maine Coon est très apprécié aux États-Unis, cette race n'a été officiellement reconnue que dans les années 1970.

Même s'il existe des différences de détail, sur le fond, la procédure est identique dans tous les pays.

Une fois qu'une proposition a été faite et acceptée, la phase préliminaire de la reconnaissance commence. Elle est en moyenne de cinq ans, plus ou moins selon les pays. On rédige un projet de standard, et on examine des sujets (hors compétition) pour voir si le standard convient ou s'il peut ou doit être modifié ou amélioré. Si tout se passe bien, la race est inscrite au *Registre expérimental* (RIEX) pendant au moins un an et parfois deux ou trois, selon les pays. À ce stade, les chats peuvent, dans certains cas, participer à des expositions, mais dans une catégorie distincte : celle des « novices ». Si la race continue à donner de bons résultats, la race est enfin inscrite, en France, au *Livre officiel des origines félines* (LOOF), et ses représentants peuvent participer aux concours officiels.

CLASSIFICATION DES RACES

Au XVIIIe siècle, Linné ne distinguait que quatre races de chats : le chat domestique, le chat d'Angora, le chat d'Espagne et le chat des Chartreux. Vers 1900, huit races étaient reconnues et, de nos jours, on en compte de 25 à 30 (selon les pays). Certaines associations (notamment en Amérique du Nord) distinguent entre les races « naturelles », qui dérivent de la population féline naturelle, par exemple l'Européen à poil court et le Maine Coon, les races « fixées », qui résultent d'un croisement entre deux races naturelles ou plus, mais sans recroisement (c'est le cas du Chat sacré de Birmanie, croisement entre Siamois et Angora, ou du Burmese, croisement entre Siamois et Oriental), et enfin les « hybrides », qui proviennent d'un croisement entre deux races mais avec des recroisements pour améliorer la race. Enfin, il y a les « mutations » (comme le Rex), pour lesquelles le croisement avec la race qui a produit la mutation est autorisé.

En haut
On pourrait croire que ce British Shorthair a un pedigree, mais, n'ayant pas été enregistré, il n'a pas droit à cette appellation.

Ci-dessus
Le Burmese est un croisement entre Siamois et Oriental ; cette race est maintenant reconnue.

Ci-contre
Certaines races reconnues, comme le Birman, ont été « créées » dans des élevages.

Les chats libres, ou errants

Les chats libres, également appelés chats errants ou chats de gouttière, descendent de chats domestiques qui ont rejeté la domestication ou que leur propriétaire a rejetés, mais qui continuent à vivre à proximité des humains. En ville, l'évolution de l'urbanisme et de la démographie a favorisé leur multiplication. À la campagne, ils ont pour ancêtres des chats de ferme ou des chats abandonnés. Les chats harets, eux, sont retournés à l'état sauvage : on en trouve sur les îles désertes (probablement à la suite d'un naufrage), dans les massifs montagneux ou dans les forêts, et ils évitent les humains.

parfois dans les villes un nombre assez important de chats libres noirs à taches blanches, peut-être parce qu'il existe une ou plusieurs colonies plus ou moins homogènes de chats de ce type.

SAUVAGE OU DOMESTIQUE ?

À l'exception des chats harets, où les animaux ont perdu le contact avec des humains pendant plusieurs générations, on ne peut pas dire qu'un chat libre « retourne à l'état de nature » : il reste un *Felis catus* et ne devient pas un chat sauvage, et il conserve les caractéristiques propres à cette espèce. Cela tient peut-être au fait que, à la différence du chat sauvage ou du haret qui doivent se débrouiller seuls pour trouver de la nourriture, le chat libre a tendance

En haut à droite
L'élevage permet, à partir d'un chat libre, d'obtenir à nouveau un chat de maison.

En bas à droite
En ville, des volontaires nourrissent les chats libres, qui se comportent comme des chats de compagnie.

LA COULEUR

Au bout de plusieurs générations de vie à l'état sauvage (pour les harets) ou semi-sauvage (pour les chats « libres » ou « errants »), quels qu'aient été ses ancêtres, le chat tend à retrouver le pelage tabby. Celui-ci provient d'un gène dominant et, lorsque les accouplements ne sont pas contrôlés, il finira par masquer les autres couleurs. Des études ont montré que la plupart des chats libres adultes étaient des tabby marbrés. On pourrait aussi penser que, étant plus proches du type originel, les tabby survivent mieux que d'autres types de chats. Pourtant, on trouve

à fréquenter certains lieux où la nourriture est facile à trouver. Il s'agit donc d'un moyen terme entre la vie vraiment sauvage et la vie confortable du chat domestique. S'il arrive au chat libre d'avoir des contacts, réguliers ou occasionnels, avec des humains, il adopte un style de vie semi-domestique, il se laisse approcher, caresser et nourrir, tout en gardant ses distances – dans une certaine mesure.

LES COLONIES

Il est impossible de se faire une idée du nombre des chats libres dans le monde ; ils doivent certainement se compter par millions. Il peut y avoir plusieurs centaines de chats libres dans des zones urbanisées où ils disposent d'une certaine liberté. Ainsi, on a compté jusqu'à 200 chats libres dans une zone portuaire de 81 hectares, ce qui, pour chaque chat, représente un territoire moyen d'un demi-hectare, alors que celui d'un chat de ferme est d'environ 10 hectares. Mais les chats libres ont moins besoin de chasser que leurs congénères de la campagne : ils trouvent de la nourriture dans les décharges et les bennes à déchets. Il leur arrive aussi d'aller quémander

de la nourriture aux humains qui fréquentent leur territoire.

Une colonie de chats libres peut se développer très rapidement, si l'on se rappelle en particulier qu'une femelle peut avoir de 30 à 50 chatons au cours de sa vie, alors que, de son côté, le mâle peut en engendrer un nombre indéfini. Compte tenu de l'environnement dans lequel ils vivent parfois (mais pas toujours), tous les chatons (et pas même la majorité) n'atteindront pas la maturité sexuelle : on a calculé que le taux de survie était en moyenne de un sur huit. Mais cela est bien suffisant pour que les survivants se multiplient à un rythme impressionnant.

En haut
Le territoire (ou domaine vital) de ce chat rural peut couvrir 10 hectares.

Ci-contre
Les chats des villes ont des territoires nettement plus restreints ; il est vrai qu'on leur fournit souvent à manger.

UNE ESPÈCE PROTÉGÉE ?

Dans quelle mesure devrait-on contrôler la population des chats libres dans les zones urbaines ? Pour certains naturalistes, ils sont revenus à l'état sauvage et il faudrait donc les protéger comme

d'autres espèces. Beaucoup de félinophiles s'opposent violemment au piégeage et au gazage qu'ordonnent parfois certaines autorités locales et associations de lutte contre les nuisibles. Ce n'est en tout cas qu'une réponse très temporaire à ce problème, car, dès lors qu'un territoire est plus ou moins « vide », de nouveaux chats ne tarderont pas à venir s'y installer et à s'y multiplier. Mais il est vrai par ailleurs qu'une population féline excessive peut apporter des nuisances et même, pis, représenter un danger pour la santé et la sécurité des humains. Désormais, les règlements sanitaires exigent de certaines entreprises (par exemple les minoteries et les usines de produits alimentaires) qu'elles trouvent un autre moyen que les chats (qui y étaient autrefois tolérés sinon même volontiers accueillis) pour éliminer les rongeurs.

Faute de trouver un moyen efficace de décourager les gens d'abandonner les chats et chatons dont ils ne veulent plus, la seule réponse apparemment réaliste consiste à contrôler leur multiplication.

En Israël, où vivraient environ 250 000 chats, il existe depuis une trentaine d'années un programme qui permet de fournir aux chats libres de la nourriture à laquelle sont ajoutées des substances identiques à celles utilisées dans les pilules contraceptives humaines. Il semblerait que ce programme soit efficace.

Ci-dessus
Ces chats libres cherchent de la nourriture en groupe.

En haut à droite
Un agriculteur nourrit des chats libres pour qu'en retour ils chassent les souris dans sa ferme.

En bas à droite
Dans les villes, nombreux sont les chats libres qui trouvent leur nourriture dans les poubelles.

Autre possibilité, opérer ces chats, mais ce n'est pas facile : il faut attraper les animaux, les garder un jour ou deux après l'opération et ensuite les ramener sur leurs territoires. Compte tenu du grand nombre de chats, ce genre de programme ne peut être que limité à des secteurs restreints. En outre, pour que cette solution soit efficace, il faudrait aussi pouvoir marquer les animaux opérés.

LES BESOINS DES CHATS LIBRES

Pour les chats libres comme pour les chats domestiques, les deux besoins fondamentaux sont l'abri et la nourriture. Pour le logement, il ne manque pas d'anciens entrepôts et usines, de fermes et de granges abandonnées, de vieilles cabanes, de gares désaffectées, de villages déserts et de quartiers urbains

plus ou moins à l'abandon et, dans presque tous les cas, les chats y trouvent aussi de la nourriture. Dans les villes, les groupes de chats fréquentent régulièrement les abords des restaurants et les poubelles : les chats libres n'ont aucun mal à déchirer les sacs en plastique d'un coup de patte pour y trouver des friandises, sans compter que les déchets ne sont pas souillés de cendres, comme c'était le cas autrefois. Ils ont plus de problème avec les grandes poubelles à roulettes des restaurants, mais leur couvercle reste parfois ouvert, sans compter que les chats peuvent s'abriter dessous. Outre la nourriture, les quartiers urbains

ne manquent pas de vieux cartons, que les chats apprécient autant que les clochards.

Un autre intérêt de la ville est que, en général, la température y est d'un ou deux degrés supérieure à celle de la campagne et, parfois, ce n'est pas à négliger. Certaines colonies de chats libres vont même jusqu'à s'installer dans les caves et les sous-sols d'immeubles ; ils y trouvent non seulement de la chaleur à proximité des chaudières ou des tuyaux du chauffage central, mais aussi de la nourriture dans les poubelles.

LES CHATS DES VILLES

Avec l'augmentation des prix de l'immobilier, en particulier depuis les années 1960, et le déclin de l'industrie manufacturière dans les années 1980, la population des chats libres a beaucoup augmenté dans les villes : les maisons individuelles ont été bien souvent remplacées par des immeubles ou des bureaux, et il est bien évident qu'il est plus difficile d'avoir des animaux domestiques dans un appartement – quand ce n'est pas interdit.

Dans certains quartiers, ce sont les usines et les ateliers qui ont fermé, jetant à la rue les ouvriers – et les chats.

Cette évolution des conditions écologiques, notamment en milieu urbain, mais aussi de la mentalité humaine, avec l'adoption de textes législatifs qui protègent les animaux en général, fait que les chats libres se multiplient et, souvent, des félinophiles fournissent à ces chats de la nourriture. Il est vrai que l'attention qui leur est portée varie

d'un pays à l'autre : ainsi, les chats libres britanniques recevraient deux fois plus de nourriture des humains que leurs congénères d'outre-Atlantique. Parfois même, il s'agit d'une entreprise organisée : les employés du British Museum, à Londres, ont créé un comité chargé de nourrir les chats libres et de leur procurer des abris appropriés. On citera aussi le cas des personnes chargées du nettoyage d'une grande maison d'édition qui ont institué un système de rotation pour nourrir chaque jour (même le samedi et le dimanche) les chats d'un site voisin. Dans un autre cas encore, des ouvriers d'une usine avaient l'habitude d'aller manger leurs sandwiches, à midi, sur le bord d'un canal voisin. Ayant remarqué que des chats les observaient de loin avec envie, ils prirent l'habitude de les nourrir régulièrement.

En haut à gauche
Ce chat libre s'est installé dans une maison abandonnée.

En haut à droite
À Londres, le British Museum subvient aux besoins alimentaires des chats libres qui fréquentent ses abords.

Ci-contre
Un chat libre en patrouille sur son territoire.

DES CHATS ENTRETENUS

Dans certaines grandes entreprises britanniques, le sort des chats libres a fait l'objet de discussions dans les rencontres entre syndicats et patronat. En revanche, les foyers pour personnes âgées ou handicapées mentales du monde entier accueillent volontiers les chats, quelle que soit leur provenance : on a en effet observé que leur présence a un effet positif sur les patients.

UNE EXISTENCE PRÉCAIRE

Cependant, dans la majorité des cas, le chat libre doit se débrouiller tout seul, souvent dans un environnement hostile. Le chat libre est plus vulnérable que le chat domestique et il vit en général moins longtemps : il en est peu qui atteignent l'âge de dix ans (les femelles vivent en moyenne plus longtemps). Ils sont en général plus petits et plus légers que leurs congénères domestiques du même type. Cela tient probablement au fait, non pas qu'ils sont moins nourris, mais plutôt qu'ils dépensent plus d'énergie que les chats domestiques à chasser et à se réchauffer. Mais le plus grand danger qui menace le chat libre est la maladie : ainsi, l'infection respiratoire virale (le «coryza des chats») se répand rapidement et peut faire des ravages dans une colonie. En outre, les teignes, les tiques et les vers intestinaux et d'autres infections encore peuvent affecter la santé du chat et l'affaiblir.

> **LE SAVIEZ-VOUS ?**
> Chez certaines espèces de chats, la queue joue le rôle d'un balancier : elle leur permet de conserver l'équilibre lorsqu'ils poursuivent une proie ou grimpent aux arbres.

Par ailleurs, les chats libres courent plus de risques d'être heurtés par un véhicule, de faire une mauvaise chute, d'être empoisonnés ou de rester coincés dans un tuyau, et il y a bien d'autres possibilités d'accident encore. Mais ils peuvent aussi être victimes de personnes malveillantes qui emploient contre eux des armes à air comprimé ou même des armes à feu. C'est le cas en particulier de certains chasseurs, qui les considèrent comme des nuisibles, les soupçonnant de s'attaquer à des oiseaux dans leurs nids ou à des lapins dans leurs terriers, et qui profitent de la moindre occasion pour les abattre. Ainsi, un garde-chasse anglais s'est vanté d'avoir tué trois cents chats en un an, en les attirant avec de la valériane. Une femme de garde-chasse, elle, était connue pour fabriquer des carpettes à base de poils de chats.

De temps en temps, certaines autorités publiques et entreprises de construction décident de faire la chasse aux chats libres, pour des motifs d'hygiène publique, et lancent des programmes de piégeage ; les chats piégés sont soit gazés, soit enfermés dans des refuges.

LES COLONIES INSULAIRES

Les colonies de chats libres ou harets les plus intéressantes sont celles qui se sont développées sur des îles ; certaines existent depuis plusieurs siècles, et on n'en connaît pas l'origine. Par exemple, sur l'île de Shillay, au large de la côte nord-ouest de l'Écosse, la colonie date de 1942, lorsque la population locale de pêcheurs a abandonné l'île. Maintenant, cette colonie est totalement indépendante, sauf parfois

En haut à droite
Sur l'île de Rhodes, ces chats sont nourris presque exclusivement par les touristes.

Ci-contre
À Malte, ce chat des rues trouve sa nourriture dans les poubelles.

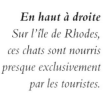

en été, lorsque des pêcheurs ou des ornithologues amateurs y font escale.

Une autre colonie intéressante est celle de Marion Island, petite île située dans le sud de l'océan Indien et proche du cercle antarctique. On imagine mal un environnement moins hospitalier pour des chats : la banquise la plus proche n'est qu'à 500 km, la température ne dépasse guère 0 °C, et l'île est régulièrement battue par des tempêtes glaciales. Cette île appartient à l'Afrique du Sud qui, en 1949, décida d'y apporter des chats pour lutter contre les souris qui envahissaient la station météorologique locale. En 1947, la colonie comptait au moins 500 chats, et peut-être même jusqu'à 2 000.

Les îles du Pacifique Sud comptent elles aussi de nombreuses colonies de chats libres ou harets : depuis les îles Galápagos, au large des côtes de l'Amérique du Sud, jusqu'aux îles situées

au large de la Nouvelle-Zélande. Dans certains cas, comme aux Galápagos, ces chats ont été introduits délibérément ; dans d'autres, on ignore tout de leur origine. Comme le terrain est volcanique, il ne manque pas de fissures et de cavernes où les chats peuvent s'abriter. Sur des habitats de ce genre, la faune est relativement limitée, aussi les chats acquièrent-ils vite une position dominante ; ils se nourrissent des oisillons d'espèces rares

qui y nichent et même, aux Galápagos, de tortues géantes. En cas de nécessité, ils mangeront même de la charogne, ce qui est d'ailleurs contraire à l'une des règles fondamentales de leur régime alimentaire.

MYTHE OU RÉALITÉ ?

Cette multiplicité de colonies de chats dans le Pacifique Sud donne peut-être la solution d'un problème qui a longtemps préoccupé les anthropologues. La famille des félins n'est pas naturellement représentée en Australie : ils ont tous été importés. Et pourtant, dans l'art et le folklore des Aborigènes, il est parfois question d'un Grand Chat Chasseur. On sait que les premiers colons aborigènes sont arrivés en Australie il y a quelque cinquante mille ans, étant passés d'une île du Pacifique Ouest à l'autre. Il est possible qu'ils aient amené avec eux – volontairement ou par accident – des chats, qu'ils auraient pu trouver sur l'une ou l'autre de ces îles. Si c'est le cas, soit ces animaux ont été victimes d'une catastrophe, soit ils n'étaient pas assez nombreux pour survivre. Quoi qu'il en soit, il apparaît que, bien après leur disparition, ils ont continué à vivre dans la mémoire collective des Aborigènes.

LE SAVIEZ-VOUS ?
Un zoo avait mis dans la même cage un serval et un caracal. Ils se sont accouplés et ont donné naissance à une portée de « servicals ».

En haut à droite
Ce chat haret que l'on aperçoit de loin a pour ancêtres des chats introduits par l'homme dans les îles Galápagos.

En bas à gauche
Des colonies de chats harets n'ont pas de mal à s'abriter dans les innombrables grottes des Galápagos.

En bas à droite
On ne connaît pas l'origine de ce chat libre d'Australie ; c'est l'homme qui a introduit les chats dans ce pays.

Introduction aux races de chats

PLUSIEURS FACTEURS déterminent ce qui « fait » une race, terme qui désigne un groupe reconnu d'individus enregistrés depuis plusieurs générations (de trois à cinq) et correspondant à un standard qui définit leurs caractéristiques morphologiques (conformation du corps, couleur) et physiologiques. Le nombre de races ou variétés reconnues par les associations félines varie d'un pays à l'autre : de cinquante à plus de cent ; mais certaines « races » reconnues dans un pays ne sont que des « variétés » dans un autre.

concours ou expositions) ; d'autres enfin sont définitivement reconnues et peuvent donc participer aux concours et expositions. Pour pouvoir être reconnue, une race doit en particulier compter au moins cent membres correspondant au standard. La même procédure s'applique aux « nouvelles » variétés de couleur pour une même race.

Certains éleveurs n'aiment pas ce « conservatisme » des associations et, bien sûr, on comprend qu'ils soient déçus de ne pas voir reconnaître rapidement une race ou une variante pour la production de laquelle ils ont dépensé beaucoup de temps et d'argent. Pourtant, ce délai de plusieurs générations est justifié : il faut en effet vérifier qu'il s'agit bien d'une race (ou variante) authentiquement nouvelle, qu'elle intéresse suffisamment d'éleveurs, qu'elle compte suffisamment de membres pour se développer sans consanguinité excessive, qu'il est possible de définir des standards appropriés et, surtout, qu'aucun problème génétique ne se manifeste au bout de plusieurs générations.

Troisièmement, la terminologie des éleveurs varie d'un pays à l'autre et même d'une association à l'autre dans

LES RACES RECONNUES

Le nombre des races n'est jamais définitivement fixé, dans quelque pays que ce soit. Il y a toujours des races « nouvelles » (soit des variantes de races déjà reconnues, soit des races provenant de mutations spontanées), qui sont cependant soumises pendant un certain temps à un examen préliminaire ; certaines races ont reçu une reconnaissance provisoire (et, sauf exception, ne peuvent pas encore participer aux

En bas à droite
L'Angora turc est particulièrement recherché pour sa beauté et son intelligence.

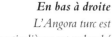

un même pays. Par exemple, le Persan Colourpoint est appelé Himalayan aux États-Unis, et l'Angora turc s'appelle simplement Angora en Grande-Bretagne.

Le nom des couleurs est lui-même variable : la couleur chocolat des uns peut être la couleur châtaigne des autres, et le lilas s'appelle lavande aux États-Unis. En outre, les standards en fonction desquels sont jugés les chats varient eux aussi, dans le temps et dans l'espace. Dans les pages suivantes, nous indiquerons au passage quelques-unes de ces variantes.

Quant au nombre de représentants d'une même espèce, il varie lui aussi considérablement. Certaines races – par exemple les Siamois et les Persans – en comptent un très grand nombre alors que le Lynx et le Rex, par exemple, sont relativement rares, et seuls les habitués des expositions et les abonnés aux revues spécialisées en ont entendu parler. De façon générale, plus une race est ancienne et nombreuse, plus il est probable que les problèmes qu'elle pose ont été progressivement éliminés ; aussi le non-spécialiste qui veut acquérir un chat a-t-il tout intérêt à faire son choix dans l'une des races bien établies.

Pour chaque race, le standard est une description détaillée de chacune des caractéristiques physiques du chat, étant entendu qu'un exemple parfait de la race ou de la variété obtiendrait le maximum de 100 points dans un concours. En pratique, le standard est plus important pour les élevages que pour les expositions : en effet, si les juges s'en servent comme référence, ils s'intéressent plus à l'évaluation globale du chat en tant que représentant de sa race ou de sa variété. Dans un pays particulier, le standard pourra attribuer, par exemple, 20 points à la tête, 15 aux yeux, 15 au corps et 50 à la robe mais, dans un autre pays, la répartition pourra être différente. Et la distribution des points n'est pas nécessairement la même d'une race à l'autre.

Les propriétaires qui veulent présenter leurs chats doivent donc impérativement étudier les standards qui leur sont applicables et s'en servir de guides pour juger si cela vaut la peine de les présenter à des concours. Bien sûr, tous les chats ne peuvent pas gagner, mais il est inutile de présenter un chat qui n'a aucune chance dès le départ.

Bien entendu, beaucoup de gens aiment avoir un chat à pedigree sans pour autant vouloir le présenter dans une exposition. Les éleveurs vendent souvent des chats au pedigree parfait mais qui, tout simplement, ne correspondent pas aux standards, que ce soit pour les concours ou pour l'élevage. Aussi les vendent-ils comme « animaux de compagnie » ou « chats de maison ».

En haut
La famille des Persans compte plus de deux cents variétés. C'est le chat d'intérieur par excellence.

Ci-contre
Le Rex Cornish, qui résulte d'une mutation génétique, est relativement rare.

Les nouvelles races

DANS CHAQUE PAYS, les associations félines contrôlent sévèrement la reconnaissance de « nouvelles » races ou variétés de chats. Cette reconnaissance n'est pas automatiquement transférable d'un pays à l'autre ; dans chaque pays, elle devra être soumise à une procédure spécifique, qui ne débouchera pas nécessairement d'ailleurs sur un résultat positif. En outre, dans tous les pays, le fait qu'une race a été reconnue ne signifie pas qu'elle est définitivement autorisée à participer à des expositions.

Cette race n'a jamais cessé de connaître des problèmes : les joues proéminentes et le nez aplati empêchent le Persan à face de Pékinois de respirer correctement, et son museau fripé fait que le canal lacrymal a tendance à se boucher. Souvent, les mâchoires inférieure et supérieure ne se rejoignent pas exactement, aussi le chat a-t-il, en plus, du mal à se nourrir. Tous les Persans connaissent ce genre de problème, mais ce défaut est nettement plus prononcé chez le Persan à face de Pékinois. En outre, le taux de mortalité est élevé – jusqu'à 50 % dans les six premiers mois, précisément à cause de cette malformation de la bouche qui les gêne pour téter.

On comprend mal comment cette race a pu obtenir une reconnaissance officielle ; en tout cas, elle ne l'obtiendrait certainement pas aujourd'hui. Peu de pays d'ailleurs la reconnaissent. En fait, même aux États-Unis, cette race tend à se raréfier, peut-être parce qu'il est difficile de maintenir un nombre suffisant de sujets. Il semble donc, heureusement, que cette race soit vouée à l'extinction.

LES « NOUVELLES » RACES

Un autre exemple de la difficulté à faire accepter une nouvelle race nous est donné par le cas du Singapura, qui est loin d'être reconnu par toutes les associations. Qualifié de « plus petit chat du monde », c'est un Abyssin tiqueté qui aurait été découvert en 1974 dans les rues de Singapour.

Ce chat est souvent qualifié de « mignon et délicat » et, à le voir, on comprend bien pourquoi on a voulu le développer en tant que race

LE PERSAN À FACE DE PÉKINOIS

Ci-dessus
Le taux de mortalité est particulièrement élevé chez les Persans à face de Pékinois.

En bas à droite
Le Singapura étant une race rare, il existe un risque certain de consanguinité.

Un bon exemple de ces problèmes est celui du Persan à face de Pékinois. Son histoire remonte aux années 1930, lorsque des mutations spontanées furent observées, aux États-Unis, dans des portées de chatons roux uni et de tabby roux. Les principales caractéristiques étaient un net enfoncement entre les yeux et le nez retroussé, qui faisait ressembler ces chatons à des chiens pékinois. Cette variante fut reconnue par l'Association féline canadienne et par la Cat Fanciers' Association américaine, mais pas par les autres associations d'Amérique du Nord.

particulière. Mais, en fait, l'histoire des chats trouvés dans les rues de Singapour ne serait qu'une légende, et peut-être ne s'agissait-il, en fait, que de petits Abyssins lièvre qui auraient été réimportés de Singapour aux États-Unis. C'est l'une des controverses dont le monde des félinophiles est friand. En Europe, il est reconnu par le LOOF et le GCCF.

Le problème est que, descendant de trois sujets seulement, le nombre de ces chats est restreint, et il sera difficile d'en multiplier les représentants sans consanguinité excessive.

Dans le monde entier, on a essayé de produire de nouvelles races par croisements, pour obtenir

un type distinctif. Mais, dans la plupart des cas, on n'a guère obtenu que des anomalies inacceptables, des problèmes de santé insolubles ou des sujets stériles, ce qui mettait un point final à l'expérience. C'est en particulier ce qui s'est passé pour les tentatives visant à produire un «chat miniature».

Cela dit, il est certain que des surprises sont toujours à attendre dans le monde des félins. Indépendamment des programmes d'élevage spécifiques, il se produira certainement des mutations telles que celles qui ont donné les Rex et le Scottish Fold – qui sont, en quelque sorte, des aberrations de la nature. Mais du moins s'agissait-il d'événements spontanés, «naturels» – encore fallait-il qu'il y ait des amateurs de chats pour les remarquer et les exploiter. En fait, ni l'un ni l'autre de ces cas ne s'est produit

dans un élevage. L'un des parents du premier Rex Cornish était un chat libre qui vivait dans une ancienne mine d'étain, et l'autre était une chatte de ferme. Quant au Scottish Fold, c'était à l'origine un chat de ferme. Tout cela permet donc de penser que, si de nouvelles surprises nous attendent, elles ne viendront pas nécessairement des spécialistes.

En haut à gauche
Qui sait si le Singapura est originaire de Singapour ou de Houston (Texas) ?

Au centre à droite
Des mutations génétiques naturelles peuvent donner naissance à de nouvelles races, comme le Rex et…

Ci-contre
… le Scottish Fold.

Les chats à poil long

ETTE CATÉGORIE présente un problème de terminologie : au terme « Persan », qui est employé presque partout dans le monde, correspond, en Grande-Bretagne, le terme « Longhair » (« poil long »). Toutefois, ce dernier terme s'applique aux États-Unis à tous les chats à poil long – ce qui n'empêche pas les Britanniques, dans la conversation courante, de parler aussi de Persans.

considérées comme des races à part (par exemple l'Himalayan).

Dans le présent ouvrage, nous présentons d'abord tous les chats à poil long ; ils sont suivis par les chats à poil mi-long puis par les chats à poil court. On trouvera dans chaque groupe des races qui ne sont pas nécessairement reconnues partout comme telles et qui, dans certains pays, ne sont considérées que comme des variétés. Pour compliquer les choses, toutes les variétés de couleur ne sont pas reconnues dans tous les pays. Nous indiquerons ces différences lorsqu'elles se présenteront.

PROBLÈMES DE CLASSIFICATION

En Europe, les chats sont classés en trois catégories : chats à poil court, à poil mi-long et à poil long.

L'Amérique du Nord ne connaît
que deux groupes :
les poils longs et
les poils courts.
La Grande-
Bretagne
reconnaît
sept groupes :
les Longhairs (Persans),
les Mi-longhairs, les British Shorthairs, les foreign,
les Burmeses, les orientaux et les Siamois.
Les chats à poil mi-long sont
le Birman, le Turc Van, le Maine
Coon, le Ragdoll et le Chat des Forêts
norvégiennes ; la seule caractéristique
qu'ils aient en commun est
que leur poil est plus long que
chez les chats à poil court
mais plus court... que chez
les chats à poil long !

En outre, pour
les Britanniques,
les principales couleurs
des Longhairs constituent
des « races », alors qu'en
Amérique du Nord
ce ne sont que
des variétés de Persans
– à quelques
exceptions près

ORIGINE DES CHATS À POIL LONG

À l'état de nature, le chat a le poil court : c'est le cas des trois ancêtres reconnus du chat domestique – le chat sauvage européen, le chat sauvage africain et le chat de la jungle. Les poils longs proviennent d'un gène mutant présent dans l'hérédité lointaine du chat à poil long. Pour certains biologistes, le Persan à poil long proviendrait d'accouplements entre le manul et un ancêtre d'une autre espèce.

Ci-dessus
Ce Chat des Forêts norvégiennes est classé dans le groupe des chats à poil mi-long.

Ci-contre
Le Persan est appelé Longhair en Grande-Bretagne, terme qui, aux États-Unis, définit tous les chats à poil long.

L'espèce du manul, ou chat de Pallas, a été identifiée par le naturaliste allemand Peter Simon Pallas, qui l'a découverte dans une région située au nord de la mer Caspienne à la fin du XVIIIᵉ siècle. Son poil est plus long que celui d'autres espèces sauvages, ce qui le protège mieux du climat froid d'Asie centrale, qui est son habitat naturel. D'après Pallas, il s'accouple régulièrement avec le chat domestique. C'est sur cette observation que se fonde la théorie selon laquelle il serait à l'origine du Persan. Mais ce n'est là qu'une hypothèse.

Les chats à poil long du type Persan ou Angora étaient connus en Europe dès le XVIᵉ siècle, et ils étaient très recherchés par l'aristocratie française et italienne. On leur donnait indifféremment l'un ou l'autre nom, mais aussi ceux de Chinois, Indien, Russe et Asiatique. Si ces chats étaient tant appréciés des riches, c'est peut-être parce qu'ils étaient très différents du chat commun ordinaire et qu'il fallait avoir le temps de s'occuper d'eux.

En Grande-Bretagne, ce qui déclencha la mode du Persan fut le fait que, au XIXᵉ siècle, la reine Victoria et son fils Bertie (le futur roi Édouard VII) avaient le privilège d'en posséder. C'est à peu près à la même époque que les premiers Persans furent introduits aux États-Unis, où l'accueil qu'on leur fit fut plus enthousiaste encore. Parallèlement, l'intérêt pour les Angoras diminua et finit presque par disparaître, jusqu'à ce qu'ils recommencent à se multiplier, dans les années 1950, à partir d'une souche importée de Turquie.

ORIGINE DES AUTRES RACES

D'autres chats à poil long ont une histoire totalement différente. Le Maine Coon et le Chat des Forêts norvégiennes, qui lui ressemble

beaucoup, doivent leur robe remarquablement épaisse non pas à d'éventuels accouplements qui se seraient produits en Asie centrale mais à leur environnement particulièrement froid : les États du nord-est des États-Unis et la Scandinavie.

La catégorie des chats à poil long inclut aussi le Somali qui, au fond, est une version à poil mi-long de l'Abyssin ; le Cymric, qui est une variété de Manx ; l'Angora turc et le Chat sacré de Birmanie (considéré parfois comme chat à poil mi-long) ; le Balinais, considéré par les Britanniques comme une variété de Siamois, et le Javanais. Ce dernier terme est lui aussi source de confusion : en Amérique du Nord, il désigne un Siamois tabby point ou écaille-de-tortue ; mais la FIFé donne ce nom à une race appelée, aux États-Unis, Oriental Longhair.

En haut à gauche
La plupart des chats sauvages ont le poil court ; on pense que c'est le pelage originel et naturel des chats.

En haut à droite
Le manul aurait transmis au chat domestique le gène des poils longs.

Ci-contre
Au XVIᵉ siècle, l'Angora turc était déjà très à la mode.

Angora turc

○○○○○○○○○○○○○○○○○○○○○○○○○○○○○

FICHE D'INFORMATION

NOM	Angora turc
Autre(s) nom(s)	Turc angora
CORPS	Ossature fine
COULEURS	Toutes les couleurs du Persan, sauf (aux États-Unis) chocolat, lilas et motif himalayan

TAILLE

TOILETTAGE

EXERCICE

L'ANGORA est une race qui suscite beaucoup de controverses et de confusion à cause de son histoire et des différents noms donnés à ses représentants. En fait, il y a deux races distinctes appelées « Angora », mais elles ont des caractéristiques communes. C'est la raison pour laquelle nous les présentons ensemble.

HISTORIQUE

La situation n'est pas simple. L'Angora turc (ou Turc angora) est reconnu en Europe et aux États-Unis, mais pas en Grande-Bretagne. C'est une race pure originaire de la région d'Ankara, où elle existe encore (et est protégée) dans sa forme originelle ; le zoo d'Ankara en possède une importante colonie, où la seule couleur admise est le blanc.

Il existe aussi, en Grande-Bretagne, le British Angora, qui est une race produite en élevage sans référence à la souche turque, et qui a obtenu une reconnaissance préliminaire en 1977. Aux États-Unis, ce chat est appelé Javanais ou Oriental Longhair, alors que, en Europe continentale, l'Oriental à poil long, comme le Javanais, est un Siamois à poil mi-long.

Enfin, il y a aussi le Turc Van, qui constitue une race distincte, mais qui ressemble par bien des aspects à l'Angora turc.

Avec les Persans, les Angoras furent parmi les premiers chats originaires de l'Orient à être introduits en Europe : cela se passait au XVIᵉ siècle et, au début, on ne faisait pas de distinction entre les deux races. On ne sait donc pas vraiment si l'Angora et le Persan ont des ancêtres communs ou si l'Angora provient d'un croisement accidentel avec des types orientaux.

Ci-dessus
Un Angora turc
bleu-crème.

Ci-contre
Certains éleveurs
n'admettent,
pour l'Angora turc,
que la couleur blanche.

Ci-contre
Ce qui distingue
un Persan d'un Angora,
c'est surtout la forme
de la face.

deux ans plus tard et par la FIFé en 1988, puis par le LOOF. Si d'autres couleurs sont admises, les sujets blancs restent les plus recherchés.

Quant au British Angora, il fut reconnu en Grande-Bretagne en 1977. Il ressemble à l'Angora turc, mais a une apparence plus orientale, avec une conformation du corps plus sinueuse, un masque plus triangulaire et des oreilles plus larges.

Au centre
On distingue bien
le caractère « oriental »
de l'Angora sur
ce sujet chocolat.

Ci-dessous
Au début du XXe siècle,
les Persans comme
ce bleu et blanc étaient
particulièrement
recherchés.

RELANCE DE LA RACE

Progressivement, le Persan supplanta l'Angora au point que, au début du XXe siècle, cette race fut bien près de disparaître (sauf en Turquie). Puis cette race fut relancée de deux manières : en Grande-Bretagne, on recréa l'Angora en élevant des chats à poil court de type oriental présentant le gène des poils longs ; ailleurs, on préféra importer de Turquie des sujets de la race originelle.

C'est ce qui fut fait, notamment, aux États-Unis : en 1962, une éleveuse américaine, Mme Weed, ramena (à grand prix) du zoo d'Ankara un couple d'Angoras blancs – un mâle aux yeux vairons et une femelle aux yeux cuivre. Un second couple fut importé en 1966, et c'est à partir de ces deux couples que cette race fut relancée aux États-Unis. Au début, ils furent enregistrés comme des Longhairs mais, en 1968, une race Angora distincte fut fixée, avant d'être reconnue par la CFA

LE SAVIEZ-VOUS ?

Le chat des sables est l'un des rares chats à creuser des terriers. En effet, il vit dans le désert, où il n'y a guère d'endroit pour s'abriter.

CARACTÉRISTIQUES

L'Angora a des mouvements gracieux et fluides. De taille moyenne, il a des pattes robustes et courtes, bien dessinées. La fourrure est mi-longue et fine, avec des reflets soyeux, et elle a tendance à boucler sur le ventre. Comme l'Angora n'a pas de sous-poil, il est plus facile à toiletter que le Persan. L'Angora a tendance à perdre beaucoup de poils en été, mais il les remplace rapidement quand vient l'automne.

La tête idéale est large, en coin arrondi, avec un nez droit sans stop et de grandes oreilles pointues placées haut. Chez les plus beaux sujets, le menton et les oreilles forment un triangle parfait.

La queue, longue et fine, se termine par un panache de poils soyeux. Souvent, lorsqu'il marche, l'Angora garde la queue repliée à l'horizontale sur le dos, de sorte que l'extrémité atteint presque sa tête.

Comme le Persan, l'Angora blanc a tendance à être sourd, en particulier lorsqu'il a des yeux vairons. Toutes les couleurs de robe sont admises, à l'exception du chocolat et du lavande, ainsi que le motif himalayan.

CARACTÈRE

Les Angoras sont à juste titre très populaires : ils sont gentils, vifs et intelligents, et aiment bien jouer. Ils s'adaptent facilement et font des compagnons fidèles et affectueux. Les femelles de race pure ont des portées de quatre chatons en moyenne, mais le British Angora peut en avoir plus. Les chatons grandissent vite, plus vite que les Persans, et ils commencent à jouer dès qu'ils peuvent se déplacer seuls. La robe n'atteint son développement complet qu'au bout de deux ans, et parfois même seulement à cinq ans.

LE SAVIEZ-VOUS ?

Tous les félins savent s'aplatir à l'extrême et ramper pour s'approcher de leur proie. Avant de lui sauter dessus, ils agitent souvent la queue – un signe de forte tension.

Ci-dessus à gauche
Les poils de l'Angora ont tendance à boucler sur le ventre.

Ci-dessus à droite
Les oreilles et le menton de ce chat forment un triangle parfait.

Ci-contre
La robe soyeuse de l'Angora est plus facile à entretenir que celle du Persan.

LE SAVIEZ-VOUS ?

« Retomber comme un chat sur ses pattes » signifie se sortir sans encombre d'une situation périlleuse. Référence à l'aptitude féline au retournement lors d'une chute.

Ci-contre
L'Angora turc est gentil et affectueux ; c'est un excellent chat de compagnie.

215

Turc Van

○○○○○○○○○○○○○○○○○○○○○○○○○○

FICHE D'INFORMATION

NOM   Turc Van

Autre(s) nom(s)   Turc du lac de Van

CORPS   Musclé

COULEURS   Auburn et blanc ; parfois (aux États-Unis)
noir, bleu, torbie et tortie

TAILLE

TOILETTAGE

EXERCICE

LE SAVIEZ-VOUS ?

Chez le Manx,
la queue est remplacée
par un léger creux,
dû à l'absence
de la dernière
vertèbre dorsale.

Ci-dessus
C'est grâce à une Anglaise
à qui l'on en avait offert
deux sujets que le Turc Van
fut introduit en Grande-
Bretagne.

En bas à droite
Le Turc Van est
un poil mi-long
en Grande-Bretagne
mais un Longhair
aux États-Unis.

HISTORIQUE

Le Turc Van, que les Britanniques commencèrent par appeler simplement « chat turc », est classé parmi les Mi-longhairs en Grande-Bretagne et les poils longs en Europe et aux États-Unis. Quoiqu'il soit aussi turc que l'Angora, ces deux races sont nettement distinctes : le Turc Van, vivant dans une région isolée, a évolué d'une manière différente. Il est plus solide et, si son ossature est moins fine que celle de l'Angora turc, ses marques en font un chat plus gracieux.
Il semble que ce soit tout à fait par hasard que Laura Lushington ait découvert ses deux premiers sujets au bord du lac Van, qui donna son nom à cette race. Mais il semblerait que ce chat soit également présent dans bien d'autres parties de la Turquie.

Le Turc Van fut reconnu par le GCCF britannique en 1969 puis par The International Cat Association (TICA) américaine en 1985 et plus tard encore par la FIFé, et elle reste encore relativement rare en Europe continentale.

L E LAC DE VAN, long de 128 km et large de 64, se trouve dans les montagnes du sud-est de la Turquie, près de la frontière avec l'Iran. C'est une région inhospitalière, à plus de 1 600 m au-dessus du niveau de la mer, balayée en hiver par des fréquentes tempêtes de neige. C'est dans un village situé au bord de ce lac que, en 1955, l'Anglaise Laura Lushington découvrit une race inconnue de chats, un blanc à poil long avec des oreilles et une queue d'une couleur différente. On fit cadeau à Laura de deux sujets, qu'elle rapporta en Angleterre. Quatre ans plus tard, elle alla en chercher d'autres : telle est l'origine de la race du Turc Van.

CARACTÉRISTIQUES

La caractéristique la plus frappante du Turc Van est sa robe blanche ; les seules taches de couleur se trouvent sur la tête, au-dessus et au-dessous des oreilles ; la queue est de couleur unie, avec éventuellement des taches plus sombres. Le Van n'a pas de sous-poil laineux, ce qui rend son toilettage plus facile. Le motif blanc du Van est causé par le gène S dominant, ce qui signifie qu'il peut être transmis par un seul parent.

Le Turc Van est de taille moyenne, avec un corps trapu ; le mâle a des épaules et un cou musclés. Les pattes sont de taille moyenne. Les pieds sont petits et ronds, avec des touffes bien fournies. La robe est longue, douce et soyeuse, sans sous-poil ; le Van perd énormément de poils en été, et c'est en hiver que ce chat présente le mieux. Le standard prescrit une tête petite, en forme de coin, avec un nez long et de grandes oreilles bien dressées et rapprochées, et des touffes bien fournies. Les yeux doivent être grands, de forme ovale. La truffe et les coussinets sont roses.

LE SAVIEZ-VOUS ?

Dans l'herbe, les chats attrapent parfois des tiques. Une fois gorgées de sang, elles se détachent d'elles-mêmes, mais risquent d'avoir transmis à leur hôte des maladies désagréables.

Ci-contre
Chez un Turc Van, la couleur auburn doit se limiter à la queue et aux oreilles.

SOINS

Le Turc Van, réputé gentil, affectueux et intelligent, tend à s'attacher à une seule personne. Il manifeste beaucoup d'appétit, par rapport à sa taille.

Son toilettage est facile : il est recommandé de le peigner deux ou trois fois par semaine, surtout au printemps et en été, lorsqu'il perd ses poils. Il est robuste et aime bien vivre à l'extérieur ; mieux vaut donc prévoir pour lui l'accès à un jardin clos ou à une terrasse.

On attribue parfois le qualificatif « van » à des chats blancs d'autres espèces qui présentent sur la tête et la queue des marques identiques à celle du Turc Van, par exemple le Shortair américain et le Chat des Forêts norvégiennes.

VARIÉTÉS

À l'état naturel, le Turc Van a une robe blanche avec des marques rousses ou auburn, cette couleur devant être identique sur les oreilles et sur la queue. Certains pays acceptent des marques d'une autre couleur (y compris tabby). Les yeux peuvent être bleus ou ambre ou, pour les yeux vairons, un de chacune de ces couleurs. Aux États-Unis, on accepte une robe noire, bleue, écaille-de-tortue ou torbie. Dès sa naissance, le Turc Van présente des marques de couleur, mais il faut plusieurs années pour qu'elles prennent leur forme et leur couleur définitives. L'une des caractéristiques les plus remarquables du Turc Van est son goût manifeste pour l'eau, ce qui est rare chez les chats. Dans son habitat naturel, il se baigne tous les jours ; aussi accepte-t-il mieux le bain que la plupart des chats.

En haut
Pour les yeux,
la couleur préférée est
l'ambre (doré).

Au centre
On distingue des marques
de couleur sur la tête
de ces chatons.

Ci-contre
Ce Turc Van écaille-
de-tortue serait admis
dans une exposition
aux États-Unis.

En haut
*Le Turc Van est l'une
des rares races aimant
l'eau et sachant nager.*

En bas
*Gentil et affectueux,
le Turc Van fait
un compagnon idéal.*

219

Maine Coon

FICHE D'INFORMATION

NOM Maine Coon
Autre(s) nom(s)
CORPS Musclé, robuste
COULEURS Uni, tabby, bicolore, calico, écaille-de-tortue et tipped (blanc, noir, bleu, roux et crème)

TAILLE

TOILETTAGE

EXERCICE

On peut dire que le Maine Coon est le chat américain typique. Plusieurs légendes ont cours, qui relatent l'origine de cette race naturelle, établie depuis longtemps aux États-Unis. Selon l'une d'elles, au début de la Révolution française, la reine Marie-Antoinette, prévoyant de s'enfuir aux Amériques, y aurait expédié ses affaires à l'avance, et notamment ses chats persans et angoras. Ceux-ci se seraient échappés et se seraient ensuite croisés avec des chats libres ou domestiques, qui auraient donné le Maine Coon.

HISTORIQUE

Malheureusement, aucun document ne prouve cette histoire romantique, non plus que la théorie selon laquelle ce chat proviendrait d'un croisement entre le chat domestique (ou haret, selon les récits) et un raton laveur (en anglais : *racoon,* d'où le nom de ce chat) – de toute façon, un croisement entre ces deux espèces est impossible. Il est plus probable qu'il provient du croisement entre un chat domestique et le lynx tacheté américain : *Felis rufus,* dont l'habitat va du sud du Canada au centre du Mexique.

Selon une autre hypothèse, le Maine Coon descendrait de Chats des Forêts norvégiennes arrivés en Amérique avec les Vikings, vers l'an 1000. Il est vrai que Leif Eriksson et ses compagnons auraient effectivement pu débarquer dans ce qui est maintenant l'État du Maine. Une autre histoire encore raconte qu'un certain capitaine Cook aurait apporté des Angoras ou des Persans en Nouvelle-Angleterre au début du XIXe siècle.

Indépendamment du nom du capitaine, c'est probablement l'explication la plus probable et la plus simple : un croisement accidentel entre un chat domestique à poil court et un chat à poil long arrivé en Amérique avec des colons des premiers temps.

UNE RACE ROBUSTE

La taille du Maine Coon a, elle aussi, donné naissance à des légendes : on parle parfois de chats qui auraient pesé jusqu'à 18 kg. Cela aussi est très peu probable, car la vie à l'état semi-sauvage est trop rude pour qu'un animal se permette un tel excédent de poids par rapport à la moyenne, qui est de 5 à 7 kg ; il n'en reste pas moins que, physiquement, le Maine Coon est l'un des plus gros représentants de l'espèce des chats domestiques.

Ci-contre
Selon la légende, le Maine Coon serait issu d'un croisement entre des chats domestiques et des lynx.

À droite
Le Maine Coon est un chat robuste à la fourrure épaisse qui le protège des rigueurs de l'hiver continental.

DES CHAMPIONS

Le Maine Coon est d'autant mieux connu des amateurs américains de chats que c'est un tabby brun appelé Cosie qui a remporté le titre de « Best Cat » à la première exposition nationale, organisée en 1895 au Madison Square Garden de New York. Pourtant, depuis une quarantaine d'années déjà, le Maine Coon était bien représenté dans les foires locales, par exemple celle de Skowhegan, dans le comté de Somerset (État du Maine), en 1861 ; et c'est d'ailleurs un éleveur de cette ville qui a relancé la popularité du Maine Coon dans les années 1950.

En 1897, 1898 et 1899, le Maine Coon fut nommé « Best Cat » à l'exposition annuelle de Boston, mais cette première gloire n'a pas duré. En 1903, une Américaine appelée Frances Simpson, elle aussi grand amateur de chats, consacra un chapitre au Maine Coon dans son ouvrage *Book of the Cat*, mais, vers cette époque, la préférence commençait déjà à se porter sur les Persans que l'on importait en grand nombre de Grande-Bretagne. Dès 1904, on ne trouvait plus de Maine Coon parmi les lauréats des expositions. Cela ne les empêcha pas d'être la race préférée des agriculteurs, qui voulaient des chats robustes mais n'exigeant pas particulièrement d'attention de la part de leur propriétaire. De leur côté, les éleveurs continuèrent à maintenir l'espèce, mais ce fut difficile.

Le Central Maine Coon Cat Club, réservé à cette race, fut créé en 1953 et c'est lui qui commença à enregistrer les pedigrees.

Il est en tout cas certain que, pendant des générations, avant de devenir un favori des expositions, le Maine Coon a été un chat domestique très recherché, tant pour sa compagnie que pour ses aptitudes à la chasse. Il n'a pas usurpé sa réputation de chat agile, courageux et résistant ; son indépendance et ses qualités correspondent bien à l'« esprit pionnier » qui imprègne la société dans laquelle il est né. Le Maine Coon s'est adapté pour survivre à des hivers rigoureux : l'État du Maine est situé tout au nord des États-Unis, à la frontière du Canada. Il y gèle pendant plus de sept mois et il y tombe en moyenne plus de 2 m de neige par an. On comprend mieux pourquoi le Maine Coon a une ossature solide et une fourrure épaisse.

Sur son dos et ses flancs, des poils de jarre rigides lui assurent une isolation supplémentaire ; sur son ventre, des poils plus doux forment une couche de protection contre la neige et la glace. Ses grands pieds, avec des touffes de poils entre les doigts, aident le Maine Coon à marcher avec assurance sur la neige et la glace, faisant office de raquettes. Il a de grandes oreilles, plus mobiles que chez la plupart des chats, pour mieux détecter l'approche d'une proie ou d'un prédateur. Il dispose donc d'un véritable équipement de survie, et ses deux siècles d'existence à l'état semi-sauvage ont permis d'éliminer les sujets moins robustes ou moins intelligents.

En haut à gauche
Le Maine Coon est l'un des plus gros chats domestiques.

Ci-dessus
Ces petits Maine Coon sont intelligents, robustes et débrouillards. Leur race est considérée comme typiquement américaine.

Ci-contre
Au début du XXᵉ siècle, les Persans ont commencé à éclipser les Maine Coon aux États-Unis.

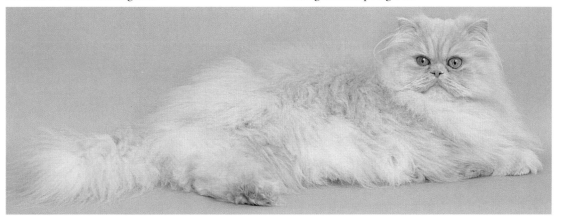

FIXATION DE LA RACE

Dès lors, la réputation de cette race commença lentement à se répandre un peu partout : certaines associations américaines et l'association canadienne la reconnurent dès 1967, mais il fallut attendre 1976 pour qu'il soit reconnu dans tous les États-Unis. Dans les années 1980, il commença à être importé en Europe (notamment en Allemagne et en Grande-Bretagne, mais aussi en France), où il a commencé à faire concurrence au Chat des Forêts norvégiennes. Il a été reconnu par la FIFé en 1983, par le GCCF en 1988, et par la Grande-Bretagne en 1994 seulement.

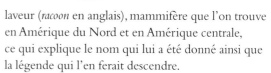

laveur (*racoon* en anglais), mammifère que l'on trouve en Amérique du Nord et en Amérique centrale, ce qui explique le nom qui lui a été donné ainsi que la légende qui l'en ferait descendre.

Le Maine Coon est un chat robuste, lourd, musclé et rustique. Son pelage est lisse et dense, avec une texture soyeuse ; il est court sur la face et les épaules, plus long sur le ventre et les membres postérieurs, où il forme ce que l'on appelle des « culottes ». Le corps est allongé, le poitrail large et le dos plat ; il a des pattes fortes et bien séparées, des pieds ronds et larges, recouverts de touffes de poils, et une queue de longueur moyenne qui se termine par une sorte de panache. La tête, normalement de taille moyenne, est posée sur un cou puissant. Le museau doit être carré et le menton ferme, les pommettes élevées et le nez de taille moyenne. Les oreilles, placées haut sur la tête, sont grandes et pointues et garnies de plumets au sommet. Les yeux doivent être grands, bien séparés et légèrement relevés vers la base des oreilles.

Le regard doit être vif.

Ci-dessus
Ce chat robuste, présenté dans des expositions locales depuis le XIXe siècle, ne fut reconnu qu'en 1953.

En haut à droite
Le favori classique est le tabby brun.

En bas à droite
Avec son regard vif et son air intelligent, ce Maine Coon est très représentatif de sa race.

CARACTÉRISTIQUES

Comme il se doit pour une race qui existe depuis aussi longtemps, même si elle est restée en partie ignorée, de nombreux motifs et couleurs sont admis : uni, tabby, calico, bicolore, chinchilla, écaille-de-tortue, cameo et fumé (en blanc, noir, bleu, roux et crème). Cependant, le Maine Coon typique d'origine – qui continue à être le préféré des expositions – est le tabby brun marbré classique. Avec sa couleur et sa queue en panache, il fait un peu penser au raton

VARIÉTÉS

On ne compte pas moins de vingt-cinq couleurs autorisées pour le Maine Coon, et huit coloris de tabby. En fait, tous les motifs et couleurs sont admis, à l'exception du colourpoint. Les yeux peuvent être verts, or ou cuivre, et leur couleur ne doit pas nécessairement correspondre à celle de la robe. Seuls les blancs peuvent avoir des yeux bleus ou vairons. Selon les standards et les pays, il faut que la couleur blanche occupe une proportion minimale de la robe. Cependant, le ventre et les pattes doivent être blancs.

CARACTÈRE

S'adaptant bien à son environnement, tranquille, joueur et affectueux, le Maine Coon est un excellent chat de compagnie. Souvent, dans une famille, il adopte un favori. Compte tenu de son origine semi-sauvage, c'est un excellent chasseur et il a besoin d'un accès à l'extérieur ; cela ne l'empêche pas de s'installer souvent, pour dormir, dans des lieux et des positions inhabituels, et il ne paraît guère craindre le froid. Certains vont même jusqu'à jouer avec de l'eau et à utiliser leurs pattes pour manger.

SOINS

Le toilettage du Maine Coon n'est pas particulièrement difficile, mais on trouve souvent des nœuds sur l'estomac et le poitrail. Il faut le brosser et le peigner au moins une fois par semaine, en défaisant délicatement les nœuds. En général, les mères mettent bas – en moyenne deux ou trois petits – sans aucun problème.

En bas âge, le Maine Coon est trompeur : on croirait voir une pelote de laine embrouillée, rien qui évoque le chat solide et pondéré qu'il deviendra à l'âge adulte, vers quatre ans. Le duvet sera alors remplacé par la fourrure dense et rude, et ce petit animal qui semble incapable de coordonner ses mouvements deviendra un animal robuste, compact, au poitrail large ; la queue s'allongera et son poil deviendra bien fourni. Chez le tabby, les marques deviendront particulièrement nettes.

LE SAVIEZ-VOUS ?

La plupart des colliers pour chats comportent une partie élastique, afin que l'animal puisse s'en débarrasser s'il s'accroche à un obstacle.

Ci-dessus
Cet adorable chaton ressemble à une boule de poils surmontée par des oreilles.

Ci-contre
Apparemment, le Maine Coon est insensible au mauvais temps.

Persan

FICHE D'INFORMATION

NOM	Persan
Autre(s) nom(s)	Longhair (en Grande-Bretagne)
CORPS	Cobby
COULEURS	Uni, tabby, écaille-de-tortue, bicolore et tipped

TAILLE

TOILETTAGE

EXERCICE

L A PLUPART DES GENS savent (ou croient savoir) ce qu'est un Persan. Mais ont-ils une idée de la complexité de ce groupe ? En effet, il comprend de nombreuses variétés, dont l'Exotic Shorthair (au poil mi-long) et le Chinchilla – lequel, aux États-Unis, est considéré comme une race distincte. Nous ne parlerons ici que des Persans dits « normaux » ; certaines variétés de cette race seront traitées à part.

Le Persan a un corps bréviligne (cobby) et des pattes courtes et fortes ; sa queue est en forme de panache et sa fourrure longue, épaisse et soyeuse. La couleur de la robe et des yeux est variable.

UN SYMBOLE DU LUXE

Aux yeux du grand public, le Persan est un chat de compagnie qui évoque le luxe, la richesse et le pouvoir. Cela s'explique par le fait que, il y a quelque trois siècles, ces chats étaient offerts en cadeau à des nobles et à des mécènes par des voyageurs de retour d'Orient ; c'est ainsi que le Persan est devenu un chat d'aristocrates. On attribue à l'Italien Pietro della Valle (1586-1652), qui avait passé quatre ans en Perse entre 1617 et 1621, d'avoir introduit les premiers Persans en Europe, quoique des chats à poil long soient mentionnés en Occident dès 1520. Dans ses récits de voyage, Pietro della Valle dit de la robe du Persan qu'elle est douce comme de la soie et si longue qu'elle forme « des colliers autour de son corps, et en particulier de la gorge ». Le Persan devint rapidement à la mode dans toutes les cours d'Europe continentale et, lorsqu'il arriva en Angleterre, il fut appelé « chat français ».

Il semblerait que, au cours du XIXe siècle, des éleveurs britanniques aient croisé des Persans avec des Angoras. Cela explique que, en Grande-Bretagne, ces deux races soient classées ensemble parmi les Longhairs (littéralement : « poils longs »). Par la suite, l'Angora connut une période de déclin, avant son retour sur la scène, à partir de souches turques, dans les années 1950.

Ci-dessus
Une femelle chinchilla avec ses chatons.

Ci-contre
Avec ses pattes courtes et sa face ronde, le Persan est le type même du chat cobby.

LES PREMIERS PERSANS

Lors de la première exposition nationale organisée en Grande-Bretagne, en 1871, les Persans recueillirent la majorité des suffrages. La couleur préférée était le bleu, mais le blanc et le noir ne manquaient pas non plus. La couleur « orange » (maintenant appelée

« roux »), apparue au début du XXe siècle, reste relativement rare. Les Persans de cette époque ne ressemblaient guère aux Persans actuels, sinon par leur poil long et leur type physique. La race que nous connaissons est l'aboutissement d'un élevage extrêmement sélectif et spécialisé.

Peu après la première exposition, les Persans arrivèrent aux États-Unis et y occupèrent vite une place de choix. Dès 1903, les éleveurs américains

avaient fixé leurs propres standards, qui s'écartaient sur certains points des standards européens. En Europe, et notamment en Grande-Bretagne, le Persan a un corps plutôt moins trapu, peut-être plus proche des premiers Persans importés en Europe. Les Américains préfèrent des animaux plus compacts

et se sont efforcés d'obtenir des fourrures toujours plus riches. Mais la principale différence tient à la tête : les Américains privilégient un nez bien retroussé, avec un stop marqué (ce qu'ils appellent le « type moderne »), ce que les Européens préfèrent éviter, à cause des risques de prognathisme et de dysfonctionnement des canaux lacrymaux inhérents à une telle morphologie.

DES BÊTES À CONCOURS

L'une des raisons pour lesquelles le Persan est si populaire dans les expositions est qu'il est placide et s'adapte facilement à un changement d'environnement ; il est donc moins stressé lors des présentations. C'est aussi pourquoi c'est un animal de compagnie très recherché, l'inconvénient étant qu'il faut le

toiletter au moins une heure par jour pour entretenir la fourrure et la débarrasser des nœuds. En outre, il perd beaucoup de poils. Sa longue fourrure tend à accumuler, sur les poils de jarre, les sécrétions grasses de sébum qui, surtout chez le Persan blanc, salissent la fourrure.

On peut bien sûr, si on en a le courage, baigner l'animal chaque jour, mais on peut aussi enlever ces sécrétions avec de la terre de Fuller ou du talc non parfumé, en prenant soin de bien l'éliminer à la brosse.

En haut à gauche
Le Persan bleu était particulièrement en faveur à la fin du XIXe siècle.

En bas à gauche
Les éleveurs accentuent certaines caractéristiques en fonction des préférences nationales.

Ci-contre
Le Persan doit être toiletté tous les jours. Cela vaut surtout pour les chats d'exposition, afin que leur fourrure reste impeccable.

En général, le Persan, de format moyen à grand, a la tête massive, large et ronde, avec un petit nez retroussé, des joues pleines, des petites oreilles arrondies, inclinées vers l'avant et bien écartées, plantées bas sur la tête, avec de longues touffes de poils. Les Américains préfèrent un stop prononcé, également appelé break, à l'endroit où le nez rencontre le front. Les yeux sont grands, ronds et bien écartés, avec un regard doux. Le cou est court et épais, le corps massif et ramassé, avec un poitrail large et profond, de la même largeur que les épaules et la croupe. Les pattes sont relativement épaisses et les pieds forts et ronds, avec de longues touffes de poils. La fourrure, soyeuse et brillante, est longue. Le Persan doit avoir une belle collerette qui fait bien ressortir la tête. La queue est courte, et l'animal doit la porter dans le prolongement de son corps et non rabattue sur le dos.

COULEURS UNIES

Les couleurs et les motifs que l'on trouve chez les Persans sont extrêmement variés : on en connaît plus

de soixante – mais tous ne sont pas reconnus. Il y a d'abord les couleurs unies : noir, blanc, bleu, roux, crème, chocolat (brun assez sombre) et lilas (gris légèrement bleuté).

CARACTÉRISTIQUES

Les portées de Persans ne comptent en général que deux ou trois petits ; la plupart des femelles sont de bonnes mères mais, à la naissance, les chatons sont souvent délicats et ont besoin que l'on s'occupe beaucoup d'eux pendant les premières semaines. La belle fourrure typique n'apparaît qu'entre six et huit semaines, et elle ne sera vraiment bien développée qu'à l'âge de deux ans. Sur les Persans à robe unicolore, on distingue souvent des marques tabby « fantômes », qui disparaissent avec l'âge.

En haut
Adorables nuages
de poils, les Persans
nouveau-nés sont
particulièrement fragiles.

Ci-contre
On distingue bien
les touffes de poils longs
sur ce tabby argent.

À droite
Les Persans chocolat
(en haut) et lilas (en bas)
ont tous deux
des yeux cuivre.

À chacune des couleurs de la robe correspond une couleur des yeux.

Pour la plupart des fourrures unies, les yeux doivent être cuivre. Cependant, pour les Persans blancs, on admet des yeux bleus, or ou vairons (l'un bleu et l'autre or).

INFLUENCES GÉNÉTIQUES

La couleur de la robe des Persans est très sujette aux influences de la mode. Les blancs ont été les premiers à être apportés en Europe et, à une certaine époque, ils étaient très appréciés en France. Le problème est que le gène W dominant qui donne la couleur blanche s'accompagne d'un fort risque de surdité, en particulier chez les sujets blancs aux yeux bleus. Il s'agit d'une déformation de l'oreille interne. Cette condition apparaît chez le chaton entre les quatrième et sixième jours, et elle est incurable. Cependant, ces chatons peuvent survivre si l'on prend bien soin d'eux et si l'on veille à ce que la communication avec leur mère soit maintenue : ils apprennent alors à utiliser leurs autres sens. Mais, même alors, ces chats ne pourront jamais vivre à l'extérieur, et on ne devrait pas les laisser s'accoupler. En particulier, ce défaut empêche la mère d'entendre les cris de détresse de ses petits, qui sont alors négligés. Un mâle peut lui aussi transmettre ce défaut.

NOIR ET BLANC

Le Persan noir existe depuis presque aussi longtemps que le blanc. Le Persan noir pur, avec des poils noir ébène jusqu'à la racine – comme l'exigent les standards – est très recherché. Mais la plupart des noirs présentent des reflets roux ou des taches de blanc. Cependant, la couleur définitive ne s'établit que vers l'âge de dix-huit mois : beaucoup de chatons présentant à la naissance des poils rouille ou blancs ou de légères marques tabby les perdront lorsqu'ils auront leur fourrure définitive à l'âge adulte.

LE SAVIEZ-VOUS ?
Dans la publicité, le Persan est symbole de luxe, de calme et de volupté. Au cinéma, lentement caressé, il accompagne souvent l'appétit de pouvoir et la cruauté extrêmes.

En haut à gauche
Persan blanc
aux yeux vairons.

Au centre à droite
Ce Persan noir uni est
extrêmement recherché.

Ci-contre
La plupart des blancs aux
yeux bleus sont sourds ;
mieux vaut donc ne pas
les laisser s'accoupler, car
ce défaut se transmettra
à leurs rejetons.

Ci-dessus
Le Persan bleu est
le poil-long favori
des expositions et
amateurs britanniques.

En bas
Sur le front de ce chat
bleu, on distingue
nettement
le M caractéristique
de tous les tabby.

PERSAN BLEU

Le Persan bleu est particulièrement apprécié des éleveurs et des amateurs – ainsi que des illustrateurs : on le retrouve sur d'innombrables cartes de vœux, calendriers et boîtes de chocolat. Son élevage ne présente pas de difficultés particulières, d'autant que l'accouplement de deux bleus donne une portée où tous les chatons sont bleus. Le Persan bleu doit avoir une teinte très homogène ; d'éventuelles marques tabby disparaissent en général avec l'âge.

PERSAN ROUX

Comparés aux bleus, les Persans roux sont plus difficiles à élever, du moins si on veut les présenter dans des expositions : les marques tabby que l'on trouve chez la plupart des chatons se conservent souvent sur le pelage de l'animal adulte. Selon les standards, le roux (en fait, une couleur orange) doit être profond et riche, sans marques ni poils blancs. C'est du Persan roux que provient le Persan à face de Pékinois.

AUTRES VARIÉTÉS

La couleur crème est une dilution du gène roux O, et les premiers crème proviennent d'un croisement accidentel entre roux et bleus. Aussi, considérés comme des roux imparfaits, ont-ils dû attendre long-temps avant d'être officiellement reconnus. Ce sont les Américains qui ont développé cette variété, mais la couleur crème est plus ou moins intense selon les pays, et on maintient la nuance voulue en recroisant des crème avec d'autres couleurs, en général le bleu.

Comme autres couleurs unies, on mentionnera encore le chocolat et le lilas, aux tons chauds, sans aucun shading, ni marques ni poils blancs. Aux États-Unis, ces deux variétés sont classées à part et appelées Himalayan ou Kashmir.

LES ROBES TABBY

Vient ensuite le groupe des Persans à robe tabby ; on y trouve des tabby marbrés (rayures larges), tigrés (rayures étroites) et mouchetés (les rayures sont remplacées par des taches). Dans tous les cas, les rayures ou les taches sont de type agouti et le front doit présenter un M bien marqué. Chez le tabby brun, la couleur de base est d'une nuance doré profond, avec des marques noires. Chez le tabby roux, des marques rousses se détachent bien sur un fond crème-roux. Le tabby silver a des marques noires sur du silver (gris clair), le bleu a des marques bleues sur un fond blanc bleuté, et le crème présente deux nuances de crème distinctes, la plus claire servant de couleur de fond.

ÉCAILLE-DE-TORTUE

Les Persans écaille-de-tortue proviennent d'accouplements accidentels entre des Persans et des écaille-de-tortue à poil court

sans pedigree. Ils sont depuis longtemps très appréciés des amateurs. La plupart des Persans écaille-de-tortue sont femelles (les rares mâles sont en général stériles), aussi est-il difficile de les élever car il faut, pour les accouplements, des mâles bicolores. Le bleu écaille-de-tortue est une forme diluée de l'écaille-de-tortue authentique. L'écaille-de-tortue blanc, parfois appelé Persan calico parce qu'il fait penser à ce type de tissu en coton, est presque toujours femelle. Dans sa portée, on trouve parfois un écaille-de-tortue bleu et blanc. Dans la variété calico, des plages noires, rousses et crème sont irrégulièrement réparties sur le fond blanc, et une « flamme » blanche ou crème orne le front. Certains standards exigent que le blanc soit limité aux pattes, aux pieds, au poitrail et à la face.

LES BICOLORES

Chez les bicolores – ou particolores –, le blanc est limité aux pieds, aux pattes, au ventre, au poitrail et au museau ; il ne doit pas occuper plus de la moitié ni moins d'un tiers de la fourrure. Le blanc et l'autre couleur doivent être symétriques. Quant à la seconde couleur, ce peut être le roux, le noir, le lilas, le bleu ou le chocolat.

LES VARIÉTÉS À REFLETS (TIPPED)

Enfin, il existe plusieurs variétés de robes à reflets (tipped), c'est-à-dire où chaque poil est décoloré sur une plus ou moins grande longueur. Le fumé (smoke) est celui dont la couleur de l'extrémité des poils occupe proportionnellement la plus grande longueur. Des fumés ont été enregistrés en Grande-Bretagne dès 1893, mais l'élevage de cette variété a connu des difficultés pendant la Seconde Guerre mondiale. Cependant, depuis les années 1960, ils connaissent un regain de faveur. Par contre, ils sont toujours restés très populaires aux États-Unis.

Dans les variétés des fumés, la couleur de l'extrémité des poils, qui en occupe jusqu'à la moitié supérieure, contraste avec la couleur blanche qui, chez les plus beaux sujets, ne se distingue que lorsque le chat bouge. Au repos, le fumé doit apparaître comme s'il avait une couleur unie. Les couleurs reconnues sont le noir, le bleu, le roux, le crème, le bleu-crème, l'écaille-de-tortue et, aux États-Unis, le roux (ou orange), cette variété s'appelant alors smoke cameo.

Dans les variétés des ombrés (shaded), la couleur différente se limite au quart supérieur du poil sur le dos, les flancs, les pattes et la queue.

Chez le chinchilla, le tipping foncé est limité à l'extrémité des poils, le reste du poil étant blanc. Les yeux sont vert émeraude et les paupières cerclées de noir. Le nez est rouge brique, cerclé de foncé. Les coussinets sont d'une couleur foncée correspondant à celle du tipping.

Chez toutes les autres variétés de Persans dont la base des poils est décolorée, les yeux sont orange ou cuivre. Les coussinets et le nez sont roses si la pigmentation est orange ou crème, de la couleur de la pigmentation dans les autres cas.

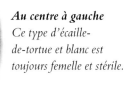

Au centre à gauche
Ce type d'écaille-de-tortue et blanc est toujours femelle et stérile.

Ci-contre
Persan bicolore lilas et blanc.

Persan Colourpoint

○○○○○○○○○○○○○○○○○○○○○○○○

FICHE D'INFORMATION

NOM	Persan Colourpoint
Autre(s) nom(s)	Colourpoint Longhair (G.-B.), Himalayan (É.-U.)
CORPS	Cobby
COULEURS	Seal point, chocolate point, blue point, lilac point, cream point, tortie point, blue-cream point, lilac-cream point, tabby point, blue-cream tabby point et (É.-U.) tortie-tabby point

TAILLE

TOILETTAGE

EXERCICE

LE SAVIEZ-VOUS ?

Il est fréquent que le chat domestique louche. À l'état sauvage, ce défaut gênerait sérieusement le chat pour chasser. Aussi a-t-il disparu.

En haut
Le Persan Colourpoint constitue une classe à part en Grande-Bretagne (Colourpoint Longhair) et aux États-Unis (Himalayan).

Ci-contre
À l'origine de cette variété, il y a eu un croisement entre Persan noir et Siamois.

LE PERSAN COLOURPOINT est en quelque sorte un Persan habillé d'une robe de Siamois. Il s'agit d'une race créée par des éleveurs qui, en particulier aux États-Unis et en Grande-Bretagne, ont croisé des Siamois à poil court avec des Persans, avec pour objectif d'obtenir un Siamois à poil long. Il s'agissait au départ d'expériences génétiques, dont les résultats furent exploités ensuite par les éleveurs.

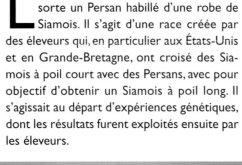

CLASSIFICATION

Jusque vers 1985, toutes les associations américaines reconnaissaient le Persan Colourpoint comme une race distincte, appelée Himalayan. Dans le reste du monde, c'est simplement une variété de Persan ou, en Grande-Bretagne, de Longhair, qui se différencie des autres Persans surtout par sa robe. Cela signifie que l'appellation « Himalayan » est destinée à disparaître.

HISTORIQUE

Les premiers croisements remontent aux années 1920 et 1930. Ils furent réalisés par des biologistes suédois et américains qui s'intéressaient plus à la génétique qu'à l'élevage des chats. Aux États-Unis, ces expériences eurent lieu à l'école de médecine de Harvard : une femelle siamoise et un Persan noir donnèrent une portée de poils courts noirs. En croisant un mâle siamois et une femelle persane, ils obtinrent également des poils courts noirs. Cependant, en 1935, en croisant des chats de ces deux portées, ils obtinrent une chatte à poil long avec des marques colourpoint. Débutante (tel était son nom) fut le premier Himalayan – à l'époque, ce qualificatif était à la mode : il y avait des chèvres, des souris et des lapins « himalayan ». À la même époque, des programmes identiques étaient poursuivis en France pour mieux comprendre le fonctionnement des gènes ; c'est ainsi que les éleveurs définirent un standard pour des chats appelés « Khmers ». Mais tous ces programmes tournèrent court.

Cependant, les résultats obtenus furent notés par des éleveurs américains et européens. Des clubs d'éleveurs se consacrèrent alors à ces races expérimentales, mais ce n'est qu'à la fin des années 1940 que furent lancés des programmes de croisement et de recroisement (en recourant de nouveau à un Persan noir pour enrichir le mélange génétique). Enfin, cette race fut officiellement reconnue en Grande-Bretagne en 1955, et aux États-Unis en 1957. En France, le Khmer fut abandonné en 1955 au profit du Persan Colourpoint.

C'est en 1957, à Calgary (Canada), que l'Himalayan fut pour la première fois présenté dans une exposition, mais il ne remporta son premier concours qu'en 1958. Entre 1958 et 1961, cette race fut progressivement reconnue par toutes les associations d'Amérique du Nord, puis d'Europe. On peut dire que le Persan Colourpoint a vraiment pris sa place parmi les chats d'exposition lorsque lui fut décerné le titre de « meilleur chaton » dans une exposition, à Londres, en 1958.

CARACTÉRISTIQUES

En général, le Persan Colourpoint a un corps massif et ramassé, une tête ronde, des yeux ronds et de longues moustaches. La robe est de type Persan avec des marques de Siamois. Les yeux sont toujours d'un bleu vif, que les éleveurs cherchent à rendre toujours plus foncé.

Les standards varient d'un pays à l'autre, et même (aux États-Unis) d'une association à l'autre. Cependant, en règle générale, le Persan Colourpoint doit avoir une robe blanche ou crème, à la couleur régulièrement répartie, et le poil n'est pigmenté qu'aux extrémités du corps (ou *points*, c'est-à-dire la face, les oreilles, la queue, les pattes et les pieds). Le poil doit être long, doux et soyeux, s'écartant bien du corps, avec une collerette bien fournie et retombant entre les pattes de devant. Comme tous les Persans, le Persan Colourpoint doit être fréquemment peigné et brossé. Le poitrail est profond et massif à la hauteur des épaules et de la croupe, les pattes courtes et robustes. Les pieds sont forts et ronds, avec des touffes de poils bien fournies. La queue doit être courte et portée bas.

(corps blanc bleuté), lilac point (corps magnolia), red point (parfois appelé flamme, avec un corps blanc crémeux), cream point (corps blanc crémeux), tortie point (extrémités beige faon et tachetées de roux avec un corps crème ou ivoire), blue-cream point, lilac cream point, tabby point, blue-cream tabby point (lynx point aux États-Unis) et tortie point. Certaines organisations américaines reconnaissent quatre tortie-tabby point : seal, bleu crème, chocolat et lilas crème.

À la naissance, le Persan Colourpoint a une robe blanc crémeux ébouriffée mais pas encore très longue. Sa véritable fourrure n'apparaît qu'à la maturité mais, aux extrémités, la couleur commence à se fixer dès les premiers jours.

CARACTÈRE

Le Persan Colourpoint a la réputation d'avoir toutes les qualités du Persan, telles que la placidité et l'adaptabilité, à la différence du Siamois, qui a tendance à exiger beaucoup d'attention de son propriétaire.

VARIÉTÉS

Selon les pays, tout ou partie des couleurs suivantes sont acceptées : seal point (corps beige faon ou crème foncé), chocolate point (corps ivoire), blue point

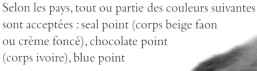

En haut à gauche
Chez le Persan Colourpoint, la robe doit être blanche ou crème.

En haut à droite
On remarque chez ce chaton persan colourpoint la conformation cobby typique.

Ci-contre
Ce Persan red point a les yeux bleus ; pour les éleveurs, la couleur des yeux est très importante.

Chat sacré de Birmanie

FICHE D'INFORMATION

NOM — Chat sacré de Birmanie
Autre(s) nom(s) — Sacré de Birmanie, Birman
CORPS — Musclé, ossature forte
COULEURS — Seal point, blue point, chocolate point, red point, lilac point et crème foncé

TAILLE

TOILETTAGE

EXERCICE

SUPERBE avec son masque de couleur et ses doigts d'un blanc très pur, le Birman – de préférence appelé Chat sacré de Birmanie pour éviter la confusion avec le Burmese – est encore relativement rare. Il est très attachant : sa gentillesse et son goût pour le jeu en font un bon animal de compagnie.

UNE RACE LÉGENDAIRE

Si les documents historiques nous fournissent bien quelques détails, l'origine du Birman reste controversée : il existe au moins deux légendes à ce propos. L'une est très ancienne, l'autre ne date que d'une centaine d'années.

La première remonte au Moyen Âge : au IXe siècle, les pays de l'Asie du Sud-Est qui, aujourd'hui, s'appellent Myanmar (Birmanie), Thaïlande et Cambodge étaient constitués de royaumes qui étaient tous sous la dépendance du peuple khmer. Chacun de ces royaumes avait pour centre un temple bouddhiste, dont les principaux se trouvaient à Ava et Pegu, au Myanmar, Ayutthaya en Thaïlande et Angkor au Cambodge. Ces temples étaient en permanence menacés par les attaques des Thaïs, qui finirent par éliminer presque tous au XVe siècle. Des chats d'un blanc parfait vivaient

Ci-dessus
Chez le Sacré de Birmanie, le « gantage » est une caractéristique qui a fait l'objet de plusieurs mythes et légendes.

dans ces temples et, pour les bouddhistes, ils représentaient les âmes des prêtres morts. Aussi jouissaient-ils d'un statut spécial et faisaient-ils l'objet de soins attentionnés. Selon certains, ils servaient à garder les temples contre d'éventuels envahisseurs – mais les Chats sacrés de Birmanie sont tellement doux et affectueux qu'on a du mal à le croire.

SINH
Selon la légende, dans un temple appelé Lao-Tsun vivait un chat blanc aux yeux cuivre appelé Sinh, compagnon du grand prêtre Mun-Ha. Une nuit, des assaillants pénétrèrent de force dans le temple et tuèrent Mun-Ha pendant qu'il priait au pied de la statue en or d'une déesse aux yeux bleu saphir appelée Tsun-Kyanksé. Alors, dit la légende, Sinh aurait sauté sur le corps de Mun-Ha et l'âme du grand prêtre serait passée en lui. À ce moment, la robe blanche de Sinh se teinta du reflet d'or de la statue, ne restant blancs que ses pieds qui reposaient sur le corps de son saint maître. Sa face, ses oreilles et sa queue prirent la couleur de la terre, et ses yeux, couleur ambre, celle des yeux de la déesse. Puis Sinh mourut à son tour au bout de sept jours, emportant l'âme de Mun-Ha au paradis, et les 99 autres chats du temple prirent les couleurs de Sinh. Ils se mirent alors à tourner autour d'un jeune prêtre, indiquant

par là que Mun-Ha l'avait choisi pour successeur. Cette tradition fut dès lors transmise dans la croyance bouddhiste. Cependant, un jour, les prêtres de Lao-Tsun perdirent leur statut privilégié et disparurent à leur tour : à la fin du XIXᵉ siècle, ils furent expulsés de leur temple. Un explorateur français, Auguste Pavie, et un Britannique, le major Russel-Gordon, aidèrent les prêtres à passer, avec leurs chats, la frontière du Tibet, où ils bâtirent un nouveau temple. En 1919, en témoignage de leur reconnaissance, ils envoyèrent un couple de chats en France. Le mâle mourut en chemin mais la femelle, Sita, donna naissance aux premiers sujets de la race des Birmans en Europe.

HISTORIQUE

Certains éleveurs peu portés sur le romantisme se moquent de cette légende, malgré tous les détails qui semblent la confirmer ne serait-ce qu'en partie. Pour eux, le Sacré de Birmanie est le résultat d'un croisement effectué en France, dans les années 1920, entre des Siamois et des chats à poil long noir et blanc. À cela s'oppose le fait que, selon les lois de la génétique, lorsque les deux parents sont birmans, ils ne donnent naissance qu'à des Birmans, et on ne connaît pas d'exemples de réapparition du poil court chez des Birmans, ce qui serait le cas s'il y avait eu, au départ, un croisement. Cela dit, selon un autre récit qui pourrait étayer la première légende, ne serait-ce qu'en partie, le Chat sacré de Birmanie proviendrait bien du temple mentionné précédemment, mais la femelle aurait été sortie sans autorisation par

un domestique pour être vendue à un visiteur français. Quoi qu'il en soit, cette race fut reconnue en France en 1925, avant de l'être en Allemagne.

Le standard du Sacré de Birmanie fut rédigé en France à cette époque et, à quelques différences près entre l'Europe et l'Amérique du Nord, il n'a pas changé depuis. Pendant la Seconde Guerre mondiale, l'élevage des chats fut interrompu en Europe et, lorsque revint la paix, seuls deux sujets survivaient encore (du moins en Europe de l'Ouest). Mais cette race recommença à se développer et arriva en Grande-Bretagne dans les années 1960.

Les premiers Birmans importés aux États-Unis, en 1959, venaient de France. Puis un diplomate américain ramena du Cambodge deux autres sujets, qui vinrent renforcer la race : en fait, ils confortaient la légende du « Chat sacré » dans la mesure où il semblerait qu'ils aient été trouvés dans un temple tibétain. Les Britanniques ne reconnurent le Chat sacré de Birmanie qu'en 1966, et les Américains le classèrent l'année suivante parmi les Longhairs.

UNE RACE CARACTÉRISTIQUE

Les deux principales caractéristiques du Chat sacré de Birmanie sont ses yeux d'un bleu profond – le bleu saphir de la légende – et les « gants » blancs de ses quatre pieds. La couleur blanche des pattes postérieures se termine en pointe sur l'arrière, juste en dessous des jarrets – ce sont les éperons. Le blanc des pieds de devant est régulier et ne remonte pas sur les pattes ; cette couleur blanche est déterminée par le gène S. À part ce gantage, le motif de la robe rappelle celui du Persan Colourpoint. Pour le reste, ce chat est médioligne.

Ci-dessus
L'une des caractéristiques du Sacré de Birmanie est qu'il a les yeux bleus.

Ci-contre
Comme deux Birmans donnent toujours des Birmans, il est peu probable que cette race descende de Persans blanc et noir.

CARACTÉRISTIQUES

Le Sacré de Birmanie est un chat de forte taille, mais moins massif que le Persan, avec des poils soyeux, mi-longs à longs, qui ne feutrent pas. Il porte une épaisse collerette. Le corps, trapu, est de taille moyenne, les pattes solides et également de taille moyenne, les pieds fermes, ronds et très larges, avec les doigts étroitement rapprochés. La queue, touffue, est de longueur moyenne, et souvent dressée en panache. La tête large et ronde présente un méplat en avant des oreilles, qui sont larges, bien écartées et arrondies aux extrémités. Le nez est court et les joues pleines. Les yeux sont légèrement en forme d'amande, et toujours d'un bleu profond. La couleur du corps doit être unie, et la coloration de la face, des oreilles, des pattes et de la queue est plus foncée. Les gants et éperons des pieds doivent toujours être blancs et symétriques.

En haut à gauche
Chez le Birman d'Amérique, la collerette est souvent plus fournie que chez son cousin d'Europe.

En haut à droite
Le Sacré de Birmanie doit avoir des yeux en amande.

En bas à droite
Un Birman blue point. Certains éleveurs ne reconnaissent pas cette couleur.

VARIÉTÉS

La couleur naturelle du Chat sacré de Birmanie est le seal point, avec une couleur de fond crème pâle à beige faon sur les flancs et crème plus clair sur l'estomac et le poitrail. Le museau est brun sombre et les coussinets roses.

Dans cette variété, on apprécie beaucoup le « halo » doré léger sur tout le dos, surtout chez des mâles adultes.

Le blue point a une robe blanc bleuté, plus chaude sur le ventre et le poitrail, avec des extrémités bleu sombre, à l'exception des pieds. Les éleveurs américains préfèrent une couleur bleue plus claire et des extrémités d'un bleu plus profond. Les gants et éperons doivent être absolument blancs. Le museau est gris ardoise et les coussinets roses.

Le chocolate point a une couleur de base ivoire, avec des extrémités chocolat au lait et des gants et des éperons d'un blanc pur. Le museau et les pieds sont roses. Chez le lilac point, le corps est blanc pur

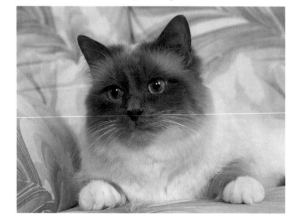

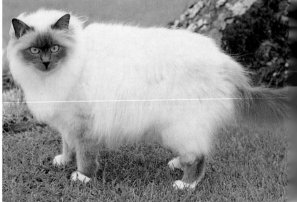

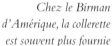

et les extrémités sont gris-rose, avec un museau et des pieds roses.

Actuellement, une quarantaine de variétés sont reconnues par le LOOF. On considère que cette race peut encore évoluer et que d'autres couleurs seront admises. Cependant, pour certains, les seuls Birmans authentiques sont le seal point et le blue point.

Dans toutes les variétés, les taches blanches dans les parties colorées et les taches colorées dans les parties blanches sont considérées comme des défauts.

SOINS

Le Chat sacré de Birmanie est réputé pour sa placidité et sa gentillesse, sa dignité et sa beauté. D'agréable compagnie, il se comporte très bien dans les expositions et ne risque pas d'être perturbé. Il apprécie fort la compagnie des humains mais aussi d'autres animaux domestiques, il aime bien jouer mais sans commettre d'excès. S'il n'est pas particulièrement bon chasseur et n'aime pas vivre au grand air, il n'apprécie pas non plus d'être enfermé, sauf s'il dispose de beaucoup de place. Aussi supportera-t-il mal d'être enfermé dans une chatterie pendant que son maître est en vacances ; mieux vaut donc prévoir une autre solution. Il faut toiletter sa fourrure soigneusement et régulièrement, mais les poils ne s'emmêlent pas, ce qui simplifie la tâche.

Les femelles non stérilisées atteignent leur maturité sexuelle vers sept mois. Elles s'accouplent très facilement et leurs portées comptent en moyenne quatre ou cinq chatons. Ceux-ci naissent presque entièrement blancs, mais les couleurs commencent à apparaître au bout de quelques jours, en commençant par les oreilles et la queue. Les yeux sont bleu clair à la naissance mais foncent avec l'âge. Aux États-Unis, des éleveurs ont obtenu des chats à poil court ayant les motifs des Birmans : ce sont les Snowshoes, ou Silver Lace.

Balinais et Javanais

○○○○○○○○○○○○○○○○○○○○○○○○○○○○○○

FICHE D'INFORMATION

NOM Balinais

Autre(s) nom(s) Dans certains pays : Javanais pour certaines couleurs

CORPS Mince et musclé

COULEURS Seal point, blue point, chocolate point, lilac point, red point, tortie point et lynx point ; en Grande-Bretagne, on trouve aussi le cream point, le tortie point et le cream point, le lilac cream point et le tabby point. Aux États-Unis, le Balinais est seal point, chocolate point et blue point. Les autres couleurs sont attribuées au «Javanais».

TAILLE

TOILETTAGE

EXERCICE

IL NE FAUT PAS trop se fier au nom des races : si l'Angora turc et le Turc Van sont bien d'origine turque, le Balinais n'est absolument pas originaire de Bali, qui est l'une des îles de l'Indonésie, en Asie du Sud-Est.

HISTORIQUE

Fondamentalement, le Balinais est une contradiction pour les amateurs de chats qui n'en ont jamais vu : c'est un Siamois pure race à poil long (quoique certains le classent parmi les poils mi-longs). Génétiquement parlant, c'est un Siamois homozygote : son génotype comporte deux gènes récessifs du poil long, un provenant de chaque parent. C'est pourquoi tous les accouplements entre Balinais donneront des chatons à poil long. Les premiers chatons à poil long sont apparus (soit par mutation spontanée, soit par croisement délibéré) dans des portées de Siamois. Comme ils ne correspondaient pas aux standards des Siamois, les éleveurs les ont vendus comme animaux de compagnie et ne s'y sont pas intéressés.

Vers 1955, alors que leur nombre augmentait, des éleveurs américains ont commencé à vouloir créer une race distincte. Nous avons vu que, pour qu'une race soit reconnue, l'une des conditions fondamentales est qu'elle compte un nombre suffisamment important de sujets (en général cent) pour qu'ils puissent se reproduire sans consanguinité excessive. C'est une éleveuse californienne qui obtint le premier Balinais

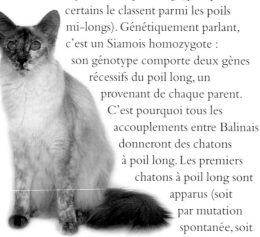

En haut à gauche
En dépit de son nom, le Balinais n'est pas originaire de Bali.

En haut à droite
Le Balinais est un Siamois à poil mi-long (ci-contre) ; ces deux variétés de chats ont une face très semblable, en forme de coin.

en 1955, aux États-Unis, à partir d'un Siamois mâle seal point à poil long et d'une femelle siamoise blue point à poil long, qui provenaient tous deux d'une portée de deux chatons blue point à poil long. Mais, parallèlement et indépendamment, un élevage de New York poursuivait de son côté un programme identique.

Au début, cette race fut appelée Longhair Siamese, mais l'éleveuse de New York, Helen Smith, préféra l'appeler Balinais en raison de l'élégance de ses mouvements qui, pour elle, évoquaient les danseuses de l'île de Bali, en Indonésie. Le Balinais fit ses débuts en exposition à l'Empire Cat Show de New York en 1961, où il fut présenté comme Siamois à poil long.

UNE RACE RECONNUE

Entre 1963 et 1970, cette race fut reconnue par les plus grandes associations américaines et, en 1983, par la FIFé. Elle est encore rare en France. Le standard varie d'un pays à l'autre.

CARACTÉRISTIQUES

Le Balinais est extrêmement gracieux et beau, ce qu'explique son origine de Siamois, mais sa longue fourrure adoucit les lignes et les couleurs de ses cousins. La tête est de taille moyenne, en forme de coin, effilée comme celle du Siamois, mais ici encore cette forme est adoucie par la longueur du poil. Le nez et la pointe des oreilles doivent former un triangle parfait. Il n'y a pas de break entre le front et le nez, qui est long et droit. Les yeux, toujours d'un bleu profond, sont en amande et inclinés en oblique vers le nez. Entre les deux, on doit toujours avoir la largeur d'un œil. Le corps a une ossature fine, il est élancé mais musclé, avec un long cou gracile, des pattes longues et minces et des pieds petits et ovales. La queue, longue et fine, se termine en pointe, et elle est couverte de fins poils soyeux qui font panache.

Quand on parle du pelage du Balinais, on le compare souvent à celui de l'hermine : la robe est longue et fine, sans sous-poil rêche ni collerette. La couleur de base est le blanc uni ou une couleur tirant sur le blanc. Cette couleur tend à s'assombrir avec l'âge, mais le contraste entre le blanc et les couleurs doit toujours rester net. Le masque (coloration de la face) doit couvrir les mâchoires, les joues et le front, mais on doit retrouver la couleur de base entre les oreilles. Dans cette race, on ne connaît que des variétés colourpoint, et la densité de la couleur aux extrémités doit être égale partout. De façon générale, les standards applicables au Balinais sont identiques à ceux du Siamois – à l'exception, bien sûr, de la longueur du poil.

LE SAVIEZ-VOUS ?
Ayant tué leur proie, les chats sauvages mangent d'abord les entrailles, peut-être parce qu'elles contiennent des graisses et des minéraux essentiels.

En haut à gauche
Les couleurs du Balinais sont les mêmes que celles du Siamois (en haut à droite).

Ci-contre
Comme le Siamois, le Balinais a des yeux bleus légèrement inclinés vers le nez.

VARIÉTÉS

Les variétés de couleur reconnues ne sont pas les mêmes d'un pays à l'autre ni même, aux États-Unis, d'une association à l'autre. Toutes les associations félines reconnaissent le Balinais dans les quatre versions de base du Siamois : le seal point (extrémités d'un brun profond sur une couleur de base crème à beige faon, museau et coussinets bruns), le chocolate point (extrémités chocolat au lait sur ivoire, museau et coussinets rose-cannelle), le blue point (extrémités bleu ardoise sur blanc, museau et coussinets bleu ardoise) et le lilac point (extrémités gris rosé sur magnolia, museau et coussinets rose-lavande) ; d'autres variétés de colourpoint ne sont pas acceptées par tous : le red point (extrémités orange clair à roux sur blanc crémeux, museau et coussinets rose corail), et le cream point (extrémités buff-cream sur blanc crémeux, museau et coussinets rose corail), le tortie point (extrémités tachetées de roux et/ou de crème sur ivoire ou crème, museau et coussinets toning ou roses), le blue cream point (extrémités

bleues tachetées de crème, museau et coussinets bleus ou roses), le lilac-cream point (extrémités gris rosé mélangé à du crème sur magnolia, museau et coussinets roses) et le tabby point (extrémités brunes, chocolat, bleues, rousses ou lilas, harmonisées à la couleur du corps). Le LOOF reconnaît toutes les couleurs du Siamois pour le Balinais. La FIFé et la Cat Fanciers' Association américaine gardent dans tous les cas le nom de Balinais,

DES APPELLATIONS DIVERGENTES

Certaines associations, en particulier aux États-Unis (à l'exception de la CFA) et en Grande-Bretagne, ne reconnaissent que quatre variétés de Balinais : seal point, lilac point, chocolate point et blue point ; les autres variétés sont considérées comme des Javanais. Les autres associations américaines reconnaissent toutes les variétés acceptées en Grande-Bretagne, à quelques différences près. Aux États-Unis, le tabby point est appelé lynx point.

En haut
Certaines variétés de Balinais, tel le cream point, sont appelées Javanais.

Ci-contre
Le lilac point est reconnu partout dans le monde.

CARACTÈRE

Quoiqu'il ait une voix forte, le Balinais est plus tranquille et moins exigeant que son ancêtre siamois ; en revanche, comme lui, il aime jouer, faire de l'acrobatie – tout seul ou avec son maître. Il apprécie la compagnie, mais il tient aussi à ce que l'on s'occupe de lui. Il lui faut donc un propriétaire qui ait du temps à lui consacrer et ne le laisse pas tout seul pendant des heures. Le toilettage est facile, avec une brosse douce, une ou deux fois par semaine. Comme le Balinais n'a pas de sous-poil, sa fourrure est soyeuse, elle ne s'emmêle pas et ne feutre pas.

À la naissance, le chaton est tout blanc ; les couleurs des extrémités apparaissent au bout de quelques semaines, notamment le masque de la tête, mais il faut attendre un an pour qu'elles soient bien établies.

Les femelles arrivent tôt à la maturité sexuelle ; elles ont des portées, en moyenne, de trois ou quatre chatons ; elles sont réputées être d'excellentes mères et ne se lassent pas de jouer avec leur progéniture. De ce fait, les chatons grandissent rapidement et ne tardent pas à apprendre de nombreux jeux et activités – ne serait-ce (hélas !) que grimper aux rideaux et sur les meubles.

Pour la Cat Fanciers' Association américaine et l'Association féline canadienne, le Balinais est une race hybride, ce qui signifie que si, dans la plupart des cas, les accouplements sont faits entre Balinais, ce qui donne des chatons balinais, il est permis de faire des croisements avec des Siamois pour améliorer le type. On peut dire que le Balinais est une race «nouvelle» et il est donc tout à fait possible qu'elle évolue encore dans le cadre des programmes poursuivis par certains éleveurs.

L'un de ceux-ci porte à la fois sur le Balinais et le Siamois. Comme on l'a vu, un accouplement entre deux Balinais donne des chatons «pure race», mais un accouplement entre un Balinais et un Siamois donnera des chatons de type siamois avec une fourrure épaisse, mais pas aussi longue que celle du Balinais. Aux États-Unis, ces chats ne sont pas reconnus comme siamois : tous les Siamois enregistrés ne doivent avoir que des ancêtres siamois. Ces «hybrides» sont parfois appelés «Balinais à poil court», mais cette appellation n'est pas officiellement reconnue.

Dans leurs portées, on trouvera des Balinais à poil long et des chatons à la robe épaisse. Reste à savoir si les programmes de métissage permettront d'obtenir, ici encore, une race nouvelle et acceptable.

Dans ce cas, certains puristes pourraient la refuser, beaucoup d'éleveurs considérant que le Balinais constitue une menace pour le Siamois pure race.

LE JAVANAIS

Comme le Balinais, le Javanais n'a aucun rapport géographique avec l'île d'Indonésie dont il porte le nom : cette appellation s'applique simplement, dans certains pays, à des variétés de Balinais qui ne sont pas reconnues par la Cat Fanciers' Association américaine comme appartenant à cette race. On y trouve toutes les couleurs mentionnées ci-dessus, à l'exception des quatre types de base du Siamois : seal point, blue point, lilac point et chocolate point. À l'exception de la couleur, tous les Javanais sont des Balinais, avec la même configuration du corps, la même fourrure et le même caractère, et en particulier le fait qu'ils n'aiment pas rester seuls.

En Europe, la FIFé et les associations qui lui sont affiliées appellent Javanais la race appelée Oriental Longhair en Amérique du Nord et qui, en fait, est un Balinais sans extrémités colorées.

En haut
Le Javanais est plus discret que le Siamois.

Ci-contre
Ce Balinais cannelle est appelé Javanais en Amérique du Nord.

239

Cymric, ou Kymric

FICHE D'INFORMATION

NOM — Cymric, Kymric
Autre(s) nom(s) — Manx à poil mi-long, Longhair Manx
CORPS — Rond et ramassé
COULEURS — Blanc, noir, bleu, roux, crème, chinchilla, shaded silver, black smoke, tabby marbré, tabby tigré, écaille-de-tortue, calico, crème, bleu clair, bicolore (sans motif himalayan), chocolat, lilas

TAILLE

TOILETTAGE

EXERCICE

L E CYMRIC (ou Kymric – prononcer « kumric ») est une version relativement rare du Manx. S'il est inscrit au LOOF, il n'est pas reconnu par la FIFé ni par le GCCF britannique, et il reste très rare en Europe. En Amérique du Nord, il est appelé Longhaired Manx ou Manx Longhair ; il a été reconnu par l'Association féline canadienne et par la plupart des associations félines des États-Unis dans les années 1970, mais uniquement pour les expositions (pas dans les concours).

LE SAVIEZ-VOUS ?

La chasse n'est plus la raison principale de la diminution du nombre des grands félins, mais plutôt la destruction de leur habitat : ils ont en effet besoin de vastes espaces pour survivre.

En haut à droite
Le Cymric est un Manx à poil mi-long.

Au centre
Pour pouvoir participer à une exposition, le Cymric doit être dépourvu de queue.

En bas à droite
Des anomalies génétiques rendent difficile l'élevage du Cymric.

HISTORIQUE

L'appellation Cymric dérive du mot gallois *cymru*, qui signifie pays de Galles – le seul rapport avec ce pays étant qu'il fut peuplé par des Celtes, comme l'île de Man. Et le Cymric est lui-même une mutation du Manx ; on peut donc dire qu'il a de lointains ancêtres originaires de l'île de Man. Mais, en réalité, c'est aux États-Unis que cette race a été créée.

Les premiers Cymrics sont apparus, au cours des années 1940, dans une portée de Manx tout à fait ordinaires. C'est une mutation que l'on ne s'explique pas, mais le Manx est bien connu pour ses anomalies génétiques, qui s'expriment fréquemment par des mutations spontanées qui peuvent produire des chatons mort-nés ou présentant des malformations du squelette. Il semble que le Cymric provienne d'une lignée pure race de Manx à poil court sur au moins sept générations. On peut donc penser que le gène dominant « sans

queue » présent dans le génotype du Manx s'est combiné avec le gène récessif du poil long.

ÉLEVAGE

Les éleveurs canadiens commencèrent à accoupler des Cymrics entre eux, mais cela produisit des anomalies génétiques mortelles : il fallait donc conserver, dans les programmes, des Manx à queue pour éviter une trop grande consanguinité entre les chats sans queue. Dans les portées, il y avait donc aussi des chatons à queue, qui étaient vendus comme animaux de compagnie ; mais, pour pouvoir être présenté dans une exposition, le Cymric ne doit pas avoir de queue du tout.

L'élevage est particulièrement difficile du fait, d'une part, qu'il faut parfois faire des accouplements avec des chats possédant ne serait-ce qu'un vestige de queue et, d'autre part, que beaucoup de chatons

meurent à la naissance ou peu après (dans un quart des cas, ils naissent mort-nés) ; en outre, bon nombre de survivants présentent des anomalies du squelette, telles que le spina-bifida. Tout cela explique pourquoi la reconnaissance officielle du Cymric présente tant de difficultés ; certains vétérinaires condamnent même ces programmes d'élevage, considérant qu'ils provoquent des souffrances inutiles.

CARACTÉRISTIQUES

Le standard prescrit que le Cymric ne doit pas avoir de queue, qu'il doit avoir l'apparence ronde du Manx (qui rappelle celle du lapin), de longues pattes postérieures, un dos court et une croupe nettement plus haute que les épaules lorsque le chat est debout.

De plus, le Cymric doit avoir des flancs profonds, des cuisses musclées et des pattes antérieures bien séparées, avec une forte ossature. Les pieds sont ronds et fermes, avec des touffes de poils sur les doigts. La tête est large et ronde, posée sur un cou court, épais et bien musclé. Les pommettes sont saillantes, le nez de taille moyenne, les yeux larges, arrondis, légèrement en oblique vers l'extérieur. Les oreilles, larges à la base et légèrement inclinées vers l'avant, sont bien saillantes et se terminent en pointe arrondie couverte de poils. La double fourrure

est de longueur mi-longue à longue, soyeuse et brillante, avec un sous-poil épais et « cotonneux ». On doit bien distinguer la culotte et la collerette.

Le Cymric idéal a une « fossette » ou creux à la base de la colonne vertébrale, à l'emplacement de la vertèbre manquante. Cependant, le standard admet un embryon de queue, peut-être parce qu'il est difficile d'atteindre la perfection dans cette race. Il admet aussi une légère remontée du coccyx pour autant que l'apparence générale reste ronde.

VARIÉTÉS

Malgré les problèmes de reproduction, dus au gène mutant responsable des modifications de la queue, il existe de nombreuses variétés de Cymric. Sont acceptées les couleurs suivantes : blanc (blanc-bleu, cuivre ou vairon), bleu, noir, roux, crème, chinchilla, shaded silver, black smoke, tabby classique (tacheté) et tigré en argent, roux, bleu et crème, écaille-de-tortue, calico, calico clair, bleu-crème, bicolore et autres couleurs et motifs du Manx, à l'exception du motif himalayan, du chocolat et du lilas. La couleur des yeux doit être harmonisée à la couleur dominante de la robe.

SOINS

Le Cymric est placide, intelligent et affectueux, mais il a tendance à ne s'attacher qu'à une seule personne. Il suffit de le peigner une fois par semaine pour enlever les poils morts. Comme le Manx, son absence de queue ne semble pas le gêner pour grimper. C'est plutôt un chat d'intérieur. Comme on l'a vu, l'élevage est difficile, et mieux vaut laisser ce soin aux spécialistes. On trouve parfois à acheter des Cymrics ayant un embryon de queue plus ou moins long mais, si l'on veut en acquérir un, compte tenu des problèmes génétiques inhérents à cette race, il est indispensable de le faire d'abord examiner par un vétérinaire.

Au centre à gauche
On reconnaît bien ici les cuisses puissantes et les pieds ronds du Cymric.

Ci-contre
Ce Cymric présente la tête et les yeux ronds caractéristiques de sa race.

Somali

○○○○○○○○○○○○○○○○○○○○○○○○○○○○
FICHE D'INFORMATION

NOM   *Somali*
Autre(s) nom(s)
CORPS   *Longiligne, gracieux et musclé*
COULEURS   *Roux, lièvre ;*
                aux États-Unis seulement, bleu et faon

TAILLE

TOILETTAGE

EXERCICE

L E SOMALI est un Abyssin à poil mi-long (ou long, selon les pays). Sa fourrure ébouriffée et sa queue bien fournie lui donnent l'air un peu «sauvage» mais, en fait, il est très gentil et affectueux. Son caractère est plus posé et moins exclusif que celui de l'Abyssin, dont il a la robe tiquetée, quoique plus longue, avec des bandes de couleur alternativement claires et foncées sur chaque poil.

ORIGINES

C'est en Australie, où il fut présenté en exposition en 1965, et au Canada qu'ont été effectués les premiers travaux visant à faire du Somali, probablement une mutation de l'Abyssin, une race distincte. En 1969, une éleveuse américaine du New Jersey, Evelyn Mague, s'y intéressa à son tour et entreprit de fixer le caractère poil mi-long ; c'est aussi elle qui a donné son nom à cette race, pour la simple raison qu'il évoque la Somalie, pays voisin de l'ancienne Abyssinie (aujourd'hui l'Éthiopie).

Aux États-Unis, la Cat Fanciers' Association a autorisé cette race à participer à des concours en 1978, et elle est maintenant reconnue dans le monde entier. Introduite la même année en Europe, elle fut reconnue par la FIFé en 1982, puis par le GCCF. Elle est désormais très appréciée

En haut à droite
Le Somali provient d'un gène naturellement récessif du poil long présent chez l'Abyssin.

À gauche et en bas
On voit nettement la ressemblance entre l'Abyssin (en haut) et le Somali (en bas).

du public, au point de faire concurrence aux autres races à poil mi-long, et plusieurs éleveurs s'y consacrent.

CARACTÉRISTIQUES

Le Somali est un chat de taille moyenne, avec un corps de type plutôt oriental, longiligne et gracieux, mais bien musclé. Le dos doit être légèrement arrondi. Les pattes sont longues et minces ; les pieds, petits, portent des touffes de poils entre les doigts. La queue, touffue, est épaisse à la base et se termine en pointe. La tête est en triangle légèrement arrondi, sans méplat, et ses formes sont légèrement incurvées. Les oreilles, plantées

en arrière de la tête, sont bien séparées ; elles sont grandes, bien ouvertes, larges à la base ; elles se terminent en pointe avec des touffes de poils comme celles du lynx. Les yeux, ambre, jaunes ou verts (quelle que soit la couleur de la robe) et cerclés de noir, sont légèrement en amande ; au-dessus de chaque œil, une fine ligne verticale sombre va de la paupière supérieure à l'oreille – c'est tout ce qui subsiste de son caractère tabby.

La fourrure est douce au toucher, épaisse, soyeuse ; elle doit être aussi dense que possible. Le poil est plutôt court sur la face, les membres et les épaules, mais un peu plus long sur le dos, les flancs, la poitrine et le ventre. En outre, l'Abyssin doit avoir des culottes (arrière des cuisses), une collerette (sur la gorge) et la queue bien fournies.

VARIÉTÉS

La FIFé et le GCCF britannique reconnaissent au moins trois variétés de Somali : le lièvre, le roux et le bleu. En France, le LOOF en reconnaît plusieurs autres : chocolat, lilas, faon, roux, crème, etc. Selon les pays et les associations, notamment en Amérique du Nord, les différentes appellations ne sont pas homogènes et changent parfois, ce qui complique la situation. En outre, certaines couleurs, comme le silver et le lilas (ou lavande), ne sont reconnues qu'aux États-Unis.

Chez le Somali courant (roux, ou *sorrel*), la robe est orange-brun, et le tiquetage de chaque poil doit présenter trois couleurs distinctes, le noir étant à l'extrémité. Le shading est plus foncé sur la colonne vertébrale et sur la queue, qui se termine par une pointe noire. Le ventre, l'intérieur des pattes et le poitrail doivent être d'un roux uni, sans tiquetage. Les extrémités des oreilles sont noires ou brun foncé. Les touffes de poils sur les pieds doivent être noires ou brun foncé, et le noir doit remonter

sur une partie de l'arrière des pattes. Les coussinets sont bruns ou noirs, et le museau est rouge brique.

Dans la variété lièvre (*ruddy* aux États-Unis), le corps est d'un roux chaud, aussi foncé que possible, et le tipping est chocolat. Les extrémités des oreilles et de la queue sont chocolat. Le ventre, l'intérieur des pattes et le poitrail sont brun-roux, les coussinets roses et le museau rosé.

Chez le Somali bleu, la robe est d'un gris-bleu doux, avec un tiquetage bleu ardoise et un sous-poil ivoire. Dans la variété faon, la robe est rose-beige avec un tiquetage brun clair.

SOINS

Le Somali n'aime pas le froid, aussi a-t-il besoin d'un environnement approprié : il doit pouvoir sortir en été et rester bien au chaud l'hiver. Lorsque le Somali rencontre un inconnu, il reste sur sa réserve mais, une fois connaissance faite, il fait un bon compagnon. Son poil ne s'emmêle pas et n'exige donc pas de soins fréquents. La portée compte en moyenne trois ou quatre chatons. Les jeunes naissent quasi bicolores, et le tiquetage ne s'imposera qu'avec l'âge.

En haut à gauche
Couple de chatons somalis roux et bleu.

En haut à droite
On dit parfois que le Somali a l'air ébouriffé ; mais les traits orientaux de ce sujet lui donnent une allure majestueuse.

En bas à gauche
Un Somali roux typique.

Chat des Forêts norvégiennes

○○○○○○○○○○○○○○○○○○○○○○○○○

FICHE D'INFORMATION

NOM — Chat des Forêts norvégiennes
Autre(s) nom(s) — Norvégien, Norsk Skogkatt
CORPS — Longueur moyenne, bien musclé
COULEURS — Tous motifs et couleurs, sauf les motifs point

TAILLE

TOILETTAGE

EXERCICE

HISTORIQUE

Il existe bien une ressemblance superficielle entre le Maine Coon et le Chat des Forêts norvégiennes, ce qui a sans doute donné naissance à la légende selon laquelle le Maine Coon aurait été amené en Amérique par les Vikings. Mais la race norvégienne est indigène à la Scandinavie, et les deux races ont évolué séparément. Elles n'en gardent pas moins, en commun, la capacité à survivre dans des conditions climatiques rudes.

UNE QUESTION D'ADAPTATION

Le Chat des Forêts norvégiennes est un animal assez imposant et fort, avec un pelage bien imperméable, plus épais encore que celui du Maine Coon. Sa bourre laineuse lui sert d'isolant thermique, et ses poils de couverture luisants, de longueur moyenne, le protègent  efficacement de la pluie et de la neige. Grâce à ses griffes bien développées, le Chat des Forêts norvégiennes est bon grimpeur et chasseur.

Chez lui, l'intelligence, la vivacité et la vitesse s'accompagnent de prudence. Pourtant, malgré toutes ces caractéristiques qui l'aident à survivre, le Chat des Forêts norvégiennes a une face curieusement avenante, bien différente de celle, plus sévère, du Maine Coon.

Ce chat est fréquemment évoqué dans les contes et légendes de Scandinavie, notamment dans une version locale du Chat botté, où le « méchant » est un troll. Le Chat des Forêts, qui est une femelle, sait que les trolls meurent dès qu'ils sont exposés au soleil. Aussi, ayant rencontré un troll en début de nuit, elle lui fait la conversation jusqu'à ce que le soleil se lève. D'autres légendes évoquent un « chat magicien », au doux visage et à la queue touffue, qui vit dans les montagnes et les escalade avec une agilité incroyable.

ÉTABLISSEMENT DU PEDIGREE

C'est dans les années 1930 que le Chat des Forêts est sorti des bois et fermes de Norvège pour entrer dans des élevages, où un pedigree fut établi.

LE SAVIEZ-VOUS ?

Dans la conception anthropomorphique du monde animal, le lion passe pour fier. Pourtant, il ne l'est jamais au point de dédaigner une proie tuée par un autre animal ou par un homme.

En haut à gauche
Le Chat des Forêts norvégiennes vivait à l'état sauvage en Scandinavie et s'est adapté au rude climat de ces régions.

Ci-contre
Sa fourrure le protège des longs et rudes hivers arctiques.

Mais la Seconde Guerre mondiale faillit lui être fatale, au point que, la paix revenue, les sujets restants étaient rares et le pedigree avait été corrompu par des croisements avec des chats domestiques.

Au début des années 1970, des éleveurs norvégiens s'employèrent à restaurer la pureté raciale de cet animal. En fait, ils étaient revenus quarante ans en arrière, et il fallut tout recommencer.

Dès 1970, la FIFé autorisait le Chat des Forêts norvégiennes à concourir en championnat. L'éleveur qui avait réussi à obtenir l'accord de la FIFé fut considéré en Norvège comme un héros national.

Il fut définitivement reconnu par la FIFé en 1977 et fit ses débuts aux États-Unis en 1979, où il fut reconnu par la Cat Fanciers' Association en 1994.

CARACTÉRISTIQUES

Pour être admis dans une exposition, le Chat des Forêts norvégiennes doit être grand et bien musclé. Les pattes arrière doivent être plus longues que les pattes avant, les pieds solides et bien écartés. La queue, touffue, doit être au moins aussi longue que le corps. La tête est triangulaire, le nez long, large et droit, sans break. Les joues sont pleines et le menton fort. Les oreilles sont longues, droites et pointues, placées haut sur la tête. Les yeux en amande sont larges et légèrement obliques. Le Chat des Forêts norvégiennes a une double fourrure : des poils de couverture soyeux et imperméables et une bourre épaisse et laineuse. La collerette, autour du cou et du poitrail, est surtout abondante en automne et en hiver, mais elle disparaît l'été.

VARIÉTÉS

Les associations acceptent toutes les couleurs, sauf le chocolat, le lilas et le colourpoint. On trouve souvent du blanc sur le poitrail et les pieds. La couleur des yeux doit être harmonisée à celle de la robe.

CARACTÈRE ET SOINS

Le Chat des Forêts norvégiennes est un animal robuste. Le chaton commence à acquérir sa fourrure d'adulte vers trois à cinq mois. L'adulte aime bien jouer, il est affectueux et toujours très actif. Il lui faut pouvoir se promener à l'extérieur : un grand jardin inculte lui conviendra parfaitement. C'est un animal intelligent, qui apprendra vite, par exemple, à ouvrir une porte. Le Chat des Forêts norvégiennes perd beaucoup de poils au printemps et en été ; mieux vaut donc le peigner et le brosser fréquemment pour éviter la formation de boules de poils.

Si, à première vue, il est facile de confondre le Chat des Forêts norvégiennes avec le Maine Coon, il y a des différences très nettes entre les deux : la queue du Chat des Forêts norvégiennes est plus fournie et son museau plus pointu. Ses yeux sont plus obliques et moins écartés.

En haut à gauche
Pour être présenté en exposition, le Chat des Forêts norvégiennes doit être bien musclé, avec des pattes longues.

Ci-contre
L'été, pelage et collerette se dégarnissent fortement.

Les chats à poil court

LES DEUX PRINCIPALES RACES de chats à poil court : l'Européen (y compris le British Shorthair) et l'Américain, sont fondamentalement identiques et descendent du chat sauvage européen : *Felis silvestris*. Cependant, la classification n'est pas la même sur les deux continents. De plus, la catégorie des poils courts inclut quelques races complètement distinctes.

EN AMÉRIQUE DU NORD

Si, en Amérique du Nord, les standards des races à poil court sont, sur certains points de détail, différents de ceux adoptés en Europe, les poils courts américains sont en réalité issus de races européennes et ont été apportés en Amérique du Nord par des colons et des marins. En effet, la plupart des chats domestiques d'Europe et d'Amérique du Nord proviennent de croisements entre les différentes races de chats à poil court qui, par le passé, vivaient en Europe.

LE POIL COURT DIT « ORIENTAL »

Mais il existe un autre groupe de chats à poil court, à qui l'on donne le qualificatif d'« oriental » ou de « foreign » ; son principal représentant est le Siamois. Ce sont deux termes à peu près interchangeables en Europe ; cependant, les Américains qualifient d'« oriental » des races que les Britanniques appellent « foreign ». En outre, en Grande-Bretagne, le GCCF fait une distinction entre les races « foreign » (pour

En haut à gauche
Qu'il soit européen ou américain, le chat à poil court descend du chat sauvage européen.

En haut à droite
Le Brun de Havane est très rare.

les poils courts : Bleu russe, Abyssin, Rex, Korat et Tonkinois) et les races « orientales » (Oriental Shorthair, Foreign White, Havana et Angora), alors qu'il classe le Burmese et le Siamois dans une catégorie à part. Bref, quand on parle d'un chat « oriental » ou « foreign », il faut bien se faire préciser la nationalité du chat et de l'éleveur !

Le Siamois est effectivement originaire du Siam (aujourd'hui, la Thaïlande), mais il n'est arrivé en Europe et en Amérique du Nord que vers le milieu du XIXe siècle. Dans ce groupe, on trouve aussi l'Abyssin, dont l'appellation géographique n'est peut-être pas aussi justifiée que celle du Siamois. Un autre poil court est le Burmese qui, à l'origine, descend peut-être du Siamois mais qui constitue maintenant une race en soi. Toujours dans ce groupe, on trouve aussi certaines

races dérivées d'autres, telles que l'Exotic Shorthair et le Brun de Havane, qui constituent chacun une race distincte.

AUTRES RACES

Outre ces deux principales catégories de groupes de chats à poil court, il y a un certain nombre d'autres chats à poil court qui n'appartiennent à aucun de ces groupes, notamment le Manx

anoure, originaire de l'île de Man, le Scottish Fold, à qui une mutation génétique spontanée a donné des oreilles repliées vers l'avant, le Bobtail japonais, originaire du Japon, le Mau égyptien, qui descendrait des chats sacrés de l'Égypte ancienne, et enfin l'Ocicat. La seule chose que ces races ont en commun, c'est leur pelage court. On a aussi inclus dans cette section le Rex, dont le pelage est bouclé, mais en fait il constitue une catégorie en soi.

LES DIFFÉRENTS GROUPES DE POIL COURT

Dans les pages qui suivent, nous avons regroupé les poils courts européens (y compris britanniques) et américains ; puis nous verrons d'autres poils courts de l'hémisphère occidental, puis ce que l'on appelle les foreign, les Burmeses, les orientaux et les Siamois. Comme à propos

de la distinction entre poils longs et poils courts, les associations ne sont pas toujours d'accord sur le nom des différentes races, les couleurs autorisées ou certains détails requis pour pouvoir concourir. Le cas échéant, nous mentionnerons ces différences. Les rubriques présentant les standards et les couleurs ne donneront que des indications synthétiques, pour éviter les répétitions. Les amateurs qui souhaitent avoir des renseignements plus précis doivent s'adresser à l'association de leur pays.

ORIGINE DU CHAT À POIL COURT

Par nature, le pelage du chat est court ; cela lui vient de ses lointains ancêtres sauvages, et le gène L des poils courts est dominant. Cela veut dire que, statistiquement, la population des poils courts sera plus importante que celle des poils longs, et la plupart des chats libres et/ou sans pedigree ont le poil court. Lorsque les premiers chats à poil long apparurent en Europe au XVIIᵉ siècle, leur beauté et leur originalité enchantèrent les amateurs de chats, qui ne connaissaient que les poils courts. De même, au début du XXᵉ siècle, les poils longs éclipsèrent les poils courts en Grande-Bretagne et en Amérique du Nord.

Aujourd'hui encore, un certain nombre de personnes n'ont que dédain pour les chats à poil court (européens et américains), les considérant comme banals (au grand désespoir des éleveurs qui ont passé des années à améliorer les types) et comme ne valant guère mieux que les chats de gouttière. Indépendamment des goûts personnels, le principal avantage du poil court est que, sauf avant une exposition, leur toilettage se réduit au minimum. Il existe une multiplicité de chats à poil court, depuis le chat de gouttière jusqu'au Siamois.

En haut à gauche
L'Ocicat tacheté est un poil court typique.

Au centre à droite
Un British Shorthair tabby argenté classique.

En bas à gauche
Si certains éleveurs préfèrent le Persan au chat à poil court, ce tabby montre bien qu'un pelage court peut être au moins aussi beau.

LE SAVIEZ-VOUS ?
Le ventre est la partie la plus délicate d'un chat. Lorsqu'il se roule sur le dos et se laisse caresser le ventre, c'est donc un signe de confiance.

Européen à poil court

FICHE D'INFORMATION

NOM   Européen à poil court

Autre(s) nom(s)   British Shorthair (en Grande-Bretagne)

CORPS   Cobby

COULEURS   Noir, bleu, crème et blanc, tabby, écaille-de-tortue, bicolore, fumé, tacheté

TAILLE

TOILETTAGE

EXERCICE

L'EUROPÉEN À POIL COURT et le British Shorthair sont en fait des races identiques, et leur appellation varie simplement selon le pays dans lequel les sujets sont enregistrés. L'appellation British Shorthair n'est employée qu'en Grande-Bretagne et aux États-Unis. Dans les deux cas, il s'agit de sujets sélectionnés en fonction de critères esthétiques.

trop «banale» pour retenir leur attention. Et pourtant, elle a fait l'objet d'au moins autant de soins que d'autres races plus exotiques.

À mesure que les Romains progressaient en Europe, il y a plus de deux mille ans, ils étaient accompagnés de chats, tant pour leur tenir compagnie que pour détruire les nuisibles. Bien entendu, un certain nombre de ces animaux ne manquèrent pas, au cours des quelque quatre siècles d'occupation romaine, de se croiser avec des chats sauvages européens, dont la population, en Europe occidentale, était tout aussi nombreuse que celle des chats libres aujourd'hui. On pense d'ailleurs que le motif du tabby marbré «classique», que l'on trouve chez le chat domestique, provient d'une mutation du gène «type sauvage» du tabby tigré.

Au départ, le chat à poil court résultant du croisement entre le chat domestique des Romains et le chat sauvage avait à peu près la même allure qu'aujourd'hui, sinon qu'il devait être plus mince, avec des pattes plus longues, et se présenter sous de multiples variations de couleur. Il est fort probable qu'il y eut des tentatives d'élevage sélectif pour les chats domestiques et les chats de ferme : sans doute avait-on remarqué, par exemple, qu'une femelle douée pour la chasse transmettait cette qualité à ses chatons ; on pouvait ainsi, en choisissant les géniteurs, obtenir des descendants ayant cette qualité. Si, en général, l'Européen à poil court est de caractère plutôt placide, cela tient peut-être à ce que nos ancêtres ont «sélectionné» des chats tranquilles pour leur tenir compagnie. Mais ce ne pouvaient être que des cas d'exception : les propriétaires de chats n'étaient pas encore organisés, et les premiers standards ne datent que de la fin du XIXe siècle.

HISTORIQUE

En effet, tous descendent du chat domestique d'Europe occidentale et comptent parmi leurs ancêtres plusieurs chats de ferme et chats de gouttière de tout le continent – mais inutile de le leur rappeler (et encore moins à leurs propriétaires). D'ailleurs, certains éleveurs considèrent cette race comme

Au centre
Ce lilac point est l'un des nombreux résultats obtenus par des éleveurs spécialisés.

Ci-contre
Sur ce tabby tigré, on distingue bien les rayures.

FIXATION DE LA RACE

Au XVIIe siècle, les naturalistes Linné et Buffon avaient déjà affirmé que les chats domestiques constituent une race, mais c'est Harrison Weir, le « père » des félinophiles britanniques, qui a affirmé leur originalité par rapport aux autres races. Lorsqu'il organisa, en 1871, la première exposition britannique, les British Shorthairs y tenaient une place d'honneur, ainsi que dans son célèbre livre : *Our Cats,* publié en 1892. Ce qui l'intéressait surtout, c'était le bien-être des chats, et il espérait que, en mettant en lumière le charme et les qualités de cette race, il arriverait à persuader les propriétaires de tels chats de mieux s'occuper d'eux, malgré leur humble origine, pour qu'ils remarquent enfin la beauté et l'attrait du chat installé devant leur cheminée.

Par la suite, Weir démissionna de son poste de président du National Cat Club qu'il avait créé : il déplorait que ses membres s'intéressassent moins au bien-être des chats qu'aux concours. Néanmoins, ayant créé le premier standard pour le British Shorthair, il avait tiré celui-ci des ténèbres de l'ignorance et du mépris. À l'époque, c'était d'ailleurs la seule race comptant une population importante en Grande-Bretagne.

En haut
L'Européen à poil court a pour lointains ancêtres les chats domestiques des Romains croisés avec des chats sauvages européens.

Au centre
Les colourpoints tel ce blue point existent depuis au moins cinq siècles.

Ci-contre
L'Européen à poil court compte des ancêtres tant parmi les chats de ferme que parmi les chats de gouttière.

En haut
Le succès des Persans a, pendant un temps, menacé la popularité des Européens à poil court.

Ci-dessous
La forme de la tête et les grands yeux de ce chat indiquent qu'il compte des Persans parmi ses ancêtres.

PROBLÈMES

Cependant, la situation évolua rapidement : en Grande-Bretagne, de plus en plus de gens voulaient des Persans qui, dans les expositions, finissaient par être plus nombreux que les Shorthairs. Ceux-ci se trouvaient donc peu à peu négligés, malgré les efforts d'éleveurs persévérants.

De ce fait, la qualité des British Shorthairs a décliné, et la Seconde Guerre mondiale a aggravé les choses. Après la guerre, les éleveurs durent croiser des British Shorthairs avec des Persans pour perpétuer la race, ce qui modifiait leur morphologie. Aussi le GCCF a-t-il refusé de tels croisements et défini une catégorie supplémentaire pour les croisements. Le British Shorthair ne peut être enregistré comme tel qu'au bout de trois générations de croisements entre Shorthairs. Mais cela ne fut qu'un pis-aller et, aujourd'hui, on remarque, chez le British Shorthair, certaines caractéristiques qui le distinguent nettement de ses cousins : l'Européen à poil court et l'American Shorthair.

De son côté, l'Européen à poil court (donc en Europe continentale) n'a pas fait l'objet d'autant de soins que son homologue britannique, et il fallut attendre 1983 pour qu'il soit reconnu par la FIFé et son standard adopté. On peut donc considérer que, en France du moins, l'Européen à poil court est (officiellement) une race relativement récente ; en pratique, cela signifie que des chats de gouttière peuvent (dans des conditions strictement définies) concourir et leurs descendants être inscrits au LOOF.

AUX ÉTATS-UNIS

L'American Shorthair constitue une race légèrement différente, qui s'est développée aux États-Unis sur de nombreuses générations, toujours à partir du chat domestique. Mais les sujets sélectionnés (souvent naturellement) l'étaient de préférence pour leur aptitude à l'élimination des rongeurs et pour leur résistance à des conditions climatiques parfois rigoureuses. Cela n'empêcha pas les Américains d'importer des British Shorthairs dans les années 1950 pour leurs qualités esthétiques. À la fin des années 1970, toutes les associations américaines avaient reconnu cette race, mais pas nécessairement toutes les variétés de couleur.

SOINS

L'Européen à poil court a en général un caractère calme et presque flegmatique. C'est un bon chat de maison à la voix douce, qui aime bien jouer ; mais, parfois, il préfère rester seul dans son coin à méditer. À la différence du Siamois, il ne fera pas de dégâts dans la maison. Il est plutôt intelligent, ce qui lui permet de s'adapter parfaitement à la routine familiale : on peut très bien le laisser seul, pour autant qu'il sache que, à certains moments réguliers, il aura de la compagnie et de la nourriture. Le toilettage est facile et, sauf lorsqu'il doit être présenté dans une exposition, il suffit de le peigner une fois par semaine. La femelle met bas sans problème, mais le nombre de chatons par portée est imprévisible : entre un et quatre, et parfois plus. Les chatons sont en général robustes et ne tardent pas à vouloir se débrouiller seuls.

LA ROBE

Contrairement au British Shorthair, avec son air quelque peu « oriental », l'Européen à poil court rappelle beaucoup le chat domestique, et son pelage doit être dense et lustré. Cela dit, tant chez l'Européen à poil court que chez le British Shorthair et l'American Shorthair, les variétés monocolores doivent être bien uniformes, sans rayures ni marques tabby. Quant aux autres variétés, les standards sont très précis sur la proportion et la forme des motifs et des marques. Les couleurs reconnues sont à peu près les mêmes partout, avec quelques variétés supplémentaires pour l'American Shorthair. Chez le British Shorthair, la couleur la plus recherchée est le « British blue ». En fait, c'est un gris bleuté, nuance qui fait ressortir la vigueur de ce chat et son air attentif.

Ci-contre
L'Européen à poil court est une race robuste, forte et saine.

Ci-dessous à droite
Un British Shorthair typique, avec un regard ouvert et expressif.

CARACTÉRISTIQUES

Quand on parle de l'Européen à poil court, le premier qualificatif qui vient à l'esprit est « massif ». Son apparence trapue et robuste lui donne un air majestueux. Mais sa puissance n'est pas qu'apparente : plusieurs générations de vie à l'extérieur ont fait de ce chat un animal robuste, vif et adaptable.

L'Européen à poil court que l'on rencontre dans les expositions doit satisfaire à un standard strict. C'est un chat médioligne classique. Les épaules sont larges, le corps musclé et puissant, avec un poitrail large, des jambes courtes mais fortes et le dos droit. Les pattes sont rondes et fermes. La queue est courte, épaisse à la base, et se termine en pointe arrondie. La tête est large et ronde, posée sur un cou court, surtout chez le mâle. Le nez est droit, court et large, sans stop, et les joues sont bien développées. Les oreilles sont petites et arrondies ; la base de l'oreille interne est dans l'axe du coin extérieur de l'œil. Les yeux sont grands, ronds et horizontaux ; le regard doit être vif et expressif.

NOIR

Le poil court européen noir est certainement très remarquable. La robe doit être d'un noir jais brillant, sans décoloration ni poils blancs. Chez certains chatons, la robe présente des nuances rousses, qui disparaissent avec l'âge. La truffe et les coussinets doivent être noirs, et les yeux cuivre brillant, orange ou or. Dans cette variété, les yeux verts sont un défaut relativement courant.

BLANC

L'Européen blanc aura des yeux bleu saphir, or, cuivre, orange ou vairons. Ici encore, les yeux verts sont un défaut. Les blancs aux yeux bleus ou vairons sont souvent sourds et ne doivent pas servir à la reproduction. La robe doit être d'un blanc pur, sans nuance jaunâtre. Le nez et les coussinets sont roses.

AUTRES VARIÉTÉS UNIES

Sont également reconnus le crème, le bleu, le lilas, le chocolat et le roux, chez qui la robe ne doit pas comporter de marques de tabby ni de poils blancs, la truffe et les coussinets étant rouges et les yeux cuivre brillant ou orange. Pour les couleurs pâles, le standard est difficile à respecter parce qu'il est fréquent que les marques tabby persistent, aussi la reconnaissance de ces variétés se fait-elle parfois attendre.

TABBY

Le tabby à poil court se présente en trois variétés : classique (marbré), tigré et tacheté et, dans chaque cas, les nuances de couleur sont nombreuses : brun, roux, argenté, bleu et crème. Chez un beau tabby, les marques doivent être bien nettes et les zones claires et sombres doivent être bien différenciées. Souvent, quand on ne connaît de la variété tabby que les chats des rues, on est frappé par la netteté du motif sur les chats présentés en exposition, notamment chez le tabby argenté.

Le motif tabby est inhérent au chat domestique, et tous les chats ont des ancêtres tabby plus ou moins éloignés. C'est vraiment une caractéristique fondamentale, ce que l'on constate chez des parents chez qui le motif tabby a été consciencieusement et volontairement éliminé, mais dont les rejetons présentent à nouveau ce motif, qui persiste parfois jusqu'à l'âge adulte. Cependant,

l'éleveur de tabby cherche au contraire à accentuer ce motif d'une génération à la suivante, en renforçant la couleur et le contraste.

En haut à gauche
Le noir est l'une des couleurs les plus appréciées.

Au centre à droite
Ce tabby a un superbe pelage tacheté avec une queue tigrée.

Ci-contre
Sur ces trois tabby, on distingue nettement, sur le front, le M caractéristique.

ORIGINES DU TABBY

Le mot « tabby » viendrait d'Attabiya, un quartier de Bagdad où, au XVIIe siècle, était fabriqué un tissu moiré en soie ou en taffetas appelé en Angleterre *tabbisilk*. En ancien français, le mot tabis désignait une sorte de soie. À voir la robe d'un tabby, on comprend d'où lui vient son nom. Une autre caractéristique du tabby est qu'il porte, sur le front, la marque M – une légende raconte qu'elle lui est survenue alors que le prophète Mahomet caressait sa chatte Muezza. Tous les tabby portent cette marque ; ce sont des lignes qui descendent du haut du front vers les yeux et le nez et soulignent les pommettes.

TABBY CLASSIQUE

Chez le tabby classique (marbré), des lignes verticales partant de l'arrière de la tête rejoignent, sur les épaules, des marques en forme de papillon qui, de préférence, devraient enclore de petites taches bien marquées. Sur le dos, trois bandes parallèles, bien séparées par la couleur de fond, courent jusqu'à la base de la queue. Chaque flanc porte une grande tache entourée d'un ou plusieurs anneaux ; les deux flancs doivent être identiques. Le cou et le haut du poitrail présentent plusieurs colliers ; une double rangée de « boutons » (petites taches) court du poitrail au ventre. Les jambes présentent des bandes étroites et régulières (bracelets) d'une couleur plus sombre ; sur la queue, les anneaux doivent être réguliers. La couleur la plus courante du tabby est l'argent (silver).

TABBY TIGRÉ

Chez le tabby tigré, une ligne continue relie la nuque à la base de la queue. Sur les flancs, des lignes étroites et bien marquées rejoignent à angle droit la colonne vertébrale. Le tabby tigré doit avoir plusieurs colliers sur le cou et le haut du poitrail et une double rangée de « boutons » sur le poitrail et le ventre. Les jambes doivent présenter des bandes régulières (bracelets) jusqu'au niveau des marques du corps. Sur la queue, les anneaux doivent être réguliers.

TABBY TACHETÉ

Chez le tabby tacheté, la taille et la forme des marques peuvent varier : rondes, ovales ou en cocarde ; mais elles doivent être nombreuses et régulièrement réparties, et surtout ne pas se chevaucher. Aux États-Unis, on préfère les taches rondes. Une ligne de taches court sur toute la longueur du dos ; il doit y avoir une double ligne de taches sur le poitrail et le ventre, et des taches ou anneaux sur les pattes et la queue.

Ci-contre
Sur le pelage de ce tabby, la distribution des taches est parfaite.

LES COULEURS DU TABBY

Pour le tabby, les standards admettent, comme couleur de fond, les cinq couleurs des robes uniformes : brun, roux, bleu, crème et argent. Chez le brun, la couleur brun-cuivre est particulièrement intense et les marques très noires. Les pattes arrière doivent être noires (à l'exception du pied). Les coussinets sont noirs et la truffe rouge brique. Les yeux sont orange ou jaune foncé. Chez le roux, la couleur de fond est un roux intense avec des marques rouge sombre, plus rousses sur le côté des pattes. Les coussinets sont roux sombre et la truffe rouge brique. Les yeux sont orange foncé ou cuivre. Le tabby bleu présente des marques bleu sombre sur un fond beige bleuté, une truffe et des coussinets bleus ou roses et des yeux jaune foncé ou cuivre. Chez le tabby crème, la couleur de fond porte des taches d'un crème plus sombre, la truffe et les coussinets sont roses et les yeux dorés ou cuivre. Le silver tabby est le plus spectaculaire, avec des marques très noires qui se détachent nettement sur un fond argent. Les coussinets sont noirs et la truffe rouge ou noire. Les yeux sont verts ou dorés (certains standards admettent l'orange ou le noisette).

ÉCAILLE-DE-TORTUE

L'écaille-de-tortue est d'obtention difficile, car le gène de l'écaille-de-tortue est associé au sexe et ne se transmet que par les femelles. En général, le mâle est stérile. La femelle doit donc être accouplée avec un mâle de couleur unie ; mais, même dans ce cas, il n'est pas certain que l'on obtienne un ou plusieurs chatons écaille-de-tortue.

Chez l'écaille-de-tortue vrai, on trouve un mélange de noir, de roux intense et de crème pâle. Dans certains pays, on admet un mélange régulier des couleurs, sans marques bien définies, à l'exception

d'une flamme sur la face. Ailleurs, il faut que les taches soient nettement délimitées et bien séparées, la flamme étant simplement jugée « souhaitable ». La truffe et les coussinets seront roses ou noirs, et les yeux, orange, cuivre ou or.

BLEU-CRÈME

Le tabby bleu-crème est en fait un écaille-de-tortue aux couleurs plus claires. La robe est bleue et le crème s'y mélange par endroits, sans marques tabby ni taches ou poils blancs. Truffe et coussinets sont bleus ou roses ; les yeux, cuivre, orange ou or.

ÉCAILLE-DE-TORTUE ET BLANC

La variété écaille-de-tortue et blanc est appelée en Grande-Bretagne tortie-and-white et, en Amérique du Nord, British Shorthair calico. Sur un fond blanc, les taches noires, crème et rousses sont également réparties, claires et bien définies. Le motif couvre la tête, le dos, la queue, les pattes et une partie des flancs. La face présente une flamme. Le ventre est à dominante blanche. La truffe et les coussinets sont roses ou noirs, les yeux cuivre brillant, orange ou or.

En haut
La couleur rousse unie de ce British Shorthair est admise dans les expositions.

À droite
Pour avoir des petits, cette femelle écaille-de-tortue devrait être accouplée à un mâle de couleur unie ; mais elle n'aura pas nécessairement des chatons écaille-de-tortue.

AUTRES VARIÉTÉS

Les variétés colourpoint (robes de type siamois)
et la variété golden (dont les poils sont fauve abricot
à la base avec un tipping noir) sont reconnues,
en Europe continentale, par la FIFé et, en
Grande-Bretagne, par le Governing Council
of the Cat Fancy

L'EUROPÉEN À POIL COURT BICOLORE

Chez l'Européen à poil court bicolore, la couleur
de fond est le blanc, avec des taches de roux,
de bleu, de noir ou de crème. Selon les sous-variétés,
le blanc occupe une surface plus ou moins
importante : un tiers du corps (en particulier
chez les variétés calico), entre la moitié et les trois
quarts (chez les variétés arlequin) et jusqu'à la presque
totalité du corps (chez les variétés van).

Dans toutes ces variétés, les taches de couleur
doivent être réparties régulièrement et, si possible,
symétriquement sur la tête, le corps et la queue.
Le chat doit présenter une flamme sur la face.
Il ne doit pas y avoir de marque tabby ni de poils
blancs dans les taches de couleur.

La truffe et les coussinets peuvent être blancs
ou harmonisés à la couleur des plages pigmentées.
Les yeux doivent être cuivre, orange ou or,
ces couleurs étant aussi brillantes que possible
(certaines associations admettent les yeux bleu clair
ou vairons).

LE POIL COURT FUMÉ

Dans la variété dite « fumé » (smoke), la base
des poils de jarre est à dominante blanche
et leur extrémité est colorée en noir, bleu, roux,
crème, chocolat ou lilas. Cette coloration est
présente sur la tête, le dos, les flancs, les pattes
et la queue ; seuls sont blancs le menton, le ventre
et le dessous de la queue. Le chat ne doit pas
présenter de marque tabby, mais il peut avoir des
traces d'anneau sur la queue. La couleur de la truffe
et des coussinets doit s'harmoniser avec celle
des extrémités des poils. Les yeux doivent être
verts chez les fumés noirs, et orange ou cuivre
pour les autres couleurs.

LE POIL COURT TIPPED

Dans les variétés tipped, la base des poils de jarre
est essentiellement blanche, et leur extrémité,
légèrement colorée en noir, bleu, roux, crème,
chocolat et lilas. Le tipping doit apparaître sur
la tête, le dos, les flancs, les pattes et la queue ;
le menton, l'estomac, le poitrail et le dessous
de la queue sont blancs. Il ne doit pas y avoir
de marques tabby, mais on admet des traces
d'anneaux sur la queue. La truffe et les coussinets
doivent être de la couleur du tipping.
Les yeux sont verts pour un tipping noir, orange
ou cuivre pour les autres couleurs.

En haut
Le fumé noir est l'une
des deux seules couleurs
acceptées aux États-Unis.

Ci-contre
Les premiers bicolores
ont été admis dans
les expositions en 1966.

American Shorthair

FICHE D'INFORMATION

NOM	American Shorthair
Autre(s) nom(s)	Américain à poil court, Américain à poil raide
CORPS	Musclé ; ossature légère
COULEURS	Unie : noir, bleu, roux, crème et blanc ; tabby, écaille-de-tortue, calico, tipped, fumé et bicolore

TAILLE

TOILETTAGE

EXERCICE

LES ORIGINES de l'American Shorthair sont identiques à celles de ses cousins à poil court d'Europe, en ce sens qu'ils ont tous pour ancêtre le chat domestique. La seule différence est que le chat domestique vit en Europe depuis deux millénaires (sans parler d'éventuels chats sauvages qui ont pu se croiser avec lui), alors que le chat n'est installé en Amérique du Nord que depuis environ quatre siècles.

UNE RACE UTILE

On peut trouver curieux que les Indiens d'Amérique n'aient jamais domestiqué de félins. Il est vrai que, en Amérique du Nord, tous les félins sont de grande taille : le plus petit, le jaguarondi, qu'on trouve dans le sud des États-Unis, pèse jusqu'à 10 kg. Mais il faut aussi considérer que les Indiens d'Amérique du Nord menaient une vie nomade et accordaient moins d'importance à l'agriculture qu'à la chasse et à la pêche, et donc à la lutte contre les nuisibles. Cette absence de chats domestiques dans l'histoire sociale des Amérindiens infirme donc la légende selon laquelle le Maine Coon descendrait de spécimens du Chat des Forêts norvégiennes que des Vikings auraient abandonné derrière eux : si c'était vrai, les Indiens auraient bien trouvé le moyen de le domestiquer.

Ainsi, les premiers chats domestiques, poils longs et poils courts, furent sans doute amenés en Amérique du Nord par les vagues successives d'immigrants ou y débarquèrent après s'être échappés d'un navire. Le Maine Coon provient

> **LE SAVIEZ-VOUS ?**
> Les chats aiment à fréquenter les lieux où les puces prolifèrent, et celles-ci trouvent dans la fourrure des petits félins un milieu idéal pour s'installer et se multiplier.

Ci-contre à gauche
Le serval fut domestiqué par les anciens Égyptiens.

À droite
L'American Shorthair (en bas) et le Maine Coon (en haut) descendent de chats introduits en Amérique par des colons européens.

LE SAVIEZ-VOUS ?
Après qu'il a été castré, le chat mâle manifeste un comportement différent : en général, il ne patrouille plus sur un territoire, ni ne marque plus celui-ci de son urine.

probablement d'accouplements entre des chats à poil court et des chats à poil long.

Dès lors, les poils courts se multiplièrent librement, gagnant leur vie à chasser dans les cours de ferme et les granges, jusqu'à se faire enfin admettre à la cuisine. À mesure qu'ils avançaient vers l'Ouest, les pionniers amenaient leurs chats avec eux, et c'est ainsi que la population des chats domestiques a fini par s'installer sur l'ensemble du continent. Certes, les conditions de survie étaient rudes, surtout en hiver dans les États du Nord. Mais, s'ils n'avaient pas le long pelage du Maine Coon, les poils courts étaient tout aussi robustes qu'eux. Très habiles à la chasse – ils le sont encore aujourd'hui, même les animaux à pedigree –, ils souffraient rarement de la faim. Comme en Europe, certains vivaient en compagnie des humains, en ville ou à la ferme, pendant que d'autres menaient une vie vagabonde ; tous se multiplièrent à l'envi, et cela explique que la gamme des couleurs est très variée ; mais, à un degré plus ou moins marqué, la plupart de ces chats sont des tabby.

ÉTABLISSEMENT DU PEDIGREE

Lors de la première exposition organisée aux États-Unis, en 1895, l'American Shorthair n'occupait qu'une place très secondaire par rapport au Maine Coon et à d'autres races exotiques et rares ; il était cependant prévu une classe pour les poils courts.

À cette époque, on n'exigeait pas de pedigree pour qu'un chat fût inscrit, et les expositions félines étaient plus ouvertes qu'aujourd'hui. Pourtant, cet esprit des premiers temps survit encore dans les classes réservées aux «chats domestiques et de compagnie» qu'on trouve dans la plupart des expositions américaines.

La situation changea lorsque, vers 1900, deux British Shorthairs furent importés en Amérique ; l'éleveuse américaine Jane Cathcart fit d'abord venir un British Shorthair mâle orange (curieusement appelé Belle of Bradford), qui fut le premier poil court à pedigree à être enregistré par la Cat Fanciers's Association. Par la suite, cette même éleveuse fit venir un second mâle, un tabby argent appelé Pretty Correct.

En haut
L'American Shorthair était à l'origine un chat domestique vivant soit en ville, soit à la ferme.

Ci-contre
Au début du XIXᵉ siècle, un mâle tabby orange venu de Grande-Bretagne vint donner du sang neuf à l'American Shorthair.

LE PREMIER POIL COURT AMÉRICAIN

On ne sait pas très bien ce qui se passa ensuite, mais, en 1904, Jane Cathcart enregistra le premier poil court né en Amérique : Buster Brown, « de parents inconnus ». Ce fut le début d'une pratique qui s'est établie pendant plusieurs décennies aux États-Unis et qui est encore admise dans certains clubs d'Amérique du Nord : l'enregistrement de chats et chatons sans pedigree dans la catégorie des American Shorthairs, pour autant qu'ils soient conformes au standard. Cette pratique fut d'ailleurs confirmée par un vote de la Cat Fanciers' Association qui, en 1971, attribua le titre de Best American Shorthair of the Year à un chat sans pedigree. Dès lors, cette race, sur laquelle les éleveurs travaillaient depuis les années 1950, avait acquis ses lettres de noblesse. Mais, en Europe, elle n'est reconnue que par la FIFé.

Au départ, les clubs félins ne s'entendirent pas sur le nom à donner à cette race : Shorthair, Domestic Shorthair, American Domestic Shorthair. C'est en 1966 que, finalement, presque tous acceptèrent l'appellation American Shorthair.

LE SAVIEZ-VOUS ?
Le chat-pêcheur a des oreilles plus courtes que les autres variétés : pour pêcher, il n'est pas nécessaire d'avoir une bonne ouïe, et de petites oreilles sont moins gênantes pour plonger.

bombée, et la mâchoire doit être longue. Le cou est plus mince, plus prononcé, et les oreilles plus grandes que celles de ses cousins européens. La queue est en général plus longue et se termine en une pointe plus effilée, et les pattes sont légèrement plus longues.

CARACTÉRISTIQUES

Le mâle American Shorthair pèse en moyenne 6,5 kg et la femelle 4,5 kg. Le standard de la Cat Fanciers' Association le présente comme un chat robuste, bien constitué, chez lequel « aucune partie ne doit être accentuée au point de constituer une faiblesse ». Ses pattes doivent être « suffisamment longues pour marcher sur tout type de terrain et suffisamment musclées pour bien sauter ». On voit donc que le standard insiste sur la robustesse, l'endurance et l'agilité – qualités naturelles essentielles pour survivre.

L'American Shorthair, de taille moyenne à grande, a un corps mince, robuste et puissant, bien

En haut à droite
On peut enregistrer un American Shorthair même si on ne connaît pas ses parents.

Au centre à gauche
L'American Shorthair a l'air un peu moins robuste que son cousin d'Europe.

En bas à droite
L'American Shorthair est une race athlétique.

LA VARIÉTÉ AMÉRICAINE

Si certains British Shorthairs ont participé à la fixation de cette race, le goût des Américains a fait suivre une voie différente à l'American Shorthair : les éleveurs l'ont croisé avec des chats indigènes et, de ce fait, on constate de nettes différences entre l'American Shorthair et l'Européen à poil court (ou le British Shorthair). L'American Shorthair a une ossature plus légère mais il est plus musclé ; il doit évoquer la puissance, l'endurance et l'agilité. Il paraît moins « sauvage » que ses cousins d'outre-Atlantique, quoiqu'il ait un tempérament tout aussi hardi. Son pelage est court et rude et il s'épaissit en hiver, probablement par adaptation au climat. La tête est grosse, légèrement plus longue que large, mais pas

il apprécie la vie tranquille. Un léger toilettage suffit. Il faut quand même qu'il puisse sortir de temps en temps car, après tout, sa constitution naturelle le pousse à chasser, à sauter et à grimper. L'American Shorthair se reproduit sans problème particulier ; la femelle donne des portées moyennes de quatre chatons et c'est une mère attentionnée. Il est rare que les chatons (qui ouvrent les yeux vers huit à dix jours) aient des problèmes de santé et ils ne tardent pas à se lancer à l'aventure.

VARIÉTÉS UNIES

L'American Shorthair est accepté en noir, bleu, roux, crème et blanc.

Le noir est dense et sombre comme du charbon, de la racine à la pointe du poil, sans reflets roux. Les coussinets sont noirs ou bruns et la truffe noire. Les yeux sont or brillant.

Chez le bleu, la couleur bleue, de préférence claire, est uniforme sur tout le corps, de la racine à la pointe des poils. La truffe et les coussinets doivent être bleus et les yeux or brillant.

Chez le roux, la couleur est un roux clair, brillant et profond, sans shading ni marques ni tiquetage. Les lèvres et le menton doivent être de la même couleur que la robe. La truffe et les coussinets sont rouge brique, et les yeux, or brillant.

Chez le crème, la couleur (aussi claire que possible) est uniforme sur tout le corps, de la racine à la pointe des poils. La truffe et les coussinets sont roses et les yeux or brillant. Le blanc doit avoir une robe d'un blanc pur et brillant. La truffe et les coussinets sont roses. Les yeux peuvent être bleu sombre, or brillant, voire vairons (un bleu et un or), mais d'égale intensité.

adapté pour chasser, grimper et sauter. Le poitrail et les épaules sont bien développés, les pattes puissantes et de taille moyenne. Les pieds sont fermes, pleins et arrondis, et les coussinets épais. La queue est de taille moyenne, large à la base, et elle se termine en pointe arrondie. La tête est grande, les joues pleines et la face un peu plus longue que large. Le nez est de longueur moyenne, uniforme en largeur, avec un profil légèrement incurvé. Le museau est carré, le menton ferme et bien développé. Le cou est moyen, épais et musclé. Les oreilles sont de taille moyenne, pas trop ouvertes à la base, bien écartées sur la tête, avec des pointes légèrement arrondies. Les yeux sont ronds et larges, bien séparés, donnant à la face une apparence alerte. Les principaux défauts (par rapport au standard) sont un pelage pelucheux, un nez court comme celui du Persan ; toute morphologie bréviligne (cobby) sera pénalisée.

SOINS

L'American Shorthair est un chat domestique idéal : résistant, intelligent, affectueux et casanier. Ce n'est pas un chat à faire des histoires. Sa voix est douce et, à l'exception de rares périodes où il se défoule,

En haut
Chez l'American Shorthair typique, la tête est plus longue que large.

Au centre
Les yeux d'un American Shorthair noir doivent être or brillant.

LES VARIÉTÉS DE TABBY

Comme pour l'Européen à poil court, plusieurs variétés de tabby sont reconnues pour l'American Shorthair, à l'exception du tabby moucheté. Pour le reste, les standards sont identiques des deux côtés de l'Atlantique.

LES MOTIFS TABBY

Pour les autres couleurs, les standards pour le motif tabby sont variables. Le tabby brun a une couleur de fond brun cuivré brillant avec des marques tabby noires. L'arrière des pattes est noir du pied au talon et les coussinets sont noirs ou bruns. La truffe est rouge brique et les yeux or brillant. La couleur de fond du tabby roux est le roux avec des marques roux sombre. La truffe et les coussinets sont rouge brique et les yeux or brillant. Chez le tabby bleu, la couleur de fond est bleu ivoire avec des marques bleu sombre qui se détachent bien. Les coussinets sont roses, la truffe vieux rose et les yeux or brillant. Chez le tabby crème, la couleur de fond est un crème très pâle avec des marques chamois ou crème qui se détachent bien. La truffe et les coussinets sont roses et les yeux or brillant.

Le tabby cameo a une couleur de fond blanc cassé avec des marques rousses. La truffe et les coussinets sont roses et les yeux or brillant. Le tabby tacheté (tortie-tabby ou torby) est un classique argenté, brun ou bleu avec des taches rousses et/ou crème ; les marques tabby se dessinent sur des fonds plus ou moins clairs.

SILVER TABBY ET CHOCOLATE TABBY

Ci-dessus
Le standard du tabby est identique pour l'American Shorthair et l'Européen à poil court.

Ci-dessous
Un Shorthair calico bleu et blanc.

Chez l'American Shorthair, ce sont les deux variétés les plus recherchées, mais il est rare de trouver des sujets correspondant au standard. La robe du silver tabby est d'un blanc argenté éclatant et les marques tabby doivent être d'un noir profond et se détacher clairement sur le fond. Les lèvres et le menton sont argent pâle et clair. Les coussinets sont noirs et la truffe rouge brique. Les yeux peuvent être verts ou noisette.

ÉCAILLE-DE-TORTUE ET CALICO

Le standard pour les écaille-de-tortue prescrit un fond noir avec des taches rousses et crème bien délimitées sur le corps, les pattes et la queue. Une flamme rousse ou crème sur le front est appréciée. La truffe et les coussinets sont rouge brique et/ou noirs, les yeux or brillant.

La variété calico correspond à écaille-de-tortue et blanc : la robe doit être blanche avec des taches nettement définies de noir et de roux. Le blanc

doit être prédominant sur le ventre et les pattes. La truffe et les coussinets sont roses et les yeux or brillant. Chez le calico dilué, le noir et le roux sont remplacés par le bleu et le crème.

Le bleu crème est bleu avec des taches crème bien dessinées sur le corps, les pattes et la queue. La truffe et les coussinets sont bleus et/ou roses, les yeux or brillant.

LES TIPPED

Le chinchilla est l'une des couleurs les plus remarquables de l'American Shorthair. Le sous-poil est blanc pur mais le tipping noir sur le dos, les flancs, la tête et la queue lui donne une nuance et une apparence caractéristiques d'argent brillant. Il peut même y avoir un léger tipping sur les pattes. Le menton, le ventre et le poitrail doivent être d'un blanc pur. Les coussinets sont noirs et la truffe rouge brique. Les yeux peuvent être verts ou bleu-vert.

Le shaded silver est une version plus sombre du chinchilla. Le sous-poil est blanc ; le tipping noir ombre les flancs, la face et la queue ; la couleur est plus sombre sur le haut des flancs, la face et la queue, et elle s'éclaircit progressivement pour devenir blanche sur le menton, le poitrail, le ventre et le dessous de la queue. Les pattes doivent être de la même couleur que la face. Les couleurs de la truffe, des coussinets et des yeux sont les mêmes que pour le chinchilla.

Chez le shell cameo, le tipping est identique à celui du chinchilla, mais c'est du roux sur un sous-poil blanc. La truffe et les coussinets sont roses et les yeux or brillant.

Le cameo shaded, ou red shaded, est identique au shaded silver, mais le tipping roux est plus dense que chez le shell cameo.

LE SMOKE (FUMÉ)

Au repos, les motifs du chat smoke doivent être de la couleur du tipping. Dans chaque variété, le sous-poil est blanc et le tipping occupe une bonne partie du poil. Les couleurs autorisées sont le noir, le bleu, le cameo (fumé roux) et l'écaille-de-tortue. La truffe et les coussinets doivent s'harmoniser au tipping (rouge brique ou noir chez l'écaille-de-tortue) et les yeux sont dorés.

LES BICOLORES

Le bicolore standard est blanc avec des taches irrégulières de noir, bleu, roux ou crème. La truffe et les coussinets sont roses ou harmonisés à la couleur de fond.

Chez le bicolore van, la couleur de fond est le blanc ; les taches de couleur (sur la tête, les pattes et la queue) sont bien séparées. La truffe et les coussinets peuvent être roses ou de la couleur de fond. Le calico van a des taches de noir et de roux sur la tête, les pattes et la queue, et le bleu-crème van des taches de bleu et de crème.

En haut
Ce chaton calico a la truffe bleue.

Ci-contre
La couleur dorée de ce tabby cameo est typique.

Chartreux

○○○○○○○○○○○○○○○○○○○○○○○

FICHE D'INFORMATION

NOM   Chartreux
Autre(s) nom(s)
CORPS   Cobby
COULEURS   Gris-bleu uniquement

TAILLE

TOILETTAGE

EXERCICE

Le CHARTREUX est originaire de France. Sauf en Grande-Bretagne où il est considéré comme un British Shorthair bleu, il est partout reconnu comme une race distincte, notamment par la FIFé et, aux États-Unis (où il a été introduit en 1970), par la Cat Fanciers' Association.

légende, il aurait été rapporté en France par des chevaliers revenant des croisades. Selon une autre légende, des moines voyageurs l'auraient ramené du cap de Bonne-Espérance, en Afrique du Sud, au XVIIe siècle. Une autre explication avancée pour ce nom est que la fourrure laineuse de ce chat rappelait une sorte particulière de laine grise autrefois importée d'Espagne sous le nom de «pile des Chartreux».

En fait, à part son nom, rien de probant ne rattache historiquement cette race à ce monastère. On sait seulement que le poète Joachim Du Bellay en donne une description dans l'une des lettres qu'il écrivit en 1558, dans laquelle il mentionnait son chat Belaud. Ensuite, un article lui est consacré, au XVIe siècle, dans un *Dictionnaire universel d'histoire naturelle,* puis il est mentionné en 1735 par le naturaliste Linné et en 1756 par le naturaliste Buffon. Au XVIIIe siècle, de nombreux ouvrages d'histoire naturelle citent le Chartreux. Plus récemment, des personnages comme Colette et le général de Gaulle ont contribué à accroître sa notoriété.

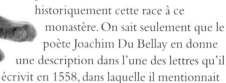

HISTORIQUE

Le nom de ce chat évoque le monastère de la Grande Chartreuse, qui se trouve près de Grenoble. Selon une

En haut à gauche
Les Britanniques assimilent le Chartreux au British Shorthair bleu, mais il y a de subtiles différences entre les deux.

En haut à droite
La Grande Chartreuse dans les collines aux environs de Grenoble.

ÉTABLISSEMENT DU PEDIGREE

Pour les félinophiles, l'histoire officielle du Chartreux commence à la fin des années 1920 : deux sœurs, Christine et Suzanne Léger, quittèrent Paris pour s'installer à Belle-Île, au large de la Bretagne. Elles y trouvèrent un grand nombre de chats gris-bleu et en commencèrent l'élevage systématique. Les rejetons des premiers croisements furent présentés en exposition en 1931 à Paris ; deux ans plus tard, l'un d'eux, appelé Mignonne, remporta deux prix prestigieux : la Challenge Cup belge et le prix de «la chatte la plus esthétique» de l'exposition de Paris.

Pendant la Seconde Guerre mondiale, le sort des Chartreux ne fut pas plus enviable que celui de leurs congénères européens et, la paix revenue, il en restait trop peu pour survivre sans apport de sang extérieur. On tenta donc de les croiser avec des Persans, des British Shorthairs bleus et des Russes bleus et, en 1970, la FIFé alla même jusqu'à assimiler le Chartreux au Blue British. Finalement, les éleveurs durent à grand-peine « reconstruire » le Chartreux en accouplant les rares sujets restants avec des chats bleus trouvés dans les rues. Ce n'est qu'en 1977 que la race recouvra à peu près son standard antérieur, et la FIFé en fit de nouveau une race à part, interdisant tout croisement avec d'autres races.

Par ailleurs, en 1970, dix Chartreux (dont trois venaient de la chatterie des sœurs Léger, qui consacrèrent quarante ans de leur vie à en élever) furent importés aux États-Unis, où ils se multiplièrent. Depuis 1990, la plupart des associations américaines ont reconnu la race.

CARACTÉRISTIQUES

Le Chartreux a un corps bréviligne et bien proportionné, avec des épaules fortes et musclées et un poitrail large. Le mâle est nettement plus massif que la femelle ; celle-ci est moins large de poitrine et moins joufflue. La queue est de taille moyenne et se termine en pointe ovale. Le pelage est plutôt court, mais il doit être très dense, doux et un peu laineux, avec un sous-poil allongé. La fourrure de la femelle est plus fine et plus soyeuse que celle du mâle. La tête est forte et large, plus ovale que ronde. Le nez est court et droit, et on admet un léger stop. Par rapport à la tête, le museau est étroit mais pas pointu. Les joues (appelées ici bajoues) sont bien développées, les mâchoires puissantes, le cou court et fort. Les oreilles, plutôt rapprochées, sont petites à moyennes, placées haut sur la tête, avec des extrémités légèrement arrondies. Les yeux sont grands, ronds et expressifs, entre doré pâle et orange. Le Chartreux doit avoir une expression plaisante et enjouée.

COULEUR

Une seule couleur est admise : le bleu, qui se décline en plusieurs nuances, avec des extrémités argentées ; surtout, la couleur doit être bien uniforme. Les coussinets sont roses, et la truffe est gris-argent.

CARACTÈRE

Le Chartreux a une présence manifeste ; on va même jusqu'à dire qu'il possède plusieurs qualités du chien. Il a besoin de peu d'exercice ; il sait rapporter des objets et il défendra son maître s'il perçoit une menace. Mais, en général, il est calme et joueur. Les chatons sont robustes. Un toilettage par semaine suffit à entretenir son pelage.

En haut
Selon une légende, les moines chartreux auraient rapporté ce chat d'Afrique du Sud il y a deux siècles.

Ci-contre
La couleur bleue doit être parfaitement uniforme.

Exotic Shorthair

FICHE D'INFORMATION

NOM	Exotic Shorthair
Autre(s) nom(s)	Exotic
CORPS	Cobby
COULEURS	Toutes les couleurs du Persan à poil long et de l'American Shorthair

TAILLE

TOILETTAGE

EXERCICE

L'EXOTIC SHORTHAIR est un hybride créé relativement récemment aux États-Unis, par croisement d'American Shorthairs et de Persans. L'idée de départ était moins de créer un nouveau type que de donner une apparence de Persan (« exotique ») à l'American Shorthair. Une expérience identique avait été faite en Grande-Bretagne après la guerre pour renouveler avec des Persans la race de British Shorthairs mais, dès que cette race fut rétablie, ces croisements furent interdits.

la beauté et la personnalité de cette race, mais dont le toilettage serait moins fastidieux.

Pourtant, ces programmes se heurtèrent à la résistance de certains éleveurs d'American Shorthairs, qui ne voulaient pas que l'on modifiât la race pure. En d'autres termes, dans les expositions, on présentait dans la classe des American Shorthairs des chats qui n'appartenaient manifestement pas à cette race : le pelage était moins rude, plus pelucheux, les yeux étaient plus grands et plus ronds, et le museau plus court. On pensait aussi que certains American Shorthairs avaient été croisés avec des Burmeses, ce qui, génétiquement, n'était pas considéré comme souhaitable.

ÉTABLISSEMENT DU PEDIGREE

En 1966, il fut décidé de donner à cette race hybride un nom spécifique : Exotic Shorthair, ce qui permettrait à l'American Shorthair de conserver un pedigree intact. L'année suivante, les premiers Exotic Shorthairs furent présentés en exposition et, en 1969, un club fut fondé pour faire reconnaître cette nouvelle race, ce qui eut lieu en 1972. L'Exotic Shorthair est le seul croisement hybride reconnu aux États-Unis, et cette race est soumise à des contrôles stricts. Les seuls croisements admis sont : Persan et American Shorthair, Exotic et Exotic, et Persan et Exotic. Cette race a été reconnue par la FIFé et elle est devenue très populaire dans certains pays d'Europe.

HISTORIQUE

Il semble que les éleveurs américains poursuivaient en réalité deux objectifs : l'un était de correspondre aux goûts des juges, qui appréciaient l'allure générale du Persan ; l'autre était d'obtenir un Persan qui aurait

LE SAVIEZ-VOUS ?

Les lions chassent souvent en groupe ; ils doivent bien sûr, alors, partager leur butin, mais cela leur permet aussi de tuer de grosses proies comme les girafes et les buffles.

Ci-dessus
L'Exotic Shorthair est un croisement entre l'American Shorthair et le Persan.

Ci-contre
L'Exotic Shorthair ressemble un peu au Persan, mais son toilettage est moins astreignant.

CARACTÉRISTIQUES

Au fond, l'Exotic Shorthair est un Persan à poil court ; mais cette description ne rend pas justice à son originalité. Il a la stature bréviligne et la tête caractéristique du Persan, mais ces traits sont subtilement modifiés par le pelage court et pelucheux qui lui donne son caractère particulier et explique son surnom : « chat-peluche ».

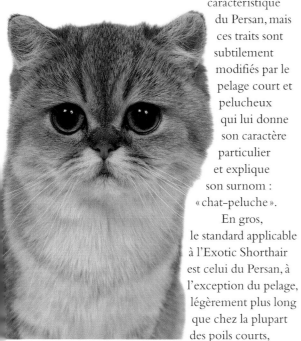

En gros, le standard applicable à l'Exotic Shorthair est celui du Persan, à l'exception du pelage, légèrement plus long que chez la plupart des poils courts, mais plus dense. La longueur des poils doit être égale partout, sans collerette ni touffes sur les oreilles et entre les doigts, éléments qui sont considérés comme des défauts. Le pelage doit être dense, doux et brillant, et bien se détacher du corps. Toutes les couleurs de l'American Shorthair et du Persan sont admises.

Le corps bréviligne (cobby) est moyen à gros, avec un poitrail large ; les pattes doivent être droites, et les pieds grands et ronds. Les épaules et l'arrière-train sont massifs, et le dos droit. La queue est courte mais proportionnée au corps, arrondie à l'extrémité.

L'Exotic Shorthair a une tête ronde et massive ; la face ronde, avec un break marqué, est plantée sur un cou court et large. Les joues sont pleines, le menton bien développé. Les oreilles, bien séparées et plantées assez bas, s'inscrivent bien dans l'arrondi de la tête. Petites, elles sont arrondies aux extrémités, inclinées vers l'avant et pas très larges à la base. Les yeux sont grands, ronds, pleins et brillants et bien séparés.

CARACTÈRE

Par nature, l'Exotic Shorthair est docile et affectueux. Il est joueur mais pas destructeur ; intelligent et casanier, il accepte volontiers la présence d'autres animaux domestiques. Il n'éprouve pas le besoin de faire beaucoup d'exercice et se satisfait de rester enfermé chez lui. Pour le toilettage, il n'est pas aussi exigeant que le Persan, mais il faut le peigner régulièrement pour le débarrasser de ses poils morts.

Comme il est très difficile d'obtenir des Exotic Shorthairs, cette race est relativement peu répandue. Il faut souvent recroiser l'Exotic Shorthair avec le Persan pour conserver le type, aussi la moitié des chatons ont-ils le poil long. Mais cela, on ne le sait que lorsque le chat atteint l'âge adulte et qu'il acquiert son pelage définitif. Les portées comptent en général quatre chatons.

LE SAVIEZ-VOUS ?
L'odorat du chat dépend de sa muqueuse olfactive, ou pituitaire, laquelle est composée de 200 millions de cellules, contre 5 millions chez les humains.

Ci-dessus
Ce chat illustre le surnom de « chat-peluche » donné à l'Exotic Shorthair.

Ci-contre
Chaque portée compte normalement quatre chatons, dont deux à poil long.

Américain à poil dur

○○○○○○○○○○○○○○○○○○○○○○○○○

FICHE D'INFORMATION

NOM	Américain à poil dur
Autre(s) nom(s)	American Wirehair
CORPS	Cobby
COULEURS	Toutes les couleurs de l'American Shorthair

TAILLE

TOILETTAGE

EXERCICE

L'AMÉRICAIN À POIL DUR (ou American Wirehair) provient d'une mutation génétique spontanée. En 1966, dans une portée de six chatons nés dans une ferme de Verona, dans l'État de New York, on a constaté que, si cinq d'entre eux avaient un poil court normal, le pelage roux et blanc du sixième était fait de poils aux extrémités raides et crépues. C'est là une forme de pelage que l'on trouve chez le terrier à poil dur mais qui était inconnue dans le monde des chats et même des Félidés en général.

HISTORIQUE

Le chaton mâle aberrant, appelé Adam, fut vendu, avec l'une de ses sœurs, Tip-Toe, à une éleveuse qui les fit s'accoupler. Cette union produisit une portée de quatre chatons dont deux femelles avaient un pelage blanc et roux. Une seule, appelée Amy, survécut, mais elle eut un certain nombre de portées comprenant à leur tour des chatons à poil blanc. On les distinguait à leurs vibrisses froissées et à leurs poils de la face et des oreilles. Avec certaines de ses «filles» à poil dur, Adam engendra deux autres portées, et une autre portée encore avec une chatte à poil court du voisinage. Cette dernière donna trois chatons à poil dur, ce qui signifiait que, dans le génotype d'Adam, le gène mutant (qui fut

appelé Wh) était dominant. Ce gène n'est pas lié au sexe. Tous les poils durs américains descendent donc d'Adam.

UN PELAGE UNIQUE EN SON GENRE

À l'époque où elle acquit les deux premiers chatons, l'éleveuse ne s'intéressait qu'aux Rex, et elle pensa que le poil dur était peut-être une mutation du Rex. Elle envoya des échantillons de la fourrure d'Adam à des généticiens britanniques, qui constatèrent que ce pelage n'appartenait à aucun type connu.

L'effet «frisé» provient de la forme distinctive des poils de jarre : au lieu d'être lisses et de se terminer en pointe, ils sont ondulés sur toute leur longueur et se terminent en crochet. Le sous-poil est lui-même frisé. À la différence du Rex, le pelage de l'American Wirehair est plutôt élastique et assez rêche ; il ressemble beaucoup à celui du terrier à poil blanc.

À gauche
À l'origine de cette race, dans les années 1960, il y a eu une mutation génétique accidentelle.

En haut à droite
À la naissance, les vibrisses de l'Américain à poil dur sont froissées.

En bas à droite
Le pelage rappelle celui du terrier à poil dur.

ÉTABLISSEMENT DU PEDIGREE

À partir de là, des programmes d'élevage furent lancés aux États-Unis, au Canada et en Allemagne, en vue de rallonger le pelage qui, chez les premiers sujets, était très court et de lui donner une consistance et une densité semblables à celle de la laine de mouton. Par sélections et croisements, les éleveurs obtinrent des pattes moins longues et des oreilles moins grandes qui faisaient des premiers sujets des animaux peu attractifs, trop éloignés de l'American Shorthair. Comme le gène Wh est dominant, il ne fut pas trop difficile de croiser des Wirehairs avec des Shorthairs sans perdre ce qui fait la caractéristique du Wirehair.

Mais on évita les croisements avec des poils longs. Au début, les chatons wirehair avaient un pelage plus ou moins élastique et bouclé, mais les éleveurs s'efforcèrent de stabiliser le type afin qu'il pût être reconnu. Enfin, en 1977, la Cat Fanciers' Association finit par admettre l'American Wirehair dans ses concours. Quoique reconnu par le LOOF en France, il reste rare en Europe.

Pour les expositions, l'apparence globale et la qualité du pelage rude et élastique sont plus importantes que le « bouclé » individuel des poils. Ceux-ci doivent être de longueur moyenne, plus bouclés qu'ondulés. Les autres poils (ceux des oreilles par exemple) et les vibrisses doivent être bouclés ou se terminer en crochets, ce qui donne au chat un air « négligé ». Les couleurs autorisées sont les mêmes que pour l'American Shorthair.

CARACTÉRISTIQUES

Le corps de l'American Wirehair est de taille moyenne à grande, avec un dos horizontal ; les épaules et les hanches doivent être de la même largeur. Les pattes sont de taille moyenne mais bien proportionnées et musclées. Les pieds sont ovales et compacts, et la queue se termine en pointe arrondie. La tête est ronde, avec des pommettes proéminentes, un museau et un menton bien développés et un léger break. Le nez est un peu arrondi. Les yeux, grands, ronds, clairs et bien séparés, remontent légèrement vers les oreilles. Celles-ci sont de taille moyenne, bien écartées et arrondies aux extrémités.

CARACTÈRE

L'American Wirehair fait un peu penser à un gamin des rues, et cela se retrouve aussi dans son caractère : il fourre son nez partout ; après tout, il n'y a pas longtemps encore, c'était un chat de ferme, et il en a gardé l'esprit d'indépendance et le goût de la chasse. En fait, il se trouve mieux dehors que dedans. À l'intérieur, il ne manque pas de faire connaître sa désapprobation et de se disputer avec les autres chats. Le toilettage est très limité. Les mères sont aux petits soins pour leurs chatons, trois ou quatre par portée. À leur naissance, ceux-ci ont déjà un pelage bouclé, et leurs vibrisses et poils de la face ont l'air tout chiffonnés. Ils sont robustes et sains mais, dans le cas d'accouplement entre deux Wirehairs, on constate parfois chez les chatons des problèmes, en particulier respiratoires.

En haut
La sélection de cette race est assez facile, car le gène Wh est dominant.

Ci-contre
L'Américain à poil dur a de grands yeux ronds et des oreilles de taille moyenne.

Manx

┌───┐
│ FICHE D'INFORMATION │
│ |
│ NOM   Manx |
│ Autre(s) nom(s) Chat de l'île de Man |
│ CORPS   Bréviligne, robuste |
│ COULEURS   Toutes les couleurs et tous les motifs du British |
│   Shorthair sont admis, sauf, aux États-Unis, |
│   le colourpoint, le chocolat et le lavande |
└───┘

TAILLE

TOILETTAGE

EXERCICE

LE MANX est anoure (sans queue), et cette caractéristique a donné naissance à plusieurs légendes. Selon l'une d'elles, en 1588, l'Invincible Armada, après avoir été dispersée et repoussée par les Anglais et les tempêtes, fit le tour de l'Écosse et se retrouva en mer d'Irlande ; c'est là qu'un navire aurait fait naufrage sur l'île de Man et qu'un chat aurait atteint l'île. En réalité, aucun naufrage n'a eu lieu à cet endroit cette année-là.

HISTORIQUE

Selon une autre légende, les guerriers vikings qui occupaient cette île au Moyen Âge se servaient de queues de chats comme plumets pour leurs casques ; c'est pourquoi, après la mise bas, les mères auraient arraché la queue de leurs rejetons pour leur éviter cette ignominie. Selon une autre légende encore, le Manx aurait été amené sur cette île par des marchands phéniciens il y a plus de trois mille ans.

Il y a aussi la légende des Celtes qui vivaient sur l'île de Man avant l'arrivée des Vikings : selon eux, celui qui marchait sur la queue d'un chat serait tôt ou tard mordu par une vipère. Aussi une Providence bienveillante fit-elle que les chats naquirent sans queue pour éviter aux Celtes ce funeste destin.

À gauche
L'absence de queue chez le Manx a donné naissance à bien des légendes.

À droite
L'absence de queue est due à une mutation génétique qui s'est produite il y a au moins cent cinquante ans.

Il y a aussi une tentative d'explication biologique : le Manx serait né de l'accouplement d'un chat et d'un lapin, ce qui, génétiquement, est impossible. Mais il est vrai que la queue du Manx ressemble fort à celle d'un lapin.

Enfin, selon une dernière légende, alors que Noé commençait à fermer les portes de l'arche, le chat, toujours indépendant, arriva bon dernier parce qu'il n'avait pas voulu se dépêcher – mais il se fit coincer la queue.

ÉTABLISSEMENT DU PEDIGREE

La génétique donne une explication moins romantique peut-être mais plus exacte de cette anomalie. Le Manx provient d'une mutation d'un gène dominant, qui s'est probablement produite il y a plusieurs siècles. L'île de Man formait alors un habitat isolé – elle ne devint une station touristique qu'à la fin du XIXᵉ siècle –, ce qui permit à cette race de se développer. Les premières mentions de chats sans queue remontent aux années 1820 au moins. C'est à la fin du XIXᵉ siècle que les félinophiles « découvrirent » le Manx, et un club spécialisé fut créé en Grande-Bretagne en 1901. Le roi Édouard VII d'Angleterre possédait plusieurs Manx,

LE SAVIEZ-VOUS ?
Les lions chassent
d'une manière
organisée : des
éclaireurs encerclent
les proies et les
rabattent vers le gros
de la troupe.

et cela a peut-être encouragé les amateurs et facilité sa reconnaissance officielle. Les Américains ne commencèrent à s'y intéresser que dans les années 1930, et la demande devint si forte que le gouverneur de l'île de Man finit par craindre l'extinction de cette race sur le territoire confié à sa responsabilité. Une chatterie d'élevage financée par l'État fut créée en 1960 (elle existe encore mais ne reçoit plus de subventions officielles). Sur l'île de Man, le Manx est un symbole important : il est représenté sur des pièces de monnaie et des timbres, mais aussi sur des tableaux, des bijoux et des céramiques vendus aux touristes.

Cela dit, l'île de Man n'a pas le monopole des chats anoures : il en existe d'autres espèces parmi les chats sauvages. Plusieurs voyageurs – de Marco Polo au XIIIe siècle à Darwin au XIXe – racontent avoir vu des chats sans queue en Asie du Sud-Est. Il existe aussi une race de chats anoures à poil long : le Cymric, ou Manx Longhair. Mais les chats sans queue de l'île de Man proviennent spécifiquement de la race Manx à poil court.

On pense que les premiers Manx furent importés aux États-Unis en 1933, et cette race est désormais reconnue par toutes les associations américaines, le standard étant quelque peu différent

aux États-Unis et en Europe, où il est reconnu en particulier aux Pays-Bas, en Suisse et en France.

L'ÉLEVAGE DU MANX
Le gène dominant M du Manx est instable et imprévisible, aussi l'élevage de cette race est-il difficile. En cas d'accouplement de deux homozygotes (les deux parents portant le gène M dominant), tous les chatons meurent avant la naissance. C'est pourquoi on ne peut pas avoir de Manx « pure race », et des croisements avec d'autres races (poils courts à queue normale ou Manx à queue) sont souvent nécessaires pour la perpétuer. Même dans le cas d'accouplements hétérozygotes (un seul parent portant le gène M), beaucoup de chatons meurent à la naissance ou présentent des anomalies du squelette, du genre spina-bifida.

Aujourd'hui encore, le Manx est source de controverses. Certes, il compte bon nombre d'amateurs mais certains vétérinaires pensent que les problèmes génétiques sont tels que, s'il s'agissait d'une nouvelle race, elle ne serait pas reconnue aujourd'hui. C'est peut-être vrai, mais il n'en reste pas moins que cette race a survécu naturellement sur l'île de Man bien avant les premiers standards ; ce n'est en tout cas pas une création d'éleveurs.

En haut

Le Cymric, comme le Manx, est anoure (sans queue), mais lui, il appartient à la catégorie des chats à poil long (voir p. 240).

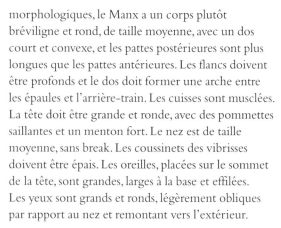

LA QUEUE DU MANX

Même lorsqu'ils arrivent à obtenir des chatons viables, les éleveurs sont confrontés à d'autres problèmes. Ils trouveront dans la portée des chatons avec un embryon de queue plus ou moins long : ce sont le Manx longy, ou tailed Manx, dont la queue est quasi normale mais courte par rapport au reste du corps, et le Manx stumpy, dont la queue mesure entre 1 et 10 cm et présente fréquemment des anomalies (cassure, bosse ou «nœud»).

Chez le Manx vrai, dit «rumpy», qui n'a aucune vertèbre caudale, il n'y a qu'un creux à la place de la queue. Le «rumpy-riser» a quelques vertèbres caudales qui lui permettent d'avoir un toupet en guise de queue. En Grande-Bretagne, seul le «rumpy» peut être présenté dans les expositions, mais le «stumpy» et le «riser» peuvent être enregistrés et donc servir pour des croisements avec des «rumpy».

L'absence de queue ou la présence d'une queue complète ou embryonnaire sont complètement aléatoires : on estime que, même dans le cas d'un accouplement entre deux «rumpy», un tiers environ des petits ont une queue plus ou moins longue, et dans les cas d'accouplement entre un «rumpy» et une autre variété, la moitié seulement. On imagine les problèmes que cela pose aux éleveurs.

CARACTÉRISTIQUES

Pour être admis dans une exposition, ainsi que nous l'avons dit, le Manx ne doit présenter aucun vestige ou embryon de queue (sauf aux États-Unis, où l'on accepte le «rumpy-riser»). Pour ce qui est des autres caractéristiques

Ci-dessus
Ce Manx rumpy-riser présente un embryon de queue grâce à la présence d'un petit nombre de vertèbres de la queue.

Au centre à droite
Pour être présenté dans une exposition, le Manx ne doit pas même avoir un embryon de queue.

Ci-contre
Toutes les variétés de couleur sont acceptées, à l'exception du colourpoint.

morphologiques, le Manx a un corps plutôt bréviligne et rond, de taille moyenne, avec un dos court et convexe, et les pattes postérieures sont plus longues que les pattes antérieures. Les flancs doivent être profonds et le dos doit former une arche entre les épaules et l'arrière-train. Les cuisses sont musclées. La tête doit être grande et ronde, avec des pommettes saillantes et un menton fort. Le nez est de taille moyenne, sans break. Les coussinets des vibrisses doivent être épais. Les oreilles, placées sur le sommet de la tête, sont grandes, larges à la base et effilées. Les yeux sont grands et ronds, légèrement obliques par rapport au nez et remontant vers l'extérieur.

LE PELAGE

Le Manx a un double pelage : une bourre épaisse et cotonneuse et des poils de couverture brillants et rêches, qui ne doivent pas être trop longs. Toutes les couleurs sont acceptées, à l'exception du colourpoint. Aux États-Unis, le chocolat et le lilas ne sont pas admis. Les yeux doivent être harmonisés à la robe. Le Manx blanc peut avoir des yeux blancs, orange ou vairons (un bleu et un orange).

CARACTÈRE

Toutes les difficultés que nous avons évoquées à propos du Manx font qu'il n'est pas facile d'en choisir un, et il vaudra donc mieux demander l'avis d'un vétérinaire. Lorsqu'il court, le Manx a un peu l'allure d'un lapin, mais il marche normalement. À l'arrêt, il doit se tenir comme un chat et non comme un lapin qui s'assied sur ses pattes de derrière. Cela dit, qu'ils aient une queue plus ou moins longue ou pas du tout, les Manx font d'excellents compagnons.

SOINS

Le Manx est un animal robuste, loyal, affectueux ; pour attirer l'attention, on a l'impression qu'il gazouille plus qu'il ne miaule. En présence de quelqu'un qu'il ne connaît pas, il reste sur sa réserve ; le bruit et les mouvements brusques le font sursauter ou fuir. Le Manx est facile à dresser, en particulier si une seule personne s'occupe de lui, et il ira même jusqu'à défendre son propriétaire. Il aime participer à la vie de famille mais pas rester seul.

Curieusement, compte tenu de l'importance de la queue chez le chat normal, qui lui sert à conserver son équilibre dans toutes les situations, l'absence de queue ne semble pas gêner le Manx : il court, grimpe et chasse aussi bien qu'un autre. Il a même besoin d'exercice, aussi est-il bon de le laisser sortir de temps en temps.

La portée de Manx compte entre deux et quatre chatons ; il est impossible de prévoir s'ils auront une queue ou pas. Les chatons sont délicats et doivent être soigneusement sevrés. Il n'est pas rare que des chatons, même apparemment en bonne santé, meurent pendant les premières semaines. Mais, lorsqu'il survit, le Manx est très joueur.

LE SAVIEZ-VOUS ?
À force de rechercher la perfection apparente, les éleveurs obtiennent parfois des chats qui ont de sérieux problèmes respiratoires et oculaires.

En haut
Le Manx est un bon animal de compagnie.

À gauche
Le Manx est un chasseur émérite et il aime vivre au grand air.

Ci-contre
S'il survit, le chaton est très actif, joueur, et fait un charmant compagnon.

Bobtail japonais

FICHE D'INFORMATION

NOM	Bobtail japonais
Autre(s) nom(s)	Mi-ke
CORPS	élancé
COULEURS	Toutes couleurs, sauf colourpoint et tiqueté

TAILLE

TOILETTAGE

EXERCICE

LE BOBTAIL JAPONAIS fut domestiqué il y a au moins mille ans au Japon, en Corée et en Chine. Il est mentionné dans un manuscrit datant de l'an 1000 environ, rédigé par le précepteur de l'impératrice du Japon. Il illustre souvent des peintures et autres objets d'art japonais ; il est aussi représenté sur la façade d'un temple de Tokyo. C'est un symbole de bonheur en général – et de bienvenue dans les vitrines des magasins.

HISTORIQUE

La caractéristique la plus remarquable du Bobtail japonais est sa curieuse queue, dite « écourtée » (*bobtail* en anglais). Il ne s'agit cependant pas d'un hybride ni d'une mutation mais d'une race naturelle. Elle est due à un gène récessif et n'est transmise que dans des accouplements entre deux Bobtails.
À la différence du Manx, le Bobtail japonais ne présente aucune anomalie génétique. Il est reconnu par la FIFé et par le LOOF ainsi qu'aux États-Unis, mais pas en Grande-Bretagne. Les croisements avec d'autres races ne sont pas autorisés.
Au Japon, c'est un chat banal, mais les gens préfèrent en général la variété tricolore (blanc, roux et noir), appelée Mi-Ké, terme qui signifie « trois fourrures ».
On raconte aussi que le Mi-Ké était tellement apprécié des dames de la cour impériale du Japon que l'on n'en trouvait plus pour chasser les souris dans les élevages de vers à soie, au point que l'industrie de la soie fut menacée de disparaître. Aussi l'empereur décida-t-il, en 1602, de renvoyer tous ces chats dans les élevages de vers à soie.
Le Mi-Ké traditionnel, comme d'autres écaille-de-tortue, est presque toujours une femelle. Le Bobtail japonais mâle est blanc, avec des marques rousses ou noires ; cependant, d'autres variétés ont été introduites récemment.

FIXATION DE LA RACE

Les États-Unis commencèrent à s'intéresser au Bobtail après la Seconde Guerre mondiale. Des Américains qui visitaient une exposition féline au Japon furent frappés par la beauté de cette race et, cinq ans plus tard, les premiers Bobtails – une femelle Mi-Ké et un mâle blanc – arrivèrent aux États-Unis. C'est d'eux que descendent les Bobtails japonais qu'on trouve aux États-Unis. Cette race fut officiellement reconnue en 1966 et fut autorisée

Ci-dessus et ci-contre
L'histoire du Bobtail japonais remonte à plusieurs siècles.

Ci-contre
Les premiers sujets de cette race arrivèrent aux États-Unis en 1968 et en France en 1981.

à participer à des championnats en 1976. En France, le premier Bobtail japonais fut introduit en 1981 : c'était une femelle, qui fut accouplée à un mâle américain. La première portée naquit en 1982.

CARACTÉRISTIQUES

La queue est longue, en moyenne, de 5 cm ; déroulée, elle mesure à peu près le double. En fait, on ne voit pas qu'elle est roulée à cause des poils qui poussent dans tous les sens et qui forment une espèce de pompon. Lorsqu'il est en mouvement, le chat la porte souvent dressée.

Selon le standard, le corps du Bobtail japonais doit être de taille moyenne, long et mince, mais bien formé et musclé. Les épaules doivent être aussi larges que l'arrière-train. Les pattes sont longues et délicates. Les pattes arrière sont plus longues que les pattes avant mais, au repos, elles sont repliées, ce qui fait que le dos reste droit et ne se relève pas vers l'arrière. La tête doit former un triangle équilatéral entre la pointe des oreilles et le menton ; les joues sont légèrement arrondies, les pommettes saillantes et on note la présence d'un pinch (break des vibrisses). Le nez est long, avec un léger creux à la hauteur des yeux. Les oreilles sont grandes, droites et expressives, bien séparées et légèrement inclinées vers l'avant. Les yeux sont grands, ovales et obliques. Le regard doit être vif.

La fourrure du Bobtail japonais, de longueur moyenne, est douce et soyeuse, sans sous-poil ; elle est plus longue sur la queue. Le motif préféré est celui du Mi-Ké : de grandes taches de roux et de noir sur un fond blanc. Mais toutes les couleurs sont admises, à l'exception du colourpoint et du tabby tiqueté.

CARACTÈRE

Le Bobtail japonais est une race naturelle qui existe depuis très longtemps ; il est donc robuste et ne présente pas de problèmes particuliers de santé. Sa voix est douce, et son langage, très varié. C'est un excellent animal de compagnie, qui vient souvent saluer son propriétaire. Il n'aime pas rester enfermé, aussi doit-il pouvoir se promener à l'extérieur et même, à l'occasion, nager, ce qu'il aime beaucoup. Les Bobtails japonais peuvent s'accoupler avec d'autres races, mais ils préfèrent leurs congénères. Le toilettage est facile car il n'y a pas de sous-poil. Une portée compte en moyenne quatre chatons. Ceux-ci sont en général sains et se développent plus rapidement que chez d'autres races.

Ci-dessus
Le Bobtail japonais doit avoir un nez court et des pommettes hautes.

Ci-contre
Repliée, la queue mesure environ 5 cm ; déroulée, elle en mesure 10.

Scottish Fold

FICHE D'INFORMATION

NOM — Scottish Fold
Autre(s) nom(s) —
CORPS — Cobby
COULEURS — Toutes couleurs, sauf colourpoint, lilas et chocolat

TAILLE

TOILETTAGE

EXERCICE

LES OREILLES REPLIÉES qui ont donné son nom à cette race (*to fold* signifie plier) sont dues à une mutation spontanée. Il est question, au XIXᵉ siècle, d'un chat à oreilles repliées qu'un marin anglais aurait rapporté de Chine, mais l'origine du Scottish Fold n'a probablement aucun rapport avec cette histoire.

HISTORIQUE

En 1961, un berger d'Écosse appelé William Ross remarqua qu'un chaton né dans la ferme où il travaillait avait les oreilles repliées vers l'avant, un peu comme chez un chiot. Nul ne connaissait

Ci-dessus
Le Scottish Fold a pour ancêtres des chats de ferme.

Ci-contre
En Amérique du Nord, on peut croiser le Scottish Fold avec des American Shorthairs pour rendre la race plus robuste.

l'origine de ce chaton blanc, appelé Susie, qui ne présentait par ailleurs aucune caractéristique remarquable. Deux ans plus tard, Susie mit bas une portée qui comptait deux autres chatons aux oreilles repliées. Ross en acheta un, qu'il appela Snooks, et le fit enregistrer. C'est lui qui, avec sa femme Mollie, créa les premiers éléments de la race du Scottish Fold. Des accouplements programmés ont permis de constater que le gène Fd, responsable de ces oreilles repliées, est dominant ; il suffit donc qu'un seul parent le possède pour qu'il soit transmis.

Malheureusement, ce programme d'élevage rencontra bientôt des difficultés : d'une part, on craignait que les oreilles repliées ne posent des problèmes d'hygiène et de surdité ; en outre, l'accouplement entre deux Folds produisait une forte proportion de chatons présentant une queue et des membres épais, et on s'aperçut qu'il s'agissait d'anomalies du squelette qui gênaient les mouvements des chats. Tout cela fit que l'élevage faillit être abandonné. Mais on finit par constater qu'en accouplant des Folds à des British Shorthairs, la moitié des chatons étaient des Folds sains, dont la seule anomalie était les oreilles repliées.

FIXATION DE LA RACE

Cependant, à cause de ces difficultés, le GCCF décida dans les années 1970 de ne plus enregistrer le Scottish Fold, ce qui, en pratique, l'excluait des expositions (mais il est accepté par l'association rivale : la Cat Association of Britain). Entre-temps, certains sujets avaient été exportés aux États-Unis, où l'élevage commença en 1974. Une femelle fold fut accouplée à un Exotic Shorthair ; elle eut trois chatons, dont l'un avait les oreilles repliées. Ce fut le premier Scottish Fold à être enregistré par la Cat Fanciers' Association et présenté aux États-Unis. Aujourd'hui, aux États-Unis, le Scottish Fold ne peut être croisé qu'avec l'American

VARIÉTÉS

Partout où cette race est reconnue, tous les motifs et couleurs sont acceptés, sauf le chocolat, le lilas et le colourpoint. La couleur des yeux doit être harmonisée à celle de la robe.

CARACTÈRE

Étant à l'origine un chat de ferme, le Scottish Fold est de santé robuste et rarement malade. Quoiqu'il soit très doux et adapté à la vie en appartement, c'est néanmoins un chasseur très efficace. Il a tendance à s'attacher à une seule personne.

SOINS

Il suffit d'un léger toilettage par semaine, et ses oreilles ne demandent pas particulièrement d'attention, à part vérifier qu'il n'y a pas de puces. En cas d'infestation, l'animal a tendance à se gratter l'oreille, où l'on constate la présence de cire brun foncé. Ce n'est pas grave (cela se produit chez deux chats domestiques sur trois), mais mieux vaut consulter le vétérinaire.

Une portée de Scottish Folds compte en moyenne trois ou quatre chatons. Au début, on a du mal à distinguer ceux qui ont les oreilles repliées, mais la différence apparaît au bout de trois ou quatre semaines et s'affirme par la suite.

En haut à droite
La variété écaille-de-tortue est admise en exposition.

Au centre à gauche
Chez le Scottish Fold, le corps est plutôt bréviligne (cobby).

En bas
Le Scottish Fold est un bon chasseur ; il aime vivre à l'extérieur.

Shorthair, et c'est à cette condition que cette race fut admise à l'enregistrement en 1976 avant d'être autorisée à participer aux concours en 1978. Le LOOF a reconnu le Scottish Fold, mais pas la FIFé.

CARACTÉRISTIQUES

Le corps du Scottish Fold est de taille moyenne, arrondi et cobby, large aux épaules et à l'arrière-train, avec un poitrail plein et large. L'animal doit être puissant et compact. La queue, de taille moyenne et épaisse à la base, est moins flexible que chez la majorité des chats. La tête est massive et ronde de face, posée sur un cou court et fort. Les oreilles sont arrondies aux extrémités et bien écartées ; les pavillons sont nettement repliés vers l'avant : plus ils le seront, « comme une casquette », plus l'animal sera apprécié par les juges. La pliure ne doit pas être trop lâche. Le nez est court et large, avec un léger break, les joues bien pleines ; le menton est plein et bien développé. Les yeux sont ronds, pleins et bien écartés. La fourrure du Scottish Fold doit être épaisse, dense, courte et douce. Toutes les variétés de couleur du British Shorthair sont admises.

Abyssin

○○○○○○○○○○○○○○○○○○○○○○○○○○○○○

FICHE D'INFORMATION

NOM   *Abyssin*

Autre(s) nom(s)

CORPS   *Musclé et élancé*

COULEURS   *Lièvre (Abyssin type), roux, bleu, beige faon ; d'autres couleurs sont reconnues dans certains pays et associations*

TAILLE

TOILETTAGE

EXERCICE

AVEC SON PELAGE TIQUETÉ caractéristique, l'Abyssin se reconnaît immédiatement, et c'est l'une des races les plus recherchées des éleveurs et des amateurs. Il s'agit d'une race naturelle qui doit le motif spécifique de son pelage au gène mutant dominant Ta (que l'on ne retrouve que chez le Somali). Cela explique les deux ou (mieux encore) trois bandes de tiquetage ou de couleur brune que l'on trouve sur chaque poil. La bande la plus sombre doit de préférence se situer à l'extrémité du poil.

HISTORIQUE

On ne sait pas très bien quels sont les ancêtres de l'Abyssin. On constate une certaine ressemblance avec certains chats représentés sur les peintures de l'Égypte ancienne, ce qui permettrait de supposer qu'il descend plus ou moins directement du chat de Nubie *(Felis libyca)* et/ou du chat des marais, ou chaus *(Felis chaus)*, par l'intermédiaire d'ancêtres ayant vécu dans l'Égypte ancienne. Cette théorie semble confirmée par les liens qui existaient autrefois entre l'Égypte et l'Abyssinie (aujourd'hui l'Éthiopie), qui ont toujours entretenu des relations commerciales et politiques.

Pour d'autres, l'Abyssin serait un hybride créé à partir du British Shorthair. Certes, le motif de l'Abyssin est un motif tabby modifié ; la plupart du temps, on ne le distingue pas mais il apparaît parfois sous la forme de bandes sur les pattes, la queue et le corps de sujets imparfaits. On distingue vaguement le M caractéristique du tabby sur le front.

Il est en tout cas certain que, en 1868, un soldat britannique ramena d'Abyssinie un chat de type abyssin appelé Zulu. Autant qu'on le sache, c'est ainsi que commença la race des Abyssins en Europe – mais on ne sait absolument rien de ce qui a pu se passer entre 1868 et 1882, année où l'Abyssin fut officiellement enregistré comme race. À l'époque, il portait d'ailleurs plusieurs autres noms : Russian, Hare Cat (chat-lièvre), Rabbit Cat (chat-lapin), Cunny et British Ticked. C'est ce dernier nom

Ci-dessus à gauche
Chez l'Abyssin, chaque poil comporte deux ou trois bandes de couleur plus sombre.

En haut à droite
L'Abyssin est timide et ne sent pas à l'aise dans une exposition.

Ci-contre
Le chat sur cette peinture murale égyptienne ressemble à l'Abyssin.

qui fut officiellement retenu en 1900, et il le resta longtemps. Peut-être avait-on voulu ainsi dire que, loin d'être le « chat des dieux » comme le prétendaient certains écrivains inventifs, l'Abyssin était, en fait, aussi britannique que la Tour de Londres. Quoi qu'il en soit, la réalité s'est perdue dans les brumes du XIXᵉ siècle.

FIXATION DE LA RACE

Malgré les incertitudes qui pèsent sur les origines de l'Abyssin, les félinophiles le considèrent comme une race naturelle ; de ce fait, aucun croisement n'est autorisé avec une autre race. L'appellation de « chat lièvre » ou « chat lapin » ne fait qu'évoquer la ressemblance entre le pelage de ces animaux et celui de l'Abyssin.

En 1909, les premiers Abyssins britanniques débarquèrent aux États-Unis et furent présentés à l'exposition féline de Boston. Il s'agissait d'un mâle : Aluminium II, et d'une femelle : Salt. Mais ils ne firent guère impression sur les Américains, et le véritable élevage ne commença qu'en 1934 avec deux nouveaux sujets : Anthony et Edna. Le premier Abyssin né aux États-Unis (en 1935) s'appelait Addis Ababa. Cette race finit par être bien acceptée et devint même bientôt l'une des plus appréciées des félinophiles américains.

Cela tient peut-être au fait que l'obtention de beaux sujets n'est pas si facile : les portées sont peu fréquentes et ne comptent qu'un petit nombre de chatons, et le pelage de l'Abyssin ne s'affirme que lentement. En outre, l'Abyssin est plutôt timide et réservé en présence d'étrangers, ce qui ne convient guère à un chat qui doit être présenté dans une exposition. Au cours de la Seconde Guerre mondiale, la race faillit s'éteindre en Europe, pour cause de pénurie alimentaire : en 1947, les registres du GCCF britannique ne comptaient plus que quatre Abyssins. À peine la situation était-elle rétablie qu'éclata, dans les années 1960 et 1970, une épidémie de leucémie féline, qui faillit à son tour emporter la race. Mais les efforts persistants des éleveurs et la popularité de cette race ont permis de rétablir une fois encore la situation.

LE SAVIEZ-VOUS ?

Chaque chat a les vibrisses disposées d'une manière unique, comme des empreintes digitales, ce qui constitue donc un moyen d'identification.

Ci-dessus
La robe de cet Abyssin évoque celle d'un lièvre, ce qui a donné son nom à cette variété.

Ci-contre
On ne connaît pas exactement l'origine de l'Abyssin ; pour certains, il descendrait de chats tabby à poil court.

277

CARACTÉRISTIQUES

L'Abyssin est un chat de taille moyenne, mince et élancé, mais solide et musclé ; son corps ne présente pas l'apparence orientale « extrême » du Siamois.

L'adulte a beaucoup de prestance, et la femelle est en général plus active que le mâle. Les pattes, à l'ossature légère, sont minces, les pieds petits et ovales. Lorsqu'il est debout, on a l'impression qu'il se tient sur la pointe des pieds. La queue est épaisse à la base et se termine en pointe. Pour la tête, les standards sont différents en Europe et en Amérique du Nord, où les juges préfèrent un profil plus court et plus arrondi. Les oreilles sont grandes, bien dressées et se terminent en pointe ; elles sont larges à la base et couvertes de poils aux extrémités. Les yeux, en amande, sont bien écartés et obliques. Le pelage est court, mais assez long pour que chaque poil porte deux ou trois bandes de tiquetage. Il est doux au toucher, dense et élastique. Le tiquetage doit être parfaitement homogène.

En haut à gauche
Quoique mince et élancé, l'Abyssin n'a pas l'apparence dite « orientale ».

Au centre et ci-contre
On note chez ces chats les grandes oreilles typiques de la race.

VARIÉTÉS

C'est le tiquetage de sa robe qui détermine les différentes variétés de l'Abyssin. Les couleurs autorisées varient d'un pays à l'autre et même, aux États-Unis, d'une association à l'autre. Cependant, le lièvre, le roux, le bleu, le beige et le faon sont reconnus partout.

L'Abyssin type est la variété lièvre (*usual* ou *ruddy*) : sa robe est d'un brun orange foncé, tiquetée de noir ou de brun foncé, avec un sous-poil plus pâle. La couleur est plus foncée sur la colonne vertébrale ; le pelage du ventre, du poitrail et de l'intérieur des pattes ne présente ni marques ni tiquetage. Les coussinets sont noirs, de même que la face plantaire des pattes postérieures. Les oreilles et la queue doivent présenter un tiquetage de la couleur la plus sombre. La truffe est rouge brique. Les yeux peuvent être or, verts ou noisette, la couleur devant être aussi chaude et profonde que possible.

L'Abyssin *sorrel* (alezan – qui n'est pas la même chose que le « roux », causé par un gène « rouge » différent) est d'un brun roux chaud avec un tiquetage chocolat et un sous-poil abricot foncé. Les coussinets sont roses, et la face plantaire des pattes postérieures, depuis les pieds, doit être brun chocolat. La truffe est rose.

L'Abyssin bleu est d'un bleu-gris doux et chaud, avec un tiquetage bleu foncé ; le ventre, le poitrail et la face plantaire des pattes sont crème. L'extrémité de la queue est d'un bleu profond. Les coussinets sont bleus, et la couleur bleue remonte depuis les pieds sur la partie arrière des pattes postérieures. La truffe est rose sombre.

L'Abyssin beige faon (ou fauve) est beige, avec un tiquetage chocolat clair. Les coussinets sont mauves et la truffe est rose.

RECONNAISSANCE DES VARIÉTÉS

Le lilas (ivoire pâle tiqueté de gris acier) et le crème (crème pâle tiqueté de crème plus foncé) sont deux couleurs officiellement reconnues aux États-Unis ; dans d'autres pays, ces couleurs ne sont reconnues

qu'à l'état préliminaire, de même que le chocolat et l'écaille-de-tortue dans toutes les couleurs. Tout cela prouve que, dans cette race, la situation n'a pas fini d'évoluer, même si, pour certains puristes, le seul véritable abyssin est le lièvre. En particulier, le groupe des Abyssins argent se développe : silver black, silver sorrel, silver bleu, silver chocolat, silver lilas et silver faon. Toutes ces variétés sont à un stade de reconnaissance plus ou moins avancé.

CARACTÈRE

Malgré son attitude hiératique, sa timidité à l'égard des étrangers et son caractère exclusif vis-à-vis de son propriétaire, l'Abyssin est un remarquable animal de compagnie. Il présente la caractéristique (inhabituelle chez les chats) de pouvoir être dressé – jusqu'à un certain point : aller chercher un objet, jouer, pour autant qu'on le traite sur un pied d'égalité. En outre, on peut le promener en laisse, ce qui présente un avantage dans certaines villes, notamment aux États-Unis, où l'on n'admet pas les chats errants.

SOINS

L'Abyssin a une voix douce et légère, et des réserves apparemment illimitées d'énergie. Mais il a besoin que l'on s'occupe beaucoup de lui, sinon il rappelle énergiquement sa présence. Souvent, il préfère la compagnie d'un humain à celle d'un autre chat, à l'exception de ses frères et sœurs de la même portée. Il ne faut pas laisser l'Abyssin seul toute la journée. Un toilettage par semaine est suffisant.

Par rapport à d'autres races, la femelle en chaleur est relativement calme. Elle a des portées moyennes de quatre chatons. Ceux-ci sont plutôt grands, avec une grosse tête, aussi la mise bas peut-elle être difficile. Les mères sont très protectrices, mais il faut bien surveiller les chatons car ils ne miaulent pas toujours quand ils s'écartent de leur mère et peuvent donc se perdre. Ils sont joueurs et intrépides et grandissent vite. Par contre, ils naissent dépourvus de tiquetage, pratiquement bicolores. Le tiquetage n'apparaît que vers six semaines et la fourrure ne devient définitive que vers l'âge de dix-huit mois.

En haut
Un Abyssin bleu argent ; certains éleveurs n'acceptent pas d'autres couleurs que le lièvre et le roux.

Ci-contre
Les chatons ont en général une tête assez grosse ; ils sont très actifs et joueurs.

Mau égyptien

○○○○○○○○○○○○○○○○○○○○○○○○○○

FICHE D'INFORMATION

NOM   Mau égyptien

Autre(s) nom(s)

CORPS   Cobby allongé

COULEURS   Argent, bronze, fumé et pewter (noir)

TAILLE

TOILETTAGE

EXERCICE

LE MAU ÉGYPTIEN tacheté – comme l'Abyssin, auquel il ressemble physiquement – descendrait, selon certains spécialistes, des chats sacrés de l'Égypte ancienne. Le fait est que c'est la seule race naturelle de chat domestique tacheté. Dans les temples de Thèbes, construits vers 1400 av. J.-C. sur les rives du Nil, des peintures murales permettent de reconnaître des chats tachetés participant à des chasses au canard, et on pense qu'ils servaient à débusquer des oiseaux sauvages dans les marais et même (ce qui est moins probable) à les rapporter.

en conclure qu'il s'agissait d'une espèce courante. Il existe aussi des chats sauvages africains à la robe tachetée, ce qui permet de penser que le Mau égyptien descendrait, au moins en partie, de *Felis libyca*. Pour certains, à l'époque correspondant aux dates mentionnées ci-dessus, les chats ont été domestiqués par les Égyptiens, qui utilisaient leurs capacités particulières et les associaient à certaines divinités. On peut donc conclure que la race du Mau égyptien est vieille d'environ trois mille cinq cents ans.

LE SAVIEZ-VOUS ?

La chasse aux félins est autorisée dans certains pays. Ceux qui veulent chasser « pour leur plaisir » doivent payer des droits importants – consacrés à la préservation des espèces.

HISTORIQUE

Dans une tombe ancienne de Thèbes, édifiée entre 1850 et 1650 avant notre ère, on a trouvé une statuette en céramique vernie représentant un chat tacheté. Le *Livre des morts* égyptien, collection de formules magiques visant à assurer le passage dans l'après-vie et qui date de 1100 av. J.-C. environ, contient plusieurs illustrations où l'on voit un chat tacheté tuant un serpent. En général, il est représenté une patte appuyée sur le serpent et l'autre tenant un couteau.

Si l'on trouve fréquemment, dans l'art égyptien, des chats présentant d'autres motifs de robe (notamment le tabby tigré), le motif tacheté est suffisamment fréquent pour que l'on puisse

Ci-dessus

Dans l'Égypte ancienne, le Mau servait déjà, dit-on, à débusquer les oiseaux sauvages.

En haut à droite

Selon certains spécialistes, le Mau égyptien descendrait de Felis libyca, ce que prouverait sa robe tachetée.

FIXATION DE LA RACE

Quoique reconnu en Europe (notamment par la FIFé et le LOOF) depuis les années 1990, le Mau égyptien y est encore assez rare. En Grande-Bretagne, l'appellation *Egyptian Mau* s'applique au tabby tacheté oriental, qui ressemble plus à un Siamois et qui, à la différence du Mau égyptien, est un hybride (voir le chapitre *Oriental Shorthair*). Le Mau est assez populaire aux États-Unis, où il fut reconnu dès 1968.

Comme les Maus égyptiens américains descendaient tous de trois sujets seulement, il fut nécessaire de faire des croisements avec d'autres races pour élargir le fonds commun de gènes ; mais cela a parallèlement atténué le type d'origine. Certes, le Mau est maintenant une race reconnue, mais il est très différent de ses ancêtres. En particulier, les éleveurs ont voulu « civiliser » ce chat qui, à l'origine, était plutôt sauvage, méchant avec ses congénères, et que dérangeait beaucoup un environnement auquel il n'était pas habitué – en bref, il n'était pas question de le présenter dans des expositions. Désormais, s'il est facilement perturbé par la présence d'étrangers et par les changements, le Mau a un tempérament plus calme. Son miaulement est doux, il est très intelligent et fait preuve de beaucoup d'affection et de dévouement envers son maître.

Le Mau (mot qui signifie simplement chat en égyptien) est une race domestique très commune dans toute la partie orientale de l'Afrique du Nord. Pourtant, pour les félinophiles d'Occident, son histoire ne commence qu'en 1953.

Une princesse russe émigrée en Italie, Natalie Troubetskoï, qui élevait des chats, avait remarqué deux Maus dans l'ambassade d'un pays du Proche-Orient à Rome : une femelle silver stérile et un mâle fumé appelé Gepa. Par la voie diplomatique, elle se fit envoyer un chaton silver appelé Baba, qu'elle fit venir du Caire à sa chatterie à Rome, où il fut présenté pour la première fois à l'International Cat Show de 1955. Un accouplement entre Baba et Gepa, le chat de l'ambassade, donna deux mâles : Jo-Jo et Jude. Ce dernier mourut, mais un accouplement entre Jo-Jo et Baba donna plusieurs chatons, dont une femelle appelée Lisa.

En 1956, la princesse Troubetskoï émigra aux États-Unis, emmenant avec elle Jo-Jo, Baba et Lisa, et ce fut l'origine de cette race dans ce pays. En fait, aucun autre Mau ne fut importé par la suite, et donc tous les Maus égyptiens vivant aux États-Unis et au Canada descendent de l'un de ces trois chats. La CFA l'a reconnu en 1968.

LE SAVIEZ-VOUS ?

Tous les félins ont un organe voméro-nasal situé sur le palais, ce qui explique le son particulier qu'ils émettent lorsqu'ils sont stimulés par des phéromones.

En haut à gauche
Un festival du chat au Caire. Ce félin est domestiqué en Égypte depuis environ trois mille cinq cents ans.

Ci-contre
Le Mau est souvent timide en présence d'étrangers ; il ne se sent pas à l'aise dans les expositions.

CARACTÉRISTIQUES

La principale caractéristique du Mau égyptien est sa fourrure tachetée. Les taches, qui ressortent nettement sur le fond, doivent être aussi rondes que possible et également réparties sur le corps. Mais, souvent, elles forment des sortes de bandes en pointillés. Les pattes présentent des anneaux de couleur sombre.

Le corps du Mau, qui rappelle celui de l'Abyssin, est plutôt cobby, mais assez long, de taille moyenne, gracieux et musclé. Les pattes postérieures sont plus longues que les antérieures ; les pieds sont petits et délicats, ronds à ovales. La queue, de taille moyenne, est épaisse à la base et se termine en légère pointe. La tête est plutôt triangulaire, avec des angles arrondis, en particulier pour les joues et le front. Larges à la base, les oreilles, aux extrémités légèrement en pointe, sont grandes, bien dressées et bien séparées. Les yeux en amande sont grands et remontent légèrement vers les oreilles ; la couleur la plus recherchée est le vert groseille à maquereau, mais l'ambre est également admis. La fourrure doit être brillante, soyeuse et fine, mais dense et élastique au toucher. De longueur moyenne, elle doit présenter au moins deux bandes de tiquetage bien distinctes. Il faut que les taches ressortent clairement sur la robe. De même, sur le front, on doit bien distinguer le M caractéristique, parfois appelé marque du scarabée – lequel, dans l'Égypte ancienne, était un symbole de divinité. Des lignes courent aussi entre les oreilles, à la base de la nuque et le long de la colonne vertébrale, et se terminent souvent par des taches allongées. Ces lignes doivent se rejoindre sur les hanches pour former une bande continue qui se poursuit jusqu'au bout de la queue. Le Mau doit avoir un ou plusieurs colliers sur le haut du poitrail, mais qui ne se referment pas au centre. Les pattes avant doivent présenter des anneaux bien marqués. Le Mau doit avoir des rayures sur les cuisses postérieures et l'arrière-train, et des taches sur le haut des pattes arrière. Le poitrail doit être orné de taches en « boutons de gilet ».

VARIÉTÉS

Le Mau existe en quatre couleurs : argent (silver), bronze, fumé (smoke) et noir. L'argent présente des marques gris charbon sur une couleur de base argent clair sur la tête, les épaules, l'extérieur des pattes, le dos et la queue. Le dos des oreilles est gris-rose, et les extrémités

Ci-contre
Les taches de la robe du Mau doivent être rondes et réparties de façon homogène.

En haut à droite
Le Mau a de grandes oreilles et des yeux vert groseille à maquereau.

noires. Le haut de la gorge, le menton et le chanfrein sont argent clair. La truffe est rouge brique et les coussinets noirs, le noir remontant sur l'arrière des pattes postérieures.

Chez le bronze, des marques brun foncé se détachent sur un fond bronze clair ; les flancs sont beige foncé et le dessous du corps ivoire crémeux. Le haut de la gorge, le menton et le chanfrein sont d'un blanc crème pâle. La truffe est rouge brique, les coussinets noirs ou brun foncé, et cette couleur remonte sur l'arrière des pattes postérieures.

Chez le fumé, les marques sont noir de jais sur un fond argent pâle, plus clair sur la gorge, le menton et le chanfrein. La truffe et les coussinets sont noirs. Le Mau noir (pewter) est tiqueté (racine beige clair et pointe noire), chaque poil comportant des bandes respectivement argent pâle,

beige et noires. La couleur de base est le crème, plus clair sur le ventre, le haut de la gorge, le menton et le chanfrein. Les marques sont noir charbon ou brun foncé. La truffe est rouge brique et les coussinets charbon à brun foncé, harmonisés aux marques.

CARACTÈRE

D'apparence vive, doté d'un tempérament sociable, le Mau donne l'impression d'avoir une forte personnalité. C'est un chat extrêmement actif et agile, qui a besoin d'exercice et n'aime pas rester seul. L'idéal est de lui offrir un terrain d'exercice dans le jardin, en partie couvert pour qu'il puisse s'abriter de la pluie et du soleil. On peut aussi l'habituer à se promener en laisse. En tout cas, ce n'est pas un chat à garder enfermé. Il est très intelligent, a une bonne mémoire, et il apprend à ouvrir les portes et les fenêtres. Possessif, il a tendance à ne s'attacher qu'à une seule personne et à se méfier des étrangers. Sa voix est douce.

SOINS

Le toilettage se réduit pour l'essentiel à enlever les poils morts, mais entretenir sa fourrure est un plaisir tant pour lui que pour le propriétaire. Il semblerait que le mâle apprécie tout autant que la femelle de jouer avec les chatons et de les élever.

En haut
Sous la robe bronze de ce Mau, on distingue un sous-poil fauve.

Ci-contre
Sur ce Mau fumé, les taches sont moins apparentes que chez des variétés plus claires.

Ocicat

○○○○○○○○○○○○○○○○○○○○○○

FICHE D'INFORMATION

NOM   Ocicat
Autre(s) nom(s)
CORPS   Solide, musclé
COULEURS   Châtain ou chocolat clair, taches chocolat sur crème, bleu ardoise sur bleu, cannelle sur or, or sur bronze, lavande sur lavande clair et noir sur argent

TAILLE

TOILETTAGE

EXERCICE

À PREMIÈRE VUE, l'Ocicat ressemble au Mau égyptien, mais, en fait, ce chat hybride est plus gros. Il a été créé en 1965, aux États-Unis, par l'éleveuse Virginia Daly.

HISTORIQUE

Au départ, celle-ci fit s'accoupler un Abyssin lièvre et une chatte siamoise seal point. L'un des chatons femelles obtenus fut accouplé à un Siamois chocolate point, et l'éleveuse eut la surprise de trouver, dans leur portée, un chat ivoire tacheté d'un doré éclatant. Ce premier Ocicat fut appelé Tonga. Cette même

année, une seconde portée des parents de Tonga donna encore un Ocicat. Jusque vers le milieu des années 1990, d'autres croisements furent réalisés avec des American Shorthairs et des Abyssins.

Par certains côtés, l'Ocicat évoque les chats de l'Égypte ancienne mais il s'agit, à strictement parler, d'un hybride. Par ailleurs, si le nom rappelle celui de l'ocelot, *Felis pardalis,* ces deux animaux n'ont, génétiquement, rien de commun ; c'est simplement la ressemblance de cette nouvelle race avec l'ocelot qui a inspiré ce nom à l'éleveuse américaine.

FIXATION DE LA RACE

Au début, Virginia Day fut la seule à développer cette race. Elle avait espéré obtenir une reconnaissance provisoire de la Cat Fanciers' Association en 1966, mais elle dut interrompre

son programme d'élevage et ce statut ne fut accordé qu'en 1986 ; l'année suivante, l'Ocicat était officiellement reconnu. Très rapidement, il eut beaucoup de succès auprès des félinophiles américains et, quatre ans plus tard, 1 750 sujets étaient enregistrés. En Europe, l'Ocicat est reconnu par la FIFé, par le LOOF en France et par le GCCF britannique.

CARACTÉRISTIQUES

L'Ocicat est un chat imposant, athlétique, toujours tacheté ; son corps, plutôt long, est robuste. D'apparence musclée et puissante, on l'imagine mieux dans la jungle qu'au salon. La silhouette doit être fine, avec un poitrail bien marqué. À l'âge adulte, la femelle peut peser jusqu'à 5, 5 kg et le mâle jusqu'à 7 kg. Les pattes sont longues, et l'arrière-train doit être légèrement plus élevé que les épaules. La queue est longue et se termine par une

pointe sombre. La tête est en coin arrondi, avec un museau large et un menton fort. Les grands yeux remontant légèrement vers les oreilles doivent être bien écartés (il ne doit pas y avoir moins de la largeur d'un œil entre les deux). Les oreilles sont grandes, bien dressées, larges à la base, arrondies au bout.

La fourrure de l'Ocicat est douce et brillante, dense et lisse. Le poil est court, mais suffisamment long pour qu'on puisse distinguer les bandes de couleur caractéristiques de cette race : il doit y en avoir plusieurs sur chaque poil, alternativement

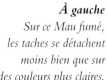

À gauche
Sur ce Mau fumé, les taches se détachent moins bien que sur des couleurs plus claires.

À droite
L'Ocicat a une fourrure tachetée qui rappelle celle du Mau égyptien.

claires et sombres. À l'endroit où les bandes se fondent entre elles, elles forment, sur la couleur de fond claire, des taches sombres qui font penser à des empreintes digitales. Ces taches doivent être grandes, également réparties et bien définies.

lavande (lilas) avec des taches lavande sombre, et argent avec des taches noires. Les taches doivent être discrètes et ne pas former de motif tabby ; par contre, on peut trouver des bandes sur les pattes et des anneaux sur la queue. Les couleurs admises pour les yeux sont : cuivre, vert, jaune, noisette et bleu-vert. Les yeux bleus ne sont pas autorisés.

Ci-contre
Un Ocicat argent
à taches noires.

En bas à gauche
Les grands yeux
de l'Ocicat sont
légèrement obliques.

En bas à droite
Cet Ocicat, à peine âgé
de quatre mois, est déjà
actif et robuste.

CARACTÈRE

L'Ocicat est un chat remarquablement intelligent et joueur, de santé robuste et de tempérament aimable. Il est extrêmement sociable et tend à suivre son propriétaire comme un chiot ; il cherche à lui faire plaisir, joue volontiers avec lui et accepte d'être dressé et tenu en laisse. Il n'aime pas rester seul et aime bien vivre chez quelqu'un de sédentaire. Mais l'Ocicat a besoin de beaucoup d'exercice, et il est donc essentiel qu'il puisse sortir.

VARIÉTÉS

Les premiers Ocicats présentaient des taches brun châtaigne ou chocolat clair sur un fond crème, mais d'autres couleurs sont maintenant admises pour la robe : bleu avec des taches bleu ardoise, or avec des taches cannelle, bronze avec des taches or terni,

SOINS

Le toilettage est simple : un coup de brosse de temps en temps. Les antécédents de l'Ocicat –l'Abyssin, le Siamois et l'American Shorthair – ont laissé des traces chez lui et, dans les portées, il arrive qu'on trouve des chatons non tachetés. Les chatons sont robustes et très vifs dès leur plus jeune âge.

LE SAVIEZ-VOUS ?
Les canines du chat sont aptes à percer la chair de sa proie et à pénétrer entre les vertèbres du cou pour briser le cordon médullaire, ce qui provoque la mort.

Bleu russe

FICHE D'INFORMATION

NOM	Bleu russe
Autre(s) nom(s)	Russe
CORPS	Taille moyenne, allure orientale
COULEURS	Bleu, noir, blanc

TAILLE

TOILETTAGE

EXERCICE

LE BLEU RUSSE est une race naturelle intéressante chez laquelle se combinent une allure nettement orientale et une fourrure dense, pelucheuse et drue, aux pointes argentées.

HISTORIQUE

Le Bleu russe serait originaire de la région d'Arkhangelsk, dans le nord de la Russie, ce qui expliquerait bien l'épaisseur de sa fourrure. Il semblerait qu'il soit parvenu en Grande-Bretagne avec des marins qui faisaient escale dans ce grand port de la mer Blanche ; quant à l'époque de cette arrivée, elle varie, selon les récits, entre l'époque des Vikings et les années 1860. Le premier Bleu russe fut exposé en Grande-Bretagne en 1880 et s'appelait alors Bleu d'Arkhangelsk. Cependant, selon une autre théorie, il serait plutôt apparenté au Chartreux et originaire du bassin méditerranéen, ce qui explique qu'on l'a aussi appelé Bleu espagnol, mais aussi Chat de Malte lorsqu'il fut exposé en France en 1925.

À gauche
Le Bleu russe a une double fourrure épaisse, bien nécessaire lors des rudes hivers de Russie.

À droite
Par sa forme, le Bleu russe doit bien se distinguer du Chartreux et du Siamois.

FIXATION DE LA RACE

L'élevage proprement dit semble avoir commencé à partir de deux chatons : Yula et Bayard, importés d'Arkhangelsk en 1900. En 1912, les Britanniques décidèrent de faire une distinction entre le British Blue et ce qu'ils appelaient le *Foreign Shorthair*, catégorie dans laquelle était rangé jusqu'alors le Bleu russe. L'appellation de Bleu russe fut officiellement reconnue en 1939.

Comme pour beaucoup de ses congénères, la guerre faillit être fatale au Bleu russe.

Puis des éleveurs britanniques et scandinaves commencèrent à le croiser avec des British Blue et des Siamois, au point qu'il fallut réécrire le standard. Mais, les puristes ayant protesté, il fut décidé en 1966 de revenir au type originel chez lequel l'influence du Siamois était jugée «indésirable». Parallèlement, des éleveurs scandinaves avaient commencé à croiser un chat bleu finnois avec un Siamois blue point, obtenant une robe d'une nuance nettement plus foncée ; cette variété fut ensuite développée aux États-Unis. Tout cela explique pourquoi les standards varient d'un pays et d'un continent à l'autre.

RECONNAISSANCE AUX ÉTATS-UNIS

Les premiers Bleus russes (alors appelés Chats de Malte ou Chats espagnols bleus) apparurent aux États-Unis en 1900, mais les Américains ne commencèrent à s'y intéresser vraiment que dans les années 1940. Ils l'appelèrent alors Bleu russe, et c'est à partir de cette époque que les standards ont commencé à diverger entre l'Amérique du Nord et l'Europe. Mais, pour les Américains, le Bleu russe n'était qu'un poil court bleu parmi d'autres – American Shorthair, British Shorthair, Exotic Shorthair, Korat, etc. – et il ne fut reconnu comme race à part entière que vers la fin des années 1960.

CARACTÉRISTIQUES

Pour ce qui est de la robe, les standards sont en gros identiques des deux côtés de l'Atlantique : elle est courte, épaisse, soyeuse et douce ; de plus, elle est double et bien dressée sur le corps. Le tipping argenté des poils de jarre lui donne un brillant qui évoque le velours. Dans l'habitat naturel du Bleu russe, le sous-poil épais fait fonction d'isolant thermique alors que les poils de jarre assurent l'imperméabilité.

Quant à la morphologie, le corps, élancé et gracieux, est doté d'une ossature fine avec des pattes longues et des petits pieds plutôt ronds. La tête, au crâne plat, est courte et cunéiforme. Le front et le nez sont droits, sans stop marqué. Les oreilles sont plutôt

grandes et bien dressées, ouvertes à la base et quasi transparentes, presque dépourvues de poils à l'intérieur. Les yeux sont vert vif. La queue doit être longue, avec une base assez épaisse, et elle se termine en pointe.

Pour ce qui est de la couleur, les Britanniques préfèrent une teinte plus foncée que les Américains et les autres Européens. La truffe et les coussinets sont rose lavande ou mauves en Amérique et bleus en Europe. Ce sont là des nuances subtiles, mais elles reflètent le fait que l'élevage n'a pas été le même dans tous les pays.

VARIÉTÉS

Compte tenu de l'attrait exercé par la riche fourrure du Bleu russe, on comprend que des éleveurs aient essayé de l'obtenir dans d'autres couleurs unies. C'est ainsi que l'on a maintenant des Blancs russes et des Noirs russes, mais ces variétés restent rares pour l'instant.

CARACTÈRE ET SOINS

Le Bleu russe est affectueux ; il ne fait guère entendre sa voix, qui est très douce. S'il est par nature très robuste, sportif, vif et joueur, il n'en est pas moins casanier et se satisfait d'un intérieur calme, où il s'adapte très facilement et s'attache beaucoup à son maître, au point d'en être possessif. Rien ne lui plaît plus que de rester tranquille au chaud. En outre, son toilettage est facile. À la naissance, les chatons (quatre en moyenne par portée) ont déjà une fourrure peluche use et, souvent, de légères marques de tabby, qui disparaissent avec l'âge. Les Bleus russes sont notoirement d'excellents parents.

Au centre
Les Bleus russes sont affectueux et font d'excellents parents.

En bas
La nuance de la robe varie selon les continents ; les Britanniques la préfèrent plus sombre.

Korat

FICHE D'INFORMATION

NOM   Korat
Autre(s) nom(s)
CORPS   Semi-cobby
COULEURS   Bleu argenté

TAILLE

TOILETTAGE

EXERCICE

Lᴇ Kᴏʀᴀᴛ est une race naturelle dont l'origine a, elle aussi, donné lieu à plusieurs légendes. Sa robe n'est admise qu'en une seule couleur.

HISTORIQUE

Le Korat est originaire de la province de Korat, en Thaïlande. En thaï, il s'appelle Si-siwat (« couleur de prospérité »), et il est déjà cité dans un manuscrit thaï vieux de trois cents ans (peut-être six cents) qui se trouve à la Bibliothèque nationale, à Bangkok. Parlant de la fourrure douce du Korat, un poète évoque « des racines comme des nuages et des pointes comme de l'argent », ajoutant que ses yeux sont « comme des gouttes de rosée sur une feuille de lotus ». Sa fourrure aux pointes argentées et ses yeux, toujours vert vif, évoquent le bonheur,

aussi en offrait-on aux fiancées ; de même, on les lâchait dans les champs de riz pour s'assurer une bonne récolte : les yeux du Korat sont en effet de la couleur des jeunes pousses de riz.

En fait, quoiqu'il soit relativement rare dans ce pays, ce chat est indigène à toute la Thaïlande et pas seulement à la province de Korat. C'est Chulalongkorn, roi du Siam de 1868 à 1910 et grand amateur de chats, qui aurait donné son nom au Korat, d'après l'origine de l'un de ses chats auquel il était particulièrement attaché.

FIXATION DE LA RACE

En 1896, au National Cat Show de Londres, un voyageur a officiellement présenté en Occident le premier Korat, qu'il avait ramené de Thaïlande ; il était alors appelé Siamois bleu. Malheureusement, il fut disqualifié car sa couleur n'était pas conforme au standard. Puis on n'en entendit plus parler jusqu'en 1959, lorsqu'un couple – Nara et Darra – fut importé aux États-Unis. Dès lors, on commença à s'intéresser à lui, et d'autres sujets furent importés de Thaïlande et parfois croisés avec des Siamois blue point, pour enrichir le patrimoine génétique (ce qui est maintenant interdit).

En 1964, le Korat fut officiellement présenté pour la première fois dans une exposition américaine et, en 1969, cette race fut reconnue non seulement aux États-Unis, mais aussi au Canada, en Afrique du Sud et en Australie, puis dans le monde entier. Il ne le fut en Grande-Bretagne qu'en 1975, et par la FIFé que plus tard encore. Il est vrai que les sujets sont peu nombreux en Europe.

Le standard applicable au Korat est particulièrement strict, pour préserver l'intégrité de la race. Aucun croisement n'est admis, tous les parents doivent être enregistrés et avoir des ancêtres originaires de Thaïlande.

LE SAVIEZ-VOUS ?

Le léopard devrait son nom au fait que l'on crut un moment qu'il provenait d'un croisement entre lion *(leo)* et panthère *(pardus)*.

Ci-dessus
Ce chat oriental appartient à une race qui existerait depuis au moins six cents ans.

Ci-contre
On a dit des yeux du Korat qu'ils étaient « comme des gouttes de rosée sur une feuille de lotus ».

CARACTÉRISTIQUES

Le Korat, de taille moyenne, est de type médioligne (semi-cobby), avec un corps souple et musclé et un dos arrondi. Les pattes antérieures sont légèrement plus courtes que les postérieures, et les pieds légèrement ovales. Le mâle doit donner une impression de puissance et la femelle d'élégance. La queue, de taille moyenne, se termine en pointe arrondie. La tête est en forme de cœur, avec un museau semi-pointu, un menton et une mâchoire forts et des yeux bien écartés. Les arcades sourcilières forment le sommet de la tête et les joues sont arrondies. Il y a un léger break, et le nez est à peine retroussé. Les oreilles, plantées haut, sont grandes et arrondies à leurs extrémités. Elles sont bien ouvertes à la base ; l'intérieur du pavillon est recouvert de duvet. Les yeux, vert brillant, sont grands, lumineux et bien séparés. Ouverts, ils sont bien ronds mais, fermés, ils sont légèrement obliques.

   La fourrure du Korat, brillante, fine et dense, est faite d'une seule couche de poils, de longueur courte à moyenne. Les extrémités sont argentées mais pas ombrées, sans marques ni poils blancs. La couleur, unique, doit être d'autant plus intense que le poil est plus court, surtout sur l'arrière des oreilles, le nez et les coussinets. Ceux-ci sont bleu sombre ou rose lavande, de même que la truffe.

CARACTÈRE

Doux et intelligent, le Korat apprécie beaucoup que l'on s'occupe de lui. Il se déplace calmement et avec circonspection. Il n'aime pas les bruits soudains, aussi vaut-il mieux ne pas le faire cohabiter avec des enfants ou des chiens.

SOINS

Le toilettage est très limité. Le Korat semble attraper facilement des infections respiratoires. La portée se limite en moyenne à trois ou quatre chatons, mais elle peut en compter jusqu'à neuf. Le chaton a souvent des yeux ambre au bout de quelques semaines ; il faut attendre de deux à quatre ans pour qu'ils trouvent leur couleur verte définitive et que la fourrure prenne son bel aspect lustré.

LE SAVIEZ-VOUS ?
Chez le chat, les yeux sont placés dans un plan relativement antérieur, alors que, chez la plupart des carnivores, ils sont nettement plus sur les côtés.

Ci-dessus
La fourrure du Korat est brillante et fine ; l'extrémité des poils est argentée.

Ci-contre
Il faut de deux à quatre ans pour que la fourrure du Korat prenne son aspect définitif.

Burmese

TAILLE

TOILETTAGE

EXERCICE

En haut

Lors de son introduction aux États-Unis, ce chat fut qualifié de « Siamois raté ».

Ci-dessous

Créée à partir d'un unique chat originaire d'Asie du Sud-Est, cette race a fait l'objet de nombreuses recherches génétiques.

L E BURMESE n'est plus un « Siamois raté », ainsi qu'on l'avait qualifié lors de son arrivée aux États-Unis : cette race a été bien développée, même si cela n'a pas été sans controverses. Il semble qu'elle ait été assez courante en Asie du Sud-Est depuis la fin du Moyen Âge, mais la race que nous connaissons aujourd'hui ne date que de 1930.

HISTORIQUE

Cette année-là, un psychiatre à la retraite de la Marine américaine, appelé Joseph Thompson, revint de Birmanie (aujourd'hui nommée Myanmar) à San Francisco avec une chatte au pelage brun uni appelée Wong Mau. C'était certes un beau chat mais, lorsqu'il prétendit qu'il s'agissait d'une nouvelle race, personne ne le crut. Ce chat fut qualifié de « Siamois raté », ne méritant aucune autre attention que celle de son maître.

Cela ne découragea pas le Dr Thompson, qui décida d'en faire l'élevage.

Comme il n'avait pas de mâle, il dut croiser Wong Mau avec un Siamois seal point, ce qu'il avait trouvé de mieux.

Puis il fit s'accoupler l'un des chatons avec Wong Mau et, dès lors, il consacra sa retraite à fixer une nouvelle race, faisant appel pour cela à plusieurs éleveurs et généticiens. Ainsi, la race du Burmese est-elle la première à avoir été développée exclusivement aux États-Unis et à avoir fait l'objet d'un programme génétique rigoureux.

Au bout de plusieurs générations, il apparut qu'un bon nombre de descendants de Wong Mau conservaient sa couleur brun uni. Quant aux autres, ils avaient soit la couleur des Siamois (couleur de fond pâle avec des extrémités sombres), soit une couleur foncée avec des extrémités encore plus sombres. Dans ce dernier cas, les chats firent l'objet d'un développement distinct qui donna le Tonkinois, reconnu par le LOOF et le GCCF.

FIXATION DE LA RACE

En 1934, le Dr Thompson entreprit de faire reconnaître le Burmese comme race nouvelle, mais il n'était pas au bout de ses difficultés. L'enregistrement officiel fut obtenu deux ans plus tard mais, en 1938,

mais dans la seule variété sable. C'est en 1948 que le premier Burmese brun fut importé en Grande-Bretagne, où il fut reconnu en 1952. Il le fut en France en 1956.

UNE RACE POPULAIRE

La popularité du Burmese commença dès lors à se répandre en Europe continentale et, surtout, en Australie et en Nouvelle-Zélande. Cette race n'en continue pas moins à susciter des controverses. Pour certains éleveurs, seule la variété sable est authentique ; cependant, en Europe et en Australasie, d'autres couleurs se sont bientôt imposées.

Ce fut d'abord le bleu, présenté pour la première fois en 1955 en Grande-Bretagne. Suivirent le lilas (lavande), le crème, le roux, le chocolat et les écaille-de-tortue, mais toutes ces variétés ne sont pas reconnues dans tous les pays. Dans les années 1970 et 1980, les Burmeses champagne, bleus et platine furent officiellement appelés Malayans par la Cat Fanciers' Association, alors que d'autres associations américaines continuaient à les classer parmi les Burmeses. En outre, aux États-Unis, il existe deux types de Burmeses : le « traditionnel », avec une tête et des yeux plutôt ronds, et le « contemporain », qui a un type plus oriental et qui, avec une face plus plate et des yeux plus proéminents, font penser au Persan.

LE SAVIEZ-VOUS ?

Si, en Inde et en Afrique, on chasse les grands félins à dos d'éléphant, c'est que celui-ci est le seul animal à ne pas les craindre.

sa présentation dans une exposition à San Francisco déclencha des protestations des éleveurs de Siamois, au point qu'il fallut le retirer. Mais l'histoire ne s'arrête pas là.

En 1947, la Cat Fanciers' Association supprima l'enregistrement du Burmese en raison du nombre de croisements nécessaires avec des Siamois pour maintenir la race. Pour cette association, cela signifiait qu'il ne pouvait y avoir de race pure. À cela, les éleveurs de Burmese répondaient que c'était indispensable pour éviter une consanguinité excessive.

Le Burmese continuait cependant à être reconnu par les autres associations américaines ; et c'est ainsi que les éleveurs purent produire des Burmeses « purs », c'est-à-dire présentant au moins trois générations d'ancêtres burmeses (on en est maintenant à cinq ou plus). Pour cela, il leur fallut importer d'autres chats de Birmanie. Enfin, en 1957, la Cat Fanciers' Association admit de nouveau le Burmese sur ses registres,

En haut
Certains éleveurs
ne reconnaissent,
comme couleur, que
le brun ; mais le bleu
est l'une des couleurs
les plus populaires.

Ci-contre
Avec une face plus plate
et des yeux plus
proéminents, ce Burmese
« contemporain » évoque
le Persan.

CARACTÉRISTIQUES

Le Burmese est un chat de stature moyenne ; malgré son ossature solide et sa charpente musclée, il reste très élégant. La poitrine est puissante et ronde. À l'âge adulte, le mâle peut peser jusqu'à 5,5 kg et la femelle jusqu'à 3,5 kg. Les pattes sont longues et minces, les antérieures légèrement plus courtes que les postérieures. Les pieds sont ovales. La queue, de longueur moyenne, se termine en pointe. Pour la FIFé et le GCCF, la tête doit être en forme de coin arrondi vers le bas, avec des pommettes hautes et un crâne bombé. Les Américains préfèrent un type plus cobby (râblé), avec un dos droit et des pieds ronds, une tête ronde prolongée par un museau bien développé. Dans tous les cas, les oreilles sont de taille moyenne, bien dressées et légèrement inclinées vers l'avant, larges à la base et un peu arrondies aux extrémités. Aux États-Unis, le standard prescrit des yeux ronds, alors que, en Europe, on les préfère en amande, plutôt de type oriental. Quelle que soit la couleur de la robe, les yeux doivent être d'un or profond.

VARIÉTÉS

Aux États-Unis, la plupart des associations n'admettent les Burmeses en concours que dans quatre variétés de base : sable (appelé zibeline en France), bleu, champagne (chocolat clair) et platine (ou lilas), à l'exception de la Cat Fanciers'Association, qui admet aussi le cannelle, le faon, le roux et quatre variétés d'écaille-de-tortue, qui sont considérés comme des races distinctes. Ailleurs, toutes les couleurs sont acceptées.

Dans la couleur d'origine : le sable (ou zibeline, qui est une variété de brun), la robe est d'un brun chaud et riche, légèrement plus claire sur le ventre. La truffe et les coussinets sont bruns. La robe du bleu est gris argenté, plus claire sur le ventre. Les oreilles, la face et les pieds doivent avoir une nuance argentée. La truffe est gris sombre et les coussinets gris rosé. C'est la seule variété de Burmese où l'on accepte la couleur verte pour les yeux ; dans toutes les autres variétés, le Burmese doit avoir des yeux jaunes ou dorés.

Le Burmese champagne (ou chocolat) a une robe chocolat au lait, ou «beige soutenu», un peu plus claire sur le ventre. La truffe est brune et les coussinets roses à brun chocolat.

Le platine (ou lilas) est d'un gris pâle, avec un shading rosé. Les oreilles et le masque sont légèrement plus sombres. La truffe et les coussinets sont rose lavande.

Comme autres variétés reconnues ailleurs (notamment par le LOOF ou le GCCF), on trouve le roux (mandarine clair), le crème, le tortie brun (taches brunes et rousses), le tortie bleu (taches bleues

En haut à gauche
Malgré son apparence élégante et svelte, le Burmese est un chat lourd et musclé.

En haut à droite
Deux Burmeses, un bleu aux yeux verts et un marron aux yeux d'or.

En bas à droite
Pour certains éleveurs, l'écaille-de-tortue est une race distincte.

et crème), le tortie chocolat (taches chocolat et rousses) et le tortie lilas (taches lilas et crème). Chez le crème et le roux, la truffe et les coussinets sont roses. Chez les torties, leur couleur doit être harmonisée à celle des taches.

CARACTÈRE

Le Burmese est un chat particulièrement doux et très athlétique ; à la campagne, il peut être un excellent chasseur, mais il s'adapte très bien à la vie d'intérieur. Mais attention : le Burmese est très sociable et n'aime pas rester seul. Heureusement, il se satisfait fort bien de la présence de l'un de ses congénères, avec lequel il va jouer pendant des heures. Donc, lorsque le propriétaire est absent dans la journée, mieux vaut qu'il en ait deux. Le Burmese s'entend bien avec les enfants et les chiens mais, une fois encore, attention : il peut être jaloux lorsqu'il a l'impression qu'on ne s'occupe pas suffisamment de lui. Donc, en présence d'autres animaux, il convient de faire preuve de tact et de diplomatie.

SOINS

Le toilettage se réduit en général à un coup de peigne par semaine. Le Burmese peut atteindre un âge très respectable : il n'est pas rare qu'il vive jusqu'à vingt ans !

Les Burmeses sont des parents modèles. La portée est en moyenne de cinq chatons, mais elle peut en compter jusqu'à dix. Et le mâle participe volontiers à l'éducation de cette nombreuse progéniture. Les chatons ne tardent pas à s'agiter et à jouer. Ils ont la fourrure pâle, presque blanche, la couleur ne commençant à apparaître qu'au bout de plusieurs semaines. Certaines variétés sont plus robustes que d'autres ; il arrive que le Burmese présente des anomalies du squelette et, en particulier, un problème de nanisme. Aux États-Unis, où l'on essaie de donner au Burmese une allure « contemporaine », on a constaté un nombre alarmant d'anomalies (palais, crâne, yeux, troisième paupière, conduit auditif). Dans certains cas, on peut y remédier par une intervention chirurgicale.

À mesure que le Burmese vieillit, sa fourrure devient plus foncée mais, surtout, il tend à prendre du poids ; en effet, il fait de moins en moins d'exercice et il faudra envisager de lui faire suivre un régime alimentaire particulier, après avoir consulté un vétérinaire. Cela doit se faire en douceur car, comme les êtres humains, le chat, en vieillissant, n'aime pas changer ses habitudes.

Bombay

○○○○○○○○○○○○○○○○○○○○○○○○○
FICHE D'INFORMATION

NOM   Bombay
Autre(s) nom(s)
CORPS   Souple et musclé
COULEURS   Noir

LE BOMBAY est une race hybride à poil court créée aux États-Unis en 1958 par croisement entre l'American Shorthair et le Burmese brun. Tous les chatons de la première portée étaient noirs, mais avec le pelage fin, soyeux et brillant du Burmese.

HISTORIQUE

L'«invention» du Bombay a pour origine le fait que, dans les années 1950, des éleveurs de Burmeses voulaient améliorer le type et la robe de cette race. Allant à l'encontre des règles, ils croisèrent leurs Burmeses avec des American Shorthairs et certains des chats provenant de ces accouplements furent présentés – et remportèrent des prix – dans différentes catégories. Il s'agissait donc d'une «tromperie», qui fut mal acceptée par les félinophiles; et pourtant, il s'agissait de très beaux chats. Alors, un éleveur du Kentucky appelé Nikki Horner se lança dans un programme d'élevage en croisant des Burmeses et des American Shorthairs, choisis parmi des champions de ces catégories, pour établir une nouvelle race et mettre ainsi fin à la confusion créée par ces hybrides.

LE «CHAT-PANTHÈRE»

Dans la description donnée de cette race à cette époque, on lit que le Bombay doit avoir «une robe qui évoque le cuir et les yeux comme des sous neufs». Son nom vient du fait que ce chat fait penser, en plus petit, à la panthère noire; cela explique d'ailleurs que certains le qualifient de «mini-panthère». Et ce nom, qui rappelle les lointains ancêtres de cette race, lui convient bien : avec sa robe noire luisante et ses yeux couleur cuivre, le Bombay est indubitablement un chat remarquable.

FIXATION DE LA RACE

Cette race s'est rapidement développée, car le Bombay donne des rejetons de race pure : un accouplement entre deux Bombay donnera une portée de Bombay parce que le gène B est dominant; il arrive cependant que l'on obtienne des Bombay bruns, qui ne peuvent être présentés en exposition car le Bombay doit toujours être noir.

Pourtant, la plupart des associations américaines considèrent le Bombay brun comme un véritable Bombay et, s'il ne peut concourir, il peut être utilisé dans des programmes d'élevage. De son côté, l'International Cat Association américaine classe les Bombay bruns avec les Burmeses. Cette situation complexe tient au fait que, pour améliorer la race, il est encore admis de croiser des Bombay avec des American Shorthairs ou des Burmeses.

En haut
Le Bombay est particulièrement apprécié pour sa robe noire satinée.

Ci-contre
La texture et la couleur de la robe du Bombay l'ont fait comparer à la panthère noire.

En Europe, le Burmese est reconnu par le LOOF (qui cependant interdit le croisement avec l'American Shorthair), et il en existe plusieurs élevages en Suisse. Par contre, il n'est pas reconnu par le GCCF, ni par la FIFé.

CARACTÉRISTIQUES

Chez le Bombay, la robe a une importance déterminante, les autres caractéristiques restant secondaires. Elle doit être très courte et dense, avec une texture satinée et un brillant évoquant celui du cuir, que l'on rehausse en la lustrant avec un tissu de soie ou une peau de chamois. Chez le chat adulte, les poils doivent être noir de jais jusqu'à la racine, sans taches ni poils blancs. Le corps, de taille moyenne, est médioligne et bien proportionné ; le mâle est un peu plus gros que la femelle. Les pattes et la queue sont de taille moyenne, et la queue doit être bien droite. La tête est plutôt ronde, sans méplats, la face pleine et les yeux bien écartés. Le museau est court, bien développé, avec un break marqué. Les oreilles, de taille moyenne, sont larges à la base, avec des extrémités légèrement arrondies, bien séparées sur un crâne arrondi et légèrement inclinées vers l'avant. Les yeux sont ronds et nettement séparés. Leur couleur va du doré au cuivre foncé. Les yeux verts constituent un défaut. La truffe et les coussinets sont noirs.

CARACTÈRE

Le Bombay allie les vertus du Burmese à celles de l'American Shorthair. Il est robuste, affectueux et plutôt calme. Cependant, comme le Burmese, il a tendance à être possessif vis-à-vis de son propriétaire et jaloux des enfants et des autres animaux de compagnie. Il n'est pas particulièrement actif et aime bien rester longtemps à l'intérieur, pour autant qu'il ne soit pas seul. Par contre, il accepte qu'on le promène en laisse. Il semblerait que le Bombay ait l'ouïe extrêmement fine : il dresse les oreilles au moindre son et réagit brutalement en cas de bruit soudain.

SOINS

Il faut passer la fourrure au peigne fin au moins une fois par semaine. Chaque portée compte quatre ou cinq chatons, en général robustes et avec un bon appétit. Souvent, on voit dans leur fourrure des nuances de roux, qui disparaissent avec l'âge.

LE SAVIEZ-VOUS ?
Les papilles sont des petits crochets disposés de manières différentes sur la langue des félins, chez qui elles compensent l'absence de molaires.

En haut
Les standards exigent que la robe du Bombay ait l'aspect du cuir noir.

Ci-contre
Le Bombay typique a les yeux couleur cuivre.

Siamois

TAILLE

TOILETTAGE

EXERCICE

FICHE D'INFORMATION

NOM	Siamois
Autre(s) nom(s)	Hors couleurs de base (É.-U.) : Colourpoint Shorthair
CORPS	Long, gracieux
COULEURS	Couleurs de base : seal point, chocolate point, blue point et lilac point ; en Europe, les autres couleurs sont très nombreuses

Le Siamois est peut-être le plus populaire des chats – au point qu'il est le héros de plusieurs films (tels *La Belle et le Clochard* et *L'Espion aux pattes de velours*) ; en outre, il se distingue facilement des autres races. À l'origine, c'était une race naturelle, mais c'est peut-être aussi celle qui a le plus bénéficié de travaux de la part des éleveurs. Pourtant, certains félinophiles le trouvent quelque peu inquiétant à cause de ses réactions parfois excessives. C'est certainement un animal très exigeant et jaloux, souvent difficile à vivre.

HISTORIQUE

Les origines du Siamois se perdent dans des légendes et récits plus ou moins imaginaires. En tout cas, son nom est justifié car il est depuis longtemps connu en Thaïlande, qui s'appelait autrefois le Siam. À l'origine, c'était un chat de rois : il vivait dans le palais – et même, dit-on, il le défendait en sautant depuis les murailles sur les intrus – mais aussi dans les temples. Sur des manuscrits provenant de l'ancienne capitale du Siam, Ayutthaya, qui fut florissante entre 1351 et 1767, des illustrations présentent différents types de chats, et en particulier le Siamois seal point pâle. On pense que ces chats étaient soigneusement sélectionnés et élevés pour leur belle apparence. Mais on sait par ailleurs que, au XIVe siècle, bien d'autres sortes de chats couraient les rues de ce royaume, certainement moins beaux, et qui devaient se croiser sans discrimination avec d'autres chats, domestiques ou libres. Au XVIIIe siècle, Simon Pallas, naturaliste allemand, aperçut aussi, en Russie centrale, des Siamois qui vivaient à l'état libre. On ne sait pas s'ils avaient été importés ou s'ils résultaient d'une mutation spontanée.

FIXATION DE LA RACE

L'histoire moderne du Siamois commence en 1871, lorsque cette race fut présentée au premier British National Cat Show, organisé à Crystal Palace, ainsi que dans son catalogue. On ne sait pas ce qui s'est passé ensuite, jusqu'en 1884, lorsque Edward Gould, alors vice-consul de Grande-Bretagne à Bangkok, capitale du Siam, envoya à sa famille, en Angleterre, un couple de Siamois seal point que lui avait offerts le roi Chulalongkorn. On peut donc penser qu'ils

En haut
Dès le XIVe siècle, on a représenté des chats de type seal point.

Ci-contre à droite
Chez le Siamois, une queue « nouée », jadis appréciée, est maintenant un défaut disqualifiant.

Ci-contre à gauche
Le Siamois, qui se décline en multiples variétés, est probablement le plus populaire des chats.

provenaient de l'élevage royal et que, en conséquence, ils étaient d'une race plus pure que ceux présentés en 1871. On sait en tout cas que Chulalongkorn, qui régna de 1868 à 1910, avait coutume d'offrir, aux visiteurs qu'il tenait en haute estime, des chats provenant de la chatterie royale. Quoi qu'il en soit, la popularité du Siamois en Occident date des années 1880 et un standard fut défini pour cette race en 1892.

Celui-ci est intéressant à trois égards. Premièrement, il présentait le Siamois comme « svelte », adjectif qui, depuis lors, caractérise toujours ce chat. Deuxièmement, il précisait que l'apparence du Siamois était l'antithèse de celle du chat domestique. Troisièmement, l'une des caractéristiques reconnues était la queue « nouée » qui, longtemps, fut courante chez les Siamois mais qui est maintenant considérée comme un défaut (de même que le strabisme). Ces caractéristiques se fondaient sur des légendes romantiques (et absurdes) : on racontait que les dames de la cour du roi du Siam conservaient leurs bagues sur la queue des Siamois et que le nœud servait à les empêcher de tomber. La légende disait aussi que les chats vivant dans les temples avaient tellement contemplé les trésors sacrés qu'ils en étaient arrivés à loucher.

Sur les photographies du début du XXe siècle, on voit que les Siamois avaient une charpente plus forte et une tête plus arrondie que les Siamois que nous connaissons aujourd'hui. Peut-être s'agissait-il de croisements entre des vrais Siamois et des chats domestiques et que, à l'époque, on appréciait plus, chez cette race, les extrémités de couleur que ses autres caractéristiques.

LES PREMIERS SIAMOIS EN EUROPE

Après leur première présentation au Crystal Palace, qui suscita des réactions contradictoires, le Siamois connut une éclipse de plusieurs années. En 1884, sir Owen Gould ramena en Grande-Bretagne un couple ; l'année suivante, Auguste Pavie rapporta en France deux autres sujets (dans l'un et l'autre cas, on ne sait pas s'il s'agissait de cadeaux ou d'exportation illégale). À l'époque, seul le seal point était reconnu, avec un corps crème pâle et des extrémités brunes. Pour beaucoup de félinophiles encore, c'est le seul Siamois authentique. Il peut être en tout cas considéré comme le Siamois classique.

En haut
La conformation et le tempérament exigeant du Siamois restent mystérieux et parfois même inquiétants.

Ci-contre
Le type physique et la robe du Siamois sont différents de ceux du Korat.

annéees 1930 ; il fut reconnu en Grande-Bretagne en 1950 et aux États-Unis en 1951. Le lilac point (ou frost point aux États-Unis) provient d'une combinaison de gènes bleus et chocolat : son corps est très blanc, avec des extrémités gris-rose clair ; il fut reconnu aux États-Unis en 1955 (sous le nom de frost point) et en Grande-Bretagne en 1960. Ces quatre couleurs sont considérées comme « variétés de base » du Siamois et reconnues partout.

LES PREMIERS SIAMOIS EN AMÉRIQUE

Aux États-Unis, c'est en 1879 qu'il est question pour la première fois de Siamois. Il semble que les premiers sujets aient été importés directement du Siam, certains ayant été offerts à des éleveurs américains par le généreux roi Chulalongkorn. Mais, dans les années 1900, l'éleveuse américaine Jane Cathcart importa des Siamois de Grande-Bretagne et de France, et c'est grâce à ses travaux que le Siamois s'est véritablement imposé en Amérique. La Siamese Cat Society of America fut fondée en 1909. Dans les années 1920, le Siamois était un signe de distinction et presque un accessoire de mode. La forte demande fit multiplier les élevages au point de faire baisser la qualité et de mettre cette race en danger.

LES VARIÉTÉS RECONNUES

Jusque dans les années 1920, le Siamois seal point jouissait d'un quasi-monopole ; mais celui-ci fut alors contesté par le blue point, à la robe blanc crème et aux extrémités bleues. Cette variété fut reconnue par la CFA en 1932 et par le GCCF britannique quatre ans plus tard. Le chocolate point (corps ivoire clair et extrémités chocolat au lait) apparut dans les

LES COULEURS CLASSIQUES

Pour ce qui est des autres variétés, il existe des différences sensibles entre les standards européens et américains. Aux États-Unis, seules sont reconnues les quatre couleurs classiques (seal, bleu, chocolat et lilas) pour les Siamois pure race. Pour obtenir les autres variétés de couleur, il faut croiser le Siamois avec d'autres races, telles que l'Européen à poil court ou l'American Shorthair, puis recroiser leurs rejetons avec des Siamois pour conserver à la fois le motif colourpoint et le type physique du Siamois. De ce fait, aux États-Unis, elles sont classées parmi les Colourpoint Shorthairs, dans la mesure où il s'agit de variétés hybrides. En Europe, en revanche, on les considère comme d'authentiques variétés de Siamois, et le nombre de variétés est quasi illimité. Nous en verrons quelques-unes ici.

LE SIAMOIS REDPOINT

Il provient d'un croisement entre un Siamois seal point et un British Shorthair tabby roux ; il fut présenté pour la première fois dans les années 1930 mais ce n'est qu'une bonne dizaine d'années plus tard qu'on commença à l'élever systématiquement. Il a un corps blanc crème et des extrémités qui vont de l'abricot au roux foncé. Ses extrémités ne doivent pas être tabby mais, en fait, c'est une caractéristique très difficile à obtenir (cela vaut aussi pour le cream point).

En haut à gauche
Les premiers Siamois importés en France étaient tellement fragiles qu'ils furent confiés au Jardin des Plantes.

En haut à droite
Le tabby point lilas a été obtenu en croisant des Siamois avec d'autres races.

Ci-contre
Ce chocolate point est l'une des variétés naturelles du Siamois.

En Grande-Bretagne, le red point fut reconnu comme variété de Siamois en 1966. Aux États-Unis, il le fut dès 1964, la CFA ayant, après de longues discussions, créé la race Colourpoint Shorthair pour regrouper toutes les variétés de Siamois à l'exception des quatre couleurs classiques.

LES TABBY POINT

Les premiers tabby point auraient été obtenus dans des élevages suédois dans les années 1920, mais on n'entendit plus jamais parler d'eux par la suite. Officiellement, c'est en 1961 que l'éventail des variétés de Siamois s'accrut d'une couleur supplémentaire lorsqu'un seal tabby point (appelé lynx point aux États-Unis) fut présenté dans une exposition britannique. Il provenait d'un croisement entre un Siamois seal point et un tabby domestique. L'un des chatons tabby fut accouplé à un autre seal point, et l'on obtint une portée de six chatons dont quatre étaient des seal tabby point, dont celui qui fut présenté en 1961. Les seal tabby point furent suivis par des tabby point dans les trois autres couleurs classiques des Siamois, puis par le tortie point. Depuis ont été présentés le cinnamon point (extrémités chocolat au lait), le caramel point (extrémités café clair), le fawn point ainsi que le tortie tabby point (ou tortie lynx point).

Tel est en gros l'éventail des variétés de Siamois (Colourpoint Shorthair aux États-Unis) généralement acceptées par les félinophiles ; cependant, compte tenu de la forte demande de Siamois, bien d'autres variétés ont été obtenues par les éleveurs, telles que le silver tabby point et les variétés à tipping : le fumé (smoke aux États-Unis) et le shadow point.

En haut
Il est très difficile d'obtenir un Siamois red point qui corresponde bien au standard.

Ci-contre
Le tabby point n'a été officiellement reconnu que dans les années 1960.

admis que le Siamois louche, mais c'est maintenant un défaut.

Le pelage est court, fin et dense. Les variétés sont définies par la couleur des extrémités (masque, oreilles, bas des pattes, pieds et queue), qui doivent se détacher nettement sur un fond plus clair mais complémentaire ; il peut y avoir des reflets ombrés (shading) sur le dos et les flancs. Le masque doit couvrir toute la face mais ne doit pas se prolonger jusqu'au sommet du crâne. Le gène du Siamois est sensible à la température et produit plus de pigments quand elle s'abaisse. C'est cela qui donne leur couleur aux extrémités, qui sont les parties les plus froides du corps ; aussi la robe du Siamois tend-elle à être plus sombre dans les climats froids.

VARIÉTÉS

Pour le seal point, le standard exige une couleur de fond crème, légèrement plus foncée sur le dos et les flancs que sur le ventre et le poitrail ; les extrémités, la truffe et les coussinets sont brun sombre. Le chocolate point a une robe ivoire avec des extrémités chocolat au lait ; la truffe et les coussinets sont rose cannelle. Le blue point a un corps blanc-bleu, légèrement plus foncé sur le ventre et le poitrail ; la truffe, les extrémités et les coussinets sont bleu ardoise.

Le lilac point a un corps magnolia (en Europe) ou blanc glacé (frost aux États-Unis), avec une truffe, des extrémités et des coussinets gris rosé.

Comme autres variétés de Siamois (ou Colourpoint Shorthairs), on peut encore citer le red point (extrémités roux orangé sur blanc), le cream point (extrémités chamois à rose clair sur crème), les tortie point (extrémités tachetées de roux et/ou de crème), en brun, chocolat, bleu ou lilas ; le blue cream point et le lilac cream point (extrémités mouchetées de crème) ; les tabby point (barres tabby de la couleur des extrémités) en brun, chocolat, bleu, lilas, roux, crème et bleu-crème ; et les torbie point (taches irrégulières de roux et/ou de crème sur le motif tabby des extrémités).

CARACTÉRISTIQUES

Des deux côtés de l'Atlantique, les juges attendent du Siamois une conformation identique : un corps longiligne à l'ossature légère, de taille moyenne, fort et musclé tout en restant svelte. Les épaules et les hanches doivent être de largeur égale. Les pattes postérieures sont un peu plus grandes que les antérieures. Le cou est long et gracile, et les pieds petits, délicats et ovales. La queue, longue et fine, se termine en pointe. Une queue nouée est considérée comme un défaut.

Sur la tête, de taille moyenne, les pointes des oreilles et le nez forment un triangle isocèle. Il ne doit y avoir ni break ni bosse. Les oreilles sont grandes, larges à la base, bien écartées et pointues. Les yeux en amande, de taille moyenne, sont légèrement en oblique vers le nez ; ils sont bleus pour toutes les variétés de robe. Autrefois, il était

En haut,
à droite et à gauche
Le Siamois typique
est svelte, avec une queue
fine et un cou gracile.

Ci-contre
Le Siamois est
un chat actif qui aime
à se faire remarquer.

CARACTÈRE

Le Siamois est considéré comme un animal
« difficile ». Il a un tempérament vif et turbulent ;
comme il est en plus très intelligent, cela signifie
qu'il faut pouvoir lui consacrer pas mal de temps.
Son langage est très développé : ses cris et
miaulements correspondent à de multiples raisons
qu'il trouve d'attirer l'attention de son propriétaire.
Mais, pour autant, il n'aime pas le bruit. En outre,
le Siamois est plutôt possessif et exclusif : il manifeste
de la jalousie quand son propriétaire s'intéresse
à quelqu'un d'autre – animal ou humain. Il n'aime
pas rester seul ou être ignoré. Il a donc facilement
des sautes d'humeur, ce qui rend son comportement
imprévisible. En outre, il se méfie des étrangers. Cela
étant, c'est un chat affectueux, qui se laisse facilement
dresser et accepte d'être conduit
en laisse, et il s'adapte assez bien
aux voyages et aux changements
d'habitation.

SOINS

Pour entretenir la fourrure, il faut
un brossage deux fois par semaine
suivi par un lustrage à la peau
de chamois.

Le Siamois est très
prolifique ; souvent, la femelle
est fertile dès l'âge de cinq mois.
Pour l'accouplement, mieux vaut
cependant attendre qu'elle ait
au moins neuf mois. La portée compte en moyenne
six chatons vigoureux et sains, qui ne tardent pas à
affirmer leur personnalité ; mais ils sont plutôt timides
vis-à-vis des humains. Chez le nouveau-né, la
fourrure est à peine colorée. Au début, ses yeux sont
bleu pâle comme chez tous les chatons. La couleur
particulière du Siamois apparaît au bout de huit
semaines. Les extrémités commencent à se colorer
vers trois semaines mais la fourrure n'acquiert sa
couleur définitive que vers un an. Vers trois ans, il
arrive que la couleur du corps et celle des extrémités
s'assombrisse. Avec l'âge, le Siamois devient moins
actif et tend à prendre du poids, ce qui augmente
la température du corps : cela explique que sa robe
devienne alors plus foncée. De nombreux Siamois
vivent jusqu'à quinze ans et plus.

En haut
*Le Siamois est très
prolifique. Cette femelle
se roule sur le sol parce
qu'elle est en chaleur.*

Ci-contre
*Le pelage de ces deux
chatons commencera
à foncer vers l'âge
de trois semaines.*

Tonkinois

FICHE D'INFORMATION

NOM	Tonkinois
Autre(s) nom(s)	
CORPS	Souple et musclé
COULEURS	Vison naturel, vison champagne, vison bleu et vison platine. Certaines associations reconnaissent aussi le vison miel.

TAILLE

TOILETTAGE

EXERCICE

L E TONKINOIS est une race hybride, obtenue à partir de croisements entre Siamois et Burmeses. C'est la première race à pedigree à avoir été obtenue au Canada, où le programme d'élevage a débuté en 1965, dans la province de l'Ontario. Dans les années 1930, le Dr Joseph Thompson avait obtenu des chats du même type alors qu'il essayait d'améliorer le Burmese, mais il n'en avait pas fait l'élevage systématique.

FIXATION DE LA RACE
En 1965, Margaret Conroy, une éleveuse canadienne, lançait son propre programme sans connaître celui du Dr Thompson. Puis un couple d'éleveurs américains s'associa à ce programme et, en 1974, l'Association féline canadienne reconnut

cette race. La Cat Fanciers' Association américaine en fit autant quatre ans plus tard, et l'autorisa à concourir en 1984. Le Tonkinois reste relativement rare en Europe, où il a été cependant reconnu par le LOOF et le GCCF.

À l'origine, le Tonkinois provient d'un croisement entre un Siamois seal point et un Birman sable (brun). Le résultat fut une portée de chatons Tonkinois combinant la robe sombre du Burmese et les extrémités plus sombres encore des colourpoints de type Siamois. Cependant, les accouplements entre Tonkinois donnent des chatons dont les couleurs sont celles du Tonkinois, du Siamois ou du Burmese, le premier étant en général deux fois plus fréquent que les autres. Depuis les premiers Tonkinois, les éleveurs ont fait des essais avec pratiquement toutes les couleurs des Siamois.

LE SAVIEZ-VOUS ?
Lorsque les lionnes chassent en groupe, leur technique est si efficace qu'elles peuvent attraper plusieurs proies en même temps.

En haut
Chez le Tonkinois, la robe est plus sombre sur le corps que chez le Siamois, et les extrémités sont plus foncées.

Ci-contre
Les yeux du Tonkinois peuvent être de différentes couleurs.

CARACTÉRISTIQUES
Cette race présente deux caractéristiques principales : le motif de la robe, avec des extrémités colorées, est moins net que chez le Siamois, et la couleur de fond est plus pâle ; en outre, dans toutes les variétés, les yeux présentent des couleurs remarquables, de l'aigue-marine au turquoise.

Le Tonkinois est un chat de type oriental, de taille moyenne, bien musclé, avec des pattes longues et minces, les postérieures légèrement plus longues que les antérieures. Les pieds sont ovales et délicats. La queue, longue et épaisse à la base, se termine en pointe fine. La tête est cunéiforme, avec un museau plutôt carré et une légère bosse entre le nez et le front. Les oreilles, de taille moyenne, sont arrondies aux extrémités, légèrement inclinées vers l'avant et bien séparées. Les yeux, plutôt en amande, sont bien séparés.

Le pelage doit être doux, court et dense, avec un brillant naturel qui rappelle la fourrure du vison – c'est d'ailleurs pourquoi toutes les couleurs évoquent cet animal. La transition est progressive entre la couleur du corps et celle des extrémités.

d'un gris argenté pâle avec des extrémités d'un argent plus brillant. La truffe et les coussinets sont roses.

Certaines associations acceptent en outre le vison miel, qui a une robe crème doré avec parfois un léger reflet roux, des extrémités brun chocolat et la truffe et les coussinets brun moyen, ainsi que certaines couleurs unies : naturel (brun), bleu, champagne et platine, ainsi que des variétés aux extrémités plus nettement colorées.

CARACTÈRE

Le Tonkinois typique a un tempérament actif : avec lui, il se passe toujours quelque chose. Il a donc besoin d'un cadre où il peut dépenser son énergie, ce qui d'ailleurs favorise le développement de son intelligence. En outre, il est très curieux, aussi est-il déconseillé de laisser à sa portée des petits animaux tels que des oiseaux

VARIÉTÉS

Quatre couleurs seulement sont admises par la majorité des associations : vison naturel (qui est la couleur d'origine), vison champagne (lilas), vison bleu et vison platine (argent). Le vison naturel est un brun riche et chaud, avec des extrémités chocolat foncé, une truffe et des coussinets bruns. Le vison champagne est un beige chaud et doux, avec des extrémités brun clair, et la truffe et les coussinets rose cannelle. Le vison bleu est d'un bleu-gris clair à moyen, avec des extrémités gris-bleu à ardoise, une truffe et des coussinets gris-bleu. Le vison platine est

ou des hamsters, même en cage. Ceux qui en possèdent disent qu'il vaut mieux en avoir deux, pour qu'ils se tiennent compagnie. Mais, même alors, mieux vaut ne pas les faire vivre dans un logement où il y a des rideaux et des meubles fragiles. Le Tonkinois se comporte très bien dans les expositions, mais il a en permanence besoin d'une présence humaine. Il convient donc mieux à une famille nombreuse qu'à des célibataires.

SOINS

Le toilettage est très réduit. Chez le chaton (quatre en moyenne par portée), la robe est pâle et fonce avec l'âge.

En haut
La forme des oreilles et des yeux de ce Tonkinois rappelle son ascendance orientale.

Au centre
Ce Tonkinois lilas est l'une des variétés les plus recherchées.

En bas
Le Tonkinois est curieux et actif ; il aime bien participer aux expositions.

Havana

○ ○

FICHE D'INFORMATION

NOM Havana
Autre(s) nom(s) Brun de Havane
CORPS Oriental (de médioligne à longiligne, selon les pays)
COULEURS Brun châtaigne

TAILLE

TOILETTAGE

EXERCICE

POUR LE HAVANA, le standard est assez différent entre l'Europe (surtout la Grande-Bretagne) et l'Amérique.

HISTORIQUE

Tous les Havanas proviennent d'un même programme d'élevage qui date des années 1950 ; mais cette race a évolué différemment sur les deux rives de l'Atlantique.

Au début des années 1950, deux éleveurs britanniques entreprirent de produire un chat brun en croisant des Siamois seal point et des Européens à poil court noirs ; des deux côtés, le génotype contenait le gène chocolate point. Ils obtinrent ainsi un chat brun uni, qui fut présenté pour la première fois dans une exposition en 1953. Des expériences identiques eurent lieu aux États-Unis, où le premier chaton havana naquit la même année. Par la suite, la variété américaine fut améliorée par des croisements avec des chats importés de Grande-Bretagne. L'appellation Havana rappelle la race de lapins bruns du même nom ou peut-être la couleur du cigare de Havane.

Cependant, on sait que des chats brun uni de type siamois furent présentés

En haut
La forme du corps et de la face du Havana rappelle qu'il a des ancêtres orientaux.

En bas à droite
Tous les Havanas ont une fourrure douce et brillante, plus ou moins foncée selon les standards.

en Grande-Bretagne dès 1888 ; un « Chat des montagnes suisses », brun uni lui aussi, fut également présenté en 1894 et, en 1930, un chat simplement appelé « Chat brun ». Ce furent les premiers spécimens de ce qui devait par la suite s'appeler Brun de Havane ou, tout simplement, Havana ; il s'agissait probablement de chats provenant d'un croisement accidentel entre des Siamois et d'autres chats à poil court ayant le gène du brun chocolat. Mais ils semblent avoir disparu sans laisser de descendance.

FIXATION DE LA RACE

La nouvelle race appelée Havana fut reconnue en Grande-Bretagne en 1958 et aux États-Unis en 1964. Dès lors, l'élevage prit des directions différentes dans ces deux pays.

Les Britanniques continuèrent à croiser des Havanas avec des Siamois pour ne pas perdre l'allure orientale qu'ils recherchaient. Les Américains interdirent le croisement avec des Siamois et développèrent la race en croisant uniquement des Havanas entre eux. Mais, de ce fait, le fonds commun de gènes restait limité.

Le Havana n'existe en principe qu'en une seule variété : une robe châtaigne, luisante et chaude, avec des vibrisses brunes et des yeux ovales couleur chartreuse. Les coussinets sont roses. Mais la plupart des associations américaines reconnaissent également le Havana lavande, qui provient d'un croisement entre un Siamois chocolate point et un Bleu russe. La robe gris rosé doit, elle aussi, être unie. La truffe et les coussinets sont roses, et les yeux, chartreuse.

CARACTÉRISTIQUES

Le standard applicable au Havana en Grande-Bretagne est identique

à celui de l'Oriental Shorthair. Le chat a un type siamois avec un corps long, svelte et musclé et une queue longue et fine terminée en pointe.

Le pelage est court et dense, brillant et fin, sans variation de couleur de la base à la pointe des poils, sans marques tabby ni poils blancs. La truffe est brune, les coussinets brun rosé ; les yeux verts sont en amande et légèrement inclinés vers le nez. L'arrière-train et les épaules sont de la même largeur ; les pattes sont longues et fines, les antérieures plus courtes que les postérieures. Les pieds sont petits, délicats et ovales. La tête est en forme de coin allongé, sans break, avec un museau fin, des oreilles grandes et pointues, larges à la base.

Le standard américain (dont s'inspire celui du LOOF) exige une conformation plus proche de celle du Bleu russe : le corps est plus cobby que musclé, et la tête plus courte, avec un break bien marqué. Les oreilles sont grandes et inclinées vers l'avant, avec des extrémités arrondies. La queue est de taille moyenne, plus ferme et plus musclée que celle de son cousin britannique.

CARACTÈRE

Le Havana est gentil et affectueux et sa voix est douce. Le Havana américain a la réputation d'être très actif et il faut mettre à sa disposition de nombreux objets avec lesquels il puisse jouer. Il cherche des objets avec ses pattes alors que la plupart des félins les recherchent au nez. La voix du Havana britannique est en général plus forte. Les chatons naissent avec leur couleur – mais aussi avec leurs oreilles – d'adulte, ce qui leur donne un curieux air négligé, qu'ils perdent avec l'âge. Chez le chaton lavande, la robe porte parfois des traces de marque tabby, qui disparaissent avec l'âge.

SOINS

Il faut peigner le Havana deux fois par semaine et, de temps en temps, lustrer sa fourrure avec une peau de chamois pour lui garder son brillant.

En haut à gauche
Plus cobby que son cousin britannique, le Havana américain rappelle plutôt le Bleu russe.

Au centre
Le Havana lavande est reconnu aux États-Unis.

Ci-contre
La couleur de la robe des chatons havanas apparaît dès l'enfance ; et ils ont déjà leurs oreilles d'adulte.

Oriental Shorthair

○○○○○○○○○○○○○○○○○○○○○○○
FICHE D'INFORMATION

NOM	Oriental Shorthair
Autre(s) nom(s)	Oriental (FIFé)
CORPS	Longiligne, gracieux
COULEURS	Comme pour le Siamois, sauf les colourpoints

TAILLE

TOILETTAGE

EXERCICE

DE FAÇON GÉNÉRALE, on peut dire que l'Oriental Shorthair a un corps de Siamois mais sans les extrémités de couleur qui distinguent ce dernier. Au contraire, sa robe est uniforme : soit unicolore, soit bicolore, ou encore écaille-de-tortue, tabby ou tortie. On voit de tels chats en Thaïlande, qui proviennent de croisements accidentels entre des Siamois libres et d'autres races. Par contre, l'Oriental Shorthair est le produit de programmes d'élevage soigneusement organisés. Il existe dans de multiples variétés de couleurs et de motifs, qui ne sont d'ailleurs pas toutes reconnues par toutes les associations. L'histoire de cette race – peut-être vaudrait-il mieux parler ici de catégorie – est associée à l'évolution du goût des félinophiles.

HISTORIQUE

Dans les années 1920, le Siamese Cat Club of Britain décida de faire quelque chose pour préserver la pureté de la race des Siamois : beaucoup d'éleveurs essayaient alors d'en faire varier les couleurs en les faisant se croiser avec d'autres races. C'est ainsi que furent obtenus des chats de type siamois, mais à la robe uniforme, avec des yeux jaunes ou verts. Craignant que la pureté de la race des Siamois ne finisse par se perdre, le Siamese Cat Club décida, à la fin des années 1920, que

seuls les Siamois colourpoint aux yeux bleus seraient désormais acceptés sous cette dénomination. De ce fait, les Siamois aux yeux jaunes ou verts ou présentant des motifs et couleurs différents des quatre variétés de base admises pour le Siamois se trouvaient exclus de la classification officielle.

Les types siamois qui ne correspondaient pas au standard édicté par le Siamese Cat Club furent donc appelés Foreign Shorthairs – « poils courts étrangers », appellation qui subsiste encore dans certains pays. Mais, pour ce qui est de la popularité, ils ne faisaient pas le poids face aux Siamois «pure race », à l'exception peut-être de quelques variétés bleues et noires en Allemagne avant la guerre. Ailleurs, ils disparurent presque complètement de la scène d'autant que, après la guerre, les éleveurs avaient déjà assez de mal à maintenir les races pures.

Cependant, en 1962, des éleveurs britanniques produisirent une race hybride de chats de type siamois au pelage blanc uniforme avec des yeux bleus, par croisement avec des Siamois européens blancs. Cependant, le GCCF ne les autorisa

En haut

Chez cet Oriental Shorthair, le corps est celui d'un Siamois, mais la couleur est unie.

Ci-contre à gauche

Le bleu des yeux de cet Oriental lilas est différent de celui des Siamois.

Ci-contre à droite

Comme chez ce tabby tiqueté uni, la robe de l'Oriental ne doit pas être nécessairement uniforme.

qu'ils appelèrent Egyptian Mau à cause de sa marque frontale qui évoque le scarabée ; mais cette variété fut admise en 1978 sous l'appellation d'Oriental Spotted Tabby, pour ne pas la confondre avec le Mau proprement dit qui, génétiquement, est très différent.

À partir de l'exemple d'un croisement accidentel entre un Persan chinchilla et un Siamois chocolate point, dont la portée contenait des chatons shaded silver, certains éleveurs entreprirent ensuite de créer des types fumés et tipped. Mais ce genre de croisements pose des difficultés.

Les «Oriental Shorthairs» débarquèrent aux États-Unis, en provenance de Grande-Bretagne

En haut à gauche
Cet Oriental blanc a de remarquables yeux bleus.

En bas de page
Ce tabby tacheté oriental chocolat est une variété qui a été multipliée dans les années 1970 à cause de sa robe typique.

officiellement à concourir qu'en 1977, sous l'appellation de Foreign White, ou Oriental blanc. Dès leur première présentation, ces chats furent d'autant plus admirés que, à la différence des autres chats blancs connus, ils ne semblaient pas souffrir de surdité.

À partir de certains de leurs descendants, qui comptaient des sujets de différentes couleurs, les éleveurs obtinrent des chats de type oriental à la robe entièrement pigmentée, qui furent progressivement reconnus sous différentes appellations. Ce fut le cas, entre bien d'autres, du British Havana (appelé à l'origine Chestnut Brown Foreign), du lilas uni (Foreign lilac, reconnu en Grande-Bretagne en 1977), du Foreign black, du Foreign cinnamon et du Foreign caramel, qui est une couleur café au lait. La FIFé les appelait «Oriental», le GCCF «Oriental» ou «Foreign» selon les variétés, et la CFA «Shorthair».

LES PREMIÈRES VARIÉTÉS
Certains éleveurs réussirent alors à obtenir un chat de type siamois avec des marques tabby,

et des Pays-Bas, au début des années 1970. La Cat Fanciers' Association les autorisa à concourir seulement en 1977 et, depuis, les représentants de cette classe se sont imposés sur la scène américaine.

En 1978, ils ont obtenu sept titres de Grand Champion et ont été cités de nombreuses fois parmi les «vingt plus beaux chats».

LE SAVIEZ-VOUS ?
Les grands félins peuvent s'accoupler cent fois par jour : le mâle veut s'assurer que c'est son sperme et non celui d'un rival qui fertilise les femelles.

CARACTÉRISTIQUES

L'Oriental Shorthair est un chat de type siamois ; le standard qui lui est applicable est d'ailleurs celui du Siamois, à l'exception des yeux, qui peuvent présenter d'autres couleurs.

Ci-dessus
Tous ces chatons de type « Oriental », d'une même portée, démontrent la grande variété des couleurs.

En bas à droite
Cet Oriental bleu doit descendre soit d'un Havana, soit d'un Oriental lilas.

Ci-dessous
Cet Oriental blanc (Foreign white) présente la couleur idéale du nez et des coussinets.

La FIFé reconnaît quelque 160 variétés de chat dit « Oriental » ; mais, selon le mode de classification des couleurs et des motifs, certains pays en comptent quelque 300 ; le problème se complique du fait que certains pays y voient autant de races différentes alors que, aux États-Unis par exemple, toutes les variétés sont regroupées dans la classe des Oriental Shorthairs. Nous ne pourrons en présenter ici qu'un nombre limité.

VARIÉTÉS

Nous avons mentionné ci-dessus les origines de l'Oriental blanc (Foreign white) ; la robe doit être d'un blanc uni pur, qui évoque la porcelaine, sans poils noirs. La truffe est rose pâle et les coussinets rose foncé. Les yeux peuvent être bleu saphir, mais

les États-Unis et le LOOF admettent le bleu foncé et le vert. Les yeux vairons ne sont pas admis.

L'Oriental ébène provient de croisements entre des Havanas et des Siamois seal point mais, maintenant, seuls les accouplements entre noirs sont autorisés. Il doit avoir une robe noire unie, de la racine à la pointe des poils, sans reflets roux. La truffe est noire et les coussinets noirs ou bruns. Les yeux sont vert émeraude.

On trouve parfois l'Oriental bleu dans des portées d'Orientaux chocolat ou lilas. La robe est d'un bleu clair à moyen, sans taches ni poils blancs. La truffe et les coussinets sont bleus et les yeux verts.

Chez l'Oriental roux, la robe est d'un roux chaud et profond, sans marques tabby. Les yeux sont de préférence verts mais ils peuvent être cuivre.

Les autres variétés unicolores sont le crème, le chocolat, le caramel, le cannelle, le cinnamon tortie, le faon et le faon crème.

TIPPED ET SHADED

En croisant des Siamois avec des Persans chinchilla, on a obtenu toute une série d'Oriental Shorthairs tipped, ombrés et fumés, qui couvrent quasi toute la palette des couleurs et des motifs. Chez les variétés tipped, le sous-poil doit être blanc pur, de même que le poitrail et le ventre. Sur la tête, le dos, les flancs et la queue, la robe doit être légèrement tipped de la couleur complémentaire, pour donner un poil brillant.

Chez les variétés ombrées (shaded), le tipping doit être plus marqué : on doit avoir l'impression que la couleur complémentaire recouvre comme un manteau le sous-poil blanc. Chez les fumés (smoke), le tipping est encore plus marqué : au repos, le chat semble être de la couleur complémentaire et le blanc n'est visible que lorsqu'il bouge. Dans toutes ces variétés, la préférence est donnée aux yeux verts.

ÉCAILLE-DE-TORTUE

La plupart des associations reconnaissent quatre variétés d'écaille-de-tortue (ou tortie). Le tortie noir a une robe noire avec des taches bien délimitées de roux et de crème sur la tête, le corps, la queue et les pattes ; le tortie bleu, qui est une dilution génétique de la précédente, est bleu avec des taches crème. Le tortie chocolat a des taches de crème et de roux sur la robe chocolat ; le tortie lilas, dilution de la variété précédente, est gris-lilas avec des taches de crème. Ici encore, la préférence est donnée aux yeux verts, la FIFé et le GCCF tolérant la couleur cuivre.

LES TABBY

L'Oriental Shorthair peut se présenter sous toutes les formes tabby : classique (marbré), tigré et moucheté. On citera le tabby brun avec des marques très noires sur un fond cuivré, le tabby bleu (marques bleu clair à moyen sur fond beige), le tabby chocolat (marques chocolat sur fond bronze), le tabby lilas (marques gris-lilas sur fond beige) ; le tabby roux (marques d'un roux intense sur fond abricot clair) ; le tabby crème (marques crème foncé sur crème très pâle) ; le tabby argenté (marques noires sur fond argent) ; le tabby cameo (marques rousses sur fond blanc cassé). Le nez est clair et cerclé de foncé, et les yeux sont de préférence verts.

CARACTÈRE

L'Oriental Shorthair est un chat extrêmement actif ; il adore grimper, au grand dam des rideaux et tapisseries. Comme son cousin le Siamois, il exige beaucoup de son propriétaire, mais il est moins revendicateur que lui. Il a de l'énergie à revendre et peut donc faire d'innombrables sottises et se retrouver parfois dans des situations embarrassantes. L'idéal est de pouvoir lui offrir un parcours extérieur couvert. Comme le Siamois, l'Oriental Shorthair n'aime pas rester seul. Pour toutes ces raisons, mieux vaut donc en avoir deux à la fois.

LE SAVIEZ-VOUS ?
Lorsque deux lions ont une crinière de taille à peu près identique, ils risquent fort de se battre ; la crinière sert alors à atténuer les coups de dents et de patte.

SOINS

Le toilettage se réduit à un coup de peigne de temps en temps et à un lustrage à la peau de chamois. Les chatons grandissent rapidement, mais il ne faut pas les accoupler avant l'âge de un an. La portée peut compter jusqu'à neuf chatons. À la différence du Siamois dont la robe fonce avec l'âge, l'Oriental a sa robe définitive dès la naissance.

En haut
Un Oriental roux champion toutes catégories. Pour obtenir une robe impeccable, il faut la lustrer à la peau de chamois.

Ci-contre
Ces deux chatons ont déjà leur robe d'adulte : tabby chocolat et tabby lilas.

Rex

TAILLE

TOILETTAGE

EXERCICE

FICHE D'INFORMATION

NOM	Rex Cornish
Autre(s) nom(s)	Rex allemand
CORPS	Musclé
COULEURS	Comme chez l'Européen à poil court
NOM	Rex Devon
Autre(s) nom(s)	
CORPS	Musclé
COULEURS	Comme chez l'Européen à poil court

TOUS LES REX ont une fourrure bouclée, mais c'est la seule caractéristique commune (due à deux gènes mutants distincts, mais récessifs) aux principales variétés de chats Rex : le Cornish (ou Allemand) et le Devon. En outre, ces gènes spécifiques des Rex sont également différents des gènes caractéristiques de l'American Wirehair.

LE SAVIEZ-VOUS ?

Si les grands félins ont de très vastes territoires, c'est parce que les herbivores qu'ils chassent ont eux-mêmes besoin de grandes quantités de feuillage et d'herbe.

HISTORIQUE

Il est certain que, de temps en temps, il y a dû y avoir, ici ou là, des chats à poils bouclés, mais le premier sujet officiellement enregistré le fut à Berlin en 1946. Il s'agissait d'une femelle errante trouvée dans les ruines d'un hôpital. On l'appela Lämmchen (agnelet), et c'est d'elle que proviennent tous les Rex européens, appelés Rex allemands. Il semblerait que, jusqu'en 1951, cette femelle ait vécu la vie tranquille d'un chat domestique, avant d'être découverte par un éleveur et de trouver la célébrité. Elle fut accouplée à l'un de ses fils, Fridolin, et il en résulta

En haut
L'ancêtre de ce Rex Cornish roux fumé est un chat de ferme de Cornouailles.

À droite
Ce jeune Rex Cornish noir est un excellent chasseur.

une portée de Rex allemands, dont deux furent exportés aux États-Unis en 1960. Mais elle ne resta pas longtemps la seule représentante de la race des Rex.

REX CORNISH

En 1950 naquit, dans une chatterie de Cornouailles, en Grande-Bretagne, un chaton aux poils bouclés qui fut appelé Kallibunker. Sa mère était un poil court domestique tortie blanc et son père un chat roux ; tous deux avaient un pelage normal, ainsi que les autres chatons de la portée. La propriétaire, Nina Ennismore, élevait des lapins et savait qu'il se produisait parfois, chez eux, des mutations donnant des animaux à poils bouclés. Elle pensa qu'une mutation identique avait dû se produire chez Kallibunker, et elle reprit le nom de Rex qui s'appliquait aux lapins aux poils bouclés. En outre, elle s'adressa à un autre éleveur de lapins qui avait de bonnes connaissances de génétique. C'est ainsi que Kallibunker fut accouplé à sa mère, qui donna naissance à une portée dont un mâle était un Rex tabby bleu qui fut appelé Poldhu.

AUX ÉTATS-UNIS

Les premiers Rex Cornish à arriver aux États-Unis, en 1957, furent deux descendants de Kallibunker : une femelle bleue et un mâle tabby roux. La femelle avait été accouplée à Poldhu et, peu après son arrivée aux États-Unis, elle mis bas une portée qui comportait deux chatons bleu et blanc : ce sont eux qui furent à l'origine des Rex Cornish aux

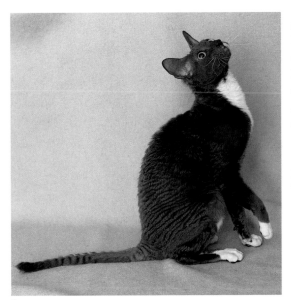

États-Unis. Lorsque arrivèrent ensuite des Rex allemands, ils furent croisés avec des Rex Cornish : il apparut que le Rex allemand et le Rex Cornish étaient génétiquement identiques et que leur croisement pouvait donner des chatons rex.

Entre-temps, un Rex américain était apparu sur la scène : en 1959, un éleveur d'Oregon avait trouvé, dans une portée par ailleurs normale, un chaton noir et blanc au pelage bouclé. Des recherches firent apparaître que cette chatte, appelée Kinky Marcella, était génétiquement semblable au Rex allemand et au Rex Cornish, mais elle ne semble pas avoir participé aux programmes de croisements entre Rex allemand et Rex Cornish, et elle tomba dans l'oubli. Il en alla de même avec un autre Rex découvert en 1953 dans l'Ohio. En fait, les Rex d'Amérique du Nord proviennent tous des Rex Cornish importés en 1957.

REX DEVON

Le Rex Devon provient d'une mutation spontanée qui s'est produite en 1960 près de Buckfastleigh, dans le Devon (Angleterre), sans aucun rapport avec les autres Rex. Il provenait d'un croisement entre deux chats libres : une chatte tortie blanc et un mâle à fourrure de Rex, qui vivait dans une mine d'étain abandonnée de la région. L'un des chatons, un mâle au poil bouclé

appelé Kirlee, fut d'abord accouplé avec une femelle Rex Cornish ; on pensait alors que les deux races étaient compatibles, mais il apparut que ce n'était pas le cas : tous les chatons de la portée avaient les poils droits. Aussi le Rex Devon fut-il alors l'objet de programmes d'élevage distincts, tous les sujets descendant de Kirlee.

FIXATION DE LA RACE

L'apparition spontanée de tous ces Rex suscita beaucoup d'intérêt chez les éleveurs et, en 1962, une association fut fondée pour les mettre en contact et pour développer ces races. Une association identique fut créée en Allemagne en 1967, puis aux États-Unis en 1969.

Le Rex Devon et le Rex Cornish furent admis à concourir, comme races distinctes, en 1967 en Grande-Bretagne, en 1976 aux États-Unis, puis dans le reste du monde. En Europe continentale, ces deux races sont reconnues comme distinctes, mais le Rex Cornish est souvent appelé Rex allemand, ce qui est logique dans la mesure où beaucoup de Rex Devon proviennent en fait de lignées allemandes.

SI-REX

Le Si-Rex n'est pas une race distincte : c'est le nom donné officiellement tant aux Rex Cornish (ou Rex allemands) qu'aux Rex Devon colourpoints (comme les Siamois). Aux États-Unis, ils s'appellent officiellement Seal Point Rex. Dans ces variétés, la seule couleur des yeux admise est le bleu des Siamois.

À gauche
À la différence du Rex Devon, ce Rex Cornish bleu et blanc n'a pas de poils de jarre.

En bas à gauche
Ce Rex Devon roux-argent est une race distincte du Rex Cornish.

En bas à droite
On appelle officiellement Si-Rex les Rex Cornish et les Rex Devon qui ont des extrémités colorées comme les Siamois.

LE SAVIEZ-VOUS ?
Les taches et les bandes du pelage des lionceaux proviennent peut-être de leur origine, commune aux tigres et aux léopards. Pour les adultes, le meilleur camouflage est le beige uni.

Ci-contre
Le pelage du Rex Devon est plus rêche que celui du Rex Cornish.

Ci-dessous à gauche
Chez le Rex Cornish, les vibrisses doivent être bouclées ; on remarque aussi qu'il a de grandes oreilles arrondies.

En bas à droite
Ce Rex Cornish lilac point montre bien que, dans cette race, tous les poils doivent être bouclés, y compris sur la queue.

NOUVELLES MUTATIONS

Dans les années 1980, une nouvelle mutation se produisit aux Pays-Bas : le chat avait un pelage plutôt rêche et ondulé, mais il s'agissait d'un gène Rex dominant, et cette variété n'était donc pas apparentée aux deux précédentes. Peut-être ce nouveau venu viendra-t-il rejoindre ses cousins dans les expositions. En outre, en 1987, un Rex à poil long est né dans le Wyoming.

CARACTÉRISTIQUES

Cependant, pour l'instant, seuls sont officiellement reconnus le Rex Cornish (ou allemand) et le Rex Devon. Ils sont en fait très différents. La fourrure du Rex Cornish n'a pas de poils de jarre, et il est presque impossible de distinguer les poils de garde du sous-poil. Quoique relativement peu épais, le pelage est pelucheux au toucher.

La robe du Rex Devon est plus rude, et on distingue très bien les trois types de poils, quoiqu'il soit très difficile de détecter les poils de jarre et que certains sujets imparfaits aient le corps quasi nu. De corps, le Rex Devon est plus de type foreign, et il se distingue par ses très grandes oreilles. Chez ces deux races, le gène du poil bouclé a pour effet de freiner la croissance de chaque poil, qui n'atteignent que la moitié environ de la longueur normale chez le poil court. Cette caractéristique se retrouve dans les vibrisses et les sourcils, surtout chez le Rex Devon.

Le Rex Cornish est un chat élégant, à l'ossature légère, mince et haut dressé sur ses pattes bien droites. Les pieds sont petits, délicats et ovales. Le pelage est court mais dense. En théorie, il devrait être bouclé sur toutes les parties du corps, y compris sur la queue et les pattes jusqu'aux pieds. Les vibrisses sont elles aussi bouclées. La tête est de taille moyenne, avec un crâne plat et sans break. Les oreilles sont grandes, haut placées sur la tête, ouvertes à la base et arrondies aux extrémités. Les yeux, de taille moyenne, sont ovales. La queue est longue et fine et se termine en pointe. De corps, le Rex Devon est de taille moyenne, large au poitrail ; ses pattes sont longues et fines et sa longue queue se termine en pointe. Les pattes postérieures sont plus longues que les antérieures. Les pieds sont petits et ovales. Les poils sont ondulés ou bouclés sur toutes les parties du corps, y compris sur les pattes et la queue. Les vibrisses et les sourcils sont plutôt fragiles ; ils sont parfois absents ou extrêmement courts, mais c'est un défaut. Posée sur un cou délicat, la tête est en forme de coin arrondi, aplatie au sommet, avec des joues et un nez ronds. Les oreilles, placées plutôt bas, sont très grandes, très larges à la base, avec des extrémités arrondies. Les yeux sont grands, ovales, bien écartés et légèrement obliques.

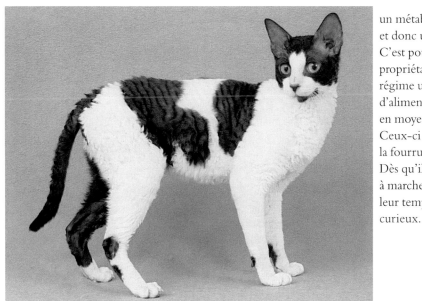

un métabolisme plus actif et donc un très solide appétit. C'est pourquoi certains propriétaires ajoutent à leur régime une bonne proportion d'aliments gras. La portée compte en moyenne de trois à six chatons. Ceux-ci naissent avec la fourrure déjà bouclée. Dès qu'ils commencent à marcher, ils manifestent leur tempérament curieux.

VARIÉTÉS

Les gènes qui modifient la croissance des poils et donnent un pelage bouclé sont distincts de ceux qui déterminent la couleur de la robe. Donc, en théorie, on peut avoir des Rex de toutes les couleurs, y compris blancs. Toutes sont acceptées en concours, et notamment par le LOOF. Une variété particulièrement intéressante, officieusement appelée Si-Rex, est le Rex Devon présentant des extrémités colorées (colourpoint) comme le Siamois.

CARACTÈRE

Les deux races de Rex sont semblables en ce que tous leurs représentants font d'excellents animaux de compagnie ; le Rex Cornish est en général plus actif. Ils sont sociables et, un peu à la manière des chiens, trottent partout derrière leur propriétaire en remuant la queue de satisfaction. Leurs longues pattes en font des acrobates. Ils sont aussi d'excellents chasseurs. La curiosité des Rex est légendaire. Leur voix et leur ronronnement sont particulièrement sonores.

SOINS

Les Rex perdent rarement leurs poils, aussi le toilettage n'est-il presque pas nécessaire. Mais, comme leur pelage n'est pas très épais, ils supportent mal la chaleur et le froid intenses. L'hiver, mieux vaut les garder à l'intérieur et ne pas les obliger à sortir. Caresser un Rex donne une curieuse sensation car la fourrure est chaude. En fait, la température interne du Rex est en moyenne d'un degré plus élevée que chez les autres chats. Cela lui donne

En haut
Rex Cornish chocolat et blanc – c'est l'une des nombreuses variétés de cette race.

Au centre
Chez les Rex, le pelage du chaton est bouclé à la naissance, comme on le voit sur ce Rex Devon.

Ci-contre
Les Rex sont en général très actifs, et les chatons sont curieux et joueurs.

Les races rares

Les races présentées ici sont soit relativement nouvelles – parfois, elles ne sont même pas encore inscrites au RIEX –, soit tellement rares que l'on n'a guère l'occasion d'en voir des spécimens en dehors d'une exposition ou d'une chatterie spécialisée. Il s'agit bien souvent de races expérimentales qui doivent encore faire leurs preuves auprès du public et, surtout, se faire admettre par les vétérinaires. Certains critiquent les éleveurs qui cherchent à produire de «nouveaux» chats, considérant qu'ils feraient mieux de consacrer leurs efforts à servir les intérêts bien compris des chats existants. Il est certain que de nombreux chats expérimentaux ne satisfont pas aux exigences requises pour des races viables ; ils sont donc abandonnés sur le marché encombré des animaux de compagnie. Notons cependant que, dans certains cas, ces expériences débouchent sur des races qui donnent des animaux beaux et robustes.

CHATS À POIL LONG

Nebelung

FICHE D'INFORMATION

NOM	Nebelung
Autre(s) nom(s)	Nebelung bleu
CORPS	Cobby
COULEURS	Bleu-gris

TAILLE

TOILETTAGE

EXERCICE

HISTORIQUE

Le Nebelung (mot allemand qui signifie «créature de la brume») est parfois appelé Bleu russe à poil long ou Nebelung bleu, ce qui le décrit très bien. S'il est vrai que l'élevage du Nebelung exige des croisements avec le Bleu russe, cet animal est le produit naturel de l'accouplement accidentel, en 1984, entre deux poils courts domestiques sans pedigree. On pensa un temps que le premier animal de ce type, appelé Siegfried, resterait le seul de son espèce. Pourtant, les mêmes parents donnèrent ensuite naissance à une femelle bleue, et ce fut le début d'une nouvelle race. Le gène du bleu, qui est une dilution du noir, est récessif. Ainsi, un accouplement entre deux Nebelung donnera toujours des chats de la même race.

CARACTÉRISTIQUES

Le Nebelung est un animal remarquablement beau, doté d'une expression à la fois alerte et concentrée. Le corps est long, mince, avec une queue pelucheuse. La tête est vaguement cunéiforme, avec des oreilles bien séparées, bien garnies de poils et larges à la base.

Les yeux sont grands, bien séparés et légèrement ovales. La fourrure, de longueur moyenne avec un sous-poil dense, est d'un bleu brillant comme celle du Bleu russe et donne un effet de clair-obscur à tout le corps, qui explique son nom allemand. Les yeux sont verts. Quoique robuste, le Nebelung est un chat gentil et timide, très attaché à son maître – et très attachant. Pour un poil long, il requiert un toilettage relativement réduit.

À droite
Un Nebelung est un Bleu russe à poil long.

American Bobtail

L'AMERICAN BOBTAIL n'a rien à voir avec le Bobtail japonais ; il semblerait que, à la différence du pompon de ce dernier, la queue très courte de l'American Bobtail provienne du gène du Manx.

HISTORIQUE

L'histoire de l'American Bobtail commence par la rencontre fortuite sur un parking d'un mâle bobtail semi-sauvage et d'un agriculteur de l'Iowa et de sa femme, au début des années 1970. On leur aurait dit qu'il provenait d'un accouplement lynx/chat domestique, ce qui semble impossible. Les Saunders emmenèrent chez eux ce tabby à taches brunes, qui s'accoupla avec une chatte siamoise seal point. Ils eurent plusieurs portées, la majorité des chatons ayant une queue normale ; cependant, chez certains, elle était très courte. Certaines femelles, qui s'étaient installées dans une grange voisine, s'accouplèrent avec un mâle présentant des marques blanches de type siamois. Certains de leurs chatons avaient à leur tour une queue courte et des marques blanches sur la tête, les pattes et la queue.

Des éleveurs du voisinage procédèrent alors à des croisements expérimentaux avec des Himalayans et des Birmans ; ils obtinrent ainsi des fourrures de différentes longueurs, de sorte que l'American Bobtail peut avoir des poils mi-longs ou mi-courts.

CARACTÉRISTIQUES

En 1990, deux associations américaines acceptèrent d'enregistrer l'American Bobtail, toutes les couleurs et tous les motifs étant admis, et on entendra certainement encore beaucoup parler de cette curieuse race nouvelle, qui n'est pas encore reconnue en Europe.

Officiellement, l'American Bobtail est un poil long cobby à queue courte, avec un corps trapu et des pattes courtes. La queue mesure entre 2,5 et 10 cm, et elle peut parfois être tordue ou courbée sur le côté. La tête est arrondie, les joues pleines et les oreilles bien séparées. Les yeux doivent être ronds, pleins et vifs.

On sait que le gène du Manx est instable. C'est pourquoi il n'est pas rare que des American Bobtails naissent avec une queue normale ou sans queue du tout. Les chatons sont très joueurs ; à l'âge adulte, ils sont très sociables et apprécient beaucoup la compagnie humaine. La fourrure mi-longue doit être peignée et brossée deux ou trois fois par semaine.

TAILLE

TOILETTAGE

EXERCICE

En bas
L'American Bobtail est un chat à poil mi-long, qu'il faut toiletter deux ou trois fois par semaine.

Ragdoll

FICHE D'INFORMATION

NOM	Ragdoll
Autre(s) nom(s)	
CORPS	Trapu
COULEURS	Seal point, chocolate point, blue point, lilac point, bicolore et ganté

TAILLE

TOILETTAGE

EXERCICE

Ragdoll, en anglais, signifie « poupée de chiffons » et, en effet, quand on le prend dans ses bras, ce chat se laisse complètement aller. Pour une race qui est relativement nouvelle – elle date de 1965 –, elle a déjà donné lieu à de nombreuses légendes et controverses. D'abord à propos de son nom : en fait, lorsqu'ils se sentent en sécurité, tous les chats se laissent aussi aller dans les bras quand on les porte. Quant à son origine, elle n'est pas très claire.

HISTORIQUE

On raconte que, si le Ragdoll se laisse porter comme un blessé, c'est que la mère du premier Ragdoll, une chatte persane blanche, avait été blessée dans un accident de la route et qu'elle aurait transmis cette « caractéristique » à sa progéniture – ce qui, génétiquement, est évidemment impossible : aucune mutation ne se produit de cette manière. Mais cette origine expliquerait aussi, selon certains, que le Ragdoll supporte bien la douleur (ce qui ne veut pas dire qu'il y soit insensible !), qu'il n'a jamais peur, qu'il n'a pas d'instinct de survie et qu'il est extrêmement docile. En fait, toutes ces qualités proviennent d'un élevage extrêmement sélectif. Quoi qu'il en soit, tous les Ragdolls descendent de trois chatons nés de cette femelle blessée, appelée Josephine. L'un d'eux, Daddy War Bucks, fut accouplé à une chatte birmane et a engendré tous les autres.

CARACTÉRISTIQUES

Le Ragdoll est le produit des sélections effectuées, dans les années 1960, par une éleveuse californienne. Malgré son tempérament doux et docile, c'est un chat puissant, au corps bien charpenté : le mâle pèse entre 7 et 9 kg et la femelle entre 4,5 et 7 kg. Le mâle mesure jusqu'à 45 cm de haut et, les pattes étendues, 90 cm de long en moyenne. Dans son apparence générale, le Ragdoll ressemble au Birman et, effectivement, il compte des Birmans parmi ses ancêtres. Large aux épaules et à l'arrière-train, il a un poitrail profond. Les pattes, solides, sont de taille moyenne, avec des pieds grands, ronds et fermes et des touffes de poils entre les doigts. La queue est longue et bien fournie, d'épaisseur moyenne, et se termine

En haut à gauche
Tous les Ragdolls descendent d'un seul Persan blanc, mais ils ressemblent plutôt aux Balinais.

En haut à droite
Le Ragdoll est un gros chat à poil long, avec une queue touffue.

légèrement en pointe. La tête est grosse, avec des joues pleines et un museau arrondi, sur un cou court et épais. Les oreilles sont de taille moyenne, larges à la base, arrondies aux extrémités, inclinées vers l'avant. Les yeux sont grands et ovales, bien écartés. La fourrure est mi-longue, dense et soyeuse, avec une collerette et des poils longs sur le poitrail et l'estomac.

Arrivé en France en 1986, le Ragdoll est reconnu par le LOOF et par la FIFé.

CARACTÈRE

Une caractéristique du Ragdoll est qu'il semble incapable de se battre ou même de protester. Il préfère se ramasser sur lui-même ou se cacher. Il est d'une patience infinie avec les enfants, mais cela ne signifie pas qu'il faut les laisser lui faire n'importe quoi. Comme il n'aime pas se battre, mieux vaut ne pas l'obliger à vivre en plein air. La fourrure dense tend à s'emmêler et à faire des nœuds, aussi est-il indispensable de le peigner et de le brosser fréquemment, en particulier en été lorsqu'il perd beaucoup de poils. À la naissance, les chatons sont blancs ; leur couleur ne s'affirme définitivement que vers l'âge de deux à trois ans.

VARIÉTÉS

Le Ragdoll existe en quatre variétés de colourpoint, auxquelles il faut ajouter la variété bicolore et la variété gantée.

Chez le seal point, le corps est faon pâle, devenant crème pâle sur le ventre. Les extrémités sont brun foncé (seal). La truffe est brun foncé et les coussinets brun foncé ou noirs. Le chocolate point a une fourrure ivoire et des extrémités chocolat au lait ; la truffe et les coussinets sont roses. Le blue point a un corps gris-bleu, plus clair sur le ventre. Les extrémités sont gris-bleu foncé, ainsi que la truffe et les coussinets. Le lilac point (frost point aux États-Unis) a un corps tout blanc et des extrémités rose-gris, une truffe lilas et des coussinets rose corail.

Pour certains éleveurs, seule la variété gantée (mitted) est authentique et acceptable. Le poitrail et le menton sont blancs, et une bande blanche court depuis les pattes avant jusqu'à la queue. Sur les pattes avant, il a des mitaines blanches et, sur les pattes arrière, des « bottes » blanches. Chez le bicolore, cet effet « ganté » se prolonge sur le poitrail, l'estomac et les pattes. Il doit y avoir un V inversé bien dessiné qui descend du nez au menton. Le Ragdoll porte parfois une étoile blanche au front.

Ci-dessus à gauche
Un Ragdoll typique, avec des grands yeux ronds et des oreilles moyennes sur une tête ronde.

Ci-dessus à droite
Un Ragdoll bicolore bleu et blanc ; c'est l'une des multiples variétés de cette race.

Kashmir

TAILLE

TOILETTAGE

EXERCICE

LE KASHMIR n'est pas, à vrai dire, une race distincte ; ce nom relève plutôt de la nomenclature. Si nous le présentons ici, c'est simplement parce qu'il est parfois mentionné dans les revues spécialisées. En fait, ce nom de Kashmir est donné par l'Association féline canadienne et la Cat Fanciers' Federation américaine à des chats à poil long chocolat et lilas uni (*self* ou *solid*) qui, en Grande-Bretagne, sont classés comme Persans unis ou comme Persans à poil long et, aux États-Unis, comme Himalayans. Le standard qui leur est applicable est celui du Colourpoint Longhair (l'Himalayan aux États-Unis).

Tiffany

TAILLE

TOILETTAGE

EXERCICE

LE TIFFANY est si nouveau que l'on ne s'est pas encore mis d'accord sur l'orthographe de son nom ! C'est un hybride, que l'on appelle aussi Burmese à poil mi-long – ce qui le décrit exactement.

HISTORIQUE

L'histoire du Tiffany commence dans les années 1970 lorsque des éleveurs américains obtinrent des Burmeses couleur sable à poil long ; ils donnèrent à cette race le nom de Tiffany, mais elle ne fut pas reconnue alors comme une race distincte aux États-Unis. En 1981, un chat naquit en Grande-Bretagne d'un croisement entre Burmese et Chinchilla, les éleveurs voulant introduire le gène chocolat chez le Persan ; on lui donna le même nom, mais écrit différemment, car celui de Tiffany avait déjà été déposé auprès du GCCF. Certains se demandent si ces deux chats appartiennent bien à la même race ; en tout cas, ils n'ont aucun ascendant commun.

CARACTÉRISTIQUES

Le Tiffany a la morphologie et les yeux dorés du Burmese, la tête arrondie au sommet, les oreilles bien écartées. La fourrure, d'une couleur sable chaud uniformément répartie sur l'ensemble du corps, est douce, soyeuse, avec une collerette bien marquée. Maintenant que cette race est suffisamment développée, elle a été reconnue par plusieurs associations américaines ainsi que par le LOOF, quoique le Tiffany soit encore rare en Europe. Le Tiffany peut présenter toutes les couleurs du Burmese.

FICHE D'INFORMATION

NOM : Rex Selkirk
Autre(s) nom(s) : Wyoming Ragdoll
CORPS : Robuste
COULEURS : Toutes couleurs

Rex Selkirk

LE REX SELKIRK, dit «chat mouton», descend d'un unique spécimen d'un chat à poil long portant le gène du Rex.

HISTORIQUE

Cette femelle bleu-crème et blanc, née en 1987 dans le Wyoming d'une chatte de gouttière, fut accouplée à un Persan noir et engendra une première portée de six chatons, trois à la fourrure bouclée. À la différence des gènes des Rex Devon et Cornish, le gène du Selkirk est dominant et peut donc être transmis par un seul parent.

Pour développer cette race, les éleveurs ont croisé ces chatons avec, entre autres, des Européens à poil court et des Shorthairs (British, American et Exotic).

Certaines associations d'Amérique du Nord acceptent toutes les variétés de couleur.

CARACTÉRISTIQUES

Le Rex Selkirk est de taille moyenne à grande, robuste, avec des pattes longues et fortes. Les pieds sont grands et la queue, épaisse, se termine en pointe arrondie. La tête est ronde, avec des joues pleines. Le museau est court, avec un stop prononcé. Les oreilles pointues, de taille moyenne, sont bien écartées, comme les yeux. La fourrure est douce, épaisse, de longueur moyenne, avec des boucles, en particulier autour du cou et de la queue mais aussi sur les pattes.

Pour l'instant, le Rex Selkirk est encore très rare, mais il est sûr que cette race va se développer. C'est un chat aimable, en général de santé robuste. Il faut le toiletter au moins deux fois par semaine.

TAILLE

TOILETTAGE

EXERCICE

FICHE D'INFORMATION

NOM : Sibérien
Autre(s) nom(s) : Chat des Forêts sibériennes
CORPS : Bien charpenté
COULEURS : La race n'est pas encore bien développée pour que des variétés de couleurs soient officialisées.

Sibérien

LE SIBÉRIEN, dit aussi Chat des Forêts sibériennes, appartient aux races qui, comme le Chat des Forêts norvégiennes et le Maine Coon, sont très résistantes dans un climat rude.

HISTORIQUE

Bien que les chats russes à poil long soient considérés comme constituant une race relativement nouvelle, certains sujets étaient déjà présentés, dans des expositions britanniques, à la fin du XIXe siècle. On s'en est apparemment désintéressé par la suite, mais, en 1990, deux éleveurs américains, sans se consulter, importèrent de Russie dix-huit chats de Sibérie. Cette même année, le premier Sibérien naissait aux États-Unis.

CARACTÉRISTIQUES

Le Sibérien est grand, massif et solidement charpenté. Sa queue, longue et dense, se termine par un plumet. La tête forme un triangle arrondi, avec un museau fort et rond, et un léger break. Les oreilles, de taille moyenne, arrondies aux extrémités, sont plantées bas sur la tête. Les yeux sont grands et ronds. La fourrure est luisante, avec des poils de jarre huileux et une collerette prononcée.

Le Sibérien est affectueux. Il a besoin de beaucoup d'exercice. Il faut le toiletter tous les deux ou trois jours. La fourrure du chaton ne pousse que lentement.

TAILLE

TOILETTAGE

EXERCICE

American Curl

TAILLE

TOILETTAGE

EXERCICE

○○○○○○○○○○○○○○○○○○○○○○○○○○○○○

FICHE D'INFORMATION

NOM   American Curl
Autre(s) nom(s)
CORPS   Moyen
COULEURS   Toutes couleurs, y compris le colourpoint

L'AMERICAN CURL est un chat aux oreilles retroussées vers l'arrière ; il s'agit d'un gène mutant dominant.

HISTORIQUE

L'histoire commence en 1983 en Californie : une petite chatte noire à poil long fut recueillie par Grace Ruga, félinophile avertie, qui l'appela Shulamish. Quelques mois plus tard, celle-ci donna naissance à quatre chatons, dont deux avaient des oreilles retroussées vers l'arrière. Dans les portées suivantes, le même phénomène se reproduisit, et ce fut le début d'une nouvelle race. Shulamish et certains de ses chatons firent leurs débuts dans une exposition en 1983. Trois ans plus tard, The International Cat Association accepta d'enregistrer cette nouvelle race, et la Cat Fanciers' Association lui accorda une reconnaissance provisoire en 1991. Elle est également reconnue par le LOOF.

retroussées : elles ne commencent à l'être qu'au bout de quelques jours et sont complètement repliées en arrière au bout d'environ six semaines. Enfin, elles prennent leur position définitive vers quatre à six mois. Mais elles sont plus ou moins incurvées selon les individus.

CARACTÉRISTIQUES

Ci-dessus, à gauche
Les oreilles incurvées en arrière proviennent d'une mutation génétique ; elles sont plus ou moins retroussées d'un chat à l'autre.

Indépendamment des oreilles, rien ne distingue particulièrement l'American Curl. Le corps et la tête sont de taille moyenne, et la queue est proportionnée au corps. Le museau n'est ni pointu ni carré. Les yeux sont eux aussi de taille moyenne et ovales, légèrement obliques. La fourrure est de longueur moyenne, avec un sous-poil clair peu fourni et pas de collerette.

CARACTÈRE

En haut à droite
La fourrure de l'American Curl typique est de longueur moyenne.

L'American Curl est de tempérament modéré, joueur et capable de s'adapter. Un léger toilettage lui suffit. À la naissance, les chatons n'ont pas les oreilles

Burmilla

L E BURMILLA est né en 1981, en Grande-Bretagne, d'un croisement entre un mâle à poil long chinchilla (Persan) et une femelle Burmese lilas. À la naissance, les chatons n'étaient pas particulièrement remarquables mais, en grandissant, un tipping noir est apparu sur un sous-poil blanc argenté.

HISTORIQUE

On appela cette nouvelle race Burmilla (Burmese + Chinchilla). En 1990, la Grande-Bretagne créa pour elle le groupe Asian-Burmilla. Cette race est reconnue par la FIFé et par le LOOF, mais pas encore aux États-Unis.

CARACTÉRISTIQUES

Par sa taille et sa corpulence, le Burmilla est de type oriental moyen, musclé, avec un dos bien droit. La queue est de longueur et d'épaisseur moyennes et se termine en pointe arrondie. La tête est en forme de coin, légèrement arrondie sur le crâne, avec un break bien marqué. Les oreilles, moyennes à grandes et bien écartées, ont des extrémités arrondies et sont légèrement inclinées vers l'avant. Les yeux, grands, verts et cerclés de noir, sont pleins et bien écartés. Les pattes postérieures sont plus hautes que les postérieures.

La fourrure du Burmilla est courte, dense et fine. C'est sur la colonne vertébrale et la queue que le tipping est le plus dense ; il s'éclaircit sur les flancs et disparaît sur le ventre. Les marques tabby doivent être aussi rares que possible, mais certaines transparaissent sur la tête, les pattes et la queue. Toutes les couleurs sont acceptées.

CARACTÈRE

Le Burmilla est un chat extrêmement beau ; ses amateurs se multiplient rapidement. Il a hérité du tempérament affectueux du Burmese mais, comme lui, il n'aime pas rester seul. À la naissance, les chatons ont une robe pâle ; le tipping s'accentue avec l'âge.

TAILLE

TOILETTAGE

EXERCICE

En haut à droite
La fourrure du Burmilla présente un superbe tipping sur un sous-poil blanc argenté.

En haut à gauche
Chez ce sujet, le tipping est chocolat.

Ci-contre
Un Burmilla au tipping noir sur une fourre courte et fine.

California Spangled Cat

FICHE D'INFORMATION

NOM California Spangled Cat

Autre(s) nom(s)

CORPS Musclé

COULEURS Argent, charbon, bronze, or, roux, bleu, brun et noir.

TAILLE

TOILETTAGE

EXERCICE

C ETTE RACE est née de la volonté d'un scénariste de Hollywood de créer un chat qui ressemblerait à un chat sauvage tacheté d'Afrique en miniature. En 1986, un grand magasin de New York le proposait comme cadeau pour personnes branchées.

HISTORIQUE

Paul Casey était, à Hollywood, à la fois scénariste et spécialiste de génétique féline. En 1971, il se lança dans un programme de croisements et de sélection qui dura dix ans. Il fit intervenir de nombreux types génétiques, notamment des Angoras, des Siamois, des Manx et même des chats errants du Caire et des chats d'Asie tropicale. Son intention était de produire un chat moucheté qui aurait toutes les caractéristiques du chat sauvage mais qui pourrait s'adapter à la vie en compagnie. Pour Paul Casey, c'était une sorte d'hommage rendu à tous les félins abattus pour leur peau. Au début, il était vendu 1 400 dollars pièce et il était donc réservé à une élite. Il a été reconnu par la TICA aux États-Unis et par le LOOF en France.

CARACTÉRISTIQUES

Le California Spangled Cat a un corps plutôt long, bien musclé, avec des pattes robustes. La tête est de taille moyenne, avec un front légèrement bombé, des pommettes larges et un museau fort et plein. Le poil est court et velouté, avec des moucheTures (taches rondes) sur le dos et sur les flancs. Sur les pattes, les marques deviennent des rayures et la queue doit comporter au moins un anneau.

Les variétés reconnues aux États-Unis sont l'argent, le charbon, le bronze, l'or, le roux, le bleu, le brun et le noir. Ceux qui sont assez riches pour en posséder un le disent très intelligent et sportif, avec un tempérament égal, social et affectueux. Il est recommandé de le toiletter deux fois par semaine. À la naissance, les chatons sont noirs ; les marques apparaissent avec l'âge.

Ci-contre
Chez ce chat à taches dorées, l'extrémité de la queue est arrondie.

À droite
Le California Spangled Cat a été conçu pour ressembler à un léopard en miniature.

Ci-contre
À la naissance, les chatons sont noirs ; les taches s'affirment avec l'âge.

Singapura

L E SINGAPURA serait la plus petite race de chats domestiques connue. Il est regrettable que ce charmant animal déchaîne tant de controverses.

HISTORIQUE

L'histoire racontée par les premiers éleveurs (mais démentie par la suite) est qu'ils auraient trouvé les trois premiers spécimens errant dans les rues de Singapour, où il s'agit d'un banal chat des rues. Par contre, certains affirment qu'ils les auraient en réalité trouvés dans les rues de Houston, au Texas. Mais le Singapura est un animal tellement original et attachant que cela n'a au fond aucune importance – les félinophiles ont toujours aimé les légendes. Quoi qu'il en soit, le Singapura est en passe d'être bientôt reconnu partout comme race : la Cat Fanciers' Association l'a admis en 1988 et, depuis, la plupart des associations américaines en ont fait autant. En 1989, les premiers sujets ont été expédiés en Europe. Depuis, il a été reconnu en France par le LOOF et en Grande-Bretagne par le GCCF.

CARACTÉRISTIQUES

Le Singapura est un animal de petite taille à l'allure délicate. Il pèse en moyenne entre 1,8 et 2,7 kg, mais certains pays (comme la Grande-Bretagne) n'encouragent pas l'élevage de chats de petite taille en raison des problèmes que cela peut poser pour la mise bas. Le corps est modérément robuste et musclé, avec un dos légèrement arrondi, des pattes de taille moyenne et des petits pieds. La queue, de moyenne longueur, se termine en pointe arrondie. La tête est plutôt ronde, avec un break marqué entre les joues et un museau plutôt carré. Les oreilles sont grandes, ouvertes à la base et bombées. Les yeux en amande sont proportionnellement très grands.

Le pelage est exceptionnellement court et dense, avec une couleur de base ivoire sur le dos, les flancs et le sommet de la tête, devenant blanc-crème sur le ventre. Le dos, les flancs et le sommet de la tête doivent présenter au moins deux bandes de tiquetage brun sombre sur le fond ivoire, la pointe des poils étant sombre. Des rayures sont admises sur les pattes. La truffe est rousse et les coussinets brun foncé. Les yeux peuvent être noisette, verts ou dorés.

Manifestement, les ancêtres du Singapura vivaient à l'état libre, et cela donne à cette race sa robustesse. Mais l'élevage est difficile.

CARACTÈRE

Le Singapura est amical, curieux et affairé ; c'est un bon animal de compagnie, une fois qu'il a pris le temps de s'accoutumer à son nouvel environnement. Il accepte volontiers de rester enfermé – s'il a de quoi s'occuper.

TAILLE

TOILETTAGE

EXERCICE

En haut à gauche
Les éleveurs ne sont pas d'accord sur l'origine du Singapura ; c'était sans doute un chat des rues – mais on ne sait pas si c'était à Singapour ou à Houston (Texas).

Au centre
Le Singapura est le plus petit chat connu.

Ci-contre
Les chatons singapuras sont curieux et joueurs.

Snowshoe

○ ○

FICHE D'INFORMATION

NOM   Snowshoe
Autre(s) nom(s)   Silver Laces
CORPS   Musclé et robuste
COULEURS   Seal point et blue point

TAILLE

TOILETTAGE

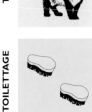

EXERCICE

Le Snowshoe (en anglais : raquette pour la neige) est un Birman à poil court qui, depuis la fin des années 1960, fait l'objet de travaux et de recherches chez plusieurs éleveurs américains. Cette race, encore assez rare, est donc en plein développement.

HISTORIQUE

Le Snowshoe résulte d'un croisement entre des Siamois et des American Shorthairs bicolores. C'est un colourpoint avec des «gants» blancs qui remontent sur l'arrière des pattes. En 1974, la Cat Fanciers' Association a accepté de l'enregistrer et l'a admis à concourir en 1983, mais il n'est pas encore reconnu par toutes les associations ni dans tous les pays.

Le Snowshoe a un corps bien équilibré, musclé et puissant, bien charpenté, avec un dos plutôt long.

Les pattes sont longues et robustes et les pieds arrondis. La queue est de longueur moyenne, légèrement effilée à son extrémité. La tête ne doit pas paraître trop «orientale» : elle doit être en forme de coin triangulaire avec un break prononcé. Les oreilles sont grandes, bien dressées, larges à la base. Les yeux en amande, d'un bleu vif, sont grands et remontent légèrement du nez vers les oreilles. La robe est courte, luisante et dense. Les deux seules couleurs admises par la CFA sont le seal point et le blue point, mais d'autres couleurs ont été obtenues, tant en Amérique qu'en Europe, même lorsque la race n'est pas reconnue. Le caractère du Snowshoe est identique à celui du Siamois ; il est revendicateur et veut qu'on s'occupe de lui. Mieux vaut ne pas le laisser se promener à l'air libre, mais il n'aime pas non plus rester seul.

Malayan

TAILLE

TOILETTAGE

EXERCICE

La Cat Fanciers' Association appliquait cette appellation, dans les années 1960, aux Burmeses chocolat, platine et bleus, considérés comme constituant une race distincte. Mais, depuis quelque temps, la CFA les accepte parmi les Burmeses, comme les autres associations, et n'utilise plus ce terme.

Munchkin

UNE MUTATION SPONTANÉE est à l'origine du Munchkin, qui est donc une race relativement nouvelle, et elle s'accompagne d'un grand point d'interrogation.

HISTORIQUE

Le Munchkin a pour principale caractéristique des pattes extrêmement courtes, avec un corps lui-même très petit, ce qui lui donne une certaine beauté. Il est reconnu par certaines associations américaines et par le LOOF, mais le gène de cette mutation, qui est dominant, pose deux problèmes.

D'une part, ses pattes très courtes empêchent le Munchkind de courir, de sauter et de grimper comme n'importe quel chat. D'autre part, on craint que ce gène ne s'accompagne d'autres problèmes génétiques, que ferait apparaître un élevage plus intensif.

EXERCICE

TOILETTAGE

TAILLE

Page ci-contre
Autrefois, la CFA appelait Malayan certaines variétés de Burmese.

Ci-contre
Ses petites pattes font que le Munchkin a du mal à sauter et à grimper.

Sphynx

○○○○○○○○○○○○○○○○○○○○○○○○○○○

FICHE D'INFORMATION

NOM   Sphynx
Autre(s) nom(s) Chat nu
CORPS   Musclé et élancé
COULEURS   Toutes couleurs

TAILLE

TOILETTAGE

EXERCICE

Le SPHYNX, autrefois appelé Chat nu du Nouveau-Mexique, est une mutation spontanée ; il a été présenté pour la première fois dans une exposition en 1966 au Canada. La plupart des félinophiles n'admettent pas qu'un chat n'ait pas de fourrure, et le Sphynx reste donc une curiosité qui ne compte qu'un petit nombre d'admirateurs.

HISTORIQUE

L'histoire des Aztèques mentionne une race de chats nus chez qui, l'hiver, un léger duvet couvrait le dos et le bord de la queue. C'est là une caractéristique que l'on retrouve chez le Sphynx moderne. Comme les premiers Sphynx modernes sont apparus dans la province canadienne de l'Ontario et que, dans l'Amérique ancienne, les mouvements migratoires allaient du nord au sud, on peut imaginer que ce chat est une relique de la préhistoire.

Le premier Sphynx officiel fut trouvé dans une portée d'une femelle domestique noir et blanc qui s'était accouplée avec un mâle inconnu. Le gène spécifique du Chat nu (ou prétendument tel car, en fait, à l'âge adulte, il porte une très fine toison, difficile à voir et à toucher, et il n'a ni vibrisses ni sourcils) est récessif. La mutation a modifié non seulement la longueur des poils mais aussi le type du corps ; le Sphynx ne ressemble donc même pas à un chat domestique qui n'aurait pas de poil, c'est une espèce complètement différente. Normalement, chez le chat, c'est le pelage qui assure la régulation de la température du corps ; n'ayant pas de pelage, le Sphynx transpire, et sa peau est chaude au toucher. On trouve néanmoins des poils plus visibles, très courts, sur les extrémités et, chez le mâle, sur les testicules.

Ci-contre
Le Sphynx a un type tout à fait inhabituel et ne ressemble à aucun autre chat. Il a de très grandes oreilles, mais pas de vibrisses.

Page ci-contre, en haut
On a fait s'accoupler des chats domestiques avec le chat de Geoffroy, qui est un chat sauvage.

Page ci-contre, en bas
Ces chatons bengals descendent d'un chat domestique croisé avec le chat-léopard sauvage.

CARACTÉRISTIQUES

Le Sphynx a un corps long, fin et musclé, avec un poitrail large, des jambes longues et fines et des pieds délicats. La queue est longue, fine et dure. Le long cou supporte une tête légèrement plus longue que large. Les oreilles, larges à la base et arrondies aux extrémités, semblent démesurément grandes. Les yeux sont bien enfoncés et obliques. Un certain nombre de couleurs sont autorisées, mais elles varient selon les associations qui reconnaissent cette race, dont, aux États-Unis, la seule International Cat Association. Elle est également reconnue en France par le LOOF et aux Pays-Bas, mais ni au Canada, ni en Grande-Bretagne. Les sujets disponibles sont rares et chers.

CARACTÈRE

Le Sphynx ronronne, dit-on, mieux que tout autre chat, mais il n'est pas très affectueux ; il n'aime pas qu'on le caresse ni qu'on le prenne dans les bras. Il ne supporte pas non plus les autres animaux de compagnie : il veut être le seul. Sans fourrure pour le protéger, le Sphynx n'aime pas vivre au grand air ni s'allonger sur une surface froide. Sa température est en moyenne d'un ou deux degrés plus élevée que chez les autres chats, et il mange voracement pour compenser les pertes de chaleur. Une pose caractéristique du Sphynx consiste à s'asseoir et à lever une patte avant. À la naissance, les chatons sont couverts d'un fin duvet, qu'ils perdent en grandissant. Parfois, chez l'adulte, on distingue certains motifs et couleurs, qui paraissent comme imprimés directement sur la peau.

Chat Safari

PARFOIS, des éleveurs essaient de croiser des chats domestiques avec des chats sauvages. Cela paraît logique dans la mesure où tous les chats domestiques ont pour ancêtres des chats sauvages. La plupart du temps, ces expériences n'aboutissent pas.

HISTORIQUE

Une expérience en partie réussie a été l'accouplement du chat domestique avec le Chat de Geoffroy, *Felis Geoffroyi*, originaire d'Amérique du Sud. Les rejetons avaient une robe tachetée comme celle de leur parent sauvage et qu'on ne trouve jamais chez le chat domestique. Cependant, le Safari n'est reconnu nulle part et reste une nouveauté rare et intéressante.

TAILLE

TOILETTAGE

EXERCICE

Bengal

LE BENGAL est un hybride ; il provient de croisements entre le Mau égyptien et le Chat léopard *(Felis bengalensis)*.

HISTORIQUE

Il a été obtenu aux États-Unis dans les années 1970. Il a un long corps musclé et une tête relativement petite. Il a surtout hérité de son ancêtre sauvage une robe tabby tachetée. L'élevage est difficile, car les mâles sont souvent stériles. Il est reconnu par la FIFé et par la TICA.

TAILLE

TOILETTAGE

EXERCICE

Les chats sans pedigree

ON PEUT CERTES avoir beaucoup de plaisir à vivre au côté d'un chat doté d'un pedigree. Néanmoins, certains félinophiles n'en ont jamais possédé et n'en voudraient d'ailleurs pas. Nombre de chats sans pedigree sont très beaux et d'un caractère agréable; ils doivent en fait leur apparence et leur personnalité plus aux hasards des accouplements qu'aux capacités des éleveurs et, s'ils ne font pas l'objet d'une reconnaissance officielle, ils n'en sont pas moins des animaux de compagnie très attachants.

NEUF VIES

«Les chats sans pedigree sont de santé plus robuste que ceux qui en ont un.» Voilà un lieu commun assez répandu. En fait, cette réputation n'est pas vraiment fondée. Il est vrai que, chez les chats à pedigree, des anomalies génétiques éventuelles se transmettent d'une génération à l'autre et que certaines races sont plus fragiles que d'autres. Cependant, en réalité, une maladie peut être aussi virulente dans les rues d'une ville que dans une chatterie, et des anomalies peuvent se transmettre tout aussi facilement entre chats sans pedigree que dans le cadre d'un programme de reproduction soigneusement élaboré.

DANS LES EXPOSITIONS

Les propriétaires de chats sans pedigree ont la possibilité de présenter leurs anomaux dans des expositions, où au moins une catégorie leur est réservée («chats de maison»). Ici, ce n'est plus le standard qui a cours, mais l'apparence générale et les mérites propres du chat. Cela signifie que les propriétaires de ces chats peuvent tirer autant de plaisir et de fierté que les éleveurs à participer à des expositions. Préparer un chat à une exposition est un excellent moyen d'encourager un enfant qui plus tard, peut-être, deviendra un félinophile averti.

Ci-dessus
Ce tabby-tortie blanc s'entend fort bien avec le chaton persan.

En haut à droite
Quoique sans pedigree, ce superbe chat crème à poil long ne déparerait pas dans une exposition.

Il est vrai toutefois que les chats sans pedigree ont en général une espérance de vie plus longue, comme Smokey, une femelle blanc et noir qui vécut jusqu'à l'âge de trente et un ans (il ne lui restait plus qu'une dent, mais elle n'avait pas de problèmes de santé particuliers). En tout cas, si le chat sans pedigree est en général plus résistant, cela ne veut pas dire pour autant qu'il ne faut pas le vacciner contre les maladies les plus courantes, même si, c'est certain, cela coûte cher. Il ne faut pas non plus croire que le chat sans pedigree peut vivre sous n'importe quel climat et dans n'importe quelles conditions : il doit pouvoir s'abriter et se mettre au chaud en cas de besoin.

LES ORIGINES DES CHATS SANS PEDIGREE

Il est rare que l'on connaisse la lignée exacte d'un chat sans pedigree et donc, si l'on veut en adopter un, cela implique toujours un certain risque. Mais cela ne devrait pas poser de sérieux problèmes pour autant que l'on respecte quelques règles générales.

Le premier avantage du chat sans pedigree est qu'il ne coûte pas cher, et même qu'il vous est souvent donné gratuitement (et presque imposé, parfois !).

La première règle est la suivante : si vous adoptez un chat ou une chatte sans avoir l'intention d'avoir des petits (il est d'ailleurs inutile de faire un « élevage » de chats sans pedigree dans la mesure où ils sont déjà beaucoup trop nombreux et où beaucoup sont destinés à être abandonnés ou tués), il faut, en temps voulu, le castrer ou la stériliser. C'est d'ailleurs impératif pour les chats que l'on veut présenter dans une exposition. Si vous allez chercher votre animal à la SPA, vous trouverez probablement, pour une somme modique, un chat de gouttière, mais déjà vacciné, tatoué et stérilisé.

Entre adopter un chat sans origine connue et accepter la responsabilité d'un animal à pedigree, il y a un moyen terme : régulièrement, tous les éleveurs mettent en vente (à des prix abordables, parfois même sur Minitel ou sur Internet) des chatons qui, certes, ont un pedigree impeccable, mais qui, pour une raison ou pour une autre, ne remplissent pas les conditions pour être présentés dans une exposition ou pour faire de l'élevage. Mais que cela ne vous décourage pas : il s'agit simplement d'une non-conformité au standard officiel, et cela n'implique pas qu'ils présentent une quelconque anomalie de santé ou de conformation physique. Ces chatons se vendent en général assez bon marché, sans certificat de pedigree (et donc, dans un sens strict, ce sont des « chats sans pedigree »), à la seule condition (si cela n'a pas été déjà fait) qu'ils soient castrés/stérilisés.

LE SAVIEZ-VOUS ?

Les poils des oreilles des chats empêchent la pénétration de corps étrangers ; peut-être contribuent-ils aussi à filtrer les ondes sonores.

Ci-dessus
En moyenne, les chats sans pedigree vivent plus longtemps que leurs cousins dits « de race ».

Ci-contre
Le chat sans pedigree doit pouvoir entrer et sortir librement et ne pas être forcé de vivre en permanence à l'extérieur.

Page de gauche, en bas
Pour présenter un chat sans pedigree dans une exposition, il faut qu'il soit stérilisé ou castré.

Les félins sauvages

LA FAMILLE DES FÉLIDÉS compte des espèces sauvages sur tous les continents du monde, à l'exception de l'Australasie et de l'Antarctique. Certaines îles également, comme les Antilles, l'Islande, le Groenland, les Malouines, Madagascar et la Nouvelle-Guinée ne possèdent aucune espèce sauvage. Les Félidés (dont le chat domestique, *Felis catus*) comprennent quarante espèces, de l'énorme tigre pouvant atteindre 350 kg, au petit chat tacheté de rouille, pesant de 1 à 2 kg.

situé dans la patte permet à l'animal de rentrer ses griffes lorsqu'il pourchasse ses proies ou se tient à l'affût, de les sortir pour les attaquer ou grimper aux arbres.

CARACTÉRISTIQUES

Petits ou grands, les félins sauvages partagent de nombreux traits communs. Carnivores, ils ont l'instinct de chasse très développé, stimulé dès la naissance par leurs mères. Chez toutes les espèces, les jeunes sont soumis à un apprentissage intensif dès qu'ils tiennent debout sur leurs pattes. Dotés d'un bon sens de l'équilibre et d'une excellente vision, ils ont une démarche assurée. Ces animaux nocturnes disposent au fond des yeux d'une couche de cellules réfléchissantes, dénommée *tapetum lucidum*, qui agit comme amplificateur de lumière, et leur permet de voir dans la pénombre. Leur pelage leur sert de camouflage dans leur habitat naturel, pour se protéger, mais surtout pour se cacher de leurs proies. Hormis le guépard, *Acinonyx jubatus*, et le chat-pêcheur, *Felis viverrina*, toutes les espèces sont munies de griffes rétractiles. Un ligament élastique

L'INSTINCT DE CHASSE

Le guépard fait également exception quant à sa stratégie de chasse. Doté de griffes non rétractiles, il poursuit ses proies, pouvant atteindre une vitesse de 110 km/h en quelques centaines de mètres. C'est l'animal terrestre le plus rapide. Les autres espèces chassent à l'affût : elles observent leurs victimes et choisissent le moment opportun pour s'approcher furtivement avant de bondir sur elles, ou bien elles se cachent, à l'affût, en attendant leur passage.

Seuls les chats domestiques semblent chasser pour le plaisir, leur instinct étant sans doute dénaturé par la nourriture que leur procurent leurs maîtres. Chez les félins sauvages, la faim est le seul mobile de la chasse. Après avoir tué leurs proies, ils engloutissent des quantités de chair, jusqu'à un tiers de leur propre poids, de quoi être rassasiés pendant plusieurs jours, tout en goûtant au repos dans un lieu sûr et confortable. Gros dormeurs, les félins peuvent totaliser jusqu'à dix-huit heures de sommeil par jour.

En haut
Comme tous les félins, la panthère longibande est dotée d'une excellente vision nocturne.

À droite
Tous carnivores, les chats sauvages et domestiques acquièrent rapidement leur indépendance.

Ci-contre
L'once, ou panthère des neiges, appartient aussi à la grande famille des Félidés.

UNE VIE SOLITAIRE

Homis le lion, la plupart des félins sont solitaires de nature, mâles et femelles se retrouvant seulement pour s'accoupler. Excepté le lion également, les mâles quittent les femelles (ou se font répudier) après le rut. Les soins des petits relèvent de la responsabilité des mères, très attentionnées. Chez les félins sauvages, la période de gestation dure de neuf à seize semaines, la portée variant entre un ou deux petits pour l'ocelot et six pour d'autres espèces, dont les grands félins.

DIVERSITÉ DES ESPÈCES

Les quarante espèces de félins sont réparties en quatre groupes ou genres. Celui des *Panthera* rassemble cinq espèces. Le guépard constitue un groupe isolé, *Acinonyx,* de même que la panthère longibande, *Neofelis.* Au genre *Felis,* réunissant vingt-huit petits Félidés, dont le chat domestique, appartiennent le lynx, le serval, le puma et l'ocelot.

Si certains Félidés figurent parmi les espèces menacées recensées officiellement par les Nations unies, beaucoup d'autres, à la population en voie d'extinction, constituent des sujets d'inquiétude pour les naturalistes. Au XIXe siècle et au début du XXe, une chasse intensive, liée à la pratique du sport et à la recherche des gains liés à la fourrure, a décimé des milliers d'animaux en Afrique centrale et en Inde. En Amérique du Nord, les chats sauvages ont subi le même sort. Même si la chasse continue en dépit de la législation en vigueur, une menace plus grave pèse actuellement sur les Félidés : la destruction de leur habitat à mesure que disparaissent au profit des centres urbains les espaces de nature vierge. Pour se nourrir, ils doivent se mesurer à d'autres carnivores sur des surfaces limitées, devenant vulnérables face à des rivaux plus puissants qu'eux. Ainsi, un jeune guépard n'a qu'une chance sur vingt de devenir adulte, en raison des attaques des lions et des hyènes partageant son territoire.

En Amérique du Sud, la destruction de la forêt tropicale d'Amazonie menace également la survie de chats arboricoles comme le margay et le kodkod qui, au contraire d'autres Félidés, tel le chat sauvage d'Afrique, s'adaptent difficilement aux nouveaux

En haut à gauche
Le chat-pêcheur, ou chat viverrin, mène à l'âge adulte une vie solitaire.

En haut à droite
Ce tigre du Bengale est l'un des plus lourds félins.

En bas
Seuls félins à chasser en troupes, les lionnes pourvoient aux besoins des petits, qu'elles en soient ou non la mère.

Les grands félins

Cinq grands félins — le jaguar, le lion, la panthère, l'once et le tigre — appartiennent au genre *Panthera,* la panthère longibande ou nébuleuse étant du genre *Neofelis.* Les rugissements puissants des grands fauves sont dus à la faible ossification de l'os hyoïde, situé au-dessus du larynx. Chez les plus petits, émettant des sons moins puissants, cet os est davantage ossifié.

Deux autres traits distinguent les *Panthera* des autres félins. Au repos, ils étendent leurs membres antérieurs devant eux, tandis que les autres les ramassent sous eux. Contrairement aux petits Félidés, les *Panthera* ne cachent pas leur tête. À l'âge adulte, ces bêtes féroces n'ont pour tous rivaux, dans le règne animal, que l'homme, ou leurs congénères, lorsqu'ils se disputent des proies ou des partenaires.

Deux grands fauves, le tigre et l'once, figurent parmi les espèces en voie de disparition, la panthère longibande étant elle aussi menacée, bien que moins gravement.

Les cinq grands félins
Le tigre (en haut),
la panthère (au milieu),
le jaguar (à gauche),
l'once (à droite)
et le lion
(en bas à gauche).

HABITAT

Le jaguar peuple actuellement les forêts tropicales et les vastes prairies, du sud du Mexique à l'Argentine. Jusqu'aux années 1940, le Texas et l'Arizona comptaient encore de petites colonies. Bon nageur, le jaguar privilégie les habitats proches de l'eau. Son poids varie de 40 à 135 kg.

Jaguar

L E JAGUAR, *Panthera onca,* est le seul grand félin originaire d'Amérique. Sa puissance et sa ruse, ses talents de chasseur et sa rapidité expliquent qu'il ait toujours dominé les autres animaux sauvages et qu'il soit devenu le symbole de qualités convoitées par l'homme. Les Aztèques du Mexique et certaines tribus indiennes d'Amérique du Sud intégraient des peaux et des images de jaguars dans leur culte et leurs cérémonies.

LE SAVIEZ-VOUS ?

Les dents en sabre se sont développées indépendamment chez quatre groupes de félins. Leur disparition laisse penser que cette adaptation était trop spécialisée pour perdurer.

CARACTÉRISTIQUES

Le pelage du jaguar, généralement jaune ou fauve, est rehaussé de taches noires formant des rosettes et des anneaux sur la queue. Sa tête est large. Son corps massif repose sur des membres courts et robustes. Le jaguar chasse les grosses proies tels le tapir, le cabiais ou cochon d'eau, les chevaux et le bétail. Il apprécie aussi les tortues, dont il perfore la carapace avec ses canines. Il tue parfois les anacondas et autres serpents. Après l'accouplement, la femelle choisit un refuge près de l'eau pour mettre bas. Sa portée compte souvent quatre petits. Le pelage de naissance n'acquiert sa coloration définitive qu'au bout de sept mois. Les petits restent avec leur mère jusqu'à l'âge de deux ans.

En haut
Ce jeune jaguar aiguise ses griffes sur une branche de la forêt amazonienne, au Brésil.

Au milieu
Les jaguars vivent volontiers près de l'eau. Ce sont d'excellents nageurs.

Lion

L E LION, *Panthera leo,* le légendaire « roi de la jungle », habite de préférence dans la savane. Il partage son territoire avec les zèbres, les girafes et les antilopes, ses proies favorites. Son pelage fauve lui sert de camouflage pour chasser. Son poids varie entre 135 et 225 kg, certains spécimens atteignant toutefois 340 kg. Le mâle porte une crinière, marque distinctive qui n'existe que chez ce Félidé. Autre spécificité : la queue se termine par une touffe de poils tant chez le mâle que chez la femelle.

LE SAVIEZ-VOUS ?

Lors des combats, la crinière amortit les coups administrés sur le crâne et la nuque. Elle joue aussi un rôle d'esbrouffe, le lion paraissant plus puissant qu'il ne l'est en réalité.

En haut
Contrairement aux autres félins, les lionnes vivent et chassent au sein de troupes comptant jusqu'à une trentaine d'individus.

En bas
Ce mâle adulte arbore une magnifique crinière.

LA TROUPE

Dans l'univers des Félidés, les lions sont les seuls à vivre en groupes sociaux stables, ou troupes. Celles-ci sont dirigées par un mâle dominant, qui impose son pouvoir sexuel aux femelles adultes.

Une troupe rassemble entre six et trente individus – femelles adultes, mâles et femelles jeunes. À deux ans, âge de la maturité sexuelle, les mâles se disputent la domination de la troupe. Ceux qui sont vaincus cherchent alors un territoire pour former une nouvelle troupe ou prendre la direction d'un groupe existant.

L'autorité du mâle détermine le fonctionnement de la troupe. Si, par sa faiblesse, il ne parvient pas à contrer les attaques des autres hardes ou celles des prédateurs comme les hyènes et les panthères contre les lionceaux, l'insécurité et les tensions grandissent chez les lionnes, qui négligent alors leurs petits, compromettant ainsi davantage leurs chances de survie. En revanche, un mâle puissant, prêt à chasser les agresseurs, assure la protection et la cohésion de la troupe, les lionnes partageant alors volontiers les soins des lionceaux.

LES LIONNES CHASSERESSES

Ce sont les lionnes qui prennent en charge la quête de la nourriture. La chasse s'effectue au crépuscule, en groupes. Les chasseusses encerclent en général un troupeau d'antilopes ou de girafes pour choisir une victime jeune ou faible, qu'elles isolent de ses congénères. Elles peuvent aussi pousser la proie vers les autres membres de la troupe, qui se tiennent en embuscade. Pour la tuer, elles lui administrent un coup de patte sur la nuque ou bondissent dessus, avant de l'étouffer en la mordant à la gorge. La troupe partage le plus souvent le butin selon un ordre hiérarchique défini – mâles, femelles, petits. Le mâle s'empare parfois de la carcasse pour choisir ses morceaux favoris, abandonnant le reste aux lionnes

HABITAT

Présent aux temps préhistoriques
en Europe, en Afrique et
en Asie méridionale, le lion
vit désormais principalement
en Afrique subsaharienne.
Une sous-espèce d'environ
250 individus est confinée dans
la forêt de Gir, au nord-ouest de
l'Inde, où une réserve a été créée
en 1966. La population du lion
a beaucoup diminué au cours
des deux derniers siècles. Alors
que, en 1850, les lions étaient
nombreux dans le centre et
le nord de l'Inde, en 1890,
ils avaient été presque tous
massacrés par les agriculteurs et
les chasseurs. Vice-roi des Indes
de 1898 à 1905, lord Curzon
s'attacha à préserver l'avenir
de la colonie de la forêt de Gir, réduite alors à une
douzaine d'individus. Il importa des lions d'Afrique
et interdit la chasse dans la forêt.

Ailleurs, les lions ne bénéficièrent d'aucune
protection. Le dernier lion de Barbarie aurait été
tué en 1922. Cette superbe sous-espèce des côtes
d'Afrique du Nord était identifiable à la crinière qui
recouvrait presque entièrement le corps des mâles.
En 1991, en Namibie, une colonie de lions vivant
sur les côtes de l'Atlantique a été exterminée.

Malgré sa réputation d'animal féroce, le lion,
de tendance flegmatique, apprécie la tranquillité
lorsqu'il est rassasié. Tout en restant si possible à
distance de l'homme, il devient agressif quand la faim
le tenaille. Les lions mangeurs d'hommes des récits
anciens étaient des animaux âgés, trop faibles pour
participer aux activités de chasse de leurs congénères.
Quant à ceux affrontant les gladiateurs, ils étaient
évidemment affamés au préalable.

À gauche
Si les femelles prennent
en charge la chasse,
la troupe tout entière
partage le butin.

En bas
Les lionnes parcourent
de vastes territoires à la
recherche de nourriture.

et aux lionceaux. Pour ces derniers, apprendre
à se nourrir sur le corps d'une victime constitue
une étape importante de l'éducation. Contrairement
aux autres Félidés, chez *Panthera leo,* le partage de la
nourriture fait partie intégrante du code social.

Les besoins alimentaires d'une troupe de lions
exigeant de vastes territoires, seule la solidarité
leur permet d'y répondre. Si les proies viennent
à manquer, ils se contentent de charognes, d'herbe
ou d'insectes. Lorsque les terres agricoles empiètent
sur l'habitat des lions, le bétail procure un précieux
butin, mais les attaquants courent alors le risque
de se faire tuer.

REPRODUCTION

Les lions sont réputés pour leurs performances
sexuelles. En 55 heures, un observateur aurait
enregistré, entre membres d'un même couple, cent
copulations d'environ 21 secondes chacune.
La gestation dure de quinze à seize semaines, une
portée comptant souvent quatre lionceaux, parfois
jusqu'à sept. La femelle quitte la troupe pour mettre
bas dans un antre près de l'eau. Elle réintègre le
groupe trois semaines plus tard, lorsque les petits
tiennent sur leurs pattes. Les lionnes capables
d'allaiter nourrissent alors les petits à tour de rôle
et les entraînent à la chasse. Comme chez la plupart
des grands fauves, le taux de mortalité est élevé
parmi les nouveau-nés. Seuls les deux tiers survivent
les premiers jours, la moitié atteignant la fin de la
première année.

> ### LE SAVIEZ-VOUS ?
> Le lion des cavernes
> était sans doute une
> sous-espèce, énorme,
> des lions actuels.
> Adapté au climat
> européen, il vivait
> encore dans les Balkans
> il y a neuf mille ans.

Panthère

La VRAIE PANTHÈRE, *Panthera pardus,* est la plus répandue de tous les grands félins.

HABITAT

La panthère est présente dans presque toute l'Afrique subsaharienne, de l'Asie Mineure à l'Asie méridionale, dans les forêts et la savane, mais aussi dans les régions semi-désertiques et humides – manifestant ainsi sa capacité d'adaptation aux habitats et aux proies. Des vestiges préhistoriques attestent qu'elle vivait également en Europe. Elle était alors beaucoup plus grosse que les panthères actuelles, qui pèsent de 30 à 90 kg.

CARACTÉRISTIQUES

La panthère possède une robe jaune doré, plus claire sur les parties inférieures, ornée de taches sombres en rosettes. Les individus qui vivent aux confins du désert sont moins lourds et ont un pelage plus clair.

La panthère noire, confinée dans l'ouest de l'Inde, est un mutant mélanique de l'espèce. Sous certaines lumières, les rosettes foncées de son pelage sont à peine visibles. Génétiquement, la panthère noire est identique aux autres, hormis la présence du gène noir récessif. Dotée d'un corps allongé et souple reposant sur des membres courts mais robustes, la panthère est le plus agile des grands félins. Excellente grimpeuse, elle cache souvent ses réserves de nourriture au sommet des arbres. Grâce à ses yeux rapprochés, permettant une vision binoculaire, elle repère facilement ses proies, y compris dans la pénombre.

LA CHASSE

La panthère dort la nuit et chasse du crépuscule à l'aube, capturant une diversité de proies, des antilopes aux petits rongeurs. Sa stratégie consiste à s'approcher le plus près possible de sa victime, avant de bondir dessus et de planter ses crocs dans sa gorge. Elle peut tuer des mammifères trois fois plus gros qu'elle. Pour savourer son festin en toute tranquillité, elle traîne la carcasse jusqu'à un lieu sûr, souvent un arbre, prenant soin de ne pas souiller sa robe de sang. Si elle se trouve près d'un point d'eau, elle se désaltère de temps en temps. Sinon, elle part en quête d'eau après son repas, avant de se retirer dans les frondaisons pour se reposer.

La panthère mène une vie solitaire, sauf après l'accouplement. Le mâle et la femelle restent ensemble pendant un an, parfois davantage, après la naissance de la portée. Celle-ci compte de un à six petits, qui meurent souvent quelques jours après leur naissance et sont mangés par leur mère.

Le mâle fournit la nourriture à la mère et aux jeunes jusqu'à ce que la femelle décide du moment de les entraîner à la chasse. Elle répudie alors le mâle et assure désormais seule la protection et la nourriture de ses petits.

Ci-dessus et ci-contre
Pourvue d'une bonne vision binoculaire, la panthère repère facilement ses proies.

En haut à droite
Excellente grimpeuse, la panthère cache les proies capturées dans les arbres pour les protéger des charognards.

En bas
La panthère noire asiatique (à gauche) est génétiquement identique à la panthère au pelage clair et tacheté (à droite).

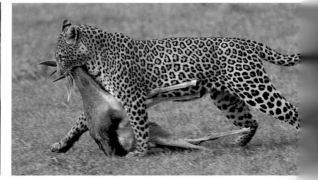

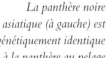

Once

L'ONCE à longs poils, *Panthera uncia*, également appelée panthère des neiges, figure parmi les espèces menacées. La population mondiale est estimée à environ 5 000 individus, pesant entre 45 et 70 kg.

HABITAT

Vivant dans les montagnes de l'Himalaya et de l'Asie centrale, l'once monte l'été jusqu'à 6 000 m d'altitude, au royaume de la neige et des glaciers, et redescend en dessous de la limite des neiges en hiver. La nourriture étant rare dans cet environnement, elle traque une variété de proies – faisans, perdrix, chèvres et moutons sauvages, bouquetins, porte-musc, et même de petits rongeurs. Bien qu'elle choisisse des habitats éloignés de l'homme, il lui arrive d'attaquer le bétail d'un agriculteur ou d'une famille nomade.

CARACTÉRISTIQUES

L'once se distingue par son pelage dense et gris clair, qui devient jaune sur les flancs et blanc sur les parties inférieures. Les taches foncées ornant la tête, la nuque et les membres prennent la forme de rosettes sur le reste du corps. Sur les pattes, d'épaisses touffes de poils lui permettent d'avancer en toute sécurité sur les surfaces glacées. Grâce à ses membres postérieurs robustes, se terminant par de larges pattes, elle effectue de grands bonds. Lorsqu'elle dort, sa longue queue velue, enroulée autour de son corps, la protège du froid. En hiver, son pelage épaissit pour l'isoler des rigueurs climatiques, atout qui a nui néanmoins à la préservation de l'espèce. En effet, jadis, la fourrure d'hiver était très prisée des chasseurs.

Les petits de l'once naissent en été, ce qui accroît leurs chances de survie. Pourvus de leur pelage définitif dès la naissance, ils descendent trois mois plus tard avec leur mère vers des altitudes inférieures. Lorsqu'ils regagnent les hauteurs au printemps, ils acquièrent leur indépendance.

Panthère longibande

LA PANTHÈRE LONGIBANDE ou nébuleuse, *Neofelis nebulosa*, est plus petite que l'once. Elle possède des membres courts mais solides, et pèse entre 18 et 22 kg. Connue des Occidentaux depuis le XIXᵉ siècle seulement, et ayant toujours existé en petit nombre, elle demeure mystérieuse. Elle n'a pas fait l'objet d'études à l'état sauvage, toutes les connaissances à son sujet provenant de l'observation de spécimens en captivité.

HABITAT

La panthère longibande occupe les forêts, ainsi que les milieux broussailleux et marécageux de l'Asie du Sud et du Sud-Est. Elle se tient à l'affût dans les arbres pour chasser ses proies, des lapins aux jeunes buffles. Sa stratégie de chasse lui a valu au XIXᵉ siècle le surnom de « tigre des arbres ». Contrairement à celui des autres félins, son mode de vie n'est pas typiquement nocturne. Elle chasse aussi bien le jour que la nuit, en fonction de ses besoins.

CARACTÉRISTIQUES

De couleur brun clair, la robe de la panthère longibande est parsemée de taches foncées, rehaussées de noir.

L'espèce se distingue des autres grands félins par deux traits principaux. D'abord, elle arbore de longues canines supérieures – rappelant les dents en sabre de l'époque préhistorique –, avec lesquelles elle tient ses proies et arrache la viande. Ensuite, à l'instar du guépard, elle ne rugit pas.

La déforestation de son habitat menace gravement la panthère longibande, que l'on pense disparue à Taïwan. La population de Sumatra, où les quatre cinquièmes des forêts ont été détruits depuis le début du XXᵉ siècle, est également en danger.

En bas à gauche
Cette once rugit, exposant ses longues canines dont elle se sert pour arracher la viande de ses proies.

En bas à droite
Contrairement aux autres grands félins, la panthère longibande ne rugit pas.

LE SAVIEZ-VOUS ?

Contrairement aux autres félins, qui utilisent leur queue pour tenir en équilibre lorsqu'ils grimpent, sautent ou courent, les lynx ne semblent pas en avoir besoin.

Tigre

L E TIGRE, *Panthera tigris,* pèse entre 110 et 225 kg, et peut parfois atteindre 320 kg. Il rivalise ainsi en taille et en force avec le lion, qu'il surpasse même quelquefois. Il fréquente les forêts et les jungles de l'Asie du Sud et du Sud-Est, de la Chine du Nord-Est et de la Sibérie. Camouflage idéal dans la jungle, sa robe brun orangé rayée de noir le différencie des autres grands félins. Le tigre blanc se rencontre rarement ; il possède des yeux bleus et un pelage blanc rayé de brun – résultat d'une mutation.

HABITAT

Le tigre chasse seul, généralement la nuit. On pense qu'il vivait à l'origine dans les régions froides de Sibérie et de Chine du Nord. Ce qui expliquerait pourquoi, bien qu'adapté à la jungle tropicale, il fuit la chaleur torride, recherchant les ombrages durant la journée. Friand de loups, de lynx, de jeunes éléphants, de buffles et de cochons sauvages, il consomme jusqu'à 27 kg de viande en un seul repas. Plus grosses et pourvues d'un pelage plus long, les sous-espèces des habitats septentrionaux accumulent une couche de graisse de 5 cm qui les isole de l'extérieur. Bons nageurs, les tigres aiment se rafraîchir dans l'eau, mais ils ne grimpent pas volontiers aux arbres.

Le choix des territoires, très changeants, reste l'apanage des mâles, qui en autorisent l'accès aux femelles, mais pas aux autres mâles. Les allées et venues du tigre dans son enclos, en captivité, font écho à son comportement dans la nature, où il couvre parfois des centaines de kilomètres avant de marquer son territoire et de s'y établir pour quelque temps. Un tigre équipé d'un système radio aurait parcouru 965 km en vingt-deux jours.

REPRODUCTION

L'accouplement est précédé de combats féroces, parfois fatals, entre deux mâles ou davantage, la femelle acceptant toujours le vainqueur. Toutefois, l'accouplement terminé, elle chasse le mâle, pouvant même le blesser s'il ne part pas assez rapidement.

La portée type compte deux ou trois petits, parfois jusqu'à sept, qui deviennent adultes à trois ans. Mère attentionnée, la tigresse enseigne à ses petits

Ci-dessus
Pesant jusqu'à 320 kg,
le tigre est l'un
des plus gros fauves.

Ci-contre
Le tigre blanc du Bengale,
ou tigre royal, est
aujourd'hui très rare.

les stratégies de chasse jusqu'à ce qu'ils puissent pourvoir à leurs besoins. Pendant les premiers mois, leur vulnérabilité la contraint à changer souvent de tanière. Ils acquièrent leur indépendance vers l'âge de dix-huit mois et peuvent vivre entre vingt et vingt-cinq ans à l'état sauvage.

UNE ESPÈCE MENACÉE

Au cours des cent dernières années, la population des tigres a gravement diminué. Estimée en 1900 à 100 000 individus, elle se réduisait à 5 000 en 1990. Ses habitats disparaissent les uns après les autres. À Bali, en Indonésie, le dernier tigre a été aperçu vers 1940 ; à Java, vers 1980. À Sumatra, toujours en Indonésie, il n'en resterait que 500.

La Chine méridionale n'en compte plus de 50, et la Sibérie environ 500. On pense que l'extinction du tigre de la Caspienne en Asie centrale daterait de 1970. Divers facteurs sont responsables de cette situation : chasse sportive, massacres afin de fabriquer des remèdes traditionnels, suppression des habitats naturels par déforestation, utilisation d'insecticides et urbanisation. Au Bangladesh, vers 1930, les tigres évoluaient à quelques kilomètres des centres urbains, mais leur croissance les a poussés vers le sud jusqu'aux Sundarbans, région marécageuse du delta du Gange, où ne survivraient plus à présent que 400 individus.

Dans le nord-ouest de l'Inde et au Népal, la situation semble moins dramatique. Certes, des 40 000 tigres recensés au début du XXᵉ siècle, il en restait à peine 2 000 en 1970. Il s'agit de tigres du Bengale, la sous-espèce la plus répandue dans le monde. À la suite du programme de conservation lancé en 1972, leur nombre est remonté à 4 600 en 1998. Mais ils sont toujours victimes des braconniers, ainsi que des villageois vivant à la limite des réserves, qui subissent leurs attaques, de même que le bétail. Le programme s'efforce de créer des zones tampons entre les terres agricoles et les réserves, dans l'espoir de limiter les contacts entre les fauves et les hommes.

En haut
Ce tigre du Bengale semble prendre plaisir à se rafraîchir dans l'eau.

Ci-contre
Les tigres ont été chassés jusqu'à l'extinction dans de nombreuses régions du globe.

Guépard

L E GUÉPARD constitue un genre à lui seul, *Acinonyx jubatus*. Il se distingue des autres félins par ses griffes non rétractiles, mais aussi par sa stratégie de chasse. Au lieu de traquer ses proies furtivement et de bondir sur elles, il les pourchasse à vive allure, parvenant même à distancer la gazelle. Ses griffes, découvertes en permanence, lui permettent de s'agripper au sol pendant la course, tandis que ses longs membres et son corps flexible sont adaptés à la vitesse et aux virages brusques. Les techniques de chasse du guépard retentissent sur sa personnalité. Habitué aux courses et aux captures rapides, il n'a pas la patience des autres grands félins, qui pratiquent l'affût ou approchent leurs victimes à la dérobée. Mais la vélocité du guépard se révèle un handicap à mesure qu'il vieillit, la perte de son agilité signifiant aussi celle de sa nourriture. Ainsi, la durée de vie n'est que de cinq à sept ans pour les guépards à l'état sauvage, – tandis que les autres grands félins atteignent neuf ou dix ans – et environ treize pour les individus en captivité.

Les petits sont souvent tués dans leur tanière par les hyènes et les lions, et l'espèce est victime de la disparition de son habitat au profit des terres agricoles. Le guépard privilégie la savane où il trouve des proies de choix, comme la gazelle de Thompson, parmi d'autres mammifères. Pour se nourrir, sa vélocité lui donne l'avantage sur des rivaux plus lents, mais plus précis, comme le lion et la panthère. Sa puissance musculaire lui permet, pour nourrir ses petits, de traîner jusqu'à sa tanière la carcasse d'une gazelle beaucoup plus lourde que lui.

Le record de vitesse enregistré pour un guépard est de 112 km/h sur une distance de 90 m. Une vitesse de 80 km/h est plus habituelle, et seulement sur de courtes distances. Il parvient néanmoins à dépasser la gazelle la plus rapide. En termes d'accélération, il surpasse toutes les voitures de sport, pouvant atteindre 64 km/h en deux secondes!

DES PERFORMANCES ÉTONNANTES

Le guépard, au pelage fauve jaunâtre tacheté de noir, pèse entre 30 et 50 kg. Il était jadis présent de l'Afrique au Proche-Orient et à l'Asie méridionale, mais sa population a beaucoup diminué. Il ne reste que 10 000 individus en Afrique, certains dans les parcs nationaux, tandis que le Proche-Orient et l'Asie n'en comptent que 100.

En haut
Animal le plus rapide du monde, le guépard court à une vitesse moyenne de 80 km/h.

Ci-contre
Le guépard passe une grande partie de son temps à dormir et à se reposer, notamment durant les heures chaudes de la journée, qui le contraignent à chercher l'ombre.

En bas à droite
La grande force du guépard lui permet de traîner ses proies jusqu'à sa tanière, pour nourrir ses petits.

À gauche
Ces guépards se partagent
une antilope en Namibie,
tandis que l'un d'eux
guette les hyènes
et les lions.

Ci-contre
Pour les petits
du guépard, les chances
de survie sont réduites.

En bas
La chasse à la gazelle
de Thompson.

HABITAT

Le mode de vie du guépard se différencie de celui des autres félins. Les femelles disposent de territoires plus vastes que ceux des mâles – environ 1 300 km^2 contre 78 km^2. Lorsque les petits les quittent, les femelles restent solitaires, évitant les autres femelles. En revanche, les mâles se rassemblent pour le reste de leur vie en groupes de deux à cinq individus. Les rencontres entre les deux sexes engendrent de violents affrontements, les mâles attaquant les femelles et leurs petits.

REPRODUCTION

Une portée compte généralement de trois à six petits. Le taux de mortalité élevé s'explique par les attaques des lions et des hyènes lorsque les mères partent chasser, à l'aube ou au crépuscule. Seul un petit sur vingt atteint l'âge adulte.

Durant les douze à quinze premiers mois, période d'apprentissage intensif, la mère les entraîne à tuer, puis à chasser. Vers quinze mois, ils quittent définitivement la cellule familiale, ne reconnaissant plus ni leur mère ni leurs frères et sœurs lorsqu'ils les rencontrent.

STRATÉGIES DE CHASSE

Les stratégies de chasse du guépard ont favorisé de tout temps sa relation avec l'homme. Les Égyptiens de l'Antiquité apprivoisaient des guépards et les entraînaient à la chasse. Ils transportaient l'animal jusqu'aux terrains de chasse dans un véhicule découvert et le gardaient en laisse pendant que des chiens levaient la proie. Lorsque celle-ci se trouvait à la distance appropriée, ils lâchaient l'animal, qui achevait la capture en quelques bonds rapides. Cette tradition de chasse fut transmise aux Perses, puis aux Indiens,

qui la pratiquaient encore au XXe siècle. Le guépard était également prisé comme animal domestique par des souverains tels Genghis Khan et Charlemagne.

Plus récemment, dans les années 1930, l'empereur d'Éthiopie Hailé Sélassié fut souvent photographié tenant un guépard en laisse.

Les petits félins d'Europe

BIEN QUE LES PETITS FÉLINS, membres de l'espèce *Felis,* reçoivent l'appellation de « chats », l'un d'eux, le puma, rivalise en taille avec la panthère. Son incapacité à rugir (comme le guépard et la panthère longibande) constitue son trait distinctif. Chez les membres de l'espèce *Panthera,* l'os hyoïde, situé au-dessus du larynx, produit des rugissements lorsqu'il vibre, en raison de sa faible ossification. En revanche, il est entièrement ossifié chez les autres espèces de Félidés, qui émettent des sons moins puissants.

À droite

Le lynx pardelle, espèce devenue rare, figure sur la liste des espèces menacées dressée par les Nations unies.

Ci-dessous

Le puma peut rivaliser de taille avec la panthère.

Seuls trois petits félins sont désormais présents à l'état sauvage en Europe. Ils sont les survivants d'une importante population féline qui comprenait, il y a 35 millions d'années, le redoutable félin à dents en sabre et, plus récemment, le lion des cavernes, la panthère, le jaguar, le chaus, ainsi que d'autres espèces non identifiées. Les conditions climatiques et la chasse en ont exterminé certaines, tandis que d'autres ont migré vers des environnements plus chauds et moins hostiles. Les trois survivants sont le lynx pardelle ou loup-cervier, le lynx du Nord et le chat sauvage d'Europe.

Lynx pardelle

LE PLUS RARE des félins sauvages européens, le lynx pardelle, *Lynx pardina,* figure sur la liste des espèces menacées recensées par les Nations unies. Par la taille, c'est le troisième des petits félins, puisqu'il peut atteindre un poids de 13 kg. Chassé presque jusqu'à l'extinction, il est désormais confiné au versant espagnol des Pyrénées. En 1990, sa population était estimée à seulement deux cents individus.

CARACTÉRISTIQUES

Le lynx pardelle possède une robe au fond brun rougeâtre tachetée de noir, une queue courte et épaisse. Ses oreilles se terminent par un pinceau de poils, et ceux qui poussent à la base de sa face évoquent une barbe. Il traque généralement ses proies à une allure lente, parfois sur de longues distances. Si lièvres et lapins constituent son alimentation de base, il apprécie aussi les oiseaux et les jeunes cervidés.

Il arrive que, durant la saison des amours, ce soit la femelle qui recherche un partenaire, contrairement aux habitudes des Félidés. Bien que les jeunes quittent la cellule familiale à l'âge de un an, ce félin attend deux ans avant de se reproduire. Cela a sans doute contribué à la diminution d'une population par ailleurs victime de maladies et de malnutrition.

Ci-contre
Le lynx du Nord chasse
les lièvres et les lapins.

En bas à gauche
Réputé pour sa férocité,
le lynx du Nord subit
néanmoins les attaques
des loups.

En bas à droite
Les pattes larges et
rembourrées du lynx
lui permettent de courir
aisément dans la neige.

Lynx du Nord

A PPARENTÉ au lynx pardelle, bien que plus gros, le lynx du Nord fréquente le nord de l'Eurasie. Pesant de 20 à 38 kg, il se distingue par sa robe grise ou brun clair tachetée de noir, ses pinceaux de poils à l'extrémité des oreilles et ses favoris épais. Il occupe de préférence des habitats enneigés, ses pattes larges et rembourrées lui permettant de couvrir de longues distances dans la neige. Dans les temps anciens, il était répandu à travers toute l'Europe septentrionale et centrale.

HABITAT

Chassé jadis de manière intensive, le lynx du Nord a néanmoins survécu, et on le trouve en Europe de la Norvège et de la Suède (où il est protégé) jusqu'aux Balkans et à la Russie. De nombreux pays – dont la France, la Suisse, la Finlande, l'Italie et la République tchèque – participent à des programmes de protection de l'espèce, en réglementant sa chasse ou en repeuplant des habitats d'où elle avait jadis été expulsée.

Friand de lièvres, lapins, petits rongeurs, grouses, canards, jeunes cervidés et ovins, le lynx du Nord est réputé pour sa férocité. Les portées comptent deux ou trois petits. Leurs chances de survie sont faibles, car ils sont vulnérables aux conditions climatiques de leur habitat, ainsi qu'aux attaques des loups, principaux ennemis des lynx. À l'état sauvage, leur durée de vie est d'environ douze ans.

LE SAVIEZ-VOUS ?

Certains petits félins – lynx, caracal – ont des pinceaux de poils au bout des oreilles. Leur fonction est mal connue ; ils pourraient aider à capter les sons.

Chat sauvage d'Europe

L E CHAT SAUVAGE D'EUROPE, ou chat forestier, *Felis silvestris silvestris,* fréquente une grande diversité de milieux à travers le continent, de la France jusqu'à la Pologne, atteignant même parfois l'Asie centrale et occidentale. Il a disparu d'une grande partie du territoire qu'il occupait auparavant, notamment en Europe occidentale.

LE SAVIEZ-VOUS?

On peut apercevoir le craintif chat sauvage au début de l'été, à l'aube et au crépuscule, quand il pourchasse les rongeurs dans les prairies fauchées.

En haut
Le chat sauvage d'Europe est l'une des espèces de félins sauvages les plus prolifiques.

Au milieu
Ressemblant au chat domestique, le chat sauvage d'Europe est un peu plus lourd et plus robuste.

En bas
Espèce menacée, le chat sauvage d'Europe est protégé en France.

PROTECTION DE L'ESPÈCE

Bien que le chat sauvage d'Europe soit généralement considéré comme l'ancêtre du chat domestique, sa relation avec l'homme a connu bien des vicissitudes, notamment en Europe occidentale. Considéré comme un prédateur dangereux, attaquant volailles, agneaux, chevreaux et nids d'oiseaux, il s'est fait piéger et tuer par les agriculteurs et les gardes forestiers. Sa population s'est également raréfiée, à la suite des profondes modifications subies par son habitat.

Depuis les années 1990, les autorités européennes ont mis en place un vaste programme de protection de l'espèce. Outre les restrictions imposées à l'utilisation des pièges, il comprend des campagnes de sensibilisation destinées aux chasseurs, aux gardes forestiers et aux populations rurales

dans les régions où vit le chat sauvage, en insistant sur la valeur biologique et naturelle de l'espèce. Le lancement d'un projet de réintroduction du chat sauvage a été également envisagé.

En France, la population du chat sauvage se concentre dans les Pyrénées et le Massif central, et surtout en Lorraine, où il bénéficie d'un excellent habitat forestier.

CARACTÉRISTIQUES

Assez semblable au chat domestique, le chat sauvage d'Europe est néanmoins plus gros, plus lourd, plus trapu et plus robuste que celui-ci. Son pelage épais, plus ou moins clair, est marqué d'une ligne noire qui court de la nuque à la queue. Celle-ci, courte et touffue, est annelée de noir et se termine par un manchon noir. L'animal adulte pèse entre 4 et 8 kg, soit presque deux fois plus qu'un chat domestique.

UNE ESPÈCE SOLITAIRE

Le chat sauvage d'Europe vit en solitaire dans les forêts denses et sur les affleurements rocheux, où ses proies favorites sont les lièvres, les rongeurs et les oiseaux, parfois les ovins et les petits cervidés. Son vaste territoire peut couvrir une centaine d'hectares. L'hiver, il se réfugie dans des abris et vit sur ses réserves de graisse, accumulées en automne, car ses proies demeurent cachées. S'il supporte le froid, il n'aime pas la neige, ses courtes pattes ne lui permettant pas de s'y déplacer aisément. C'est pourquoi il vit à des altitudes inférieures à 800 m. Difficile à repérer, il se terre dès qu'il détecte une présence humaine. Il n'approche les habitations que poussé par la faim. En captivité, il demeure craintif, refusant tout contact avec l'homme. Les chatons hybrides issus d'accouplements de chats sauvages et domestiques sont inapprivoisables. Ces hybrides ont été intégrés dans la population des chats sauvages.

REPRODUCTION

L'accouplement a lieu au printemps, et les chatons – trois ou quatre par portée – naissent au début de l'été. Très prudents, ils attendent quelques jours avant de sortir de leur repaire.

Dès l'âge d'une semaine environ, ils manifestent déjà les tendances agressives du chat sauvage adulte, crachant et soufflant lorsqu'ils sont dérangés. Ce comportement, de nature défensive, vise à tromper la vigilance de l'intrus, de manière que le chat puisse s'échapper. Les chatons l'apprennent de leur mère, lorsque la sécurité du repaire est menacée.

L'apprentissage des stratégies de chasse débute à six ou sept semaines. Dès que les chatons commencent à bondir sur la queue de leur mère, ils entreprennent avec elle leurs premières expéditions, s'entraînant avec feuilles et insectes. Ils se développent alors rapidement et, à cinq mois, ils sont prêts à acquérir leur indépendance, suffisamment avertis pour survivre aux rigueurs de l'hiver. Leurs proies varient selon l'habitat, les petits rongeurs fournissant la base de l'alimentation, complétée par les oiseaux.

Certains observateurs prétendent que les mâles sont monogames et qu'ils retrouvent les mêmes femelles d'une année sur l'autre, les aidant parfois à nourrir les chatons. Ce comportement pourrait s'expliquer par le nombre réduit de mâles au sein d'une population en danger.

LE SAVIEZ-VOUS ?
Les chats dissimulent leurs proies en lieu sûr. Ce comportement instinctif rappelle celui des panthères et autres grands félins, qui les hissent même en haut des arbres.

En haut
Animal craintif et agressif, le chat sauvage chasse les rongeurs et autres petits animaux.

Au centre
Le chat sauvage d'Europe est un habitant solitaire des milieux forestiers.

En bas
Les chatons commencent leur apprentissage de la chasse en bondissant sur la queue de leur mère.

Les petits félins d'Amérique

D E PETITS FÉLINS apparentés aux espèces modernes auraient existé aux Amériques il y a environ 10 millions d'années. Parmi les témoignages fossiles les plus anciens, datant de 3 millions d'années, figurent des spécimens semblables à l'actuel colococo, *Felis colococo*, ainsi que le puma, *Felis concolor*.

À la même époque, le jaguar et le lion atteignaient l'Amérique du Nord depuis l'Asie par le «pont terrestre», les lions colonisant le continent jusqu'au Pérou, avant d'être décimés par les changements climatiques. Remontant à environ cent mille ans, des fossiles d'espèces identiques à l'ocelot, au margay et au jaguarondi ont été découverts en Amérique du Nord. Ensuite, les chats d'Amérique semblent avoir suivi leur propre évolution.

En haut
Les ancêtres de ce margay étaient présents en Amérique il y a environ 3 millions d'années.

En bas
Ce chat des Andes vit à des altitudes élevées dans son habitat naturel.

Kodkod

D E NOMBREUX CHATS d'Amérique peuplent les forêts situées aux confins de la grande forêt amazonienne. La plus petite de ces espèces, le kodkok, *Felis guigna,* pesant entre 2 et 3 kg, vit sur les contreforts des Andes, au Chili et en Argentine.

CARACTÉRISTIQUES

Le pelage est généralement gris, tacheté de noir sur le corps, rayé sur la tête et les épaules. Les pattes présentent également des taches, et la queue, des anneaux. Mais la couleur de fond peut varier du brun jaunâtre au brun foncé ou même au noir. Le kodkod vit au cœur des forêts, ne s'aventurant que la nuit pour capturer de petits mammifères et des oiseaux. Il reste peu connu, même des zoologues. Les informations à son sujet proviennent principalement des observations d'un prêtre jésuite, Juan Ignacio Molina, datant de deux cents ans.

Colocolo

E N DÉPIT DE son surnom de «chat des pampas», le colocolo, *Felis colocolo,* est traditionnellement un habitant des milieux forestiers. Mais la disparition de ceux-ci l'a poussé vers les terres broussailleuses des environs.

CARACTÉRISTIQUES

Le colocolo pèse de 3,5 kg à 6,5 kg. Sa robe gris-brun, marquée de taches et de bandes foncées, ainsi que sa queue annelée, sont bien adaptées à son nouvel habitat. Devenu assez rare, il est néanmoins répandu à des altitudes élevées au Chili, en Argentine, en Équateur, au Pérou et au Brésil. Il est protégé en Argentine. Malgré sa petite taille, il peut être agressif. Il se nourrit de petits mammifères, d'oiseaux et de volailles.

Chat de Geoffroy

LE CHAT DE GEOFFROY, *Felis geoffroyi*, ressemble beaucoup au colocolo. Il doit son nom au naturaliste français du XIXᵉ siècle, Étienne Geoffroy Saint-Hilaire, l'un des pionniers de la classification zoologique. N'ayant jamais séjourné en Amérique du Sud, Geoffroy Saint-Hilaire identifia ce petit félin comme espèce à partir de spécimens anatomiques qu'il étudia à Paris en tant que professeur de zoologie.

CARACTÉRISTIQUES

Pesant de 2 à 3,5 kg, le chat de Geoffroy est originaire des contreforts boisés de Bolivie, d'Argentine, du Chili, d'Uruguay et du Brésil. Son corps allongé est doté d'une queue et de membres longs. Sa couleur varie, selon l'habitat, du gris au brun rougeâtre avec des taches et des bandes noires sur le tête. Les tentatives de croisement de cette espèce avec des chats domestiques se sont révélées peu fructueuses. Un chat de Geoffroy aurait même tué toutes les chattes domestiques qui lui étaient présentées.

Les femelles gravides semblent attacher une grande importance au choix du lieu où elles mettront bas, dans les broussailles ou une cavité rocheuse. La portée compte deux ou trois chatons, qui se développent rapidement et se déplacent aisément dès l'âge de six semaines.

Chat-ocelot

LE CONTINENT AMÉRICAIN est également le domaine du chat-ocelot, *Felis tigrina*. De la même taille que le chat de Geoffroy, il vit dans les forêts d'Amérique centrale et du nord de l'Amérique du Sud. Son pelage marron clair présente des rayures et des taches plus foncées.

Les connaissances demeurent limitées sur cette espèce, qui serait largement victime de la chasse et de la déforestation de l'Amazonie.

LE SAVIEZ-VOUS ?
Avant l'intervention humaine, les chats n'existaient guère sur les îles de la planète, et ils étaient même totalement absents du continent australasien.

En haut à gauche
Petit animal agressif, le chat de Geoffroy se rencontre dans plusieurs pays d'Amérique du Sud.

En bas à gauche
Le chat de Geoffroy se distingue par sa tête trapue et son corps allongé.

Ci-contre
Cet animal à l'allure étrange, le chat-ocelot, vit au nord de l'Amérique du Sud.

Puma

L E PLUS GROS des petits félins d'Amérique, le puma, *Felis concolor*, est l'une des espèces les plus anciennes. Il existait en Amérique du Nord il y a 3 millions d'années, dans des mensurations plus grandes que celles de l'espèce actuelle.

LE SAVIEZ-VOUS ?
Pour étudier le comportement des pumas, les scientifiques les capturent et leur posent un collier émetteur, ce qui permet de suivre leurs déplacements.

HABITAT

De nos jours, l'aire de répartition du puma s'étend du Canada à l'extrémité sud de l'Amérique du Sud, sa population se concentrant à l'ouest des États-Unis et en Argentine. Répandu jadis dans toute l'Amérique du Nord, il était vénéré par les Indiens. Prétendu invincible, impossible à capturer ou à tuer, il figurait parmi les quatre animaux qui gardaient l'Étoile du soir dans les mythes de la tribu Pawnee, au sud du Nebraska. Les premiers colons de Virginie rapportèrent avoir vu des «lions» rôder dans les forêts et montagnes de l'arrière-pays. Il s'agissait sans doute

En haut
Le puma est vénéré dans de nombreux mythes amérindiens.

À droite
La population du puma a gravement souffert de la chasse, mais elle est désormais protégée.

Ci-contre
Le puma affectionne les milieux rocheux, mais il s'est adapté à une diversité d'habitats à travers l'Amérique.

de pumas. En effet, au XVIe siècle, aucun Européen n'avait encore aperçu de lion, cet animal n'existant alors que dans la mythologie.

UNE ESPÈCE DEVENUE RARE

Les premiers colons apportaient avec eux du bétail, source de nourriture appréciable dans ces contrées sauvages. Quelques assauts contre le cheptel attribués au puma suffirent à transformer celui-ci en un redoutable ennemi, facile à détruire. Confronté à une campagne d'extermination longue et impitoyable, le puma migra, à la recherche d'espaces vierges de présence d'éleveurs… et de fusils.

Actuellement, sa population se reconstitue, notamment dans le parc des Everglades, en Floride, où il est protégé. Malgré sa disparition de vastes régions d'Amérique du Nord, il reste le félin sauvage le plus répandu dans le Nouveau Monde.

Le puma a fait l'objet de nombreuses recherches. Il doit sans doute sa survie à sa faculté d'adaptation aux divers habitats, puisqu'il occupe aussi bien les montagnes et les terrains rocheux que la pampa et la forêt tropicale.

CARACTÉRISTIQUES

Parmi les nombreuses appellations qu'a reçues le puma, comme celle de «lion des montagnes» aux États-Unis, les termes de «puma» et de «cougar», les plus usités, sont dérivés des langues indiennes d'Amérique du Sud.

Le poids moyen du puma varie de 46 à 60 kg, certains mâles d'Amérique du Sud atteignant 113 kg. Ils rivalisent

UN VAGABOND

Le puma peut en une seule nuit parcourir 40 km ou même davantage. Il marque son territoire en urinant et en griffant l'écorce des arbres.

Prudent, le puma évite la compagnie des autres animaux et fuit l'homme. Malgré sa taille, il parvient à bien se cacher dans les endroits couverts. Pour tuer sa proie, il bondit dessus et brise sa nuque d'un coup de patte. Il traîne ensuite sa victime, parfois cinq fois plus lourde que lui, jusqu'à un lieu sûr pour la dévorer en toute tranquillité.

Contrairement à d'autres félins, le puma se nourrit par petites quantités. Dès qu'il a suffisamment mangé, il recouvre la carcasse de feuilles, cherche un endroit pour dormir et ne retourne vers sa pitance que le lendemain. Il lui faut parfois une semaine pour dévorer entièrement une carcasse.

La portée du puma compte de un à quatre petits, parfois six. Ils naissent avec un pelage tacheté et des anneaux sur la queue, marques qui disparaissent ensuite. Leur mère les laisse à leur autonomie vers l'âge de dix-huit mois.

L'espérance de vie du puma est de dix à douze ans à l'état sauvage, de vingt ans en captivité.

LE SAVIEZ-VOUS ?

Le guépard, qui peut atteindre 2 m de long, est le plus petit des grands félins. Il est légèrement plus petit que le puma (2,70 m), qui est, lui, le plus grand des petits félins…

ainsi avec les grands félins. La diversité de couleur du pelage fait écho à celle de l'habitat. Uniforme, elle varie du brun clair au gris argenté et au noir, devenant blanche sur les parties inférieures, notamment la gorge. Le pelage est aussi plus ou moins long selon les conditions climatiques de l'habitat.

Le puma est réputé pour sa capacité à grimper et à sauter. Il peut en effet effectuer des bonds de 12 m ! S'il ne rugit pas, il émet des ronronnements et des grondements semblables à ceux du chat domestique, mais amplifiés. Comme lui, il prend soin de sa toilette, lustrant sa fourrure à longs coups de langue.

Sa nourriture est très variée, avec une prédilection pour les cervidés. Des analyses effectuées sur l'estomac de carcasses de pumas ont révélé qu'il en appréciait une foule d'autres : mulets, vaches, moutons, lièvres, chevaux, élans, orignaux, antilopes, castors, porcs-épics, coyotes, martres, mouffettes, dindes sauvages, oiseaux, poissons, lézards, sauterelles et, en Amérique du Sud, fourmiliers. Sa grande taille et son mode de vie actif rendent compte de sa consommation de protéines de toutes provenances en quantités importantes.

En haut
Le puma parcourt de longues distances, pouvant couvrir 40 km en une seule nuit.

En bas
Dès l'âge de dix-huit mois, ce jeune puma devra pourvoir à ses propres besoins.

Lynx du Canada

Ocelot

L E LYNX DU CANADA, *Lynx canadensis,* vient après le puma, par ordre de taille, dans la catégorie des petits félins. Il fut jadis assimilé au lynx du Nord, auquel il ressemble. Cependant, on le classe désormais séparément en raison de son poids – de 8 à 10 kg, soit deux fois moins que son cousin.

HABITAT

Le lynx du Canada est présent au Canada et en Alaska, ainsi que dans les régions septentrionales des États-Unis. Si, jadis, le commerce de sa fourrure a gravement menacé sa population, aujourd'hui c'est plutôt la disparition du lièvre d'Amérique, base de son alimentation, qui compromet sa survie. En effet, une diminution de la population de lièvres se solde l'année suivante par un faible taux de reproduction et un taux de mortalité élevé chez les petits du lynx.

Néanmoins, l'avenir du lynx du Canada semble moins compromis que celui des lynx européens.

En bas à droite
Très recherché pour
sa magnifique fourrure,
l'ocelot a souffert
d'une chasse intensive,
le menaçant d'extinction.

Ci-contre
La population
du lynx du Canada est
plus importante que celle
de son cousin européen.

C 'EST SA BEAUTÉ qui a provoqué le déclin de l'ocelot, *Felis pardalis,* aujourd'hui espèce menacée.

HABITAT

Réputé féroce et sanguinaire, l'ocelot pèse entre 11 et 16 kg. Excellent grimpeur, il est étroitement apparenté au margay, ou chat-tigre (voir plus loin). Privilégiant la forêt tropicale, les milieux broussailleux et marécageux, il s'adapte en réalité à tous les habitats, sauf lorsqu'ils sont découverts et arides. Il chasse à l'aube et au crépuscule, capturant rongeurs, jeunes cervidés, reptiles et oiseaux, puis il se retire sur un arbre pour dormir.

CARACTÉRISTIQUES

Malheureusement, sa somptueuse robe a fait de l'ocelot une cible du commerce de la fourrure, et sa population, du sud des États-Unis à l'Argentine, en a gravement souffert. La couleur de fond de son pelage court varie du jaune fauve au gris rougeâtre. Des taches noires ou foncées ornent les flancs ; de grosses marques noires rehaussent la tête, les membres et les pattes. Les joues sont rayées de noir, et les oreilles noires portent des taches claires. La longue queue est annelée de noir.

Au contraire des autres félins, les ocelots chassent parfois en couple mâle-femelle, de jour, communiquant de manière vocale et olfactive. La portée type compte deux petits. Pendant les premières semaines, le mâle participe à les nourrir.

Lynx roux

ÉTROITEMENT apparenté au lynx du Canada, mais plus petit, le lynx roux – ou bobcat –, *Felis rufus,* a déployé une remarquable ténacité pour survivre aux conditions hostiles de l'Amérique du Nord. De tous les félins sauvages de cette partie du monde, c'est celui qui a le plus gagné la faveur de l'homme. Pesant de 7 à 10 kg, il est très répandu du sud du Canada au centre du Mexique.

HABITAT

Ce félin robuste se distingue par sa queue courte à l'extrémité blanche. Son pelage, relevé de taches et de bandes brunes, prend une teinte rougeâtre en été. Il privilégie les biotopes secs et broussailleux, où il peut aisément se cacher pendant la journée. Mais l'adaptabilité constitue la clé de sa survie et explique l'étendue de son aire de répartition. La nuit, il chasse principalement les lièvres et les lapins. Il patrouille avec minutie son territoire de chasse, qui couvre de 10 à 30 km². Il s'arrête régulièrement pour repérer les bruits qui révèlent la présence de rongeurs. Il ne sort de son abri dans la journée que lorsqu'il est très affamé.

CHASSE

Peu rapide, le lynx roux se laisse facilement distancer par les lièvres et les lapins. C'est pourquoi il reste à l'affût dans un arbre ou sur un rocher, attendant le passage d'une proie. Sa robustesse lui permet néanmoins de s'attaquer aux jeunes cervidés. Un observateur rapporte avoir vu un lynx roux de 9 kg traquer et tuer une biche dix fois plus lourde que lui. Une telle audace peut se retourner contre lui. L'attaque d'un faon isolé de sa mère peut se solder par un combat féroce si la biche surprend le prédateur. En hiver, lorsque la nourriture devient rare, le lynx s'approche des centres urbains pour se nourrir de rats. Il ne dédaigne pas non plus les grenouilles, les lézards et les poissons. Son comportement rappelle celui qui conduisit jadis à la domestication des chats sauvages, profitant de leur mieux de la présence humaine. Pouvant même se contenter de charognes en temps de disette, les félins sont capables d'une grande adaptabilité dans le domaine alimentaire.

En bas à gauche
Peu rapide, le lynx roux reste à l'affût dans les arbres pour guetter ses proies.

Ci-dessous et en bas
Le lynx roux attend le crépuscule pour sortir de son abri et chasser lièvres et lapins.

REPRODUCTION

Pendant la saison des amours, de janvier à mars, les cris des lynx résonnent bruyamment dans le silence de la nuit. Les mâles parcourent souvent 50 km ou plus à la recherche d'une partenaire, la quittant une fois l'acte accompli. La femelle

choisit une souche d'arbre ou une cavité rocheuse pour mettre bas une portée de deux ou trois petits, parfois six. Ceux-ci quittent leur mère l'année suivante, à la saison de reproduction, parcourant parfois plus de 160 km avant de trouver un territoire.

Jaguarondi

L E JAGUARONDI, *Felis yagouaroundi,* vit dans les forêts et les broussailles, du Texas à l'Amérique centrale, et, en Amérique du Sud, du Brésil au Paraguay.

CARACTÉRISTIQUES

Pesant de 5 à 10 kg, le jaguarondi porte une robe de couleur uniforme, sauf sur les parties inférieures. La coloration varie du brun–gris au rouge plus ou moins foncé. Selon certains zoologues, ces nuances apparaissent à différents stades de la vie adulte ; pour d'autres, elles sont le fruit du hasard, une même portée pouvant arborer différentes couleurs.

Lors des premières observations de jaguarondis, au XIXe siècle, les gris et les rouges furent considérés comme deux espèces différentes. Le gris fut appelé jaguarondi, et le rouge, eyra, deux termes dérivés de la langue des Indiens Tupis. Cette distinction perdura jusqu'à la fin des années 1920 ; il fut alors admis qu'il ne s'agissait là que d'une variation de couleur du pelage. Celui-ci ne comporte ni taches ni autres marques.

Petite et aplatie, la tête du jaguarondi rappelle celle de la martre ou de l'otarie. Son corps allongé, puissant, et ses membres courts en font un excellent chasseur. Sa silhouette basse disparaît facilement dans les fourrés, où il s'aplatit avant de bondir sur ses proies.

En haut
Qu'il soit rouge ou gris, le pelage du jaguarondi est toujours uni.

À droite
La tête du jaguarondi rappelle celle de la martre. Ses courtes pattes lui permettent de traquer aisément ses proies.

L'INSTINCT DE CHASSE

Davantage encore que les autres félins, le jaguarondi est un excellent chasseur. Il progresse en silence dans les broussailles et se positionne avec précision pour tuer sa proie.

Actif le jour comme la nuit, il parcourt de vastes distances plutôt que de se limiter à un territoire défini, partageant volontiers ses terrains de chasse avec les autres. Friand de petits rongeurs, lapins, jeunes cervidés et cochons d'Inde, il ne se lance jamais dans de longues poursuites. Il attaque volontiers les volailles dans les fermes et les villages.

Vivant principalement au sol, il grimpe aux arbres lorsqu'il est pourchassé, déployant toute son agilité pour sauter de branche en branche. La portée moyenne compte deux ou trois petits. Ceux-ci naissent souvent avec des taches sur le pelage, taches qui disparaissent ensuite.

En Amérique du Sud, les jaguarondis ont tissé le même genre de relations avec l'homme que les félins de l'Égypte ancienne et sont très présents dans les récits mythologiques. Certains individus se sont laissé domestiquer pour profiter des avantages des granges et des greniers, compromis qui semble convenir à leur nature plutôt léthargique.

Margay

LE margay, dit aussi chat-tigre, *Felis wiedii,* se rencontre dans les forêts tropicales et les milieux broussailleux d'Amérique centrale et du Sud.

CARACTÉRISTIQUES

Par son pelage, le marguay est aussi séduisant que l'ocelot, qui lui est étroitement apparenté. Plus petit que celui-ci, il pèse de 3 à 5 kg. Son pelage court et doux, de couleur brun-jaune, devient blanc sur le ventre, la poitrine et la nuque. Des marques foncées, semblables à celles de l'ocelot, rehaussent le dos et les flancs, tandis que la queue est annelée. Le dessus des oreilles, noir, présente des taches claires. Les membres et la queue sont longs.

UN CHAT ARBORICOLE

Secret et fuyant, le margay passe une grande partie de son temps dans les arbres, où il se nourrit d'oiseaux et

de lézards. Il attend la nuit pour entreprendre ses expéditions au sol, où il chasse les rongeurs, les jeunes cervidés et les volailles. Il est parfaitement adapté à la vie dans les arbres. Seul de tous les félins, il peut effectuer entièrement la descente d'un arbre la tête la première. En effet, la souplesse de ses membres postérieurs lui permet de les diriger vers l'intérieur, pour s'agripper à l'écorce. Cette capacité élargit la diversité de proies à sa disposition. Sa longue queue l'aide également à négocier la descente. Le charme du margay a suscité des tentatives de domestication, néanmoins peu fructueuses, sa nature sauvage ne se laissant pas facilement apprivoiser.

Chat des Andes

LES CONTREFORTS des Andes, depuis le sud du Pérou jusqu'au nord-ouest de l'Argentine, abritent le chat des Andes, *Felis jacobita, un* félin à longs poils pesant de 3 à 7 kg. Cette espèce rare est mal connue des zoologues. Des études anatomiques laissent penser qu'il pourrait être le survivant d'une branche ancienne du genre *Felis,* car il semble présenter un crâne en deux parties séparées par une fine membrane. Son pelage gris-brun, blanc sur le ventre, est marqué de taches brunes ou orange, tandis que sa queue est annelée.

UNE ESPÈCE MAL CONNUE

Le chat des Andes vit à la limite des neiges éternelles, soit entre 3 000 et 5 000 m d'altitude, dans des biotopes rocheux et dénudés, aux rudes conditions climatiques. Il se nourrit principalement de petits rongeurs.

Notons que le nom « chat des Andes » est souvent utilisé, à tort, pour désigner aussi bien le lynx roux que le puma.

LE SAVIEZ-VOUS ?

Le nom margay est dérivé du mot *maracaja* qui, dans la langue des Indiens Tupis Guaranis, signifie « chat-tigre », d'où l'autre nom donné à cette espèce.

À gauche
Le margay du Venezuela passe le plus clair de son temps dans les arbres.

En bas à gauche
La magnifique robe du margay a incité les éleveurs à le domestiquer, mais avec peu de succès.

Ci-contre
Le chat des Andes est souvent confondu avec le lynx, bien qu'il s'agisse de deux espèces différentes.

353

Les petits félins d'Asie

LES PETITS FÉLINS D'ASIE regroupent aussi bien des espèces répandues à travers tout le continent que des chats confinés à un unique habitat – tel le chat d'Iriomote, peuplant une seule petite île du Pacifique. Pour certaines espèces, dont le chat de Mongolie, les preuves d'existence se limitent aux carnets de notes et aux dessins d'explorateurs naturalistes remontant parfois au XIXᵉ siècle, et l'on ignore si ces populations survivent encore.

Au contraire des grands félins, les petits félins intéressent peu les défenseurs du monde animal. Beaucoup d'espèces, fréquentant des habitats presque inaccessibles à l'homme, sont souvent difficiles à repérer. Certaines espèces asiatiques sont décrites dans d'autres chapitres. Ainsi, l'aire de répartition du caracal s'étend de l'Afrique à l'Arabie et à l'Inde du Nord. Le chat sauvage d'Afrique se rencontre également dans le sud de l'Asie. Le territoire du chat sauvage d'Europe se prolonge vers l'est au-delà des montagnes de l'Oural, et le chat du désert, généralement associé à l'Afrique du Nord, peuple aussi l'Asie Mineure et le Caucase.

En haut
Les chats du Bengale sont des chasseurs nocturnes. Celui-ci est sorti de son refuge pour chasser.

En bas à gauche
Le chaus s'est adapté à une variété d'habitats. Ici, en Inde, sa robe lui sert de camouflage.

Chat du Bengale

Le chat du Bengale ou chat-léopard, *Felis bengalensis*, est répandu en Asie. Des restes fossiles de cette espèce, remontant à 1 million d'années, ont été découverts sur plusieurs sites d'Indonésie.

CARACTÉRISTIQUES

Ce petit chat tacheté pèse de 3 à 4 kg. On le rencontre en Asie du Sud et du Sud-Est, de l'Inde à la Chine, au Japon et aux Philippines. Il est souvent plus petit au sud de son aire de répartition. La couleur de fond de sa robe varie beaucoup, du gris clair au brun jaunâtre. Des taches foncées sont disposées en rangées sur le corps et les membres, formant parfois des rayures, et les yeux sont entourés de marques blanches. Le ventre est blanc.

HABITAT

Le chat du Bengale vit de préférence dans les forêts et les broussailles, souvent près de l'eau. Mais, adaptable, il fréquente aussi des habitats proches de l'homme, où il peut attaquer volailles, agneaux et chevreaux. Parmi ses proies favorites figurent les lièvres, les rongeurs, les reptiles, les petits cervidés, les chauves-souris et les écureuils. Il grimpe parfois dans les arbres pour se nourrir. Il se cache dans les souches d'arbres et les cavités rocheuses et sort la nuit pour chasser.

Le chat du Bengale est solitaire, sauf en période de reproduction. Une portée compte deux ou trois chatons, qui restent quatre semaines auprès de leur mère.

L'avenir de l'espèce semble menacé, même si elle est actuellement répandue. En effet, à la suite des restrictions imposées à la chasse d'autres espèces, sa fourrure est désormais convoitée. Dans les années 1980, en Chine, près de 2 millions d'individus auraient été massacrés en trois ans. En outre, les chats vivant à proximité des habitations sont souvent tués, car ils attaquent le bétail.

Chaus

L E CHAUS, ou chat des marais, *Felis chaus,* est associé à la découverte de vestiges momifiés en Égypte et aux origines du chat domestique. Cependant, son habitat couvre l'Asie du Sud et du Sud-Est, atteignant vers l'ouest le Caucase et l'est du bassin méditerranéen, vers le nord le Turkestan et l'Ouzbékistan. À l'est de son aire de répartition, ses territoires chevauchent ceux du chat sauvage d'Afrique.

Le chaus apprécie autant les biotopes marécageux que les plus secs, et il semble s'accommoder d'une grande diversité d'habitats. Opportuniste de nature, il se plaît dans le voisinage de l'homme, profitant des avantages que sa présence peut lui procurer pour se nourrir en abondance. Peu craintif, le chaus est en outre particulièrement rusé à la chasse, d'une extrême vivacité dans ses mouvements et d'une grande rapidité à la course.

CARACTÉRISTIQUES

Le chaus pèse entre 7 et 16 kg, les individus d'Asie centrale étant les plus lourds et ceux d'Asie du Sud-Est les plus légers.

Il possède de longs membres, une queue courte et des oreilles longues, bordées de noir, comme celles du lynx. Son pelage fauve peut être teinté de gris ou de rouge. De faibles marques mouchetées rehaussent parfois le corps, les membres et la tête. La queue annelée a l'extrémité noire et arrondie. Il existe des chaus entièrement noirs.

Les naturalistes pensent que le chaus est originaire des marécages des deltas du Proche-Orient, où il trouvait ses proies dans les fourrés près des cours d'eau. Il se répandit ensuite vers l'est, sans doute poussé par la croissance démographique. Il s'adapta ainsi à de nouveaux habitats, des forêts denses aux plateaux élevés. En Inde, il affectionne particulièrement les plantations de canne à sucre.

L'INSTINCT DE CHASSE

Le chaus se nourrit de lapins, de rats, de souris, d'oiseaux et de reptiles. Il traque patiemment ses proies, avant de bondir dessus. Son territoire compte de nombreux refuges, qu'il prend souvent aux renards ou aux porcs-épics. Moins nocturne que beaucoup de félins, il chasse au lever et au coucher du soleil.

La portée du chaus varie de trois à sept petits. Le pelage de naissance est marqué de rayures qui disparaissent à mesure que le petit grandit. Les chatons quittent leur mère vers l'âge de cinq mois, mais ne deviennent adultes qu'un an après.

Le chaus est l'un des petits félins les plus résistants et les plus répandus.

LE SAVIEZ-VOUS ?
À l'ère préhistorique, il existait plusieurs espèces de félins à dents en sabre qui ont parfois été dénommés « tigres » à tort, n'étant nullement apparentés aux véritables tigres.

En haut à gauche
Le chat du Bengale se distingue par les marques blanches qui cernent ses yeux.

En haut à droite
Ce chaus porte une robe de couleur fauve. Cette espèce affectionne particulièrement les plantations de canne à sucre.

En bas
Ce chat du Bengale vit en Russie, où l'espèce s'est adaptée au climat froid.

Chat-pêcheur

L'ASIE DU SUD ET DU SUD-EST abrite également le chat-pêcheur, ou chat viverrin, *Felis viverrina*. Son poids et sa taille varient beaucoup, de 7 kg en moyenne jusqu'à 12 kg. Le chat-pêcheur privilégie les terrains marécageux, biotope auquel il s'est parfaitement adapté.

CARACTÉRISTIQUES

De nombreuses races et espèces de félins, notamment le Turkish Van chez les chats domestiques et le tigre chez les grands félins, apprécient l'eau et attrapent occasionnellement des poissons. Mais seul le chat-pêcheur se nourrit essentiellement dans l'eau. Ses pattes antérieures, légèrement palmées, sont adaptées à la nage, et ses griffes ne se rétractent pas entière-

En haut à droite
Les griffes du chat-pêcheur lui servent de harpons pour attraper le poisson.

En haut à gauche et au milieu
Ces trois chats-pêcheurs chassent leurs proies dans un marécage de Thaïlande.

En bas à droite
Un jeune chat-pêcheur.

ment. Celles-ci, véritables harpons vivants, lui servent à capturer le poisson et à le sortir de l'eau, ainsi qu'à fouiller les rives boueuses des cours d'eau. Il déploie une patience digne d'un pêcheur, attendant l'apparition des proies sur la rive ou sur un rocher, et s'aventurant parfois dans l'eau. Lorsque le poisson abonde, il constitue la base de son alimentation, mais le chat-pêcheur capture également reptiles, grenouilles, oiseaux et petits mammifères. Dans les villages d'Inde

et du Bangladesh, il est renommé pour emporter les nouveau-nés, des cas ayant été réellement signalés.

Robuste, le chat-pêcheur possède une tête large, un corps et des membres longs, une queue courte. Son pelage brun clair est parfois rayé de gris, avec des rangées de taches noires sur le corps. Des lignes noires courent du haut de la tête à l'arrière de la nuque. Les parties inférieures de son corps sont blanches.

Les femelles gravides choisissent un refuge dans les roseaux pour mettre bas, et après une période de gestation de huit semaines, elles donnent naissance à des portées de deux ou trois chatons. Ils sont sevrés au bout de deux mois, et bien développés à neuf mois. L'espèce est tuée pour sa peau en Inde et au Pakistan, tandis que, dans certaines régions de l'Inde, elle a souffert de la pollution industrielle des cours d'eau.

Manul, ou chat de Pallas

LE MANUL, *Felis manul,* couvrait une vaste aire aux temps préhistoriques, de l'Asie à l'est de l'Europe. Il est désormais confiné à une région d'Asie centrale, entre la mer Caspienne, la Mongolie-Intérieure et le Tibet.

CARACTÉRISTIQUES

Le manul se distingue des autres félins sauvages d'Asie par sa tête large et plate, ses grands yeux et ses oreilles basses, lui donnant un peu un air de chouette. Les troisièmes paupières ou nictitantes, très développées, lui serviraient de défense contre les tempêtes de poussière dues aux vents violents qui balaient son aire de répartition.

Le corps du manul, rond et lourd, repose sur des membres courts. Les poils sont longs et denses, notamment sur les parties inférieures. La queue, longue et touffue, porte quatre anneaux se terminant par une extrémité noire. La robe, généralement orange et gris, est rehaussée de marques blanches et noires sur la tête. Mais, selon l'habitat, la couleur de fond peut varier du gris au brun jaunâtre. Les poils de couverture présentent un aspect argenté. Des marques foncées apparaissent sur les joues et parfois sur les membres.

UN MODE DE VIE SOLITAIRE

Le manul pèse de 3 à 5 kg. Très solitaire, ce félin nocturne ne se laisse pas repérer par l'homme. Il vit dans les grottes et les cavités rocheuses de terrains souvent découverts. Sa tête plate lui permet de faire le guet derrière les rochers sans être vu, attendant le moment d'attaquer sa proie. Dans les paysages découverts, il avance en rampant et s'immobilise dès qu'il aperçoit une proie, avant de bondir dessus. Évoluant dans des milieux peu hospitaliers, pauvres en vie animale, le manul doit chasser avec précision et se nourrir d'une grande diversité de proies, comme les rongeurs, les reptiles et les oiseaux.

Le manul s'exprime beaucoup de manière vocale, émettant des cris aigus en cas de menace et des hurlements de chien en période de rut. Les portées comptent de quatre à six chatons.

REPRODUCTION

Le manul doit son autre nom, chat de Pallas, à l'un des grands pionniers de l'histoire naturelle. Peter Simon Pallas, naturaliste et explorateur allemand, fut nommé en 1768 à l'Académie des sciences de Saint-Pétersbourg. Pendant vingt-cinq ans, à la demande de l'impératrice Catherine II, il parcourut l'Asie du Sud et de l'Est pour étudier la flore et la faune de ces territoires. Pendant l'une de ces expéditions, il trouva et identifia le manul. Il fit également connaître aux Européens les chats siamois, qu'il découvrit au centre de la Russie.

Les zoologues ont démenti les spéculations selon lesquelles le manul aurait introduit le gène des poils longs chez les ancêtres du chat domestique. La robe du manul est en effet la plus épaisse de celles de tous les chats sauvages, notamment sur les parties inférieures. C'est sans doute grâce à l'excellente isolation thermique que lui offre sa fourrure qu'il peut arpenter les surfaces gelées d'Asie centrale.

LE SAVIEZ-VOUS ?

Les scientifiques ont eu du mal à dresser la carte de l'évolution des félins, sans doute parce que ceux-ci occupent souvent des milieux forestiers, où la fossilisation est impossible.

Ci-dessous
Les grands yeux et les oreilles basses du manul évoquent le faciès de la chouette.

Chat tacheté de rouille

L E CHAT TACHETÉ DE ROUILLE, *Felis rubiginosus,* le plus petit des félins, ne pèse que de 1 à 2 kg.

Ci-dessous
Ce chat tacheté de rouille vit dans les forêts de Sri Lanka.

CARACTÉRISTIQUES
Le pelage de ce chat de couleur rouille, avec des traces brunes sur le dos et les membres, est blanc sur les parties inférieures et tacheté de noir.

La tête porte des marques blanches et noires, et quatre lignes noires courent sur le haut de la tête jusqu'à la nuque.

L'espèce occupe une diversité de biotopes – broussailles, milieux forestiers ou proches des cours d'eau –, principalement dans le sud de l'Inde et à Sri Lanka, de petites colonies isolées existant aussi dans le nord de l'Inde. Lorsque ses habitats naturels sont menacés, le chat tacheté de rouille s'approche des habitations pour se nourrir de rongeurs. Facilement domestiqué, il se révèle joueur et attachant. Les connaissances à son sujet restent limitées. Il pourrait être actuellement plus répandu en Inde qu'on ne le pense.

Chat marbré

L E CHAT MARBRÉ, *Felis marmorata,* espèce arboricole rare, se rencontre du Népal à l'Indonésie en passant par la Birmanie, la Thaïlande et les îles malaises, principalement Sumatra et Bornéo. Il passe le plus clair de son temps dans les arbres à chasser ou à se reposer, se nourrissant d'oiseaux, de reptiles et d'écureuils.

CARACTÉRISTIQUES

Le chat marbré doit son nom à son pelage d'apparence insolite. En effet, de couleur brun clair, il porte des taches et des rayures foncées irrégulières tant sur le corps que sur les membres et la queue, dont l'extrémité est noire.

Ce pelage doux, épais, se révèle encore plus dense sur les parties inférieures.

Le chat marbré, à la tête petite et ronde, se distingue par ses yeux, très enfoncés pour un félin. Son corps d'allure solide se termine par une queue longue, épaisse, à l'extrémité arrondie.

Par sa conformation et son allure, notamment lorsqu'il est au repos, le chat marbré rappelle la panthère, bien qu'il soit beaucoup plus petit qu'elle. Il pèse environ 5 kg.

Les portées comptent trois ou quatre petits. Ils naissent sans le pelage marbré caractéristique, qu'ils acquièrent vers l'âge de quatre mois.

Chat de Bornéo

L E CHAT DE BORNÉO, *Felis badia,* se rencontre exclusivement dans les milieux broussailleux… de Bornéo.

CARACTÉRISTIQUES

Ce petit félin de 2 à 3 kg arbore un pelage brun-roux, qui devient blanc rosé sur les parties inférieures. Des traces blanches rehaussent la tête. La longue queue se termine par une extrémité toute blanche prolongeant une rayure également blanche qui court sur le dessous. Les connaissances restent limitées sur l'habitat de cette espèce, qui a été peu repérée. Mais elle semble privilégier les milieux forestiers et marécageux, où elle se nourrit de rongeurs et d'oisillons.

Chat d'Iriomote

L A PETITE ÎLE montagneuse d'Iriomote, dans le Pacifique, se situe à 200 km de la côte est de Taïwan, au sud de l'archipel des Ryukyu. Le chat d'Iriomote, *Felis iriomotensis,* fut identifié seulement en 1967, date à laquelle sa population fut estimée à une centaine d'individus. Son statut d'espèce à part entière fut tout d'abord contesté. Mais des vestiges fossiles découverts depuis sur une île voisine montrent que l'existence de cette espèce remonte à 2 millions d'années.

CARACTÉRISTIQUES

De la taille du chat domestique, il pèse environ 5 kg. Son corps long, reposant sur de petits membres robustes, se termine par une courte queue. En raison de son pelage brun, tacheté de noir – la tête et la nuque sont même rayées –, certains zoologues l'ont considéré comme une sous-espèce du chat du Bengale. D'autres ont noté une ressemblance avec le kodkod d'Amérique du Sud. Ces similitudes peuvent s'expliquer par le fait que des espèces proches, évoluant dans des habitats et des climats identiques, acquièrent les mêmes caractéristiques.

LE SAVIEZ-VOUS ?
Des pupilles rondes, plutôt qu'en forme de fentes ou d'ellipses, révèlent une aptitude à la chasse diurne, les yeux étant moins sensibles à la lumière.

LE SAVIEZ-VOUS ?
L'extrémité de la queue est souvent caractéristique. Elle permet aux chatons de ne pas s'égarer lorsqu'ils progressent à plusieurs dans les broussailles ou les hautes herbes.

À gauche
Ce chat marbré
de Malaisie ressemble
à une petite panthère.

Chat de Temminck

Chat à tête plate

LE CHAT DE TEMMINCK, *Felis temmincki,* se rencontre dans les montagnes et les forêts de l'est de l'Himalaya, au sud de la Chine. Il est également présent sur l'île indonésienne de Sumatra.

HABITAT

Le chat de Temminck privilégie les environnements humides. Féroce et audacieux, il attaque les grosses proies comme les petits cervidés, les moutons, les chèvres et même les petits buffles d'Asie. Il porte diverses appellations selon les régions : chat des rochers ou panthère jaune en Chine, chat-tigre dans diverses parties de l'Asie du Sud-Est. Bien que ressemblant au chat doré d'Afrique, il semble avoir évolué séparément en Asie, et il est plus gros que son cousin africain.

CARACTÉRISTIQUES

Ce chat de belle allure, à la queue et aux membres longs, porte un pelage épais de couleur dorée, parfois gris foncé, avec des marques blanches bordées de noir sur la face. Sa tête caractéristique est également rayée de bleu. Ses petites oreilles rondes, noires sur le dessus, sont tachetées de gris. Une sous-espèce vivant au Myanmar (Birmanie) et au Tibet a le corps davantage marqué de taches ou de rayures noires, des individus entièrement noirs ayant été repérés.

Jadis victime de la chasse, l'espèce est aujourd'hui menacée par la déforestation, surtout au Népal et à Sumatra.

Le chat de Temminck pèse de 12 à 14 kg. Certains spécialistes des félins prétendent qu'il pourrait être l'ancêtre des Siamois, spéculation qui n'a pu être vérifiée, malgré l'allure orientale de l'espèce.

Le naturaliste néerlandais Conrad Temminck, qui vécut de 1778 à 1858, rédigea l'un des premiers manuels complets d'ornithologie. Après des années passées à Sumatra (alors colonie néerlandaise), au cours desquelles il identifia le chat doré d'Asie qui porte désormais son nom, il fut nommé directeur du musée d'Histoire naturelle de Leyde, aux Pays-Bas.

RARE, le chat à tête plate, *Felis planiceps,* se rencontre en Thaïlande, à Bornéo, en Malaisie et à Sumatra.

CARACTÉRISTIQUES

Ce chat a – comme son nom l'indique – une tête plate, avec des oreilles éloignées et un museau pointu, un corps long, des membres courts et une queue courte et épaisse. Pesant de 5 à 8 kg, il arbore un pelage long et épais, brun rougeâtre, avec parfois des traces de gris ou de blanc argenté. La tête est marquée de noir, et les parties inférieures sont tachetées de brun. Ce chat privilégie les habitats proches de l'eau, les poissons constituant la base de son alimentation, complétée de grenouilles et de gibier d'eau. Ses griffes, pas autant découvertes que celles du chat-pêcheur, ne se rétractent pas totalement – adaptation en rapport avec sa capacité à pêcher.

Cette espèce reste peu connue à l'état sauvage, en raison de sa nature solitaire, de son habitat limité et inaccessible, mais quelques individus ont fait l'objet d'études en captivité. Peu d'informations sont disponibles en termes de développement et de déclin de l'espèce.

Chat de Mongolie

En 1889, Henri d'Orléans, membre de la famille des prétendants au trône de France, entreprit une expédition en Sibérie, au Tibet et en Thaïlande – alors dénommée Siam. Les autorités tibétaines ayant refusé au convoi l'accès à leur pays, les membres de l'expédition durent se diriger vers la province chinoise du Sichuan, dans le bassin du Yangzi Jiang. Là, on leur présenta les dépouilles de deux félins, d'après lesquelles fut rédigée une description de l'espèce, *Felis bieti*. Les connaissances que nous possédons sur le chat de Mongolie proviennent essentiellement de cette description, complétée de divers témoignages.

HABITAT

Le chat de Mongolie n'occupe apparemment qu'une petite région montagneuse située à l'ouest de la Chine, jusqu'à 3 000 m d'altitude. Il pèse environ 5 kg.

CARACTÉRISTIQUES

La couleur du pelage du chat de Mongolie varie du brun rougeâtre au gris jaunâtre. Des variations saisonnières sont également possibles. Des rangées de taches foncées courent verticalement sur les flancs et rehaussent les joues. La queue, annelée, est noire à l'extrémité. Les pattes sont bien rembourrées, et les oreilles se terminent par de petits pinceaux de poils.

LE SAVIEZ-VOUS ?

Le chat de Temminck est appelé en Chine léopard jaune et, en Thaïlande, tigre de feu. Sa couleur dorée est légendairement dotée de pouvoirs magiques.

Ci-dessous
Ce chat de Mongolie manifeste sa colère – ou sa peur – en exposant ses longues canines.

Les petits félins d'Afrique

Chat du désert

IL PEUT PARAÎTRE étonnant que l'Afrique n'offre pas la même diversité de petits félins que l'Amérique du Sud ou l'Asie du Sud-Est, malgré l'existence de la forêt équatoriale, habitat propice aux espèces arboricoles. La réponse tient sans doute à la présence de carnivores, notamment la panthère et la hyène. Mais si le petit félin représentatif de l'Amérique et de l'Asie du Sud-Est est le chat arboricole, en Afrique, c'est le chat du désert, *Felis margarita,* capable de survivre aux abords des zones arides, un environnement que dédaignent les grands félins.

AIRE DE RÉPARTITION

La répartition du chat du désert, ou chat marguerite, est très inégale. La population la plus importante réside à l'ouest du Sahara, des colonies vivant en Égypte, au sud de l'Arabie, au Turkestan. La plus petite se trouve à l'ouest du Pakistan, où l'espèce est menacée. Ces régions, toutes arides, offrent des biotopes sablonneux et rocheux.

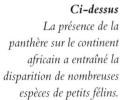

Ci-dessus
La présence de la panthère sur le continent africain a entraîné la disparition de nombreuses espèces de petits félins.

Ci-contre
Le petit chat du désert porte un pelage doux et épais, de couleur brun jaunâtre.

CARACTÉRISTIQUES

Petit, le chat du désert pèse seulement 2 kg. Son pelage doux et épais, brun jaunâtre ou gris, est plus foncé sur le dos et blanc sur les parties inférieures. Des marques foncées rehaussent les membres, et la queue, portant trois anneaux, se termine par une extrémité noire.

La tête, carrée et grosse comparée au corps, se distingue par des oreilles basses et des moustaches proéminentes. Trait caractéristique, les oreilles, de grandes dimensions, sont dotées d'un système interne très développé. Ces deux adaptations permettraient à ce félin de détecter les faibles bruits émis par les animaux du désert qui constituent ses proies favorites.

Autre trait surprenant : des poils de 2 cm de long forment des rembourrages épais sous les pattes. Ces coussinets d'une part empêchent l'animal de s'enfoncer dans le sable du désert et, d'autre part, le protègent de la chaleur intense que dégage le sol.

LE CHATON DU DÉSERT

Les femelles gravides creusent un trou dans le sable pour mettre bas une portée, qui compte souvent quatre chatons, parfois huit. Si ceux-ci ne pèsent que 40 g à la naissance, à cinq semaines ils sont prêts à s'aventurer à l'extérieur et apprennent vite à creuser le sable. Les traces tigrées du duvet de naissance s'estompent avec l'apparition du pelage adulte. Les chatons acquièrent leur indépendance vers l'âge de quatre mois.

UNE ESPÈCE RÉSISTANTE

Le chat du désert illustre à merveille la capacité des félins à survivre dans des environnements hostiles. Il naît dans un climat inhospitalier, où la nourriture est peu abondante. Les abris étant rares, il vit exposé. Il est vulnérable aux serpents, aux loups et aux vautours.

Malgré les maigres ressources de l'habitat, la mère doit nourrir ses nombreux chatons dont l'appétit doit être féroce, vu leur rythme de croissance prodigieux pendant les premières semaines.

Le chat du désert doit son nom scientifique, *Felis margarita*, au général français Jean-Auguste Margueritte, qui initia l'ouverture de l'ouest du Sahara dans les années 1850 et 1860, revendiquant la région comme partie de l'Empire français.

Le chat du désert se cache dans le sable pour se protéger du soleil pendant la journée, et il sort au crépuscule pour chasser. Ses oreilles basses lui permettent de traquer ses proies sans se faire remarquer, y compris dans les paysages sans abris. Il se nourrit surtout de rongeurs du désert comme les gerboises, mais aussi d'oiseaux, de lézards et de sauterelles. Son système digestif est adapté aux habitats sans eau ; il se procure le liquide nécessaire sur ses proies et le conserve dans son système urinaire.

LE SAVIEZ-VOUS ?

Parmi les quarante espèces de félins (dont le chat domestique), seules deux comptent 30 dents. Les petits n'ont que 26 dents de lait.

En haut
Originaire des régions arides comme le Sahara, le chat du désert passe les heures les plus chaudes de la journée caché dans le sable.

Ci-contre
Le chat du désert est parfois la proie des loups et des serpents.

Caracal

LE CARACAL, *Felis caracal,* est le plus gros des petits félins d'Afrique. Également dénommé lynx du désert (même s'il ne vit pas dans le désert), lynx caracal ou lynx de Perse, il pèse de 16 à 20 kg. De grandes différences de taille existent entre mâles et femelles.

HABITAT

Comme le lynx, le caracal a une queue courte et des oreilles pointues, prolongées par un pinceau de poils. Il peuple les savanes d'Afrique, notamment en Afrique du Sud et en Ouganda. Il occupe aussi des régions montagneuses et semi-désertiques, mais ni le désert ni la forêt tropicale. On le rencontre également en Arabie, en Afghanistan et dans le nord-ouest de l'Inde.

CARACTÉRISTIQUES

Le pelage court du caracal, de couleur fauve uniforme, est simplement marqué de blanc sur le menton, la gorge et le ventre, de noir sur le museau. Ce félin très puissant et rapide saute et grimpe avec agilité. En dehors de l'accouplement, il mène une vie solitaire sur ses territoires de chasse bien définis, se déplaçant la nuit et chassant le jour. Féroce prédateur, il tue beaucoup plus de proies qu'il ne lui en faut pour se nourrir, décimant parfois le bétail. Ce comportement, qui n'est pas sans rappeler celui des loups et des renards, est peu courant chez les félins. En effet, ceux-ci chassent généralement pour satisfaire leurs besoins immédiats de nourriture.

À l'état sauvage, les caracals attaquent les lézards, les lapins, les oiseaux, les antilopes et les chèvres, parfois même les aigles. Ils bondissent sur les oiseaux qui prennent leur envol et les capturent d'un coup de patte. Le caracal vit autant au sol que dans les arbres, où il hisse souvent ses proies, comme la panthère.

En haut à droite
Le caracal d'Afrique du Sud arbore un pelage fauve, avec des parties inférieures blanches.

En bas à gauche
Les oreilles pointues du caracal sont très proéminentes.

En bas à droite
Réputé pour sa férocité, le caracal est un redoutable prédateur.

REPRODUCTION

S'il ne vit pas autant en groupe que le lion, le caracal semble néanmoins avoir une structure sociale, au moins pendant la saison de la reproduction, qui se situe à n'importe quel moment de l'année. La femelle en rut attire sur son territoire les mâles, qui s'accouplent avec elle par ordre d'importance, les plus gros et les plus âgés d'abord. Ils partent ensuite à la recherche d'une autre femelle. La femelle gravide choisit un abri dans les rochers, et après une période de gestation de onze semaines, elle met bas une portée de deux ou trois petits, parfois cinq.

Les chatons ne restent pas longtemps au gîte. Au bout de quatre semaines, ils le quittent avec leur mère pour une vie nomade, trouvant chaque jour un nouvel abri dans les herbes ou les fourrés. Vers six mois, ils abandonnent leur mère et choisissent un territoire de chasse, parfois à 100 km de distance. Le caracal vit neuf ou dix ans à l'état sauvage, parfois deux fois plus longtemps en captivité.

Chat de Nubie

L E PETIT FÉLIN le plus répandu en Afrique est le chat de Nubie, ou chat ganté, *Felis libyca*. La question de savoir s'il s'agit d'une espèce distincte du chat sauvage d'Europe ou chat forestier, *F. silvestris silvestris*, est longtemps restée un sujet de controverse parmi les zoologues, mais le consensus semble actuellement en faveur de la distinction. Le chat européen, généralement plus lourd, a un pelage plus tigré et plus foncé, conséquence probable du climat où il vit. Les aires de répartition des deux chats ne sont pas les mêmes et, surtout, ils manifestent des comportements très différents. Solitaire, le chat européen évite tout contact avec l'homme, sauf lorsqu'il est poussé par la faim, tandis que le chat africain semble rechercher la présence humaine – ne serait-ce que pour se nourrir. De toute évidence, les deux espèces ont pour ancêtre commun le chat domestique.

HABITAT

Le chat de Nubie peuple presque toute l'Afrique, sauf une région d'Afrique occidentale correspondant aux bassins des fleuves Congo et Niger. Il vit aussi dans le sud de l'Asie, de l'Arabie à l'Inde, certaines sous-espèces occupant les îles et les rivages nord de la Méditerranée.

CARACTÉRISTIQUES

Le chat de Nubie, pesant de 5 à 6 kg, possède un corps allongé et des membres longs. Sa queue bien fournie, rehaussée de trois anneaux, se termine par une extrémité noire. Ses oreilles arrondies ne portent pas de pinceaux de poils. Lorsque le chat

rôde, elles basculent vers l'arrière comme si elles étaient en état d'alerte maximale.

La couleur du pelage, généralement fauve, varie du gris pâle au brun-gris. Les taches visibles sur le corps sont plus prononcées sur les membres, où elles prennent la forme d'anneaux.

UNE ESPÈCE DOMESTICABLE

Dans son habitat naturel, le chat de Nubie se nourrit d'une grande diversité de petits animaux – rongeurs, serpents, lézards, oiseaux et insectes. Sa longue relation avec l'homme remonte à l'Égypte ancienne. Le félin découvrit alors que les champs et les granges, à proximité des habitations, cachaient d'importantes provisions de rongeurs. Il apprit aussi à se faire apprécier par l'homme. Le chat de Nubie n'est pas aussi solitaire que son cousin européen, et il ne fuit pas autant que lui la présence humaine. Si les chats sauvages d'Europe naissent et demeurent inapprivoisables, ceux de l'espèce africaine se laissent aisément domestiquer. Aujourd'hui encore, le chat de Nubie vit en harmonie avec les villageois égyptiens.

La période de gestation du chat de Nubie n'est parfois que de huit semaines. La portée type compte trois ou quatre chatons, qui deviennent adultes à un an.

LE SAVIEZ-VOUS ?

Le smilodon, félin préhistorique à dents en sabre, est connu par les squelettes fossilisés découverts dans le bitume des puits de Rancho La Brea, en Californie.

Ci-dessus
Même si le jeune chat de Nubie défend son refuge, il est apprivoisable.

À gauche
Le chat de Nubie est doté d'un corps à la fois svelte et robuste.

Serval

L E SERVAL, *Felis serval*, peuple toute l'Afrique, à l'exception des déserts, mais il est surtout répandu en Afrique centrale. Son aire de répartition semble néanmoins diminuer, notamment en Afrique du Nord, où il est considéré comme une espèce en danger.

CARACTÉRISTIQUES

D'un poids oscillant entre 13 et 18 kg, le serval privilégie les forêts proches des rivières, où il se cache dans les broussailles pour guetter les antilopes et les oiseaux. Mais il s'approche aussi des habitations pour attaquer les volailles et le bétail. Il est chassé intensivement pour cette raison, ainsi que pour sa fourrure, fort recherchée.

Cet animal élégant, fin, agile et haut sur pattes, possède une courte queue et de grandes oreilles dirigées vers l'avant. Trait unique chez les félins, les membres antérieurs, plus longs que les postérieurs, lui donnent une allure caractéristique lorsqu'il court.

Son pelage brun orangé devient blanc sur les parties inférieures, et, chez les individus vivant en altitude, il est plus clair, couleur chamois. Jadis, les naturalistes pensaient qu'il s'agissait dans ce cas d'une espèce distincte, spéculation démentie depuis.

Chez tous les servals, la couleur de fond est rehaussée de marques noires, de forme et de taille variables selon l'habitat.

Les servals des milieux forestiers portent de petites taches noires, ceux des savanes ont des marques formant des rayures sur la nuque, le dos et les flancs, des anneaux sur les membres. La queue annelée se termine par une extrémité noire. Des individus entièrement ou partiellement noirs ont été repérés, notamment dans les régions humides et tempérées, comme les hauteurs du Kenya.

L'INSTINCT DE CHASSE

Le serval a recours à deux stratégies de chasse : l'affût et l'embuscade. Ses grandes oreilles lui permettraient de capter les sons émis sous terre par les rats-taupes, ses victimes favorites, qu'il déterre pour s'en emparer.

Le serval a l'habitude de se tenir à l'affût les oreilles dirigées vers une source probable de provende. Ses autres proies sont les oiseaux, les antilopes, les lézards et les grenouilles. Il chasse au crépuscule, après une longue période de sommeil au milieu de la journée, complétée d'une plus courte au cœur de la nuit.

Les servals sont réputés malveillants, peut-être pour justifier leur chasse intensive. Ils réagissent de manière vocale, soufflant et crachant dès que leur proie est menacée ou qu'ils se font surprendre. Mais il existe aussi des récits de servals domestiqués avec succès.

Ci-dessus
Le serval se distingue par son pelage séduisant et son allure élégante.

En haut à droite
Les servals se plaisent dans les hautes herbes, dans lesquelles ils guettent leurs proies.

Ci-contre
Le serval se tient souvent à l'affût en position assise.

Ils s'établissent sur leur propre territoire à l'âge de un an, expulsés par leur mère s'ils manifestent des réticences à la quitter. C'est une étape délicate pour le jeune serval, qui doit souvent procéder à plusieurs tentatives avant de trouver un territoire qui n'empiète pas sur celui d'un rival. Il défend farouchement son périmètre, de taille moyenne.

Excellent athlète, le serval peut effectuer des bonds de 3 m afin d'accéder par exemple aux branches d'un arbre où il se réfugie ou poursuit une proie. Rapide sur de courtes distances, il sait aussi grimper et, si besoin, nager.

Outre l'homme, son principal ennemi est la panthère, à laquelle il réussit néanmoins à échapper, à moins d'être pris au dépourvu.

REPRODUCTION

Mâles et femelles se retrouvent de février à avril pour s'accoupler. La femelle gravide s'approprie le refuge d'un autre animal en le chassant si besoin, ou elle en fabrique un avec des feuilles sèches au pied d'un arbre. Chaque portée compte deux ou trois petits. Menus mais dodus à la naissance, ceux-ci doublent leur poids en dix jours.

LE SAVIEZ-VOUS ?
Lions, tigres, panthères et jaguars, tous dotés de pupilles rondes, chassent autant de jour que de nuit, profitant ainsi de toutes les occasions.

En haut
En cas de danger, le serval réagit par des cris perçants.

Ci-contre
Le jeune serval reste avec sa mère jusqu'à l'âge de un an. Il la quitte alors pour établir son territoire.

Chat doré d'Afrique

L E CHAT DORÉ D'AFRIQUE, *Felis aurata*, peuple l'Afrique occidentale et centrale, de la côte ouest du Sénégal jusqu'aux forêts du Kenya. Son pelage, généralement doré, évoque, en plus long, la fourrure du chat domestique. Il fait partie intégrante du folklore des tribus qui partagent son habitat. Jadis, les chefs aimaient revêtir sa peau, et les Pygmées du Cameroun emportaient sa queue pour leur porter chance lorsqu'ils partaient chasser l'éléphant.

HABITAT
Le chat doré d'Afrique est étroitement apparenté au chat de Temminck, *F. temmincki,* même si leurs habitats se situent aux antipodes, respectivement en Afrique et en Asie du Sud-Est. Certains prétendent qu'il y a 1 million d'années ou plus, ils formaient une seule et même espèce occupant une région voisine de l'équateur, de l'Afrique à l'Asie. Les changements climatiques qui affectèrent le Moyen-Orient les auraient séparés. Néanmoins, ils peuplent les mêmes habitats forestiers.

CARACTÉRISTIQUES
Pesant de 5 à 12 kg, le chat doré d'Afrique présente sur son pelage une couleur de fond et des marques variables. Certains ne portent des traces visibles que sur les membres et la queue ; d'autres ont le corps entièrement tacheté. Chez certains spécimens, une rayure noire court le long du dos et de la queue ; chez d'autres, la queue est annelée. La couleur de fond varie du brun noisette au gris argenté. De forme trapue, le chat doré d'Afrique donne une impression de puissance et de force musculaire. Ses longs membres sont dotés de larges pattes. La tête est assez petite, les oreilles sont rondes. Ce chat vit autant au sol que dans les arbres, où il aime se percher pour dormir.

L'INSTINCT DE CHASSE
L'habitat privilégié du chat doré d'Afrique étant le même que celui de la panthère, il en résulte une compétition pour la nourriture entre les deux espèces, et parfois de violents affrontements. Mais si le chat doré capture occasionnellement une jeune antilope, il se nourrit davantage de rongeurs et d'oiseaux, attaquant aussi les volailles dans les fermes.

De nature solitaire, le chat doré d'Afrique a fait l'objet de peu d'études à l'état sauvage. Au terme d'une gestation de onze semaines, la femelle met bas une portée de un ou deux petits. Ils se développent rapidement et, à trois semaines, ils s'initient à la chasse de manière ludique sous la surveillance de leur mère. Il deviennent adultes à dix-huit mois.

En haut
Le chat doré d'Afrique se distingue par une petite tête aux formes harmonieuses.

En bas à droite
Ce félin fait partie intégrante du folklore des tribus africaines.

Ci-dessous
Le chat doré d'Afrique partage souvent les mêmes territoires que la panthère, ce qui engendre une vive compétition pour la nourriture.

Chat à pattes noires

L E CHAT À PATTES NOIRES, *Felis nigripes,* est le plus petit membre africain de la famille des félins, les mâles pesant moins de 2 kg, et les femelles, pas plus de 1,5 kg. Son aire de répartitition se limite aux terrains semi-désertiques et aux savanes, dans le sud-ouest de l'Afrique, principalement dans le désert du Kalahari.

CARACTÉRISTIQUES

Le chat à pattes noires doit son nom aux bandes foncées ornant ses membres, bandes qui deviennent noires sur ses pattes. La couleur de fond du pelage, brun clair, est rehaussée de taches foncées qui forment des rayures sur la nuque et les épaules, des bandes sur les membres. La queue annelée se termine par une extrémité noire.

Vivant dans des milieux découverts, le chat à pattes noires semble conscient de sa vulnérabilité face aux autres carnivores. Menacé, il déploie toute son agressivité, mais il a tendance à éviter le danger en s'appropriant le refuge d'autres animaux, comme les terriers de lièvres et les nids de termites.

REPRODUCTION

La vie sexuelle de l'espèce est soumise à un calendrier très précis. En effet, les femelles ne sont en chaleur que pendant cinq à dix heures (contre six à dix jours chez le chat domestique, et jusqu'à quatorze jours chez le guépard). Le mâle doit donc être présent au moment opportun. Les femelles se signalent par des cris qui résonnent à des distances considérables.

Comme chez presque tous les félins, le mâle s'éloigne après l'accouplement. Neuf semaines après, une portée de un ou deux petits voit le jour. Minuscules, ceux-ci sont très vulnérables aux prédateurs. C'est pourquoi la mère quitte le gîte dès que possible avec eux, les entraînant dans des expéditions de chasse à travers les herbes et les broussailles. Dès la naissance, les petits émettent des ronronnements, qu'ils échangent avec ceux de leur mère pendant les premières semaines pour se rassurer. S'ils sont menacés pendant son absence, ils restent immobiles jusqu'à ce qu'elle se fasse entendre. À six semaines, ils commencent à chasser et à capturer leurs proies, mais c'est seulement à un an, voire dix-huit mois, qu'ils quittent leur mère et deviennent autonomes.

UNE ÉTRANGE RÉPUTATION

Le chat à pattes noires a acquis une curieuse réputation émanant, semble-t-il, du témoignage d'un seul observateur, E. Cronje Wilmot, membre d'un gouvernement d'Afrique du Sud. Selon lui, ce chat attaquerait les moutons en sautant sur leur dos et en s'agrippant à leur nuque jusqu'à ce que la veine jugulaire soit transpercée. Toujours d'après Wilmot, il tuerait les girafes de la même manière.

À gauche
Le chat à pattes noires peuple les régions semi-arides situées aux confins du désert du Kalahari.

Ci-contre
Les marques noires sur les membres, auxquelles le chat à pattes noires doit son nom, sont nettement visibles sur cette photo.

Adresses utiles

ASSOCIATIONS ET CLUBS FÉLINS

Association nationale des cercles félins de France (ANCFF)
7, rue Chaptal
75009 Paris
Tél. 01 48 78 43 54

Cat Club de Paris et des provinces françaises
et Fédération féline de France (FFF)
75, rue Claude-Decaen
75012 Paris
Tél. 01 46 28 26 09

Cercle félin de Paris
12, rue Janssen
75019 Paris
Tél. 01 42 39 85 24

Fédération internationale du chat
15, rue des Acacias
91270 Vigneux
Tél. 01 69 03 51 98

Société centrale féline de France (SCFF)
24, rue de Nantes
75019 Paris
Tél. 01 40 35 18 04

PROTECTION ANIMALE ET ASSISTANCE

École du Chat
110, rue Championnet
B.P. 184
75800 Paris Cedex 18
Tél. 01 42 23 21 16
(organise des journées d'adoption)

Fichier national félin
10, place Léon-Blum
75011 Paris
chats perdus-chats trouvés 01 44 93 30 30

Conseil national de la Protection animale
10, place Léon-Blum
75011 Paris
Tél. 01 43 72 09 06

Arc-en-ciel Anima (association d'aide aux animaux)
19, rue du Maréchal-Lyautey
58000 Nevers
Tél. 03 86 57 73 03

Assistance aux animaux
Siège social :
24, rue Berlioz
75016 Paris
Tél. 01 40 67 10 04
Dispensaire :
23, avenue de la République
75011 Paris
Tél. 01 43 55 76 57

Fondation Brigitte Bardot
45, rue Vineuse
75116 Paris
Tél. 01 45 05 14 60
e-mail : fbb@fondationbrigittebardot.fr

Fondation 30 Millions d'Amis
40, cours Albert-Ier
75008 Paris
Tél. 01 56 59 04 44

Société nationale contre la vivisection
80, boulevard de Reuilly
75012 Paris
Tél. 01 43 43 43 32

Société protectrice des animaux (SPA)
Siège social : 39, boulevard Berthier
75847 Paris Cedex 17
Tél. 01 43 80 40 66

SPA/Refuge Grammont
30, avenue du Général-de-Gaulle
92230 Gennevilliers
Tél. 01 47 98 57 40

Dispensaire SPA
8, rue Maître-Albert
75005 Paris
Tél. 01 46 33 94 37

World Wildlife Fund (WWF)
188, rue de la Roquette
75011 Paris
Tél. 01 55 25 84 84

PENSIONS, GARDES À DOMICILE OU DANS DES FAMILLES D'ACCUEIL

Animado
21, rue Saint-Augustin
75002 Paris
Tél. 01 40 35 71 51

Animal Keeping
58, rue Pottier
78150 Le Chesnay
Tél. 01 55 60 07 38/06 80 85 41 18

Ani-Seniors Services
6, rue des Vignes
91450 Étiolles
Tél. 01 69 89 99 77
www.ani-seniors.fr
info@ani-seniors.fr

Association Milpat
12, rue Saint-Joseph
75002 Paris
Tél. 01 40 26 07 92

Home Sitting
1, rue de Stockholm
75002 Paris
Tél. 01 42 93 41 24

P'titour
73, rue Laugier
75017 Paris
Tél. 01 47 64 57 06
www.ptitour.fr

VÉTÉRINAIRES
École nationale vétérinaire
7, avenue du Général-de-Gaulle
94700 Maisons-Alfort
Tél. 01 43 96 71 00
Urgences 01 43 96 23 23

Informations vétérinaires du Ficher national félin :
Tél. 01 44 93 30 40

Urgences à domicile, Paris :
Tél. 01 47 55 47 00
Urgences à domicile, Paris et sa région :
Tél. 01 42 65 00 91/01 47 46 09 09
Urgences vétérinaires d'Île-de-France :
Tél. 08 36 68 99 33

CIMETIÈRES ET INCINÉRATION
Animaux Services
18-24, route de Tremblay
93420 Villepinte
Tél. 01 43 83 76 33

Association les Jardins du Souvenir
Route de Gournay
27120 Douains
Tél. 02 32 52 75 14

Cimetière animalier
4, pont de Clichy
92600 Asnières
Tél. 01 40 86 21 11

Cimetière des animaux de l'Oise
Avenue de la Commune-de-Paris
60340 Saint-Leu-d'Esserent
Tél. 03 44 56 76 00

SIAF (Service incinération d'animaux familiers)
3, rue du Fort
94130 Nogent-sur-Marne
Tél. 01 48 76 68 18

SOCREMA (société de crémation)
Route des Brières-les-Scellés
91150 Étampes
Tél. 01 64 94 11 30

MAGAZINES
Chat Magazine
Magbis Publications
Complexe industriel de La Hunière
78120 Sonchamp
Tél. 01 34 84 48 09

Trente Millions d'Amis
10, rue du Colisée
75008 Paris
Tél. 01 44 95 02 30

Services divers
Centre de documentation et d'information de l'assurance (CDIA)
26, boulevard Haussmann
75009 Paris
Tél. 01 42 46 13 13

Sur Internet, le site www.felin.fr (l'annuaire des éleveurs)
fournit pour toute la France des adresses d'éleveurs, clubs de races,
refuges SPA, fournitures, distribution de produits alimentaires
et salons de toilettage.

Sur Minitel : 36 15 codes CHADOG et SPA

BELGIQUE
Association nationale des sociétés de protection animale
5, boulevard Jules-Graindor
1070 Bruxelles
Tél. 02 524 29 15

Chaîne bleue mondiale
39, avenue de Visé
1170 Bruxelles
Tél. 02 673 52 30

Conseil national de la protection animale
92, avenue Mozart
1190 Bruxelles
Tél. 02 673 52 30

CANADA
Canadian Cat Association
(CCA – Association féline canadienne)
52, Dean Street
Brampton
Ontario L6W 1P6

Société canadienne
de protection des animaux
5214, Jean-Talon Street West
Montréal
Québec H4P 1X4

SUISSE
Fédération féline helvétique
Denise Kölz
Solothurnerstrasse, 83
4053 Bâle
Tél. 061 361 70 64

Musée du Chat (Katzen Museum)
Baselstrasse, 101
4125 Riehen/Bâle

Schweizer-Tierschutz
(Société suisse de protection animale)
Dornacherstrasse 101
4000 Bâle
Tél. 061 361 15 15

Orientation bibliographique

ARTHUS-BERTRAND, Yann, *Les Chats,* Le Chêne, 1993

BESSANT, Claire, *Un chat dans la maison. Encyclopédie familiale du chat,* Nathan, 2002

CHAMBERLAND, Gil, *Les Chats sacrés d'Asie,* France Loisirs, 2002

CLUTTON-BROCK, Juliet, *Petits et Grands Félins,* Gallimard, coll. «Les yeux de la découverte», 1991

DANIELS, Alison, *Le Chat Feng Shui,* Flammarion, 2001

EYNARD, Henri, *Les Chats,* Soline, 2002

Guide Hachette du chat, Hachette-Livre, 2002

FRATTINI, Stéphane, *Copain des chats,* Milan, 1997

HEUVELMANS, Bernard, *Les Derniers Dragons d'Afrique,* Plon, 1978

JACKSON, Peter, *Les Félins,* Delachaux et Niestlé, 1996

LAROCHE, Robert de, *L'Abécédaire du chat,* Flammarion, 1996

LAROCHE, Robert de, *Il y a un siècle… le chat,* Ouest-France, 2002

PONS, Alain, *Fauves d'Afrique,* Éd. En'Print, 2002

ROUSSELET-BLANC, Dr, *Le Chat. Conseils pratiques pour nourrir, soigner et élever son chat,* Larousse, 1996

ROUSSELET-BLANC, Dr (sous la dir. de), *Larousse du chat,* Larousse/VUEF, 2002

SALVIATI, Stefano, *Cent Chats de légende,* Solar, 2002

SAVAGE, Condace, *Chats sauvages,* Trécarré, 1994

SILVESTER, Hans, *Les Chats,* La Martinière, 2000

SILVESTER, Hans, *Les Chats du soleil,* La Martinière, 2002

Glossaire

Abyssin
Chat au pelage de couleur fauve, marqué de zones de coloration noire ou brun foncé.

Acides aminés
Composés organiques formant les molécules des protéines.

Acinonyx
Genre de Félidés comprenant une seule espèce, le guépard.

Acte réflexe
Réaction automatique à un stimulus ; par exemple, le ronronnement du chat.

ADN
Abréviation d'acide désoxyribonucléique, constituant essentiel des chromosomes, responsable de la transmission des facteurs héréditaires d'une génération à l'autre.

Adolescent
Dans les expositions félines, chat âgé de neuf à quinze mois.

Agouti
Couleur de fond du pelage entre les rayures d'un tabby.

Allèles
Paires de gènes produisant des caractères physiques opposés (par exemple, gènes à poils longs et à poils courts).

Annelé
Qui porte des motifs en forme d'anneaux, généralement sur la queue.

Anticorps
Substances produites dans le sang, qui neutralisent ou détruisent les infections bactériennes.

Appareil vestibulaire
Organe de l'oreille interne du chat qui procure le sens de l'équilibre et lui permet, en cas de chute, de retomber sur ses pattes.

Arboricole
Chat vivant la plus grande partie du temps dans les arbres, notamment en Amérique du Sud.

Bactéries
Micro-organismes, dont certains engendrent des maladies.

Banque génétique
Ensemble des gènes d'un groupe donné de chats, notamment une race.

Barres
Rayures foncées sur le pelage.

Bicolore
Pelage marqué de taches blanches et d'une autre couleur.

Bile
Liquide visqueux et amer sécrété par le foie, qui aide à l'assimilation des graisses.

Boule de poils
Masse de poils comprimés qui ont été ingérés.

Bracelet
Marques blanches sur les pattes.

Break
Léger creux du nez, au niveau des yeux ou en dessous, également appelé « stop ».

Calico
Chat blanc portant sur le poitrail deux taches de couleur différente.

Canines
Dents pointues situées à l'avant de chaque mâchoire.

Carnassières
Molaires tranchantes, situées de chaque côté de la mâchoire des carnivores.

Carnivore
Animal qui se nourrit de chair animale.

Castration
Ablation chirurgicale des testicules d'un mâle ou des ovaires d'une femelle pour éviter la reproduction.

Cataire (*Nepata cataria*)
Herbe dont l'odeur attire les chats, également appelée herbe-aux-chats.

Cellule
Unité de base de tous les organismes vivants.

Certificat de race
Document établi par
une organisation féline,
établissant l'ascendance
du chat et l'authentifiant
comme chat de race.

Cervelet
Partie du cerveau
qui coordonne les
mouvements et l'équilibre.

Chaleurs
Période pendant laquelle
la femelle est prête
à s'accoupler.

Championnat
Deuxième récompense,
par ordre d'importance,
décernée dans une
exposition féline.

Chat de gouttière
Chat de race indéterminée
et commune.

Chat de maison
Terme utilisé par les
éleveurs pour désigner les
chats de race qui ne sont
pas suffisamment typés
pour participer aux
expositions ou servir à la
reproduction de la race.

Chaton
Chat âgé de moins de six
mois.

Chatterie
Lieu où séjournent
les chats que l'on fait
garder ou qui sont élevés
pour être vendus.

Choc
Commotion provoquée
par un arrêt de la
circulation sanguine
ou une diminution grave
de la pression sanguine.

Cholestérol
Substance chimique
apparaissant naturellement
dans le corps, qui est
convertie en vitamine D
sous l'effet du soleil.

Chromosomes
Structures en forme
de filaments, contenues
dans les cellules vivantes,
qui transportent les
molécules d'ADN et
déterminent l'hérédité.

Classique
Conforme aux traits
physiques définis dans
les normes d'une race.

Cobby
Chat petit et trapu.

Coccyx
Petit os situé à l'extrémité
inférieure de la colonne
vertébrale.

Collerette
Poils plus longs ou plus
touffus poussant autour
du cou ou sur le poitrail.

Collier
Bande de couleur située
en haut du cou et sur
le poitrail.

Colourpoint
Pelage plus foncé sur
les oreilles, le nez, les pattes
et la queue.

**Comportement
de Flehmen**
Grimace du chat,
lorsqu'il teste les substances
chimiques contenues
dans l'air avec l'organe
de Jacobson.

Conformation
Allure, taille et forme
du corps ; également
appelée type.

Congénital
Se dit d'un caractère
physique apporté
à la naissance, dont
l'origine se situe dans
la vie intra-utérine, par
opposition à héréditaire.

Cordon ombilical
Tube reliant le fœtus à
sa mère avant et pendant
la naissance. Il lui fournit
l'oxygène et les substances
nutritives, et élimine
les déchets.

Coussinets
Petites callosités situées
sous les pattes.

Croisement
Union de deux chats
de races différentes.

Croisement consanguin
Reproduction entre
deux chats ayant un lien
de parenté étroit.

Croisement sélectif
Croisement volontaire
avec une autre race.

Culottes
Longs poils situés sur
la partie supérieure
des membres postérieurs.

Défaut
Déviation par rapport
aux normes de la race,
entraînant la perte de
points dans un concours.

Dégriffage
Ablation chirurgicale
des grilles d'un chat.

**Déplacement
d'activité**
Activité destinée
à détourner l'attention
de l'animal pendant
un moment de souffrance.

Digitigrade
Qui marche en appuyant
sur les doigts.

Dinictis
Groupe de carnivores
préhistoriques à partir
desquels ont évolué
les Félidés.

Duvet
Poils fins et doux qui
poussent sous les longs
poils.

Écaille-de-tortue
Pelage tacheté, composé
de marques noires
et orange, ou d'autres
associations de couleurs.

Enregistrement
Transcription par un
organisme officiel des
informations concernant
la naissance et l'ascendance
d'un chat de race.

Entier
Désigne un chat
non castré.

Épidémie virale
Maladie infectieuse,
propagée par
un organisme, qui
se reproduit dans le corps.

Félidés
Ordre de mammifères
regroupant les genres

Panthera, Acinonyx, Neofelis
et *Felis.*

**Félin
à dents en sabre**
Carnivore préhistorique
qui portait de longues
canines en forme de sabre.
Également appelé
smilodon.

Felis
Genre de Félidés
regroupant les petits félins,
dont le chat domestique,
Felis catus.

Fémur
Os supérieur du membre
postérieur.

Flamme
Marque située au milieu
du front.

Flancs
Parties latérales du corps.

Follicule
Base des poils sur la peau.

Gants
Marques situées
sur les pattes.

Gène
Segment du chromosome
déterminant les caractères
héréditaires, la croissance
et le fonctionnement
d'un organisme vivant.

Gène dilué
Gène donnant un pelage
de couleur plus claire.

Gène dominant
Gène qui transmet
un caractère physique
même s'il n'existe dans
le génotype que d'un seul
parent.

Gène récessif
Gène ne transmettant
le caractère qui lui est lié
que s'il existe sur les deux
chromosomes de la paire.

Génotype
Patrimoine génétique
d'un individu, hérité
des deux parents.

Glandes sébacées
Organes de la peau
sécrétant une substance
huileuse appelée sébum,
qui lubrifie les poils
et les protège contre les
infections bactériennes.

«Grippe du chat»
Dénomination désignant
les infections respiratoires
des félins.

Habitat
Environnement naturel
d'un animal.

Haret
Ancien chat domestique
vivant à l'état sauvage.

Hérédité
Transmission des caractères
d'une génération à une
autre par l'intermédiaire
des gènes.

Hertz (Hz)
Unité de fréquence
du son mesurée en cycles
par seconde.

Hétérozygote
Qui possède deux allèles
différents pour un trait
physique donné, un
de chaque parent.

Homozygote
Qui possède des allèles
identiques de chaque

parent pour un trait
physique donné.

Humérus
Os supérieur des membres
antérieurs.

Incisives
Les six dents aplaties
et tranchantes situées
sur chaque mâchoire
entre les canines.

Intestin grêle
Partie du système digestif
dans laquelle les aliments
se séparent en substances
nutritives et en déchets.

Jarret
Articulation des membres
postérieurs du chat
correspondant à la cheville
chez l'homme.

Junior
Terme attribué dans
les expositions félines
aux chats âgés de quinze
mois à deux ans.

Kilohertz
Unité de mesure
de fréquence équivalant
à 1 000 hertz.

Lacets
Marques s'étendant
des pattes au jarret

sur les membres postérieurs.

Langage du corps
Mouvements de certaines parties du corps, porteurs de signification.

Ligament
Tissu fibreux blanchâtre et résistant, unissant les éléments des articulations du corps.

Litière
Gravier absorbant servant à garnir le bac d'un chat d'appartement, dans lequel il urine et défèque.

Lordose
Position courbée dans laquelle la femelle se présente pour indiquer qu'elle est prête à s'accoupler.

Marbré
Pelage à fond clair portant des traces et des rayures foncées irrégulières.

Marsupial
Mammifère dont le développement embryonnaire n'est pas achevé à la naissance, et qui se poursuit dans la poche ventrale de la mère (par exemple, le kangourou).

Masque
Parties foncées de la tête.

Mélanine
Pigment brun foncé qui donne sa coloration aux poils et à la peau.

Membrane
Mince tissu du corps.

Membrane muqueuse
Membrane lubrifiée par la sécrétion de mucus, qui tapisse les cavités de l'organisme.

Métabolisme
Processus chimiques de l'organisme qui déterminent sa croissance et son fonctionnement.

Miacoïde
Mammifère carnivore qui vivait dans les arbres à l'ère préhistorique.

Mitaines
Marques blanches situées sur les pattes antérieures et postérieures.

Muer
Changer de pelage.

Musculaire
Terme appliqué à des races comme les Rex, dont la forme du corps se situe entre cobby et svelte.

Museau
Partie antérieure de la face des mammifères comprenant le nez et les joues.

Mutation
Modification d'un gène entraînant un changement des caractères héréditaires entre deux générations.

Mutation spontanée
Modification, pour des raisons inconnues, de la constitution génétique entre une génération et une autre.

Neofelis
Genre de Félidés constitué uniquement par la panthère longibande ou nébuleuse.

Nictitante
Troisième paupière du chat.

Nocturne
Animal actif la nuit.

Nutriment
Substance alimentaire contribuant à la croissance, au développement et à l'entretien d'un animal vivant.

Œstrus
Période pendant laquelle se produit l'ovulation et où la femelle peut s'accoupler avec succès ; également appelée rut, ou chaleurs.

Olfactif
Lié au sens de l'odorat.

Organe de Jacobson
Également dénommé organe voméronasal ; situé à l'arrière de la bouche du chat et sensible aux substances chimiques contenues dans l'air, comme les alcaloïdes contenus dans l'herbe-aux-chats. Responsable des perceptions gustatives et olfactives.

Oriental
Sert à décrire les chats d'allure svelte.

Ovulation
Libération des ovules pendant la phase de l'œstrus.

Panthera
Genre de Félidés regroupant cinq espèces de grands félins : jaguar, lion, panthère, once et tigre.

Parasite
Organisme animal qui vit sur ou à l'intérieur d'un autre, appelé hôte, en se nourrissant de ses tissus.

Pavillon
Partie visible de l'oreille externe des mammifères.

Pedigree
Abre généalogique d'un animal ou document

mentionnant ses
ascendants.

Placenta
Masse charnue qui adhère
à l'utérus de la mère et
communique avec le fœtus
par le cordon ombilical, lui
transmettant l'oxygène et
les substances nutritives. Il
est expulsé à la naissance.

Plantigrade
Qui marche sur la plante
des pieds.

Poils de bourre
Poils courts et souples
situés sous les poils
de couverture, et servant
d'isolant thermique.

Poils de couverture
Longs poils rêches formant
le pelage extérieur.

Points
La tête, les oreilles, les pieds
et la queue.

Polydactyle
Qui possède plus de cinq
doigts.

Polygènes
Groupes de gènes agissant
ensemble pour produire
des caractères héréditaires.

Prédateur
Qui chasse et tue d'autres
animaux pour se nourrir.

Protéine
Composé chimique
participant à la croissance
et à l'entretien du corps.

Protéines animales
L'une des bases de
l'alimentation, provenant
de la viande, du poisson

et des produits animaux
comme le lait.

Quarantaine
Dans certains pays,
isolement de durée
variable imposé aux chats,
pour éviter la propagation
de maladies contagieuses
comme la rage.

Race
Groupe de chats partageant
des ancêtres communs
et des caractères physiques
identiques.

Race hybride
Race produite à l'origine
par le croisement de deux
autres races.

Race naturelle
Race qui a évolué sans
intervention de l'homme.

Rappel
Injection d'un vaccin pour
consolider l'immunisation
contre une maladie
conférée par une première
vaccination.

Récepteur
Terminaison nerveuse
qui reçoit les informations
par les organes sensoriels
et les transmet au cerveau.

Reconnaissance
Acceptation par une
organisation féline d'une
race ou d'une couleur.

**Reconnaissance
préliminaire**
Étape, dans la
reconnaissance d'une race,
pendant laquelle les
spécimens peuvent être
exposés mais ne sont pas
éligibles aux épreuves.

**Reconnaissance
provisoire**
Étape, dans la
reconnaissance d'une race,
pendant laquelle les
spécimens peuvent
participer aux épreuves,
mais pas dans les catégories
de championnat.

Registre
Tonalité d'un son.

Rosettes
Taches disposées en motifs
circulaires, apparaissant
sur la couleur de fond
du pelage.

Sans pedigree
Désigne un chat dont
l'un des parents ou les deux
sont inconnus ou
non enregistrés.

Senior
Terme utilisé dans
les expositions félines
pour désigner les chats
de plus de deux ans.

Sevrage
Abandon du lait fourni par
la mère pour des aliments
solides.

Sexué
Caractère, tel le pelage en
écaille-de-tortue, associé
davantage à un sexe qu'à
un autre.

Shaded
Pelage dont la couleur varie
progressivement d'une
partie du corps à une autre.

Smoke
Se dit d'un pelage
dont la racine est claire
et l'extrémité colorée.

**Société protectrice
des animaux**
Organisation qui recueille
les animaux domestiques
abandonnés et leur trouve
des familles d'accueil.

Sous-espèce
Classe, à l'intérieur
d'une espèce, présentant
des caractéristiques
légèrement différentes,
généralement provoquées
par l'isolement de
ses membres.

Spina-bifida
Malformation congénitale
de la colonne vertébrale

pouvant provoquer
une paralysie.

Standard
Règles établies par
une organisation féline
pour définir les normes
idéales d'une race donnée.

Tabby
Chat au pelage rayé,
tacheté ou moucheté.

Tabby classique
Chat dont le pelage
présente de larges rayures
bien définies sur un fond
agouti plus clair.

Tabby mackerel
Pelage sur lequel des
rayures étroites courent
le long de la colonne
vertébrale et des flancs.

Tabby tacheté
Chat chez lequel les
rayures sont brisées sous
forme de petites taches.

Tabby tiqueté
Chat dont le pelage
est caractérisé par
des marques tabby
sur la tête, les membres,

la queue, et un effet tiqueté
sur le corps.

Tabby tortie
Pelage écaille-de-tortue
avec des marques tabby.

Tapetum lucidum
Couche de cellules
réfléchissantes situées
au fond de l'œil des félins,
dont la fonction consiste
à amplifier l'intensité de
la vision. Elle leur permet
de voir dans la pénombre.

Teigne
Dermatose due à des
champignons, provoquant
une inflammation et une
desquamation de la peau.

Territoire
Périmètre à l'intérieur
duquel vivent et chassent
les félins.

Territoire de chasse
Périmètre extérieur du
territoire du chat sur lequel
il chasse, mais ne réside pas.

Tigré
Motif tabby constitué
de rayures.

Tiqueté
Coloration des extrémités
des poils donnant un effet
tacheté.

Torbie
Pelage associant les motifs
tabby et écaille-de-tortue.

Tortie
Abréviation anglaise
de *tortoiseshell*
(écaille-de-tortue).

Tortie-tabby
Voir torbie.

Truffe
Extrémité glabre
du museau, de couleur
rouge, noire ou rose.

Type
Voir conformation.

Typé
Terme désignant les chats
dont la conformation
correspond exactement
au type défini par
les normes de la race.

Vairons
Se dit des yeux de couleur
différente.

Valériane officinale
(*Valeriana officinalis*)
Également dénommée
herbe-aux-chats,
plante dont l'odeur
attire les chats.

Variété
À l'intérieur d'une race,
catégorie généralement
liée à la couleur.

Veine jugulaire
Veine située dans
la nuque, qui transmet
le sang du cœur
au cerveau.

Vestigial ou régressé
Se dit d'un reste d'organe
qui ne fonctionne pas.

Vétéran
Désigne un chat de plus
de sept ans dans les
expositions félines.

Vibrisses
Moustache et poils situés
au-dessus des sourcils,
jouant un rôle important
dans la détection tactile
des obstacles pendant
la locomotion, notamment
dans l'obscurité.

Type sauvage
Type de base d'une espèce ;
chez le chat, c'est le chat à
pelage court, rayé de brun.

Zoonose
Maladie infectieuse
des animaux vertébrés,
transmissible à l'homme.

Crédits photographiques & remerciements

Remerciements particuliers à Karen Villabona, ainsi qu'à tous ceux qui ont participé à l'élaboration de cet ouvrage.

Illustrations anatomiques : Suzie Green : 12 (hg), 12 (bg), 13 (b), 14 (hd), 14 (bg), 15 (bg), 16 (bg), 20 (hg), 22 (bg), 22 (hg), 30 (hd), 109 (bg), 185 (b) **Illustrations générales** : Jennifer Kenna et Helen Courtney/Foundry Arts 1999

Toutes les photographies sont de **Marc Henrie**, sauf :

AKG : 126 (h), 139 (bd), 141 (h)

Ardea : 205 (hd), Ferrero-Labat : 40 (h), 332 (cr), 336 (hd), 340 (bd), 341 (b), 341 (hd), 343 (h), 343 (bd), Clem Haagner : 68 (hg), 122 (b), 336 (bd), 340 (h), 364 (h), 365 (b), John Daniels : 84 (hg), 242 (hg), 332 (bd), P. J. Green : 120 (bg), Kenneth W. Fink : 120 (bd), 338 (b), 346 (h), 354 (h), 370 (bg), P. Morris : 123 (hg), 211 (hd), 330 (h), 347 (bg), François Gohier : 127 (b), 330 (bg), 331 (hd), 334 (b), 336 (cl), 340 (bg), 347 (hg), 348 (hg), 348 (hd), 348 (b), 349 (h), 349 (b), 351 (h), 351 (bd), 351 (bg), 353 (b), 366 (hg), Peter Stein : 186 (hg), 364 (bg), Yann Arthus-Bertrand : 195 (bd), 272 (b), 282 (bg), 334 (h), Jean Paul Ferrero : 205 (bd), 342 (bd), 342 (h), 344 (hg), 347 (bd), Ian Beames : 205 (hg), 352 (h), 354 (bd), Stefan Meyers : 211 (hg), 344 (hd), M. Watson : 246 (hg), 249 (h), 332 (bg), 337 (g), 337 (d), 339 (b), 339 (h), 343 (bg), 344 (bd), 350 (bd), 121 (g), 366 (hd), 367 (h), J. M. Labat : 275 (hg), Chuck McDonald : 332 (h), Nick Gordon : 333 (hg), 333 (hd), 333 (bd), 346 (b), 352 (b), 353 (hg), Wardene Weisser : 333 (bg), 336 (bg), Caroline Weaver : 335 (b), Martin W. Grosnick : 336 (hg), 362 (hg), Joanna Van Gruisen : 338 (h), 354 (bg), Adrian Warren : 341 (hg), Dennis Avon : 345 (hg), Chris Martin Bahr : 358, Alan Weaving : 365 (h), Richard Waver : 368 (h), Chris Harvey : 369 (d), 369 (g)

Bridgeman Art Library : 138 (d), 280 (hg)

Cogis : Dr/Cogis : 38 (h), 65 (bg), Schwartz/Cogis : 17 (hg), 23 (b), 42 (h), 94 (hd), 151 (hg), 156 (hd), 170 (bg), 266 (b), 269 (b), 271 (bd), 283 (b), 335 (h), Vedie/Cogis : 17 (b), Lanceau/Cogis : 26 (h), 151 (bd), 152 (bg), 166 (b), 170 (h), 173 (h), 243 (hd), 245 (hd), 245 (hg), 256 (h), 257 (b), 258 (bg), 261 (b), 273 (h), 282 (bd), 325, 382,

Hermeline/Cogis : 46 (hd), 147 (hd), 171 (bd), 172 (b), 266 (hd), 267 (h), 279 (b), 320 (b), 320 (hg), 320 (hd), Gissey/Cogis : 47 (b),

332 (cl), 342 (bg), Varin/Cogis : 102 (bg), 366 (b), 367 (b), Francais/Cogis : 149 (bd), 151 (hd), 152 (bd), 153 (h), 153 (b), 166 (h), 167 (bg), 167 (bd), 167 (hg), 167 (c), 173 (b), 208 (g), 243 (hg), 257 (h), 260 (bg), 260 (bd), 261 (h), 267 (b), 280 (hd), 371, Bernie/Cogis : 155 (h), 178 (bd), Vidal/Cogis : 168 (b), 168 (h), 171 (h), 172 (h), Alexis/Cogis : 170 (bd), Excalibur/Cogis : 171 (bg), 258 (h), 258 (bd), 259 (b), 259 (c), 259 (h), 260 (h), 266 (hg), 276 (hd), 281 (b), 282 (h), 283 (h), Labat/Cogis : 274 (b), Lili/Cogis : 331 (b), 364 (bd)

Dorling Kindersley : 240 (hg), 240 (b), 241 (b)

Giraudon : 124 (bg)

Mary Evans : 122 (hd), 124 (h), 126 (b), 127 (h), 128 (h), 129 (h), 129 (b), 131 (hg), 131 (hd), 131 (bd), 131 (bg), 133 (h), 134, 135 (bg), 136 (h), 136 (bd), 139 (h), 140 (bg), 141 (bg), 146 (b), 146 (h), 148 (d), 197 (bd), 281 (h)

Michel Langrognet/ML Éditions : 165 (hd)

Paul Dawson : 11 (bd)

Pictorial Press : 140 (bd), 140 (h), 145 (bd), 376 (h)

Still Pictures : Roland Seitre/Still Pictures : 21 (h), l21 (d), 123 (bg), 294 (bg), 331 (hg), 345 (b), 355 (b), 356 (hg), 356 (hd), 356 (bg), 356 (bd), 357 (h), 357 (b), 359, 360 (h), 360 (bg), 360 (bd), 361, Peter Weimann : 350 (h), 363 (b), Habicht-Unep : 350 (bg), Klein/Hubert/Still Pictures : 353 (hd), Javier Eichaker/Still Pictures : 362 (hd), 362 (b), 363 (h)

The Kobal Collection : 144 (h), 144 (b)

Topham Picture Point : 6, 124 (bd), 125 (bg), 128 (b), 130 (h), 130 (b), 132 (h), 135 (bd), 136 (bg), 137 (d), 137 (g), 138 (g), 139 (bg), 141 (bd), 142 (h), 143 (h), 143 (b), 145 (h), 145 (bg), 202 (hg), 203 (hd), 204 (h), 204 (b), 205 (bg), 240 (hd), 241 (h), 262 (hd), 263 (h), 305 (b)

Si, malgré tous nos efforts, nous avons omis de mentionner un ayant droit, nous le prions de nous excuser et de se faire connaître afin que la correction soit effectuée dans une prochaine édition de cet ouvrage.

Index